John Jeremiah Sullivan

PULP HEAD

Vom Ende Amerikas

Aus dem amerikanischen Englisch
von Thomas Pletzinger
und Kirsten Riesselmann

Suhrkamp

Die amerikanische Originalausgabe erschien 2011 unter dem Titel
Pulphead. Essays bei Farrar, Straus and Giroux (New York).
Die Reportage »Hey, Mickey« ist im amerikanischen Original
nicht enthalten.

Bibliographische Information der Deutschen Nationalbibliothek.
Die Deutsche Nationalbibliothek verzeichnet diese Publikation in der
Deutschen Nationalbibliographie; detaillierte bibliographische Daten sind
im Internet über http://dnb.d-nb.de abrufbar.

Erste Auflage 2012
edition suhrkamp
Deutsche Erstausgabe
© Suhrkamp Verlag Berlin 2012
© John Jeremiah Sullivan 2011
Satz: Hümmer GmbH, Waldbüttelbrunn
Druck: CPI – Ebner & Spiegel, Ulm
Printed in Germany
ISBN 978-3-518-06890-8

Für M. und J. und M. J.
Und für Pee Wee (1988-2007)

»Good-by now, rum friends, and best wishes.
You got a good mag (like the pulp-heads say) ...«
Aus einem (später zurückgezogenen) Kündigungsschreiben
Norman Mailers aus dem Jahr 1960

INHALT

PULPHEAD

AUF DIESEN ROCK WILL ICH MEINE KIRCHE BAUEN

Man soll ja nicht prahlen, aber mein ursprünglicher Plan war perfekt. Ich hatte den Auftrag erhalten, über das Cross-Over-Festival am Lake of the Ozarks, Missouri, zu schreiben. Drei Tage auf einem abgeschiedenen Gelände im Mittleren Westen, zusammen mit dem Nonplusultra christlicher Bands und ihren Fans. Ich stellte mir vor, wie ich am Rand der Menge stehen und mir Notizen machen, gelegentlich jemanden aus dem Publikum anquatschen (»Was ist schwerer, Homeschooling oder normale Schule?«) und dann meine Akkreditierung zücken würde, um backstage noch mit den Musikern zu plaudern. Der ein oder andere Sänger würde mir erklären, dass jede Musik, wenn sie mit entsprechender Hingabe gespielt wird, allein Seinem Lobpreis diene, und ich würde jedes zehnte Wort mitschreiben und inwendig grinsen. Später am Abend würde ich in meinem Mietwagen ein bisschen Alk einschmuggeln und mich ungefragt zu einer Gebetsrunde am Lagerfeuer einladen, schon der Geselligkeit wegen. Heimflug, ein bisschen Statistik reinrühren, Rechnung stellen.

Aber wie lautet mein Frühstücksmantra? Ich bin ein Profi. Und nur fürs Mitwippen kriegt man keine Preise. Ich wollte wissen, was das für Menschen sind, die von sich behaupten, diese Musik zu lieben, und die Hunderte von Meilen fahren und dabei ganze Bundesstaaten durchqueren, um sie live zu hören. Und da war sie, meine Offenbarung: Ich würde mit ihnen fahren. Beziehungsweise: Sie mit mir. Ich würde einen Kleinbus mieten, und zwar einen ultraschicken, und wir würden gemeinsam losfahren, ich und drei oder vier Hardcore-

Fans, den ganzen Weg von der Ostküste zu diesem See mit dem unglaubwürdigen Namen, diesem Lake of the Ozarks. Wir würden uns die ganze Nacht unterhalten, sie würden versuchen, mich zu bekehren, und ich würde die ganze Zeit mein kleines Aufnahmegerät laufen lassen. Irgendwann, das wusste ich, würden wir uns mögen und gegenseitig bemitleiden. Was für eine Geschichte – Stoff für kommende Generationen!

Die einzige Frage war: Wo sollte ich Willige finden? Aber eine wirkliche Frage war auch das nicht, denn jedes Kind weiß, dass sich Leute mit einem Hau und Spezialinteressen allnächtlich in »Chatrooms« versammeln. Und unter Jesus-Jüngern herrscht kein Mangel an jenen, bei denen mehr als nur ein Schräubchen locker ist. Offenbar wollte Er es so.

Ich veröffentlichte also meine Einladung anonym auf www.youthontherock.com und in zwei Internet-Fanforen der christlichen Pop-Punk-Band Relient K, die beim Cross-Over-Festival bereits gebucht war. Ich stellte mir Jungs und Mädchen vor, die in ihrem Dachzimmer davon träumen, die Männer von Relient K mit eigenen Augen den Song »Gibberish« vom Album *Two Lefts Don't Make a Right ... But Three Do* live spielen zu sehen. Aber wie hinkommen? Die Benzinpreise würden nicht sinken, und in Florida treten Relient K nie auf. Bitte, Gott, mach, dass es geschieht. Und plötzlich erscheint mein Forumseintrag, wie ein helles Licht. Wir konnten uns gegenseitig eine Hilfe sein. »Ich suche echte Fans von christlicher Rockmusik, die mit mir zum Festival fahren«, schrieb ich. »Ob Frau oder Mann ist egal, aber du solltest nicht älter als, sagen wir, achtundzwanzig sein, denn ich beschäftige mich mit dem Thema vor allem als Jugendphänomen.«

Klingt erst mal harmlos. Wie sich allerdings herausstellte, hatte ich keine Vorstellung davon, *wie* jugendlich das Phänomen tatsächlich ist. Die meisten in diesen Chatrooms sind Teenager, und zwar keine neunzehnjährigen, sondern vierzehnjährige. Da war ich also einfach mal ins World Wide Web gezottelt und hatte eine Horde zwölfjähriger Christinnen und Christen gefragt, ob sie eine Ausfahrt in meinem Van machen wollten.

Es dauerte nicht lang, bis die Kinder zurückschlugen. »Super gemacht, deine Mailadresse zu unterdrücken«, schrieb »Mathgeek29« in einem Ton, der mir so gar nicht christenmäßig vorkam. »Ich bezweifle, dass irgendjemand seine kompletten Kontaktdaten einem total Fremden im Internet gibt ... Habt ihr denn in Manhattan keine christlichen Jugendlichen, die da mitmachen wollen?«

Einige wenige Jugendliche schenkten mir aber tatsächlich auch Glauben. »Riathamus« schrieb: »ich bin 14 und wohne in indiana, außerdem würden meine eltern mich wahrscheinlich nicht lassen, so mit einem fremden aus dem internet, aber super wärs.« Ein Mädchen mit dem Nutzernamen »LilLoser« versuchte sogar, nett zu sein:

Ich glaub nicht, dass meine Eltern ihre kleine Tochter mit einem Typen fahren lassen würden, den sie nicht kennen und ich auch nur über E-Mail, vor allem nicht für die ganze Zeit, wie Sie wollen, und überall hin und so ... Ich sag ja gar nicht, dass Sie pädophil sind, lol, aber ich glaub nicht, dass Sie viele Leute finden, die mitmachen ... weil wie gesagt, irgendwie klings creepy ... aber hey – viel Glück bei Ihrer Mission da. lol.

Das Glück, das sie mir wünschte, war mir nicht hold. Die Christen hörten auf, mit mir zu chatten, und chatteten nur noch untereinander, wobei sie sich gegenseitig vor mir warnten. Schließlich zischelte ein Teilnehmer auf der offiziellen Relient-K-Website den anderen zu, sich vor meinen Machenschaften in Acht zu nehmen, denn aller Wahrscheinlichkeit nach sei ich »ein 40-jähriger Kidnapper«. Als ich mich bald darauf erneut einloggte, hatten die Moderatoren meinen Beitrag mitsamt dem immer länger werdenden Anklage-Thread kommentarlos entfernt. Zweifelsohne waren sie bereits dabei, Alarmrufe an ein Mütternetzwerk zu faxen. Vor Schreck zog ich mich zurück und rief meinen Anwalt in Boston an, der mir sagte, ich solle »aufhören, Computer zu benutzen« (der Plural ist von ihm).

Alles in allem löste diese Erfahrung in mir Widerwillen gegen das gesamte Festival-Thema aus, und ich beschloss, den Auftrag abzulehnen. Ich gab auf.

Das Problem mit einem Hochglanzmagazin wie *Gentlemen's Quarterly* ist, dass es dort immer irgendeinen übereifrigen Jungredakteur gibt, der manchmal Greg heißt, der in seinem Leben noch keine schmerzlichen Niederlagen einstecken musste und der sich, wenn man ihn der Höflichkeit halber anruft, um ihn wissen zu lassen, dass »die Cross-Over-Sache ins Wasser gefallen ist« und man sich wieder melden würde, sobald man eine neue Idee habe, sofort diesem rätselhaften Segen namens Internet zuwendet und herausfindet, dass das Festival, zu dem man hatte fahren wollen, sowieso nicht »das landesweit größte« ist, wie man angenommen hatte. Das wirklich größte im Lande – und in der gesamten Christenheit – ist das im Jahr 1979 gegründete Creation Festival, ein wahrhaftes Godstock. Und es findet auch nicht im ländlichen Missouri statt, sondern im noch viel ländlicheren Pennsylvania, in einem grünen Tal, auf einer Farm namens Agape. Und es ist auch nicht schon seit einem Monat vorbei, sondern geht übermorgen los. Sie strömen schon zusammen, die Zehntausenden. Viel Glück bei Ihrer Mission da.

Ich stellte eine Forderung: nur, wenn ich nicht zelten müsste. Ich würde irgendein Fahrzeug mit einer Matratze drin bekommen, eventuell einer zum Aufblasen. »In Ordnung«, sagte Greg. »Ich habe rumtelefoniert. Die Sache ist, im Umkreis von hundert Meilen um Philadelphia sind alle Kleinbusse vermietet. Aber wir haben Ihnen ein Wohnmobil organisiert. Neun Meter lang.« Wir waren uns beide sicher (zumindest machte er den Anschein, dass auch er sich da sicher war), dass ich, sobald ich beim Vermieter wäre, auf eine etwas leichter zu handhabende Größe umbuchen könnte.

Der Grund, warum neun Meter eine so gängige Länge für Wohnmobile ist, ist schätzungsweise darin zu suchen, dass man für noch längere Fahrzeuge einen Spezialführerschein braucht. Und das würde bedeuten: Formulare, Kosten, wahrscheinlich sogar Hintergrundüberprüfung. Aber Sie können bei egal welchem Wohnmobilvermieter mit auf ein Skateboard geschnallten Oberschenkelstümpfen aufkreuzen, wild mit ihren Handhaken wedeln und brüllen, dass Sie dieses Neun-Meter-Ding da hinten für Ihren Trip nach Sag-ich-nicht-wohin brauchen, und das Einzige, was man von Ihnen wissen will, ist: bar oder Kreditkarte, der kleine Herr?

Zwei Tage später stand ich mit einem Koffer zu meinen Füßen auf einem Parkplatz. Debbie kam auf mich zu. Das Gesicht unter ihrem haarspraygehärteten Pony war so süß wie ein Geburtstagskuchen. Bevor einer von uns etwas gesagt hatte, hob sie entschlossen den Arm und deutete auf etwas. Auf ein Gefährt, das aussah, als hätten die alten Ägypter es in der Wüste vergessen.

»Ähm, hallo«, sagte ich. »Wissen Sie, ich brauche eigentlich nur einen kleinen Campingbus. Ich bin alleine und hab fünfhundert Meilen vor mir.«

Sie betrachtete mich nachdenklich. »Wohin soll's denn gehen?«

»Creation. So ein Christenrockfestival.«

»Wie alle!«, sagte sie. »Die Leute, die unsere Busse gemietet haben, wollen da auch hin. Von Ihrer Sorte gibt's ne ganze Menge.«

Ihr Ehemann und Mitarbeiter Jack tauchte auf – tätowiert, untersetzt, grauer Vokuhila – und ließ seiner Abscheu vor MapQuest freien Lauf. Von ihm würde ich die wahre Wegbeschreibung bekommen. »Aber erst mal eine Probefahrt.«

Wir besichtigten die äußeren Gefilde meines Mausoleums in spe. Es dauerte. Irgendwie war alles, was Jack sagte, das Einzige, das ich mir merken sollte. Weißes Wasser, graues Wasser, schwarzes Wasser (zum Trinken, zum Duschen, für die Notdurft). Hier dies, und auf keinen Fall das. Meckern über die »Wochenend-Partyfraktion«. Ich konnte ihm nicht zuhören, denn zuzuhören hätte bedeutet, das Ganze als Wirklichkeit zu akzeptieren. Allerdings drangen seine beiläufige Erwähnung des breiten blinden Flecks im Beifahrerspiegel und die Beschreibung der »zusätzlichen sechzig Zentimeter an jeder Seite« – die Auswölbung meiner Gemächer, die ich nicht sehen konnte, die ich aber »auf dem Schirm« haben sollte – zu mir durch. Debbie folgte uns mit einer Videokamera, aus versicherungstechnischen Gründen. Ich sah meine Angehörigen schon in einem Raum mit Mahagoni-Paneelen versammelt, wo sie sich anhören müssen, wie ich sage: »Und wenn ich die Toilette nicht benutze – muss ich das Wasser dann trotzdem einschalten?«

Jack klappte den Tritt runter und kletterte an Bord. Es geschah wirklich. Der Innenraum roch nach verdorbenen Ferien und Amateurpornodrehs, eingewickelt in Motelduschvorhänge und in die Sonne gelegt. Einen Augenblick lang stand ich wie erstarrt auf der Schwelle. In diesem Wohnmobil war Jesus nie gewesen.

Was soll ich Ihnen erzählen über meine Reise zum Creation? Wollen Sie wissen, wie es ist, völlig auf sich allein gestellt mit einer Windmühle auf Rädern während der Rushhour die Highways von Pennsylvania entlangzufahren, mit stierem Blick und zitternden Händen? Wie es ist, einen kichernden Greg am Telefon zu haben, der wissen will, »wie's so läuft«? Sich selbst bei jedem Einfädelversuch mit beschämend hoher Stimme »nein nein nein NEIN!« sagen zu hören? Oder irgendwann zu glauben, unter dem erstaunlich beruhigenden Plärren des Radios schwache Hupgeräusche zu hören, in den Beifahrerspiegel zu gucken und festzustellen, dass man auf zwei Spuren fährt (diese sechzig Zentimeter extra!), und zwar schon wer-weiß-wie-lange, wobei man eine Autoschlange aufgestaut hat, die sich weiter erstreckt, als der Blick reicht? Oder wie es ist, an einem Supermarkt zu halten, um Laken, Kissen und Erd-nussbutter zu kaufen, dann aber im Gang mit den Sportartikeln geschlagene fünfundzwanzig Minuten seinen Golfschwung zu üben, unfähig, damit aufzuhören, denn man weiß, draußen steht das Neun-Meter-Monstrum immer noch da, wo man es abgestellt hat, und wartet darauf, dass man mit ihm den Rest des schicksalhaften gemeinsamen Weges antritt.

Und gemeinsam schafften wir es, so wie es Debbie und Jack, die vermutlich selbst nicht daran glaubten, versprochen hat-ten. Sieben Meilen vor Mount Union stand auf einem Schild: »CREATION GERADEAUS«. Die Sonne ging gerade unter; wie ein feuriger Goldballon schwebte sie über dem Tal. Ich reihte mich ein in eine lange Schlange von Autos, Lastern, Bussen – und einigen wenigen Wohnmobilen. Da waren sie also, die wiedergeborenen Christen, die Evangelikalen, die Jesus-Freaks, überall um mich herum. Zu meiner Rechten ein Pickup, auf dessen Ladefläche sich Teenagermädchen drängten, die alle die gleichen taubenblauen T-Shirts trugen und einen am Stra-ßenrand laufenden Jungen mit Iro ankreischten. Ich achtete darauf, ihnen nicht in die Augen zu sehen – wer weiß, viel-leicht waren das dieselben Töchterlein, die ich vor wenigen Ta-gen belästigt hatte. Die Schlange der Fahrzeuge schob sich vo-ran, und zu mir schloss ein alter, orangefarbener Datsun auf. Die Fahrerin kurbelte das Fenster herunter, lehnte sich halb heraus und blies auf einem Widderhorn einen langen, saube-ren Ton. Glauben Sie mir, ich weiß, warum sie an dieser Stelle am Wahrheitsgehalt meiner Schilderung zweifeln. Aber trotz-dem: So war es, ich habe es aufgenommen. Sie blies in ein Wid-derhorn, ziemlich gekonnt sogar, zweimal. Vielleicht ihr all-jährlicher Ritus, um ihre Ankunft beim Festival kundzutun.

Ich erreichte den Einlass. Eine Frau sah mich an, sah auf den leeren Beifahrersitz, dann wanderte ihr Blick an den neun Metern Wohnmobil entlang. »Wie viele seid ihr?«, fragte sie.

Voller Ehrfurcht fuhr ich weiter. Ich erlaubte dem Mobil zu gleiten. Aufgeregte Christen, die meisten jünger als achtzehn, säumten meinen Weg. Die Erwachsenen sahen aus wie Eltern oder Pfarrer, also Begleiter. Schnell breitete sich die Dämmerung aus, und die unbewegte Luft im Tal war erfüllt vom beißenden Rauch der Lagerfeuer. Zu meiner Linken ertönte lautes Brüllen – irgendetwas war auf der Bühne passiert. Das Geräusch kündete von einer riesenhaften Menschenmenge. Es erfüllte das Tal und hallte nach.

Ich hatte gehofft, dass ich unbemerkt Einzug halten könnte, dass mir das Wohnmobil vielleicht sogar eine Art Deckung gewähren würde, aber schon jetzt zog ich alle Blicke auf mich. Im Vorbeifahren hörte ich zwei Jugendliche unabhängig voneinander sagen: »Der tut mir leid.« Ein Dritter sprang auf den Beifahrertritt, rief »Himmelherrgott, Mann«, ließ sich wieder nach hinten kippen und rannte weg. Ich bremste unausgesetzt – sogar im Leerlauf war ich zu schnell. Welches Spektakel auch immer das laute Tosen vor der Bühne hervorgerufen hatte, es war offenbar vorbei: Die Wege waren verstopft, und die jungen Leute strömten rechts und links an mir vorbei, hin zu ihren Zelten, wie eine Ameisenstraße, die sich gabelt, um ein unwesentliches Hindernis zu umgehen. Sie hatten eine befremdliche Art, dem Wohnmobil immer erst dann Platz zu machen, wenn sich der vordere Kotflügel bereits an ihnen rieb. Von meinem erhöhten Aussichtspunkt aus hatte es den Anschein, als müsste ich sie mit sanfter Gewalt in Zeitlupe voneinander trennen, wobei sie immer eine Zehntelsekunde zu lang warteten, bevor sie auseinandergingen.

Was die feinen Unterschiede zwischen den verschiedenen evangelikalen Gruppierungen anging, so hatte sich seit meiner

Highschool-Zeit offenbar nicht so viel getan, obwohl mir auffiel, dass mittlerweile alle etwas besser aussahen. Viele waren wie Skatepunks gekleidet oder im East-Village-Style der vorigen Saison (nicht konfessionsgebundene Freikirchler), andere sahen eher nach Trailerpark (Provinz-Baptisten, Church of God) oder wie Preppies aus (Young Life, Fellowship of Christian Athletes – bei denen könnte man vielleicht Gras schnorren). Die strengeren Sektierer waren sofort an ihrer unverändert antimodischen Kleidung und ihren blassen, traurigen Gesichtern zu erkennen. Als ich später eine Frau fragte, wie viele der Festivalbesucher ihrer Schätzung nach Weiße seien, antwortete sie: »Ungefähr einhundert Prozent.« Ich sah aber auch ein paar Asiaten und drei oder vier Schwarze. Sie wirkten auf mich wie Adoptivkinder.

Ich fuhr und fuhr. Nie im Leben hätte ich damit gerechnet, dass dieses Festival so groß sein könnte. Mit jeder Straßenkehre öffneten sich weitere Talnischen voller Zelte und Autos; die Lagerstadt hatte sich bis an den Fuß des Bergrückens ausgedehnt und hier ihre physiografische Grenze erreicht. Es fällt mir schwer, den sinnlichen Eindruck so vieler Menschen zu vermitteln, die unter freiem Himmel leben und sich bewegen: eine Mischung aus Familienzusammenführung und Flüchtlingscamp, mit einem Schuss Militär, aber fröhlich.

Die Wege wurden schlammiger und nicht unbedingt breiter: der Hallelujah Highway, die Straße der Rechtschaffenheit. Man hatte mir gesagt, ich solle bis »H« fahren, aber als ich »H« erreichte, traten zwei Jugendliche mit orangefarbenen Westen auf mich zu und sagten, hier seien alle Plätze reserviert. »Könnt ihr mir nicht irgendwie weiterhelfen, Jungs?«, fragte ich und wies Mitleid erregend mit dem Finger auf mein Wohnmobil. Sie zogen Walkie-Talkies hervor. Zeit verstrich. Es wurde dunkler. Dann kam ein noch Jüngerer auf einem Fahrrad angefahren, ließ eine Taschenlampe aufleuchten und bedeutete mir, ihm zu folgen.

Es war eine solche Erleichterung, mich ganz dem Willen dieses Jungen zu überlassen. Das Einzige, was ich noch zu tun hatte, war, ihn nicht aus den Augen zu verlieren. Im Scheinwerferlicht strahlte seine Weste eine warme, beruhigende Beamtenhaftigkeit aus. Weswegen ich wahrscheinlich nicht rechtzeitig merkte, dass er mich eine fast senkrechte Steigung hinaufführte – den »Hügel oberhalb von D«.

Rückblickend weiß ich nicht mehr, was zuerst bei mir ankam: das alarmierende Kribbeln im Rückgrat, das einsetzte, weil das Wohnmobil einen Neigungsgrad erreicht hatte, für dessen Bewältigung es nicht gemacht war, oder die Übelkeit erregende Sicherheit, dass wir angefangen hatten, rückwärts zu rutschen. Ich richtete mich im Sitz auf und trat mit meinem ganzen Gewicht aufs Gas. Ich hörte Schreie. Ich stieg auf die Bremse. Mit der linken Hand und dem linken Fuß suchte ich wie ein Ertrinkender nach der Notbremse. (Hatte nicht Jack bei seiner Einweisung erwähnt, wo sie zu finden sei?) Wir verloren Halt; mein Gefährt begann zu zittern. In den Augen meines kleinen Führers stand die Angst geschrieben.

Natürlich hatte ich gewusst, dass dieser Moment kommen, dass sich das Neun-Meter-Mobil gegen mich wenden würde. Das war uns beiden von Anfang an klar gewesen. Aber ich muss gestehen, ich hatte seinen Blutdurst extrem unterschätzt. Hinter und unter mir lag im Wortsinne ein Feld voller Christen: Christen, die Brötchen grillten, Gitarre spielten und kameradschaftlich beisammensaßen. Das Luftbild in den Zeitungen würde eine lange Narbe zeigen, eine Schneise mitten durch ihr friedliches Zeltdorf. Dieser Psychopathen-Gigant, der es tatsächlich fertiggebracht hatte, ein zwar unsäglich verwirrtes, aber doch unschuldiges Kind dafür zu benutzen, seine niederträchtigen Pläne in die Tat umzusetzen!

Meine Erinnerung an die nächsten fünf Sekunden ist undeutlich, aber ich weiß noch, dass ein großer, vollkommen quadratischer Männerschädel vor der Windschutzscheibe auftauchte.

Er hatte blonde Haare und eine Brille auf der Nase, weit offene Augen und einen mittelalterlich anmutenden West-Virginia-Akzent, in dem er mir sagte, ich solle beim Bremsen »in den Anker gehen«. Irgendein Bereich meiner motorischen Hirnrinde gehorchte. Der Wagen brach kurz zur Seite aus und stand still. Dann hörte ich dieselbe Stimme: »Und jetzt bei drei aufs Gas: eins, zwei ...«

Wir fuhren an – ganz langsam, wie von einer Seilwinde gezogen. Irgendwelche wahnwitzig starken Wesen schoben von hinten. Kurz darauf hatten wir die Kuppe des Hügels erreicht.

Sie waren zu fünft. Alle Anfang zwanzig. Ich blieb in meinem Wohnmobil sitzen, während sie sich unter mir versammelten. »Danke«, sagte ich.

»Ach was«, kam es prompt von Darius, demjenigen, der die Befehle gegeben hatte. Er sprach sehr schnell. »Wir haben den ganzen Tag nichts anderes gemacht, keine Ahnung, warum der Junge ständig Leute hier hochbringt, wir kommen aus West Virginia, der hat sie nicht mehr alle, da drüben ist alles frei.«

Ich sah zurück und nach unten: da, wo er hinzeigte, war eine leere Weide.

Jake trat vor. Auch er war blond, aber schlanker. Auf eine verwilderte Art gut aussehend. Helle Bartstoppeln bedeckten sein Gesicht. Er sagte, er sei aus West Virginia, und wollte wissen, wo ich herkam.

»Ich bin in Louisville geboren«, sagte ich.

»Echt?«, fragte Jake. »Liegt das nicht am Ohio River?« Wie Darius reagierte und redete auch er sehr schnell. Ich bejahte.

»Ich hab mal einen Typen gekannt, der kam aus Ohio. Der ist gestorben. Die Sache ist, ich bin bei der freiwilligen Feuerwehr, und er hat sich mit seinem Chevy Blazer neunmal überschlagen. Den hat's derart zerlegt, die Überreste waren von hier bis da vorne zum Abhang verteilt. Der war so tot wie Kolumbus.«

»Wer seid ihr denn?«, fragte ich.

Ritter antwortete. Er war massig, einer dieser fetten Männer, die eigentlich gar kein Fett am Leib haben, Gefängniswärter, wie ich bald erfahren sollte, und ehemaliger Schwergewichts-ringer. Er konnte eine Ananas in seiner Armbeuge zerquet-schen und sich darüber totlachen (zumindest stelle ich mir das so vor). Frisur: militärisch. Schnauzbart: angedeutet. »Nur ein paar Jungs aus West Virginia, die für Christus brennen«, sagte er. »Ich bin Ritter, das hier sind Darius, Jake, Bub und Jakes Bruder Josh. Pee Wee springt hier auch irgendwo rum.«

»Hinter irgendeinem Rock her«, sagte Darius abfällig.

»Ihr hängt hier also ein bisschen rum und rettet nebenher Leben?«

»Wir kommen aus West Virginia«, sagte Darius ein zweites Mal, als hielte er mich vielleicht für schwer von Begriff. Er war es, der am häufigsten für die Gruppe sprach. Sein Kinn sprang vor, was ihn aggressiv wirken ließ, aber es lag nur an dem Bat-zen Kautabak, den er in der Backe trug; bestimmt war er bloß etwas nervös.

»Also, unser Zeltplatz ist direkt da drüben«, sagte Jake. Mit dem Kopf zeigte er zu einem Auto, einem Laster, einem Zelt, einem Feuer und einem großen, aus Holzscheiten zusam-mengezimmerten Kreuz. Und da war noch was ... ein Verstär-ker?

»Die Stelle hatten wir letztes Jahr auch«, erzählte Darius. »Ich habe dafür gebetet. Ich habe gesagt: Herrgott, ich hätte diesen Platz wirklich gerne wieder, sofern es Dein Wille ist.« Ich war davon ausgegangen, dass meine Festivaltage einiger-maßen einsam ausfallen und im Ritualmord an mir gipfeln wür-den. Aber diese Jungs aus West Virginia hatten so viel Wärme. Sie strömte geradezu aus ihnen heraus. Sie fragten mich, was ich so trieb, ob ich Sassafras-Tee mochte und wie viele Leute ich in meinem Wohnmobil mitgebracht hatte. Außerdem kann-ten sie einen Typen, der auf grauenvolle Weise ums Leben ge-kommen war und aus einem Bundesstaat kam, der denselben

Namen trägt wie der Fluss, an dessen Ufern ich aufgewachsen bin. Und ich bin niemand, der solche Zufälle in Zweifel zieht.

»Was macht ihr denn später so?«, fragte ich.

Bub war klein und gedrungen; seine Hände sahen aus, als könnte er sie als Müllpresse verwenden. Seine Hautfarbe war dunkler als die der anderen, sie ging in Richtung Oliv, die Haare unter seiner Camouflage-Kappe waren braun, seine Augen und sein ausgewachsener Schnäuzer ebenfalls. Später verriet er mir, dass Freunde ihn oft für »halb N-Wort« hielten. So drückte er sich aus. Er war schüchtern und sah immer aus, als würde er gerade intensiv über etwas nachdenken. »Ritter und ich wollen ein bisschen Musik hören gehen«, sagte er.

»Welche Band?«

Ritter sagte: »Jars of Clay.«

Von denen hatte ich schon gehört; sie waren populär. »Kommt mich doch, wenn ihr losgeht, an meinem Wohnmobil abholen«, sagte ich. »Ich parke auf dem total leeren Feld da drüben.«

Ritter meinte: »Können wir machen.« Dann stellten sie sich an, um mir nacheinander die Hand zu schütteln.

Während ich auf Ritter und Bub wartete, lag ich im Bett und las im Licht der Laterne *The Silenced Times*, ein dünnes Infoheftchen, das in meinem Festival-Paket gewesen war. Eigentlich war es auch kein Infoheftchen, sondern eine Werbebroschüre für *Silenced*, den neuen Roman von Jerry Jenkins, einem der Köpfe hinter der Hundert-Millionen-Dollar-Romanreihe *Left Behind*, in der bislang ein gutes Dutzend Bücher erschienen ist, die allesamt von dem handeln, was Leuten wie mir nach der endzeitlichen Entrückung zustoßen wird. Jenkins' neues Buch hatte ein futuristisches Setting, es spielte im Jahr 2045. Die Broschüre war auf den »2. März 38« datiert, was heißen sollte, dass siebenunddreißig Jahre vergangen sind, seit man Jesus aus den Geschichtsbüchern radiert hat und die

Zeitrechnung neu gestartet wurde. Wahrscheinlich sollte *The Silenced Times* aussehen wie eine Zeitung aus diesem kommenden Zeitalter.

Es handelte sich um ganz schön düsteres Zeug. Wie ein Virus hat sich im Jahr 38 ein uralter Totenkult ausgebreitet und die »Vereinigten Sieben Staaten von Amerika« unterjocht. Anhänger dieses Kultes sind in »Zellen« organisiert (sehr hübsch, diese Prise alten Kommunisten-Jargons); sie rekrutieren die Jugend, streben nach globaler Hegemonie und haben es darauf abgesehen, den Weltuntergang herbeizuführen. Im Jahr 34 – als die letzte Volkszählung stattfand – haben sich 44 Prozent der Bevölkerung zur Mitgliedschaft in dieser Gruppierung bekannt, jetzt aber ist es schon fast die Hälfte. Damit wird jede andere noch existierende religiöse Bewegung im Land in den Schatten gestellt. Sogar der Präsident (dessen Wahl die Kultanhänger vorangetrieben haben) ist mittlerweile übergetreten. Der beliebteste Nachrichtensender unterstützt ihn und seine Politik offen, der am heißesten diskutierte Film des Jahres ist ungeschminkte Kult-Propaganda, wenn auch mit einem dunklen, brillanten Dreh, und der Großteil der Bevölkerung ist davon überzeugt, dass die Medien kontrolliert werden von –

Moment!, dachte ich. Das alles passiert doch wirklich. Genau so funktioniert die evangelikale Bewegung. Nur, dass in *The Silenced Times* beschrieben wird, wie man Christen ins Gefängnis wirft und in den Untergrund treibt. Wie ihre Pamphlete konfisziert werden. Ein Mann bekommt eine Auszeichnung, weil er seine Schwester verpfeift, die an der Uni einen Bibelkreis veranstaltet. Besonders gut gefiel mir die Stelle, in der die antireligiösen Kräfte Jenkins selbst aufstöbern – in einer Höhle. Er ist mittlerweile neunundsiebzig Jahre alt und hat immer weitergeschrieben, und als sie ihn fortschleifen, brüllt er Bibelverse.

Ritter klopfte an die Tür. Er und Bub seien jetzt so weit, sie wollten sich Jars of Clay anhören. Mittlerweile war es finster, und noch mehr Feuer brannten; das gesamte Tal war von ihrem Geruch erfüllt. Der Himmel mit seinen Tausenden von Sternen sah aus wie eine gestanzte Blechlaterne. So viele Menschenseelen waren unterwegs zur Bühne, dass man kaum vorankam, wobei mir auffiel, dass die Menge dazu tendierte, Ritter Platz zu machen. Er lief leicht zurückgelehnt und sah über die Köpfe der Leute hinweg, als rechne er damit, einen Freund zu entdecken. Ich fragte ihn nach seiner Gemeinde in West Virginia. Er sagte, er und die anderen seien Pfingstkirchler, Zungenrede und so weiter, nur Jake sei Baptist. Sie gingen aber alle zum selben »Singen« – einem wöchentlichen Bibelkreis, der immer bei einem von ihnen zu Hause stattfand, mit Essen und Gitarren. Ob Ritter glaubte, dass jeder hier Christ sei?

»Nein, es gibt sicher welche, die noch nicht errettet sind. Geht nicht anders, bei so vielen Leuten.« Was er davon halte?

»Umso mehr kann evangelisiert werden«, sagte er.

Bub blieb abrupt stehen – ein Zeichen, dass auch er etwas sagen wollte. Während er seine Worte wählte, strömte die Menge weiter an uns vorbei. »Es sind auch jüdische Menschen da«, sagte er dann.

»Echt?«, sagte ich. »Du meinst, richtige Juden?«

»Ja«, sagte Bub. »Diese Mädchen, die Pee Wee angeschleppt hat. Die sind jüdisch. Ich finde das toll.« Er lachte, ohne dass sein Gesicht sich bewegte; Bubs Lachen war ein rein stimmliches Phänomen. Waren seine Augen feucht?

Wir liefen weiter.

Ich vermute, auf eine gewisse Weise – nennen wir's mal: bewusst – wollte ich nicht wahrhaben, was ich nicht umhin kam wahrzunehmen. Aber ich bin im Laufe der letzten Jahre auf so vielen großen öffentlichen Veranstaltungen gewesen, um über Sportereignisse oder sonst was zu berichten, und überall fiel diese merkwürdige implizite Feindseligkeit auf, die vor allem männliche Amerikaner wie eine zweite Haut mit sich herumtragen. Halten Sie es meinetwegen für eine absurde Ver-

allgemeinerung, aber wenn Sie ausreichend viele Spätnach-
mittage im Gedränge von Stadien verbringen, dann spüren sie
es. Es ist kein Machismo, sondern etwas Dunkleres, etwas leicht
Reizbares, leicht Hämisches, eine ständige Bereitschaft, Böses
geschehen zu lassen. Hier gab es das nicht. Es war schlichtweg
nicht da. Ich suchte und konnte es nirgendwo finden. Während
der drei Tage, die ich auf dem Creation Festival verbrachte,
habe ich nicht eine Schlägerei erlebt, kein einziges im Zorn gesprochenes Wort gehört, mich nicht ein einziges Mal provo-
ziert gefühlt, noch nicht einmal leicht, und ich habe jede Menge Menschen kennengelernt, die außergewöhnlich freundlich
waren. Ja, sie hatten alle dieselbe Hautfarbe, glaubten alle an
dasselbe und tranken keinen Alkohol, aber es waren immerhin hunderttausend.

Wir kamen an einer Reihe Plastik-Klos und den Essensstän-
den vorbei. Als wir um die Ecke bogen, sah ich die Bühne von
der Seite. Und die Menschenmenge auf dem der Bühne gegenüberliegenden Hügel. Die Masse der Körper zog sich den Hügel hinauf, bis sie irgendwo mit der Dunkelheit verschmolz.
»Heilige Scheiße«, entfuhr es mir.

Wie ein Impresario schwenkte Ritter den Arm. »Das, mein
Freund«, sagte er, »ist Creation.«

Als Zugabe spielten Jars of Clay eine Coverversion von U2s
»All I Want Is You«. Sie war blueslastig.

Mehr werde ich zu den Bands nicht sagen.

Oder nein, Moment, das noch: Die Tatsache, dass ich von
den ungefähr vierzig Bands, die ich beim Creation Festival mit
ganzem oder halbem Ohr mitbekommen habe, nicht einen einzigen Takt interessante Musik gehört habe, sollte nicht als
Hieb gegen die Bands gelesen werden – und noch viel weniger
als grundsätzliche Verachtung von Christen, die Rockmusik
machen. Die Bands hier waren aber keine christlichen Bands,
sondern Christenrock-Bands. Der Schlüssel zum Verständnis

der gesamten Szene liegt in diesem feinen Unterschied. Christenrock als ein Genre ist dazu da, evangelikale Christen moralisch zu erbauen und damit Geld zu verdienen. Christenrock ist Message-Musik für Hörer, die die Message im Schlaf beherrschen, und stellt sich darüber hinaus der gefühlten – und von den Künstlern sehr ernst genommenen – Verantwortung, »Menschen zu erreichen«. Aus diesem Grund bedient diese Musik die Kategorien »Eindeutigkeit« und »maximale Eingängigkeit« (die Künstler selbst würden von »Klarheit« sprechen), was wiederum bedeutet: Schmarotzertum. Erinnern Sie sich an diese Parfümzerstäuber, die es früher in Drogerien gab? *Wenn sie Drakkar Noir mögen, wird Ihnen auch Sexy Musk gefallen?* Genauso funktioniert Christenrock. Jede erfolgreiche säkulare Schrottband hat ihren christlichen Ableger, was nur folgerichtig ist, denn kulturkritisch gesprochen fungiert eine Christenrockband nicht als Alternative zur säkularen Band oder als eine Verbesserung derselben, sondern als ihr christliches Double. Und darin ist das Genre wunderbar erfolgreich. Wenn Sie diese Musik für ultimativ grottenschlecht halten, dann sind Ihre Prioritäten eben nicht die Prioritäten dieser Musik. Möglicherweise wollen Sie etwas cooles Neues hören. Diese Musik aber braucht etwas, von dem bereits erwiesen ist, dass es gut ankommt, und das wird dann in den Dienst der Lobpreisung des Herrn Jesus Christus gestellt. Das ist Christenrock. Eine christliche Band dagegen ist einfach nur eine Band, die aus mehr als einem Christen besteht. U2, gleichermaßen von Gläubigen und Ungläubigen verehrt, sind das Musterbeispiel, aber es gab über die Jahre auch andere Bands, von denen die Leute sagten: »Weißt du eigentlich, dass die Christen sind? Klingt schräg, ich weiß. Trotzdem, sie sind scheißgut.« The Call zum Beispiel oder Lone Justice. Zurzeit hört man dasselbe immer mal wieder über Indie-Acts wie Pedro the Lion und Damien Jurado (und andere, die ich nicht kenne). In den allermeisten Fällen geben sich solche Bands sehr, sehr viel Mühe, nicht zur Sparte »Christenrock« gezählt zu werden. Was vor allem davon abhängt, wie man sich verkauft: Man erzähle im Interview nicht, man sei »wiedergeboren«, sondern lediglich, der Glaube sei ein wichtiger Bestandteil des eigenen Lebens. Und an dieser Stelle – ich werde nicht länger so tun, als sei ich nicht vorurteilsbehaftet – kommt das schwerwiegende Problem der tatsächlichen Begabung ins Spiel. Denn die Frage, ein neunzehnjähriger Hardcore-Christ, der feststellt, dass er oder sie erstklassige Songs schreiben kann (jemand wie Damien Jurado), auch nicht im Ansatz etwas mit Christenrock zu schaffen haben will, muss man stellen. Talent tendiert dazu, mit einem gewissen Mindestniveau an Raffinesse einherzugehen. Und ob man es glaubt oder nicht: Das Establishment des Christenrock äußert hin und wieder so etwas wie resignierte Zustimmung, dass sich Bands wie U2 oder Switchfoot (die beim Creation Festival spielten, als ich da war, und gerade mit »Meant to Live« einen Riesenhit im säkularen Radio hatten, deren Management es aber untersagte, dass Fotos von ihrem Auftritt gemacht wurden) diskret darum bemühen, klar auf Abstand zu jedem unambitionierten Jesus-Fantum zu gehen, denn nur so können sie in Verbindung zur Welt treten. (Sie wissen, dass damit wir, die Säkularen, gemeint sind, oder? Wir gehören in ihren Augen »zur Welt«.) Es ist also möglich und sogar wahrscheinlich, dass Christenrock als musikalisches Genre immun ist gegen Qualität. Womit es das einzige derartige Genre wäre, das mir einfällt.

Es war spät, und die Juden hatten Zwietracht gesät. Was Bub erzählt hatte, stimmte: Es gab Juden beim Creation Festival. Wie sich herausstellte, waren es »Juden für Jesus«, genauer gesagt, zwei aufsehenerregend hübsche Highschool-Mädchen aus Richmond. Als Bub, Ritter und ich vom Jars-of-Clay-Auftritt zurückkamen, saßen sie mit am Lagerfeuer – eine der beiden hielt Händchen mit Pee Wee. Pee Wee war jünger als die anderen, schlank und hübsch, und er sah die Mädchen bewundernd an, sobald sie den Mund aufmachten. Irgendwann sagten sie zu Ritter, dass er wegen seiner Tattoos (er hatte zwei) in die Hölle käme; daran glaubten die Leute in ihrer Organisation. Allzu gut nahm Ritter diese Nachricht nicht auf. Er war sich seines Platzes im Kreise der Erwählten relativ sicher. Es gab eine Auseinandersetzung; Pee Wee wurde genötigt, die Mädchen zurück zu ihren Zelten zu geleiten, während Darius versuchte, Ritter zu beruhigen. »Sie haben komische Ansichten«, sagte er, »aber wir beten zum selben Gott.«

Das Feuer war auf glühende Kohlen heruntergebrannt. Wir Männer waren jetzt unter uns, saßen auf Kühlboxen und betrieben spätnächtlich-schwermütige Hermeneutik. Bub begriff Gottes Sinneswandel nicht. Wie konnte Er im Alten Testament diesen ganzen Irrsinn vom Stapel lassen, dass man keine Tattoos haben oder seinen Onkel nicht nackt sehen durfte, nur um dann im Neuen Testament alles wieder zurückzunehmen?

»Vielleicht solltest du es so betrachten«, meinte ich. »Wenn Darius wegen irgendwas stocksauer auf dich ist, einen richtigen Hals hat, du dann aber irgendwas tust, um es wiedergutzumachen, und er dir vergibt: Dann hat er ja nicht seine Meinung geändert, sondern die Situation hat sich verändert. Genauso ist es mit dem alten und dem neuen Bund – nur dass Jesus für die Wiedergutmachung gesorgt hat.«

Bub schien zufrieden mit dieser Erklärung. »So hat das noch keiner gesagt«, meinte er. Nur Darius starrte mich über das Feuer hinweg mit stechendem Blick an. Er wusste, dass meine Bemerkung theologisch sauber war, und fragte sich, woher ich sie hatte. Die Jungs hatten die Frage, woran ich denn eigentlich glaubte – sie hätten vermutlich gesagt: »wohin mein Weg mich führte« –, den ganzen Abend lang höflich umschifft.

Wir hatten uns mittlerweile recht gut kennengelernt. Nachdem Pee Wee wieder aufgetaucht war, waren sie ganz begierig darauf gewesen, mir ihr Lager zu zeigen. Sie hatten ihre Zelte im Wald aufgebaut, wo sie eigentlich nicht stehen durften; aber die Luft dort war kühler. In ungefähr dreißig Metern Entfernung hatte Darius einen kleinen Bachlauf entdeckt und mit den Händen ein kleines Becken gebuddelt, aus dem sie ihren Trinkwasserbedarf deckten.

Ich erfuhr, dass die Jungs einen großen, wenn nicht den größten Teil des Jahres im Wald verbrachten. Sie ernährten sich von Wild – sie sagten, so würden es in ihrer Ecke von Braxton County alle machen. Sie wussten, was im Wald wuchs, was essbar war, was wogegen half. Darius zog eine große, zur Hälfte gefaltete Pappe hervor, die er direkt vor meinem Gesicht auseinanderklappte: darauf ein Haufen Sassafras-Wurzeln. Er wedelte mir ihren Lakritz-Geruch ins Gesicht und brachte mich dazu, eine zu essen.

Dann meinte er, er würde wetten, dass ich gern kiffte. Ich räumte ein, dass ich eventuell nicht vollkommen abgeneigt sei. »Wie ich das Zeug geliebt habe«, sagte er zu mir. Als er meine Überraschung sah, fügte er hinzu: »Um ehrlich zu sein, Mann, hatte ich noch nicht mal ein schlechtes Gewissen deswegen. Aber Kiffen ist gesellschaftlich inakzeptabel, und an diesem Punkt kam es meinem christlichen Wachstum in die Quere.«

Mittlerweile hatten sich die Jungs zusammengereimt, womit ich mein Geld verdiente – man muss ihnen hoch anrechnen, dass sie darin nicht die einzige logische Erklärung für meine Anwesenheit sahen –, und langsam merkten sie auch, dass ich sie exotisch fand (obwohl es mehr war als nur das). Nach und nach steigerten sie sich in einen Rausch der Selbstbeschreibung hinein. Leidenschaftlich versuchten sie, mir klarzumachen, wie sie tickten. Was schnell ermüdend hätte werden können, wenn sie einfach nur stinknormale Typen gewesen wären. Und nicht Typen, die glaubten, Gott persönlich habe seine Hand dabei im Spiel gehabt, dass sie zu viert in Ritters silbernen Chevrolet Cavalier passten und damit zum Festival fahren konnten.

»Wie du siehst«, sagte Bub, »bin ich ein ziemlich großer Kerl, ja? Ich bin echt stämmig. Und Darius ist auch ein großer Kerl« – hier unterbrach Darius ihn und zeigte mir seine Waden, die so muskulös waren, dass es schon an Deformierung grenzte. »Ich bin ein Freak«, sagte er. Bub seufzte und redete weiter, ohne den Blickkontakt zu mir abgebrochen zu haben: »Und Ritter auch. Dazu hatten wir noch zwei Kühlboxen, die Gitarren, ein E-Piano, unsere Zelte und den ganzen Rest, und alles passte« – er drehte sich um, zeigte auf das Auto, drehte sich zurück, legte eine Pause ein – »in diesen Chevy.« In seinen Augen lag derselbe Ausdruck wie vorhin, als er mir erzählt hatte, dass hier auch Juden seien. »Ich glaube, das könnte ein Wunder sein«, sagte er.

Sie waren mit Gewalt vertraut, fürchterlicher Gewalt. Tatsächlich hatten Ritter und Darius sich kennengelernt, als sie einander im Mathe-Unterricht der Mittelstufe nach Strich und Faden verprügelten. Wer gewonnen hatte? Ritter sah Darius an, als wollte er seine Antwort erst mit ihm abklären, und sagte dann: »Niemand.« Jake hatte Darius mal mit einer Angelrute, auf die Darius versehentlich getreten war, zu Boden geschlagen. »Und ich hab noch zu ihm gesagt: Pass auf, wo du hintrittst«, sagte Jake. (Die Erinnerung brachte Darius so heftig zum Lachen, dass er die Brille abnahm.) Die Hälfte ihrer Jugendfreunde war ermordet worden, erschossen oder erstochen, wegen Drogen oder wegen gar nichts. Andere hatten sich umgebracht. Darius' Großvater, Großonkel und sein früherer bester Freund hatten alle Selbstmord begangen. In Darius' Kindheit war sein Vater mit schöner Regelmäßigkeit im Gefängnis gewesen; mindestens einmal saß er richtig lange, nachdem er in Ohio einem Mann ein Messer in die Brust gerammt hatte. (Der Mann wollte nicht aufhören, auf Darius' Großvater »draufzuhauen«.) Darius hatte zu der Zeit eine Menge einstecken müssen. (»Dein Vater ist ein Knasti!«) Deshalb sei er heute auch so reizbar. »Heftige Kindheit«, meinte ich.

»Nicht wirklich«, entgegnete Darius. »Andere Leute haben weder Hände noch Füße.« Er sprach davon, wie sehr er seinen Vater liebte. »Von ganzem Herzen – er ist der Beste. Er hat mich zu dem gemacht, was ich bin. Und überhaupt«, fügte er hinzu, »habe ich die ganze Wut und so an Gott weitergegeben. Er hat sie mir abgenommen.«

Gott in Seiner Weisheit hatte ihm ein Auskommen verschafft. In den früheren Abendstunden hatten die Jungs Pee Wee ein bisschen aufgemischt und ihn mit Zurrgurten an einen Baum gefesselt. Andere Christen müssen dem Sicherheitspersonal von seinen Schreien berichtet haben, denn ein Typ in einer orangefarbenen Weste war den Hügel hinaufgestürmt gekommen. Pee Wee war nicht allzu viel passiert, aber zum Spaß brach er in Tränen aus. »Ständig machen sie mich so fertig«, heulte er. »Retten Sie mich, Mister!«

Das fand der Typ nicht so lustig. »Wegen denen solltest du dir keine Sorgen machen«, sagte er. »Sondern wegen mir.«

Was für ein dummer Spruch! Darius schoss vor wie eine schrecklich flinke Eidechse in einer Tiersendung im Fernsehen. »Passen Sie auf, Mann«, sagte er. »Sie wissen ja nicht, wen Sie vor sich haben. Einen Typen, der schießt, bevor er Ihnen die Hand schüttelt.«

Der Mann schien zurückzuweichen, ohne sich zu bewegen. »Sie dürfen keine Waffen tragen«, sagte er.

»Ach ja?«, kam es von Darius. »Dort drüben im Handschuhfach liegt eine Erlaubnis, versteckt Waffen zu tragen. Ich komme aus West Virginia, Mister, ich kenne das Gesetz.«

»Ich glaube, Sie lügen«, sagte der Typ. Seine Stimme klang mittlerweile etwas zittrig.

Darius beugte sich vor, als habe er nicht ganz verstanden. Seine Augen traten aus den Höhlen. »Und woher wollen Sie das wissen?«, fragte er. »Sind Sie ein Prophet?«

»Ich arbeite für das Festival!«, sagte der Typ.

Jake stand auf – bislang hatte er sich das Ganze von seinem

Sitzplatz am Feuer aus angesehen. Das höfliche Lächeln, das er sich ins Gesicht gemeißelt hatte, war von einem heimtückischen Grinsen nicht zu unterscheiden.

»So«, sagte er. »Und warum *arbeiten* Sie dann nicht? Ich bin mir sicher, *woanders* gibt es jede Menge zu tun.«

Zugegeben, die gelegentliche Aufsässigkeit der Jungs aus West Virginia scheint im Widerspruch zu dem zu stehen, was ich vorher behauptet habe, von wegen »kein einziges im Zorn gesprochenes Wort« und so weiter. Aber es war spielerisch. Zumindest Darius zog für mich ein bisschen eine Show ab. Und wenn man bedenkt, wovor die Jungs zu Hause die ganze Zeit über auf der Hut sein mussten, dann ist es doch bemerkenswert, wie erfolgreich sie beim Festival ihre Instinkte unter Kontrolle hatten.

Wie auch immer: Von nun an hatten wir mehr oder weniger Carte blanche. Was sehr laute Live-Musik zwischen zwei und drei Uhr morgens mit einschloss. Die Jungs ließen ihre fette Anlage über die Batterie von Jakes Truck laufen. Ritter und Darius spielten zu Hause selbst in einer Band, First Verse. Sie waren verantwortlich für die Musik in ihrer Kirche. Ritter hatte eine engelsgleiche Tenorstimme, die aus einem anderen Körper als dem seinen zu kommen schien. Und Josh war ein guter Gitarrenspieler; er hatte eine Les Paul und ein Effektboard dabei. Die akustische Gitarre ging reihum. Ich musste tief in meinem Fundus kramen, bis mir ein paar christliche Stücke einfielen. Ich spielte »Jesus« von Lou Reed, was sie so weit okay fanden. Richtig gut gefiel ihnen Bob Marleys »Redemption Song«. Als ich fertig war, sagte Bub: »Mann, das ist wirklich christlich. Wirklich wahr.« Darius wollte, dass ich ihm das Stück beibrachte; er sagte, er würde es mit nach Hause nehmen und im Gottesdienst spielen.

Dann sprang er auf und lief zu seinem E-Piano, das drei Meter weiter auf einem Ständer stand. Mit geschlossenen Augen begann er zu spielen. Ich spiele gut genug Klavier, um zu wissen, wie es sich anhört, wenn jemand die Technik beherrscht. Und Darius spielte sehr, sehr gut. Er improvisierte eine Stunde lang. Irgendwann stand Bub auf und stellte sich neben ihn, Gesicht zu uns, die Hände in den Taschen, so, als beschütze er seinen Freund, während der sich in einem verwundbaren Trance-Zustand befand. Ritter flüsterte mir zu, dass man Darius ein Musikstipendium an einem College in West Virginia angeboten habe; ein Professor hörte ihn auf dem Campus auf einem Klavier herumklimpern, als er dort einen Freund besuchte, und bot ihm auf der Stelle ein Vollstipendium an. Ritter konnte nicht wirklich erklären, warum Darius abgelehnt hatte. »Er ist so was wie unser Rain Man«, sagte er.

Irgendwann muss ich meine Laterne genommen und den Abhang hinuntergekrochen sein, denn am nächsten Morgen fand ich mich aufrecht sitzend und vollständig angezogen in meinem Wohnmobil wieder. Aufgeweckt hatte mich ein barbarisches Raunen, das an ein Heer kurz vor dem Sturmangriff erinnerte. Der frühe Morgen stand im Zeichen von Praise and Worship, einer neuen Ausprägung von Christenrock, bei der Band und Publikum gemeinsam, so laut es geht, direkt zu Gott singen. Ziemlich intensive Angelegenheit.

Die Jungs hatten mir gesagt, dass sie den Großteil des Tages vor der Hauptbühne verbringen und sich Bands anhören wollten. Ich dagegen hatte mir ja schon eine Band angehört. Meine Pflicht bestand darin, in meinem Mobil zu bleiben und Eindrücke aufzuschreiben.

Allerdings war es ganz schön heiß. Und je heißer es wurde, desto mehr Plastikdämpfe entstiegen der hellbraunen Auslegeware. Leicht benebelt stolperte ich aus der seitlichen Luke und machte mich auf, um Darius, Ritter und Bub zu suchen.

Im Licht des Tages wurde offenbar, dass hier ziemlich avancierte Freaks am Start waren: ein Typ mit Rock und Spitzenärmeln; ein komisches, kleines, androgynes Wesen, das in einer Papprüstung steckte und ein Schwert mit sich herumschleppte. Sie wussten wahrscheinlich, dass sie an einem sicheren Ort waren.

Vor einem Getränkestand ließen die Jungs mich in der Schlange stehen; sie wollten Skillet nicht verpassen, eine von Ritters Lieblingsbands. Ich bekam mein Getränk und ließ mich langsam dorthin treiben, wo sie vermutlich standen. Mangelhafte Ernährung, Ungewaschenheit und ein drohender Sonnenstich verschworen sich gegen mich. Außerdem roch es leicht nach Scheiße. Überall waren glühend heiße Klokabinen, die mit jeder Öffnung der Türen ihren Pesthauch verströmten.

Ich stand auf einem Fleckchen Kies zwischen den Fressbuden und der Zuschauermenge, kaute an meinem Strohhalm und stocherte tetraplegisch nach widerspenstigen Schmelzwassereinschlüssen. Obwohl ich mich weit weg von der Bühne befand, konnte ich ganz gut sehen. Irgendetwas begann mit mir zu geschehen. Die Band war mittleren Alters. Ihre Mitglieder trugen blusenartige Hemden und halbherzige Mittachtzigerjahre-Stadionrock-Moves zur Schau.

Was war das für ein … Gefühl? Zwischen jeder Zeile grinste der Sänger, als ob er, wenn er damit aufhören würde, sofort zusammenbräche. Viel verstehen konnte ich nicht:

»There's a higher place to go (beyond belief, beyond belief), Where we reach the next plateau (beyond belief, beyond belief).«

Der Strohhalm rutschte mir aus dem Mund. »Ach du Scheiße, das sind ja Petra.«

Es war 1988. Der Typ, der mich mitgebracht hatte, nannte sich Verm. (Ich habe die Namen geändert; diese Menschen haben es nicht verdient, zwangsweise mit mir auf Erinnerungsreise zu gehen.) Er war ein kleiner, gutaussehender Typ mit schwarzem Pferdeschwanz und teuflischem Lachen, ein Skater und

Ex-Kiffer, der deswegen ein Jahr oder so, bevor wir uns kennen-lernten, zu Hause rausgeflogen war. Seine Eltern gehörten einer nicht konfessionsgebundenen Religionsgemeinschaft in Ohio an, wo ich zur Highschool ging. Es war eher eine Bewegung als eine Kirche, mit damals schon Tausenden von Mitgliedern. Meines Wissens ist sie seitdem noch größer geworden. Die »Zentralversammlung« fand aus Platzgründen immer in einer leerstehenden Lagerhalle statt, aber passiert ist es bei den kleineren Treffen: bei der »Heimatgemeinde« (ungefähr fünf-zig Leute) und im »Hauskreis« (vielleicht ein Dutzend). Verms Dad hatte zu ihm gesagt: Wenn du einmal die Woche mit-kommst, kannst du wieder einziehen.

Verm wurde erlöst. Und da er ein schlaues Köpfchen war und der unvoreingenommenste, jovialste Typ, der mir je unterge-kommen ist (er war legendär dafür, dass er sich immer, wenn eine neue ausländische Schülerin auf unsere Schule kam, in den Mittagspausen von ihr Sprachstunden erteilen ließ, bis er ihre Sprache beherrschte), und da er außerdem aus seinen Drogen-Zeiten massenhaft verlorene Seelen kannte, wurde er gleich selbst zum Champion im Missionieren, zum Wunderkind.

Ich war neu und hegte einen unerschöpflichen Hass ge-gen Ohio. Verm bekam mit, dass ich Smiths-Fan war, und wir fingen an, Kassetten zu tauschen. Binnen kurzem trafen wir uns auch nach der Schule. Dann kam der Moment, der immer kommt, wenn man sich mit einem wiedergeborenen Christen anfreundet: »Hör mal, mittwochabends gehe ich jede Woche zu diesem Treffen. So was wie ein Bibelkreis – nein, im Ernst, das ist cool. Die Leute sind echt richtig cool.«

Und das waren sie. In einer Viertelstunde wurden alle mei-ne Vorstellungen von Christen über den Haufen geworfen. Sie waren intelligenter als alle Leute, mit denen ich sonst bislang zu tun gehabt hatte (ich bin zwar nicht in Cambridge aufge-wachsen oder so, aber trotzdem), sie ließen jede Absonderlich-keit durchgehen, und sie hatten dieses Licht, das alle Menschen ausstrahlen, die nach Höherem streben. Was, gelinde gesagt, attraktiv ist. Ich fing an, Fragen zu stellen. Viele Fragen. Was ihnen sehr gefiel, denn sie hatten Antworten. So funktioniert die ganze evangelikale Bewegung. Der durchschnittliche Agnostiker rennt ja nicht durchs Leben und ist in der Lage, dir eine klare, durchdachte Begründung für die intratextuelle Inkonsistenz der Bibel zu liefern. Wiedergeborene Christen dagegen werden für Zufallsbekanntschaften mit wissbegierigen Neulingen geradezu ausgebildet. Und als Vierzehnjähriger mit unterernährten intellektuellen Ambitionen bist du eben schwer beeindruckt, wenn sich ein charismatischer Erwachsener mit dir hinsetzt und dir erklärt, dass die Geburt Christi, wenn man diese und jene Zeitspanne auf den hebräischen Kalender überträgt, mal sieben nimmt und ein Datum aus der Regentschaft von König Dingsbums einsetzt, klar und deutlich fast auf die Stunde genau in dieser oder jener Bibelpassage vorausgesagt wird, und das obwohl die vier Evangelisten keinen Zugang zu derlei Informationen hatten! Ich zumindest war schwer beeindruckt.

Aber auch enorm inspiriert und angeregt, und zwar auf einer Ebene, die nicht meiner Naivität zuzuschreiben war. Allein das leidenschaftliche Engagement dieser Leute nahm mich gefangen: Niemand hatte mich darauf vorbereitet, dass es solche Christen gab. Woche für Woche beschäftigten sie sich mit der Intensität von Hauptseminaristen mit der Bibel. Ihr Anführer war Mole (die Kurzform für Moloch; er hatte die Gemeinde in den Siebzigern gegründet). Mole hatte einen drahtigen, schwarzen Bart und stechend blaue Augen. Meine von russischen Romanen inspirierten Fantasien über subversive, von kollektiver Inbrunst getragene Versammlungen im Untergrund fühlten sich geschmeichelt und erhielten, wie es aussah, sogar eine konkrete Form. Das hier war echte Gegenkultur, und zwar ohne den ganzen traurigen Hippie-Quatsch.

Als ich nach einem der Treffen zu Verm sagte: »Vielleicht

finde ich zum Glauben«, umarmte er mich. Und als für mich der Zeitpunkt kam, den Weg konsequent weiterzugehen – »Jesus in mein Herz zu lassen«, so die altehrwürdige Formulierung –, beteten wir gemeinsam.

Drei Jahre vergingen. Mein Glaube wuchs und wurde gefestigt. Verm und ich waren jetzt so was wie die Highschool-Abgesandten der Operation. Mole hatte (so wie ich selbst) herausgefunden, dass ich gut mit Worten umgehen und vor Leuten sprechen konnte; Verm und ich leiteten jetzt einmal im Monat den Bibelkreis. Wir retteten Seelen, als gäbe es kein Morgen, und sparten ein Belohnungsvermögen im Himmel an. Ich wurde nie so gut im Rekrutieren wie er, meine Stärke lag im Subtilen; Verm brachte sie dazu, dass sie uns zuhörten, und dann bearbeiteten wir gemeinsam ihre Köpfe. *Witnessing* nannten wir das. In der Schule war ich beliebter als früher, die Türen zu denen, die den Ton angaben, öffneten sich. Auf diesem Weg fanden viele zum Herrn. Verm und ich fuhren auf Konferenzen und zu »Exerzitien«; wir belegten kostenfreie Theologiekurse, die die Gruppe für vielversprechende junge Führungspersönlichkeiten anbot. Und die ganze Zeit fanden unsere wöchentlichen Hauskreise statt, die Basis für alles andere, immer am Freitag- und am Samstagabend, was bedeutete, dass ich bis spät nachts weg sein durfte. (Meine episkopalischen Eltern kränkte die ganze Angelegenheit zutiefst, aber es ist nicht so einfach, seinem Kind zu verbieten, so viel Zeit in der Kirchengemeinde zu verbringen.)

Meistens fand der Hauskreis im Wohnzimmer von jemandem statt, der in der Gruppe ziemlich hochrangig war. Sie müssen sich vor Augen halten, was für eine Ehre es war, zu Moles Kreis zu gehören. Bei den Zentralversammlungen kamen Leute auf mich zu und fragten: »Wie ist es so, jede Woche mit ihm zu reden?« Es war toll. Mole hatte einen echten Draht zum Wort Gottes. (Und eine wunderbar alt-hippieske Art zu reden; alles war bei ihm eine Aktion: *Zeit für Gemeinschaftsaktion.*

Lasst uns Fritten-und-Salsa-Aktion machen.) Immer hatte er seine schwere »Studienbibel« dabei; die King-James-Bibel kam für nicht konfessionsgebundene Christen nicht in Frage – zu viele Ungenauigkeiten. Wenn er den handverzierten Ledereinband aufschlug, wusste man, es ging los. Und im Ernst: Der Mann war begnadet. Trotz des etwas umständlichen Stils der New-American-Standard-Bibel konnte er eine Bibelstelle wie eine Knochenschraube in dein Bewusstsein senken und dich glauben machen, dass Christus zustimmend nickend daneben stand. Allein der Gebetsteil dauerte immer eine Stunde. Danach wurde im Garten Feuer gemacht. Mole saß dann da und rammte ein Buschmesser in den Hackblock. Er rauchte billige Zigarren und ließ uns Zigaretten rauchen. Die Gitarre machte die Runde. Wir besprachen, welcher unserer Brüder von der Sünde angefochten wurde, wer Rat brauchte. Und wir sprachen über das Ende der Welt: Es stand kurz bevor. Wir mussten so viele retten, wie wir konnten.

Ich erspare Ihnen die Aufzählung aller Gründe, warum ich mich aus dem Schoß der Gemeinde zurückzog. Sie waren nicht frei von Klischees und keineswegs nur rechtschaffen und unschuldig. Vielleicht reicht es, wenn ich sage, dass ich anfing, Bücher zu lesen, die Mole nicht empfohlen hatte. Manche davon kamen mir ziemlich klug vor – waren aber mit der Bibel nicht in Einklang zu bringen. Die defensive Theodizee, die mir Mole in vielen Nächten berauschender Bibelexegese eingetrichtert hatte, bekam Risse. Zum Beispiel die Sache mit der Hölle: Damit konnte ich mich nie abfinden. Menschen waren in der Lage, denjenigen zu vergeben, die ihnen schreckliches Leid angetan hatten, und wir alle wussten, dass wir im Vergleich zu Gott ohnehin nur Gewürm waren. Was also war genau Sein Problem? Rings um mich sah ich Menschen, die viel zu versehrt waren, um je die Chance zu haben, zu Jesus zu finden. Hatten sie es nicht verdient – mehr als wir alle sogar –, nach diesem Leben Seinen Beistand zu bekommen?

Alles am Christentum lässt sich im Rahmen des christlichen Glaubens begründen und rechtfertigen. Man muss nur dessen Prämissen bejahen. Sobald man das tut, modifiziert der Glaube die Fakten, und zwar immer auf eine nachvollziehbare Weise, bis die Fakten irgendwann ihrerseits den Glauben stärken. Der Moment, in dem es unlogisch wird, ist schwer zu bestimmen. Vielleicht gibt es ihn gar nicht. Es ist, als hielte man ein Vergrößerungsglas erst auf Armlänge von sich weg und führte es dann langsam zum Auge: Alles steht auf dem Kopf, alles steht auf dem Kopf, alles ist richtig rum. Was lag dazwischen? Falls da überhaupt etwas ist, dann ist es so flüchtig, dass man es nicht zu fassen bekommt. Deswegen kann man wahren Christen auch nicht mit Argumenten gegen ihren Glauben kommen. Was nicht daran liegt, dass sie nicht mit gründlicher Überlegung zum Glauben gefunden hätten, ganz im Gegenteil, aber der Glaube ist eine Tür, die sich hinter der Logik schließt. Was aussieht wie ein gerader Gedankengang, biegt sich zu einem Ring, der einen in seinem Inneren einschließt. Wenn das bedeutet, dass jeder vom Glauben Abgefallene nie ein wahrer Christ und folglich auch ich nie einer war, dann muss ich, denke ich, damit leben. Legt nicht die Tatsache, dass ich über meine alten Freunde nur mit apologetischem Unterton schreiben kann, nahe, dass ich nie wirklich einer von ihnen war?

Der Bruch kam im Winter meines ersten Studienjahres. Eines späten Nachmittags rief Verm mich an. Er hatte Mole versprochen, etwas für ihn zu tun, aber jetzt ging es ihm nicht gut. Nebenhöhlenentzündung. (Er hatte ständig eine Nebenhöhlenentzündung.) Ob ich schon mal von Petra gehört hätte? Eine Christenrockband, sie spielten heute in Downtown. Nach Konzerten lud ihr Sänger immer alle, die mehr über Jesus wissen wollten, hinter die Bühne ein, wo dann Leute warteten, um mit ihnen zu reden.

Der Konzertveranstalter hatte Mole angerufen, Mole hatte Verm als Freiwilligen gewonnen, und jetzt wollte Verm wissen, ob ich ihm aus der Patsche helfen würde. Ich konnte nicht nein sagen.

Das Konzert nervte mich von Anfang an; ich war vorher kaum in Berührung gekommen mit diesen anderen Evangelikalen, die mit den Armen wedeln und immerfort weinen und so (in unserer Gruppe hielten wir es gern »nüchtern«). Hier war ich von ihnen umgeben. Das Mädchen vor mir übersetzte die Worte jedes Lieds in Gebärdensprache, war aber gar nicht taub. Es war entsetzlich.

Verm hatte mir am Telefon den Infozettel vorgelesen, den er bekommen hatte. Nach der ersten Zugabe sollten wir uns in die »Evangelisationszone« begeben und dort warten. Also ging ich und setzte mich auf den Boden.

Kurz darauf kamen sie auch schon herein, die Suchenden. Ich habe keine Ahnung, was mit denen los war, die ich abbekam. Vielleicht wollten sie nur aufs Klo und waren dann von dem Auflauf mitgerissen worden. Sie waren ungefähr so alt wie ich und trugen braune Kapuzenpullis; ihre Münder standen weit offen, ihre Augen waren leer. Ich fragte sie, was zu fragen war: Was sie von dem Gehörten hielten. Ob sie auf irgendwas von dem, worüber Petra gesprochen hatten, neugierig geworden waren. (Zwischen den Liedern hatte es jede Menge Ansprachen gegeben.)

Ich schaffte es nicht, sie zum Reden zu bringen. Sie starrten mich an, als warteten sie darauf, dass ich sie ohrfeigte.

Mein Einfallstor. Entweder waren sie vollkommen überwältigt oder hatten irgendeinen geistigen Schaden. So oder so: Christus forderte jetzt von mir, Zeugnis abzulegen.

Die Sätze wollten nicht kommen. Ich ging in Gedanken die Dogmen durch, auf der Suche nach einem, das ich nicht eigentlich für Schwachsinn hielt, stieß aber auf keines.

Die logische Folge wäre lähmendes Schweigen gewesen, aber mit einer merkwürdigen Entschlossenheit trieb ich das Ganze dem Ende entgegen. Ich fragte sie, ob sie lieber gehen wollten – eine rein rhetorische Frage –, und erklärte, mir sei ebenfalls danach. Wir gingen gemeinsam.

Einige Abende darauf nahm ich Mole und Verm zur Seite und sagte ihnen, dass meine Zweifel mich überwältigt hätten. Dass ich, wenn ich weiter zu den Treffen käme, nur so tun würde als ob. Was sie genauso beleidigen würde wie Gott und die ganze Gruppe. Verm umarmte mich schweigend. Mole sagte, er respektiere meine Gründe, und dass ich meine Zweifel erforschen müsse, bevor ich wieder festen Schritts voranschreiten könne. Er sagte, er würde für mich beten. Sollte er keine radikale Persönlichkeitsveränderung durchgemacht haben, betet er noch heute.

Statistisch gesehen war mein kleiner Anfall von Evangelikalismus wahrscheinlich nicht weiter bemerkenswert. Weiße Amerikaner meiner sozio-ökonomischen Herkunft (mittlere bis obere Mittelschicht) erleben solche Phasen als Teenager recht häufig, und bevor sie zwanzig sind, ist es bei den meisten wieder vorbei. Viele der Jugendlichen beim Creation Festival fielen in diese Kategorie. Ob sie wohl Darwin kannten? Sie würden von ihm erfahren. Seit ich mit der Uni fertig bin, lerne ich mindestens einmal pro Jahr jemanden kennen, der an der Highschool auch eine »Jesus-Phase« hatte. Was immer einen wunderbaren Lacher wert ist. Allerdings sollte jede Phase irgendwann vorbei sein oder zumindest in eine andere Phase übergehen – und sich nicht einfach nur in eine fortgesetzte Beschäftigung verlängern.

Gesegnet sind die, die von Sekten einer Gehirnwäsche unterzogen und hinterher zum Entprogrammieren geschickt werden. Das macht es einfacher: Man lässt einfach alles hinter sich. Meine Gruppe war aber keine Sekte. Es gab keinen Druck, keine Strafen, nur Überzeugungsarbeit. Einer von denen, die ich zur Gruppe holte – wir nannten ihn Goog –, ist immer noch ein enger Freund von mir. Er leitet heute Bibelkreise und Versammlungen und verbringt einen Teil des Jahres damit, in Kambodscha unentgeltlich Zahnbehandlungen durchzuführen. Nie hat er mich gefragt, wann ich zurückkommen würde.

Mein Problem ist nicht, dass ich davon träume, in der Hölle zu landen oder dass Mole mir am Fenster erscheint. Ich fühle mich auch nicht seelisch verletzt. Ich fühle mich noch nicht mal wie ein Depp, weil ich mal daran geglaubt habe. Nein, mein Problem ist, dass ich Jesus Christus liebe.

Dessen Schuhe ich nicht wert bin aufzuschnüren.

Er war ein absolut großartiger Typ. Vergessen Sie die Paulusbriefe und die ganze Schikane, die später kam. Sehen Sie sich nur an, was Er gesagt hat. Lesen Sie die Jefferson-Bibel. Oder noch besser: Lesen Sie *The Logia of Yeshua* von Guy Davenport und Benjamin Urrutia, eine schnörkellose englische Übersetzung aller Jesus zugeschriebenen Äußerungen, die heutige Experten für authentisch halten. Da kriegen Sie den ganzen Mann. Sein Durchbruch war die Ästhetisierung der Schwäche. Nicht das Sieg- und Ruhmreiche ist vernünftig, sondern das Zerbrechliche, Leidende. Hierin liegt Rettung. »Lass alle, die Macht haben, diese Macht aufgeben«, sagte er. »Euer Vater ist barmherzig zu allen, so sollt auch ihr sein.« So hat Er gesprochen denen gegenüber, die Ihn kannten.

Warum sollte Er einen Menschen quälen? Warum ist Sein Geist nicht wohlwollender? Warum kann ich nicht einfach ein braves Kind der Aufklärung sein und in Seinem Leben ein ermutigendes Beispiel sehen für das Potenzial unserer Gattung?

Sobald man Ihn als Gott akzeptiert, verliert man den Trost, der in Seinem Menschsein liegt. Die schiere Faszination des Lebens aber, die in einer totalen, alles durchdringenden Idee des Seins wurzelt, der unwiderstehliche Herzschlag der Folgerichtigkeit, der selbst die kleinsten Dinge durchpulst – diese Faszination reißt nicht ab.

Und dann zweifelt man an seinen Zweifeln.

»Hast du letzte Nacht den Puma gehört?«

Es war dunkel, und Jake, ganz in Camouflage, stand über mir. Ich hatte stundenlang vornübergebeugt auf einer Kühlbox neben dem Aschehaufen gehockt, gelesen und darauf gewartet, dass die Jungs von dort, wo sie hingegangen waren, wieder zurückkamen. Ich sagte, ich habe gar nichts gehört.

Bub, ebenfalls in Tarnfarben, näherte sich von hinten. »Mitten in der Nacht«, meinte er. »Ich bin davon wach geworden.«

Und Jake: »Hörte sich an wie ein weinendes Baby.«

Bub: »Wie ein kleines Baby.«

Unten zu meinen Füßen, wo es sehr dunkel war, fummelte Jake an irgendetwas herum, das lebendig wirkte. Bub warf ein paar Scheite aufs Feuer und ging zum Auto, um Streichhölzer zu holen.

Ich saß da und versuchte zu erkennen, was Jake tat. »Hast du noch deine Laterne?«, fragte er. Sie stand neben mir am Boden, und ich machte sie an.

Er zog Frösche aus einem Sack. Einen nach dem anderen. Sie wanden sich unter seinem Griff und schlugen in die Luft. »Wo hast du die denn her?«, fragte ich.

»Ungefähr eine halbe Meile in die Richtung da«, sagte er. »Wer mitten im Fluss steht, steht nicht mehr auf privatem Grund.« Bub lachte sein hohes, ausdrucksloses Lachen.

»Besonders groß sind sie nicht«, sagte Jake. »In West Virginia haben wir welche, die sind so groß wie Hühner.«

Jake fing an, die Frösche durchzuschneiden. Um einen glatten Schnitt zu bekommen, lehnte er sich mit seinem ganzen Gewicht nach vorn, auf die Hand, die das Messer hielt. Die Froschbeine warf er in eine Bratpfanne. Dann stach er jedem Frosch ins Gehirn und warf die oberen Hälften auf einen Extrahaufen. Sie zuckten natürlich noch – die Nerven. Und einige waren noch weniger tot. Einer starrte nach Luft schnappend zu mir hoch, während seine Lungen neben ihm im Gras lagen.

»Könntest du dem vielleicht noch mal ins Gehirn?«, fragte

ich, und Jake spießte ihn fachkundig auf, bevor er sich den nächsten Frosch schnappte.

»Warum stichst du ihnen nicht in den Kopf, bevor du ihnen die Beine abschneidest?«, fragte ich. Er lächelte. Und meinte, er könne sich schlapp lachen über mich.

Als Darius zurück war, machte er mir eine Tasse heißen Sassafras-Tee. »Trink das, dann geht's dir besser«, meinte er, dabei hatte ich gar nicht gesagt, dass es mir schlecht ging. Die Beine dünstete Jake kurz in Butter an und servierte sie warm. »Probier sie«, sagte er. Das Fleisch war so zart, es fehlte nicht viel, und es wäre auf der Zunge zerschmolzen.

Pee Wee kam mit den Jüdinnen zurück, die sich gezwungen sahen, uns ein zweites Mal zu sagen, dass wir verdammt seien. (Levitikus 11, 12: »Alles, was ohne Flossen oder Schuppen im Wasser lebt, haltet für abscheulich!«)

Als Jake das hörte, zog er eine Show ab, ließ die halben Frösche wie Handpuppen auftreten und kaute, damit alle das Fleisch darin sehen konnten, mit weit offenem Mund.

Die Mädchen rannten zum wiederholten Male davon. Pee Wee lief ihnen nach und schrie: »Kommt schon, die machen doch nur Spaß!«

Darius starrte Jake an, nicht wütend, eher traurig. Jake sagte: »Also, wenn er die Mädels hier anschleppt, dann sollen die uns nicht erzählen, was wir zu essen haben.«

»Wenn eine Speise meinem Bruder zum Anstoß wird«, sagte Darius, »will ich überhaupt kein Fleisch mehr essen, um meinem Bruder keinen Anstoß zu geben.«

»Erster Korintherbrief«, sagte ich.

»Acht dreizehn«, sagte Darius.

Ich erwachte, ohne geschlafen zu haben, ein widerliches Gefühl, und jetzt lag ich da und wappnete mich innerlich für die Herausforderungen von Praise and Worship. Als mir das Warten zu lang wurde, kochte ich Wasser und machte Instantkaffee, den ich brühend heiß aus dem Deckel des Erdnussbutterglases trank. Mein Körper roch wie ein erkaltetes Lagerfeuer. In meinen Haaren waren Blätter, Asche und anderes Zeug. Ich dachte kurz daran, unter die Dusche zu gehen, aber ich hatte es schon zwei Tage geschafft, nichts von der Bordausrüstung meines Wohnmobils in Anspruch zu nehmen, und es wäre dumm gewesen, jetzt klein beizugeben.

Ich setzte mich auf den Fahrersitz und sah durch das getönte Glas zu, wie kleine Christengrüppchen vorbeizogen. Sie sahen aus, wie Leute überall aussehen, nur heiterer und eigenständiger. Vielleicht sahen sie aber auch nur aus, wie die Leute überall aussehen. Was weiß ich. Meine Pseudo-Anthropologen-Energie war aufgebraucht. Ich stieg aus und wanderte herum. Setzte mich zu den Menschen vor die Bühne, auf der ein rothaariger christlicher Redner vor und zurück rannte. Wie aus dem Nichts kreischte er plötzlich: »*Ihr möget bedeckt sein von der Asche unseres Rabbi Jesus!*« Würde ich versuchen, Ihnen an dieser Stelle die Lautstärke seines Kreischens angemessen zu vermitteln, würden Sie mich für einen Schwätzer halten.

Ich taumelte durch die Reihen der Fressbuden, als vor meinen Füßen ein Mann starb. Er stand am Fenster des Spritzkuchenstands. Er war dick, Anfang sechzig, trug kurze Hosen und ein kurzärmeliges Button-Down-Hemd. Und er … starb einfach. Ein Herzinfarkt. Ich stand da, und er fiel. Keine Ahnung, ob es im Gehirn eine primitive Region gibt, die auf die Wahrnehmung solcher Dinge geeicht ist, aber ich wusste in der Sekunde, in der er aufschlug, dass er tot war. Die Sanitäter stürzten sich so schnell auf ihn, dass es merkwürdigerweise wirkte, als hätten sie nur darauf gewartet. Immer und immer wieder bearbeiteten sie seinen Brustkorb, bliesen in seinen Mund, legten Infusionen. Der Krankenwagen traf ein und mit ihm noch mehr Gerät. Auf dem breiten Gesicht des Mannes lag dieser leicht missmutige Ausdruck, wie man ihn oft bei gerade Verstorbenen sieht.

Menschen hatten sich um uns versammelt; manche dachten, alles sei nur Show. Eine Frau neben mir sagte bitterlich: »Das ist keine Show. Ein Mann ist gestorben.« Sie fing an zu weinen und nahm meine Hand. Sie war klein, hatte Silberhaar und schwarze Augenbrauen. »Es geht ihm gut, es geht ihm gut«, sagte sie. Ich sah ihr von der Seite ins Gesicht. »Beten Sie für seine Familie«, sagte sie. »Ihm geht es gut.«

Ich ging zum Wohnmobil zurück und hatte einen gigantischen Kollaps. Ich brach hemmungslos in Tränen aus, hörte dann aber aus irgendeinem Grund abrupt wieder auf. Ich fühlte mich auf unsinnige Weise nackt und allein. Was für ein Idiot ich gewesen war – zu denken, diese Reise würde ein Späßchen werden. Hier waren viel zu viele Geister. Alle kamen mir so fremd und so vertraut vor. Außerdem war ich vermutlich ausgehungert. Das Froschfleisch war zwar vorzüglich gewesen, aber mager – das hatte sogar Jake zugegeben.

Inmitten von all dem, gedämpft durch die Außenhülle des Neun-Meter-Mobils, hörte ich plötzlich Stephen Baldwin auf der kleineren Seitenbühne, wo die etwas »ausgefalleneren« Acts auftreten, einen Vortrag halten. Wer bei den Baldwin-Brüdern immer durcheinanderkommt: Stephen ist der entfernt Höhlenmenschartige, der seinen Pony früher immer glatt nach vorne gekämmt hat und Staubmäntel trägt. Ich hatte ihn wenige Monate zuvor bei einer religiösen Talkshow im Fernsehen gesehen. Ihn und Gary Busey, einen anderen Schauspieler. Was Baldwin sagte, weiß ich nicht mehr, aber Busey redete derart wirres Zeug, dass selbst der Moderator nervös wurde. Er hat es mit dem »Fluch der Generationen«. Wenn Sie sich fragen, was das sein soll – da kann ich Ihnen nicht helfen, tut mir leid. Ich war zwar mal wiedergeboren, aber auf LSD bin ich nicht großgezogen worden.

Baldwin sagte eine ganze Menge da auf der Bühne, und was er sagte, wurde schräger und schräger: Sein brasilianisches Kindermädchen Augusta habe ihn und seine Frau in Tucson bekehrt, womit sich eine Prophezeiung erfüllt habe, die das Kindermädchen einst von ihrem Prediger in der Heimat bekommen habe. Gott habe »9/11 geschehen lassen«, es sei seine »Rache« gewesen, und Jesus habe ihm, Baldwin, aufgetragen, das an uns weiterzugeben. Er sagte weiter, dass 9/11 auf das Konto des Teufels gehe. Er sagte, Gott erwarte von ihm, dass er »ultracoole christliche Filme« mache. Er sagte, im November sollten wir den Kandidaten mit dem stärksten Glauben wählen. Die Menge rastete aus; das Wohnmobil wackelte nahezu.

Als Jake und Bub an die Tür klopften, hatte ich es seit Stunden nicht verlassen, war immer schwächer geworden und hatte mehrfach *The Silenced Times* und das Festivalprogramm durchgelesen. Im Programm stand, dass am Abend die Kerzenzeremonie stattfinden sollte, mit das Coolste am Creation Festival, wie mir die Jungs schon erzählt hatten. Man kam vor der Bühne zusammen, und die Mitarbeiter verteilten an jeden eine Kerze. Die Pressebetreuer hatten von einem Aussichtspunkt auf einem Berg über der Bühne gesprochen, zu dem man hochwandern könne. Man müsse sich das Ganze von dort oben ansehen, hatten sie gesagt.

Als ich die Tür öffnete, wedelte Jake mit einer Zeitung. Bub stand hinter ihm und grinste breit.

»Schau mal«, sagte Jake. Es war die Mittwochsausgabe des *Valley Log*, der Zeitung für Southern Huntingdon County. »Solange es nicht im *Valley Log* stand, ist es nichts als ein Gerücht.«

Die Schlagzeile lautete: *Puma anscheinend keine Gefahr für Festival-Camper.*

»Und, was haben wir gesagt?«, fragte Bub.

»Immerhin ist er nicht gefährlich«, sagte ich.

»Zumindest nicht für uns«, sagte Jake.

Schweigend erklomm ich mit ihnen den Anstieg zu ihrem Zeltplatz. Darius saß auf einer Kühlbox, hatte das Kinn in die

Hände gelegt und suchte den Horizont ab. Er wirkte nachdenklich. Josh und Ritter sangen Lieder. Pee Wee hörte zu, nur für sich; mit den jüdischen Mädchen hatte er es vermasselt.

»Hey Darius«, sagte ich. Er stand auf. »In ungefähr zehn Minuten wird's hier regnen«, sagte er. Ich trat zu ihm und versuchte zu sehen, was er sah.

»Willst du wissen, woher ich das weiß?«, fragte er.

Er erklärte es mir. Der Wind, die Anmutung des Himmels, die Blätter, die sich in der Krone der Ahornbäume zusammenrollen und weiß werden, wenn sie Regen kommen spüren, diese »tote« Farbe, die das Licht annimmt. Er las mir die Landschaft vor wie ein Kinderbuch. »Schau mal, das Tal da drüben«, sagte er, »das ist ganz neblig, da hat es noch nicht gegossen. Und das dahinter, da ist es schon wieder klar – das heißt, der Regen kommt in unsere Richtung.«

Minuten später fing es an zu regnen, in großen, alles durchnässenden, trommelnden Tropfen. Die Jungs rafften ihre Sachen zusammen. Ich schlug vor, dass wir uns ins Wohnmobil setzen könnten. Sie sahen sich an, als sei diese Idee eventuell irgendwie bedenklich. Dann aber schrie Ritter: »Auf sie mit Gebrüll!« Mit den Gitarren und – in Joshs Fall – einer Bratpfanne in der Hand, in der das Fleisch eines mir noch unbekannten Waldwesens brutzelte, rannten wir den Abhang hinunter.

Der Platz reichte für alle. Ich stellte meine Laterne auf den Esstisch und schob die Fensterscheiben auf, um Luft hereinzulassen. Darius machte Kartentricks. Wir tranken Quellwasser. Jemand furzte; die Auseinandersetzung darüber, wer es gewesen war (Pee Wee), dauerte gut zwanzig Minuten. Der Regen trommelte unablässig aufs Dach. Die Jungs waren beeindruckt von meiner Unterkunft. Sie meinten, ich solle sie verticken. Mit dem Geld könnte ich mir in Braxton County ein hübsches Häuschen kaufen.

Wir spielten Gitarre. Das Wohnmobil schaukelte vor und zurück. Jake hatte es nicht so mit Christenrock, stand als guter Baptist aber auf alte Gospelsongs und forderte, Gott segne ihn, immer mal wieder einen ein. Der, den Ritter sang, machte mich völlig fertig. Keine Ahnung, was anders war, aber plötzlich konnte man die Jungs auch für säkulare Sachen begeistern. Pee Wee stellte sich als großer Neil-Young-Fan heraus; er hatte zwar noch nie etwas von Neil Young gehört, aber als ich »Powderfinger« für ihn spielte, rollte er sich zusammen wie ein kleines Kind und wünschte sich nach dem ersten Durchlauf noch einen zweiten. Er sagte, ich hätte eine schöne Stimme.

Jeder sagte jedem, wie gut er sei und dass er wirklich über eine Musikerkarriere nachdenken solle. Josh spielte »Stairway to Heaven«, und wir sangen richtig laut mit. Darius sagte: »Macht mal halblang! Es muss ja nicht jeder gleich denken, dass wir hier ein Sündenpfuhl sind.«

Der Regen hörte auf. Zeit zum Aufbrechen. Zwei der Jungs wollten früh am nächsten Morgen abfahren, und ich musste mich auf den Weg machen, wollte ich pünktlich zum Kerzen-Anzünden am Aussichtspunkt sein. Sie begleiteten mich bis zu der Stelle, wo der Weg zur Bühne abzweigte. Alle umarmten mich. Jake sagte, ich solle anrufen, sollte ich je »in eine Situation geraten, die bereinigt werden muss«. Darius sagte mit vielsagendem Blick: »Gott segne dich.« Dann sagte er noch: »Hey Mann, falls du über uns schreibst, kannst du mir einen Gefallen tun?«

»Klar«, sagte ich.

»Schreib, dass wir Gott lieben«, sagte er. »Schreib meinetwegen, dass wir einen Knall haben, aber schreib auch, dass wir Gott lieben.«

Der Anstieg war lang und steil. Oben war so ein Ding, das aussah wie eine Gartenterrasse, weit übers Tal ragte und einen unverstellten Blick bot. Jugendliche hingen darauf wie Lemuren oder so.

Entschuldigungen murmelnd bahnte ich mir den Weg bis vor zum Rand, wo die Felsen steil unter mir abfielen. Es war dunkel und dann plötzlich noch dunkler – stockfinster. Sie hatten die Beleuchtung seitlich der Bühne ausgemacht. Kleine stecknadelkopfgroße Lichtpünktchen erschienen und bewegten sich durch die Gänge. Ich kannte das aus meiner Kindheit, vom Heiligabend in der Kirche. Man zündet die Kerzen entlang des Mittelgangs an, und von dort wandert das Licht dann durch die Reihen. Die Ausbreitung beschleunigt exponentiell, und die Wirkung ist so unerwartet, dass man am Ende, wenn die eine Hälfte der Gemeinde die Kerzen der anderen Hälfte anzündet, immer den Eindruck hat, als ob jemand den Lichtschalter umgelegt hat. So war es auch jetzt.

Die Wolken hatten sich verzogen, und der Himmel war wieder voller Sterne. Überall in den Bäumen ringsumher saßen Glühwürmchen, und tief unter mir breitete sich ein Teppich brennender Kerzen aus, kleine Flämmchen, vielzehntausendfach. Ich war gefangen in einem schwarzen Raum voll flackernden Lichts.

Natürlich dachte ich an Nürnberg. Aber am meisten dachte ich an Darius, Jake, Josh, Bub, Ritter und Pee Wee, die ich wahrscheinlich nie wieder sehen würde, die ich aber ins Herz geschlossen hatte und die Gott liebten – das hätte ich auch geschrieben, wenn Darius mich nicht darum gebeten hätte, es ist vielleicht das Wahrste an diesem Text: Sie haben einen Knall, und sie lieben Gott. Ich dachte über die unantastbare Erhabenheit dieser Liebe nach, zu der ich nie in der Lage war. Zu wissen, dass etwas nicht wahr ist, heißt nicht, dass man die Stärke hätte, daran zu glauben, wenn es doch wahr wäre. Sechs der glühenden Pünktchen unten im Tal waren von ihnen.

Für einen Augenblick sah ich vor mir den Kreis ihrer Gesichter rund ums Feuer, jedes Gesicht für sich, jedes leuchtend in der »Gewissheit der Hoffnung«, wie es bei Paulus merkwürdigerweise heißt. Es schien mir nicht richtig, dass die Wirklichkeit solche Seelen nicht belohnte.

Diese Zeilen sind aus einem Gedicht von Czesław Miłosz:

»Wenn sie aber alle, die mit gefalteten Händen Knienden,
Millionen, Milliarden davon, dort endeten, wo ihre
    Täuschung war?
Ich finde mich niemals ab. Ich will sie krönen.
Des Menschen Verstand ist herrlich, das Mundwerk mächtig
Und die Berufung so groß, dass das Paradies sich öffnen
    muss.«

Wenn man das nur so sagen und auch so meinen könnte.

Alle bliesen im selben Moment ihre Kerzen aus, und das Tal – die konkrete geografische Gegebenheit – füllte sich mit Rauch, so viele waren es.

Bei Anbruch des Tages, als die Schöpfung noch schlief, fuhr ich ab.

DAS FINALE COMEBACK DES AXL ROSE

1.

Er kommt aus dem Nichts.

Klingt wie ein augenzwinkerndes Klischee – heutzutage eigentlich sogar nur noch wie Angeberei. Wie der sozioökonomische Code für »Ich war auf einem Durchschnittscollege und hab die ganze Kohle allein verdient, ohne irgendwelche Connections.«

So meine ich es nicht. Ich meine tatsächlich: Er kommt aus dem Nichts. Ich bin mir sicher, ich könnte unter Zuhilfenahme des gängigen Kartenmaterials und eines Zeigestocks auch den größten Erbsenzähler davon überzeugen, dass damals, als nach dem Bürgerkrieg das vielteilige, blutgetränkte geografische Puzzle dieses Landes in seiner mehr oder weniger bis heute gültigen Gestalt zusammengesetzt wurde, jemand ein Teilchen fallen gelassen hat, so dass eine Leerstelle entstand, der man anschließend den Namen Central Indiana gab. Ich will nicht behaupten, dass es dort nichts gibt. Sondern dass es kein Dort gibt. Im Ernst, gehen Sie doch mal systematisch an die Sache ran: Wo liegt das größte Nirgendwo Amerikas? Im Mittleren Westen, richtig? Ist man erst mal im Mittleren Westen, stellt man fest, dass jedes Teil-Nirgendwo Anspruch erhebt auf seine je eigene Irgendwohaftigkeit. Iowa hat die Einsamkeit der Prärie. Michigan hat einen Gordon-Lightfoot-Song. Ohio hält sich an seine nur bedingt lustige Fadheit und Durchschnittlichkeit. Irgendetwas haben sie alle. Aber wenn ich Sie auffordere, die Augen zu schließen, und dann sage: Indiana ... Fehlanzeige, oder? Und da sprechen wir noch von Indiana als Ganzem, also auch von Southern Indiana, wo ich aufgewachsen bin, und von Northern Indiana, das an einen der Großen Seen stößt. Da haben wir die Sache noch gar nicht auf Central Indiana eingegrenzt. Central Indiana? Klingt wie: *Wo bist du? – Nirgends. – Na dann nichts wie hin!*

Als ich Jeff Strange, einen Frühstücksradio-Diskjockey in Lafayette, fragte, was er von diesem Teil der Welt halte – ob er ihn beispielsweise den Südstaaten zuschlagen würde, immerhin feiert der Ku-Klux-Klan hier fröhliche Urständ (was allerdings auch ein bisschen wie ein verzweifeltes So-tun-als-ob rüberkommt), oder doch eher dem Mittleren Westen –, wissen Sie, was er geantwortet hat? »Manche hier sprechen nur von ›der Gegend‹.«

William Bruce Rose Jr.; William Bruce Bailey; Bill Bailey; William Rose; Axl Rose; W. Axl Rose.

Von dort kommt er. Behalten Sie das im Hinterkopf.

2.

Am 15. Mai betrat er die Bühne, in Jeans, schwarzer Lederjacke und mit einer riesigen schwarzen Sonnenbrille ohne Fassung, mit der er aussah wie ein Insekt. Wir hatten so lange gewartet. Jahrelang. Stundenlang. Es war die dritte der vier Comeback-Shows im New Yorker Hammerstein Ballroom. Um sieben hatten sie die Türen aufgemacht. Um halb neun war die Vorband wieder von der Bühne runter. Jetzt war es nach elf. Im Publikum hatte es bereits Prügeleien gegeben, und es fühlte sich an, als könnte die Stimmung in der Halle, ohne dass irgendwas passierte, gar nicht noch aufgeheizter werden. Ich stand neben einer wirklich netten Frau aus New Jersey, einer Friseurin, die mir erzählte, ihr Mann mache »die Pyro« für Bon Jovi. Ständig smste sie einem Freund ihres Manns, der für »die Pyro« des Konzerts heute zuständig war, und fragte ihn: »Wann geht's los?« Er smste zurück: »Wir sind noch nicht mal drin.« Irgendwann fragte ich sie: »Haben Sie vor einem Konzert schon mal ein Publikum erlebt, das derart unter Strom steht?« Und sie: »Ja, bei Bon Jovi immer.«

Dann war er da. Es tut mir ja leid für die nette Frau, aber wenn Bon Jovi auftritt, drehen die Leute nicht derart durch. Denn: Die Leute. Drehten. Durch. Er ist nicht sonderlich groß – ich glaube, er kommt noch nicht mal an die einsachtzig ran, wenn man die Absätze seiner Stiefel (rotes Leder) mitrechnet. Mit der Kampfeslust einer Comicfigur stakste er auf uns zu.

Alle reden in Sachen Axl ja nur noch über sein merkwürdiges neues Äußeres, und es fällt auch tatsächlich schwer, den ungewöhnlichen Eindruck, den er macht, außen vor zu lassen. Für mich sieht er aus, als würde er eine Axl-Rose-Maske tragen. Er sieht aus wie ein Mann, den ich vor zwölf Jahren um zwei Uhr morgens an einer Autobahnraststätte in Monteagle, Tennessee, alleine habe essen sehen. Er sieht immer mehr aus wie die Albino-Reggae-Legende Yellowman. Seine Mähne erinnert an einen Wust kompliziert geflochtener, erdbeerroter Hanffasern, deren straff verzwirnte Enden je einen Zentimeter tief in die Kopfhaut getrieben wurden. Seine Brusthaare haben die Farbe eines fabrikneuen Pennys. Mit der Insektensonnenbrille, den Zöpfchen und dem Ziegenbart hat er was von dem Monster aus *Predator*. Oder eher was von der Frau dieses Monsters auf ihrem Heimatplaneten. Am Anfang seiner Karriere sah er auf Fotos oft aus wie ein hübsches, zierliches, rothaariges zwanzigjähriges Mädchen. Jetzt hat er um die Mitte herum angesetzt – er ist auf eine muskulöse Art massig und nicht mehr fettärschig wie vor ein paar Jahren. Mit festem Griff umfasst er sein Gemächt, und sein Gemächt ist riesig. Ich berichte nur, was ich gesehen habe. Dann pflanzt er sich breitbeinig vor uns auf. »Do you know where you are?«, ruft er, und wir brüllen, ja, wissen wir, aber er sagt es uns trotzdem: »You're in the jungle, baby.« Dann teilt er uns mit, dass wir sterben werden.

Er muss geschmeichelt sein, nicht nur der extremen Art wegen, mit der alle bei seinem Erscheinen ausflippen, sondern auch wegen der anwesenden Altersmischung: Es geht von Hipstern, die zum Zeitpunkt der Veröffentlichung von *Appetite* wahrscheinlich gerade geboren wurden, bis zu älteren Gestalten, die ihre gigantischen Rockermatten gegen angegraute Rattenschwänze eingetauscht haben. Dazwischen diverse Mikrogenerationen. Warum ich das alles überhaupt erwähnenswert finde? Weil die Leserinnen und Leser des *Teen*-Magazins ihn vor weniger als einem Jahr auf Platz zwei der Rangliste der hundert coolsten älteren Menschen wählten, hinter »Meine Großeltern«. Ihn, Axl Rose, der dreizehn Jahre lang kein offizielles Album mehr rausgebracht und sich in dieser Zeit in eine fast Howard-Hughes-artige Figur verwandelt hat – er lässt sich das Essen nur noch nach Hause kommen, versichert in sporadischen Abständen, die Veröffentlichung eines neues Albums mit dem Titel *Chinese Democracy* stehe unmittelbar bevor, legt gelegentlich bestürzende Auftritte bei Sportveranstaltungen und Modenschauen hin, all so was –, ihn, der dabei gleichermaßen ein bisschen animalisch und ein bisschen verloren wirkt, einem Mann nicht unähnlich, der zum ersten Mal einen ganzen Tag unbeaufsichtigt Freigang aus der Psychiatrie hat. Er ist wieder da. Die Gitarristen greifen in die Saiten, der Drummer legt vor mit seinem Bis-zum-Gesangseinsatz-steigere-ich-die-Spannung-Gehämmer, und auf die Gefahr hin, dass ich hier gewisse Geschmacksunsicherheiten offenbare, muss ich sagen: Die düstere Perfektion dieses Eröffnungsriffs ist um keinen Tag gealtert.

Man kann gar nicht anders, als das hier mit dem MTV-Auftritt von 2002 zu vergleichen, und man merkt, dass es allen so geht. Wer damals zugesehen hat, mag die Nacherzählung dieses grotesken Vorkommnisses an dieser Stelle ermüdend finden, aber dazu kann ich nur sagen: Vergesst das nie. Nicht den Gitarristen Buckethead mit dem Eimer auf dem Kopf. Diesen anderen Gitarristen. Axls zeltähnliches Football-Trikot und die herzzerreißende Art, wie er nach nur wenigen Sekunden im Bild der Videowand seinen schlangengleichen Schleiffußtanz abbrach, à la: »Ihr wollt meinen Schlängeltanz sehen? Bitte, hier kommt mein Schlängeltanz. Nee, stop, ich glaube, ich habe gerade einen kleinen Schlaganfall. Haut ab.« Wie er hörbar nach Luft schnappt beim zweiten »knees« in »Sh-na-na-na-na-na-na-na-na-na-na-na knees, kn(keuch!)ees«. Sein Rennen und Singen, das mit dem Vorbeikreuchen der endlosen Minuten mehr und mehr einem Stolpern und Krächzen glich. Sein permanentes, senil wirkendes Gefummel an dem Monitorknopf in seinem Ohr.

Was ich sagen will: Heute Abend ist es anders. Zum einen kommen die Jungs auf der Bühne mit den Parts von Slash klar. Beziehungsweise: Sie beherrschen ihre Instrumente so gut, dass sie sich entscheiden können, damit klarzukommen. Sie geben sich nicht als Slash aus wie die Typen bei MTV. Buckethead wurde durch einen Kerl namens Bumblefoot ersetzt, und Bumblefoot rockt. Genau wie Robin Finck, der früher bei Nine Inch Nails war. Jede Note sitzt. Wir könnten uns an dieser Stelle in das der populären Musik eignende Problem der Virtuosität vertiefen – nämlich den Umstand, dass Leute, die eigentlich alles spielen können, in neun von zehn Fällen aus unerfindlichen Gründen mit irgendeinem Mist ankommen, wenn man sie bittet zu improvisieren –, aber es reicht vielleicht zu konstatieren: Wer nach und nach seine ganze Band auswechselt und den Neuen nur sagt: »Macht's bitte so und so«, tut nicht schlecht daran, sich monstergute Musiker zu suchen.

Der gesamte Bogen des Konzerts folgt einem ziemlich gradlinigen Plot. Die Unstimmigkeit steht im Dienst der Wahrheit: Es ist eine Schlacht zwischen der Dissonanz, diese ganzen nicht zu Guns N' Roses gehörenden Typen mit Axl rumspringen und Guns-N'-Roses-Songs spielen zu sehen – eine abstoßende, wenn nicht verstörend unheimliche Dissonanz –, und der unverwüstlichen Qualität der Songs selbst. Die letztendliche Mischung wird darüber entscheiden, ob dieser Abend ein Knaller wird oder »irgendwie traurig, aber hey, immerhin Axl«. Für mein Dafürhalten hat Axl den Stich gemacht. Zum einen ist seine Stimme wieder da. Er bewohnt die Töne. Und seine Tanzkünste – ich weiß nicht, wie ich es anders sagen soll – sind gereift. Von Anfang an war er unter den männlichen weißen Rockern seiner Generation der einzige unverzichtbare Tänzer, der einzige, bei dem sich die verulkende Nachahmung lohnte. Man denke an den Moment im »Patience«-Video, wo er den schlängelnden Schleiffußtanz macht, während er die Hände wie Federn in einem Raum ohne Luftzug hinabschweben lässt und bei jeder Note, die Slash im Übergang zur Coda spielt, eine flüchtige Pause einlegt. Der großartigste Tanzmoment eines männlichen Rockers im Videozeitalter. Tut mir leid, aber was Axl da macht, ist wunderschön. Wenn ich könnte, würde ich das beim Gang zum Laden ums Eck machen. Jeden Morgen würde ich nach dem Aufwachen tanzen wie William Byrd von Westover, und genau so sähe mein Tanz aus. Auch wenn ich nicht behaupten kann, dass Axl an diesem Abend genauso gut tanzt wie früher, als seine Fersen noch fließend von der Körpermitte weg nach außen glitten und es aussah, als seien beide mit einem Zauberstab berührt worden, der sie von Widerstand und Masse erlöst hat, und auch wenn er mich in gewissen Augenblicken an meinen besoffenen Redneck-Onkel erinnert, der nach einer Super-Bowl-Party versucht, »seinen Axl Rose« darzubieten: Er schlägt sich ehrenvoll. Er macht den »Scheiße, mir ist eine Bowlingkugel auf den Fuß gefallen«-Mikroständer-Drehtanz; er macht den »Tänzel mit dem Mikroständer seitwärts wie ein angreifender, speerschwingender Ritualkrieger«-Tanz zwischen den einzelnen Strophen. Und nach

jeder Zeile starrt er die Menge aus diesen merkwürdig ver-
wunderten und trotzdem furchtlosen Augen an, die aussehen,
als hätte man ihn gerade dabei überrascht, wie er sich in seinem Bau über ein Stück Aas hermacht.

3.

Protokoll eines Gesprächs mit meiner Frau Mariana, 27. Juni
2006:

ICH: Oh mein Gott.
SIE: Was?
ICH: Axl hat in Schweden gerade einen Mann von der Security ins Bein gebissen. Er ist im Gefängnis.
SIE: Hat das Auswirkungen auf dein Interview mit ihm?
ICH: Nein, die haben sowieso nie ernsthaft darüber nachgedacht, mich mit ihm reden zu lassen, glaube ich ... Aber
jemanden ins Bein zu beißen – das nötigt einen ja dazu, sich
ihn in einer irgendwie ... entwürdigenden Haltung vorzustellen.
SIE: Hat Axl eigentlich Hilfe, wenn so was passiert?

4.

Seit Tagen schon war ich durch das überraschend hübsche,
sonnige, frisch restaurierte Stadtzentrum von Lafayette gewan-
dert und hatte zusammengekratzt, was ich finden konnte. Ich
war zu dem Haus gegangen, in dem er aufgewachsen war. In
der Stadtbibliothek hatte ich mir die alten Fotos aus seinem
Schuljahrbuch angeschaut. Jeder hatte seine Axl-Geschichte.
Aus dem Haus da drüben hat er einen Fernseher gestohlen.
Hier hat er versucht, auf dem Kofferraum eines Autos Skate-

board zu fahren, und sich dabei den ganzen Arm aufgeschürft. Aus diesem Motel da kam er mit einer halbnackten Frau, und als ein paar ältere Typen sie ansahen und einer von ihnen eine Zigarette fallen ließ, ohne damit eine bestimmte Absicht zu verfolgen, ist Axl durchgedreht und hat ihnen den Stinkefinger gezeigt, woraufhin sie ihm die Scheiße aus dem Leib geprügelt haben. Es ist schwer, Belege für solche Geschichten zu finden. Aber es gibt noch genügend Strafbefehle aus Axls Jahren in Indiana, um die Behauptung glaubwürdig erscheinen zu lassen, Stadtcops und Nationalgardisten hätten sich immer, wenn sie ihn irgendwo sichteten, berechtigt gefühlt, ihn aufzugreifen und ihm die Hölle heiß zu machen. Genau genommen waren sie nämlich immer im Recht. Man kann sich kaum vorstellen, dass man ihn nicht sofort sah, wenn er mit seinen langen, dünnen, herabfließenden roten Haaren das Haus verließ. Axl zu sein, kann nicht immer nur Spaß gemacht haben.

Ich ging zur Polizei. Genau wie die Stadt haben sich auch die Beamten entspannt. Eigentlich waren sie sogar richtig freundlich. Sie fanden und überantworteten mir die Negative einiger noch nie veröffentlichter Fahndungsfotos von 1980 und 1982, deren älteres (auf dem er erst achtzehn ist) ein anonymes amerikanisches Meisterwerk von traurigster, armseligster Machart ist. Die Damen im Archiv wühlten ein bisschen in den Akten und kamen mit dem Bericht zurück, der zu diesem Bild gehörte und den ich weder in einer der Biografien noch online oder sonst wo erwähnt gefunden hatte. Er war von einem Beamten verfasst worden, der mit »1-4« unterschrieben hat. Ich nahm den Bericht mit ins Holiday Inn und verbrachte den Rest des Nachmittags lesend. Nennen wir das Ereignis, von dem er erzählt, den Sheidler-Vorfall. Der Bericht fängt so an:

Name: Bailey, William Bruce
Pseudonym: Bill Bailey
Momentaner Arbeitsplatz: selbstständig, Band

Beschuldigung: Strafbefehl wg. Tätlichkeit
Alter: 18; Größe: 175 cm; Gewicht: 67 kg; Haarfarbe: rot;
Augenfarbe: grün; Körperbau: schlank; Hautfarbe: hell

Und jetzt kommt, was angeblich an jenem Tag passiert ist (ich
werde die Rosinen für Sie herauspicken). Ein kleiner Junge namens Scott Sheidler fuhr Fahrrad vor dem Haus eines Jugendlichen namens Dana Gregory. Scott machte Bremsspuren auf
den Bürgersteig. Dana Gregory rannte raus, packte Scott unter
den Achseln, trat sein Fahrrad um und befahl dem Jungen, *auf
Händen und Knien die Bremsspuren vom Bürgersteig zu schrub-
ben*. Der Junge rannte zu seinem Vater, Tom Sheidler, und ver-
petzte Dana. Tom Sheidler ging zum jungen Dana Gregory und
fragte ihn, ob das, was Scotty erzählt hatte, wahr sei. Dana Gregory sagte: »*Ja, und du Wichser kriegst auch gleich auf die Fres-
se.*« Scotts Mutter Marleen kam hinzu und fing an zu schreien.
Ungefähr in diesem Moment tauchte Bill Bailey auf, rothaarig,
grünäugig, schlank und hellhäutig. Ab hier lasse ich den Bericht zumindest eine Zeitlang für sich selbst sprechen, denn
ich brauche gar nicht erst anzufangen, seine berückende Knapp-
heit und Autorität nachahmen zu wollen:

M. Sheidler gab zu Protokoll, dass Bailey ebenfalls mit
Sheidler in Streit geriet und dabei vor ihren Kindern das
»F«-Wort gebrauchte. M. Sheidler sagte, dass sie zu Bailey
ging, mit dem Finger auf ihn zeigte und ihn anwies, das
»F«-Wort nicht vor ihren Kindern zu benutzen. M. Sheidler
gab an, dass Bailey, der EINEN GIPS AM ARM trägt, sie dann
mit dem Gips auf Arm und Hals schlug. Ich habe M. Sheidler
untersucht und ROTE STRIEMEN auf ARM und HALS gefunden, die von Schlägen stammen könnten.

Um die Frage, mit welcher Hand oder mit was geschlagen wurde, kreist der Bericht dann geraume Zeit. Marleen Sheidler

gibt an: »Mit dem Gips.« Der kleine Scott sagt: »Mit einem Gips.« Und Dana Gregorys jüngerer Bruder Chris, fünfzehn, sagt: »Mit der anderen Hand als der, an der der Gips ist.« (Und fügt an, dass Bailey Sheidler nur als Reaktion auf »Sheidlers Schläge gegen ihn« geschlagen habe.) Bill Bailey selbst gibt zu Protokoll, dass er »M. Sheidler mit seiner linken Hand, die aus dem Gips herausragte, ins Gesicht geschlagen« habe. Aber eben erst, nachdem »Marleen Sheidler ihn ins Gesicht geschlagen hatte« (wobei er zugibt, wenige Sekunden vorher zu ihr gesagt zu haben, sie solle »ihre verfickten Blagen gefälligst zu Hause lassen«). Die Geschichte endet mit einer auf merkwürdige Weise anrührenden Plötzlichkeit: »Bailey gab an, dass Sheidler ihn dann ansprang und dabei auf sein Gesicht fiel, woraufhin er, Bailey, nach Hause ging …«

Während ich das las, konnte ich gar nicht aufhören, mich über ein Detail zu wundern: Warum regten sie sich so über die Bremsspuren auf? Ist es so schlimm, Bremsspuren auf den Bürgersteig zu machen? Ich glaube fast, ich habe meine halbe Kindheit lang die gesamte Nachbarschaft unwissentlich zur Weißglut getrieben.

(Jeff Strange, DJ im Lokalradio, über Axls extrem kurzen, aber häufig Erwähnung findenden Austausch von Tätlichkeiten mit Tommy Hilfiger, dem zwergenhaften und, wie es heißt, eigentlich sanftmütigen Designer von Einkaufszentrumsklamotten; »Tätlichkeit« ist in diesem Fall wirklich ein starker Begriff – in den meisten Schilderungen klingt es eher so, als habe der Vorfall vor allem darin bestanden, dass Hilfiger Axl mehrfach mit der flachen Hand auf den Arm schlug, und es gibt Bilder, die Axl zeigen, wie er Hilfiger in einer fragenden Mischung aus Wut und amüsiertem Unglauben anstarrt, à la: »Soll ich … diesem Ding da wirklich weh tun?« Jeff Strange:

»Als ich das gesehen hab, Mann, hab ich nur gedacht: Total Lafayette.«)

5.

Ich spürte Dana Gregory auf. Über einen Anruf bei seiner Stief-mutter. Dana ist Axls ältester Freund und hat früher in L. A. mal für ihn gearbeitet, nachdem Guns N' Roses groß geworden waren. Als wir uns auf der Terrasse hinter einer Kneipe na-mens Sgt. Preston's an einen Tisch setzten, trug er eine Son-nenbrille. Als er die hoch in seine buschig grauen Haare schob, kamen nervenaufreibend helle, azurblaue Augen zum Vor-schein, die schon viele Sonnenaufgänge gesehen haben muss-ten. Er hatte alles mitgenommen. Das wusste man, noch bevor er den Mund aufmachte. Er hatte spektakulär viel verrückte Scheiße gemacht in seinem Leben, und den Rest seines Lebens würde er damit verbringen, sich an diese Scheiße zu erinnern und darüber nachzudenken und sich darauf zu konzentrie-ren, jeden Tag aufs Neue damit fertigzuwerden. Der Kern die-ser Scheiße: die Metamorphose seines Jugendfreundes Bill, in dessen Mutters Küche er jeden Morgen gefrühstückt hatte, die Metamorphose seines Wölflingskumpels (man warf eine Münze: Bill war bei der Parade Raggedy Ann und Dana war Raggedy Andy), in den – zeitweilig – größten Rockstar des Pla-neten, einen Mann, der in mehr als einem Land Ausschreitun-gen anzettelte, einem Supermodel den Laufpass gab, mit Mick Jagger im Duett sang und noch viel schrägere Sachen mach-te, zum Beispiel dem *Rolling Stone* zu erzählen, er erinnere sich wieder daran, als Zweijähriger von seinem Stiefvater ver-gewaltigt worden zu sein; in einen Mann, der den Namen einer Band (Axl) – in der Dana Gregory einst Bass spielte, Bill selbst aber gar nicht war – zu seinem bürgerlichen Namen machte und damit allgemein bekannt wurde. Dieses Ereignis war in Gregorys Leben eingeschlagen wie eine Supernova in eine vorwissenschaftliche Kultur. Wie sollte er damit umge-hen?

Ich fragte: »Nennen Sie ihn Bill oder Axl?«

Er lächelte: »Nur Ax.«

»Reden Sie noch oft miteinander?«

»Seit 1992 überhaupt nicht mehr. Wir hatten so was wie ein Zerwürfnis.«

»Weswegen?«

Er schaute weg. »Wegen einem Scheißdreck.« Dann, nach ein paar Schlucken aus der Flasche und einigen Zügen an der Zigarette: »Wahrscheinlich wegen einer Frau.«

Er war nervös, aber auf eine Art, wie jeder anständige Mensch nervös ist, wenn man sich mit einem Notizbuch bewaffnet ihm gegenübersetzt und eine Attitüde an den Tag legt, die ungefähr das aussagt: »Ich muss um halb drei zum Flieger. Könnten Sie mir bitte schnell die krassesten Anekdoten aus Ihrem Leben erzählen? Und bestellen Sie sich doch ruhig mehr von dem Spinat-Artischocken-Dip, ich übernehm natürlich die Rechnung.«

Seine Biere trank er schnell. Wiederholt benutzte er, ohne dabei im Geringsten befangen zu sein, eine Wendung, die ich schon immer sehr gemocht habe: »Right on«, schnell gesprochen und das »Right« eine halbe Oktave höher intoniert als das »On«, nicht um »Stimmt!« oder »Genau!« zu sagen, sondern einfach nur »Ja«. Wie in »Hey, sollen wir feiern gehen?« – »Right on«.

»Erzählen Sie mir von L. A.«, forderte ich ihn auf. »Sie haben gesagt, Sie hätten da unten für ihn gearbeitet. Als was?«

»Hab allen Scheiß repariert, den er kaputt gemacht hat«, sagte Gregory.

»Hat er viel kaputt gemacht?«, fragte ich.

»In seinem Appartement hingen an allen Wänden riesige Spiegel. Ab und zu hat er mit dieser Raumfahrerstatue, die jeder kriegt, der bei MTV einen Award gewinnt, die Spiegel zertrümmert. Und weil er jeden Tag bis vier Uhr nachmittags geschlafen hat, musste ja jemand den Typen reinlassen, der zum Spiegel-Reparieren kam. Scheiße in der Art eben.«

Er erzählte mir noch eine L. A.-Geschichte, davon, wie Axl einmal Slashs geliebte Albino-Boa-Constrictor hochhob und die ihn von oben bis unten vollschiss. Und das, obwohl Axl ziemlich teure Klamotten anhatte. Er wurde so wütend, dass er kurz davor war, der Schlange etwas anzutun. Beschimpfte sie wüst. Da griff Slash seine Gitarre mit beiden Händen – an dieser Stelle warf Dana sich in eine weit ausholende Holzhackerpose – und sagte: »Lass. Meine. Schlange. In. Ruhe.« Axl wich zurück.

Ich glaube, wir saßen eine geraume Zeit zusammen. Dana hat vier Kinder und vier Enkel. Als ich meinte, dafür sei er aber noch ganz schön jung (kann man sich Axl mit vier Enkelkindern vorstellen?), sagte er nur: »Hab jung angefangen. Wie gesagt, wir haben viel herumexperimentiert.« Monica Gregory, seine Exfrau, hatte Axl auch gekannt. Sie hat ihm seinen ersten Verstärker geschenkt. Gregory spricht laut eigener Auskunft einmal im Jahr mit ihr, aber »nur, wenn ich muss«. Er sagte, er habe den Wunsch, den Grad der Gestörtheit in der nächsten Generation zu verringern. Er erzählte mir, wie er, Axl, Monica und die Clique damals nach Einbruch der Dunkelheit immer in einen Park gegangen waren, den Columbian Park in Lafayette – »Nachts gehörte der Park uns« –, das abgeschlossene Klavier auf der Freilichtbühne geknackt und bis in die frühen Morgenstunden gespielt hatten. Durch den Columbian Park war ich bereits spaziert. Er liegt quasi direkt auf der anderen Straßenseite von dort, wo die Jungs aufgewachsen sind. Keine sieben Meter von der Bühne entfernt steht ein Ehrenmal für die Söhne von Lafayette, die »bei der Verteidigung unseres Landes das größte aller Opfer gebracht haben«, darunter auch der Name von William Rose, wahrscheinlich Axls Urururgroßvater, gefallen in einem Bürgerkrieg, der nicht gerade im exaktesten aller Sinne in Verteidigung unseres Landes geführt wurde. Und während Gregory noch erzählte, fand ich es plötzlich ziemlich schräg, dass Axl diesen Namen wahrscheinlich jahrelang

Hunderte von Malen gelesen hatte und nichts damit anzufangen wusste, weil ihm nicht klar war, dass es sein eigener Name war – er, der eines Tages beim Durchstöbern einiger Unterlagen der Mutter, die er für die seinigen hielt, seinen wahren Namen herausfand. Worauf er singen würde »I don't need your Civil War« und die bis dato unbeantwortete Frage stellte: »What's so civil about war, anyway?«

Damals, erzählte Gregory, habe Axl alles Mögliche gespielt. Thin Lizzy zum Beispiel. »Aber wirklich singen habe ich ihn nur einmal gehört, und zwar im Bad. Er war eine Stunde lang drin und machte Gott weiß was. Wahrscheinlich ist er da als Frau verkleidet rumgetanzt.«

»Was an seiner Musik hat Ihrer Meinung nach mit Lafayette zu tun?«

»Die Wut, Mann. Ich würde sagen, die hat er von hier.«

»Er ist viel verprügelt worden damals, oder?« (Seitdem ich in der Stadt war, hatte mir das mehr als nur eine Person erzählt.)

»Ich habe ihn oft verprügelt«, sagte Gregory. »Ein Jahr lang habe immer ich gewonnen, im nächsten Jahr dann wieder er. Einmal haben wir uns bei ihm im Garten gekloppt, und ich stand kurz davor, zu gewinnen. Als mein Vater sah, was los war, wollte er einschreiten, aber seine Mutter meinte nur: ›Nein, die sollen das ruhig austragen.‹ Wir hatten unsere Kämpfe sowieso immer bis ins kleinste Detail geregelt. Wenn man älter wird, dauert die Heilung länger.«

Unbeholfen versuchte ich ständig, das Gespräch zurück zu der Sheidler-Sache zu lenken, ohne dass es zu offensichtlich rüberkam. Konnte sich Dana tatsächlich nicht an diese tumultartige Szene erinnern? Seine Antworten fielen weiterhin elliptisch aus. »Ich kann mich nur daran erinnern, wie die Bullen wissen wollten, wer die ganze Straße mit Farbe besprüht hat«, sagte er und lächelte. »In der Nacht, bevor Axl nach L. A. ging, sprayte er ›Leck mich am Arsch, Lafayette, ich bin weg‹

einmal quer über den Asphalt. Ich wünschte, ich hätte ein Foto davon gemacht.«

Schließlich wurde ich ungeduldig: »Mr. Gregory, es ist unmöglich, dass Sie sich nicht daran erinnern. Noch mal: Sie. Ein Junge mit einem Fahrrad. Axl und eine Frau, die sich prügeln. Er mit Gips am Arm.«

»Ich kann Ihnen erzählen, wie es zu dem Gips kam«, sagte er. »Er hat einen Böller zu spät losgelassen. Wir haben die Dinger für harmlos gehalten, aber das waren sie wohl nicht, immerhin hat einer ihm fast die ganze scheiß Hand weggefetzt.«

»Und warum haben Sie sich über die Bremsspuren so aufgeregt?«, fragte ich.

»Mein Vater hat auf dem Bau gearbeitet. Macht er immer noch. Ich auch. Unsere Firma heißt Gregory und Söhne – ich und mein Bruder sind die Söhne. Wir machen vor allem Betonierarbeiten im Wohnungsbau. Mein Bruder ist schon tot. Er war neununddreißig. Hatte was mit dem Herzen. Mein Vater bringt's bis heute nicht über sich, die ›Söhne‹ einfach zu streichen. Egal. Wissen Sie, wir waren es, die diesen Bürgersteig gegossen hatten. Wenn mein Vater die Bremsspuren sah, würde er sich tierisch aufregen – ›Verdammt noch mal, wisst ihr eigentlich, wie schwer man die wieder abkriegt?‹ Er würde sofort uns für die Schuldigen halten und uns den Arsch versohlen. Deswegen dachte ich, als ich das [Werk des kleinen Scott Sheidler] gesehen hab: ›Nein, das kann ich ihm nicht durchgehen lassen.‹«

Das war's. Viele Nachfragen waren zu keinem Thema möglich, denn Gregorys Blick schweifte immer schnell ab, und er verfiel ins Grübeln. Bei mir stellte sich zunehmend das Gefühl ein, dass es einen bestimmten Grund gab für seine Anwesenheit und die Entscheidung, sich mit mir zu treffen, und dass wir über diesen Grund bislang noch nicht gesprochen hatten.

»Wissen Sie«, sagte er, »ich habe noch nie mit einem Reporter geredet. Ich habe regelmäßig alle Anfragen abgelehnt.«

»Und warum haben Sie diesmal ja gesagt?«, fragte ich.

»Eigentlich wollte ich Sie auch nicht zurückrufen, aber mein Vater hat gesagt, ich soll. Sie können sich bei meinem Vater bedanken. Mein Sohn meinte: ›Erzähl ihm, was für ein Arschloch der Typ war, Papa.‹ Darauf ich: ›Ach, der kennt diesen ganzen Quatsch doch.‹«

»Haben Sie vielleicht das Gefühl, es ist jetzt lange genug her und Sie können über alles reden?«

»Scheiße, was weiß ich. Ich schätze, er wird den Artikel wahrscheinlich sehen und mich dann anrufen. Was er echt lange nicht gemacht hat. Ich würd einfach gern mal wieder mit ihm reden und hören, was bei ihm eigentlich so los gewesen ist.«

»Ist er für Sie immer noch ein Freund?«, fragte ich. »Keine Ahnung. Der Typ fehlt mir einfach. Ich kann ihn gut leiden.«

Wir schwiegen einen Moment, dann beugte Gregory sich zur Seite und zog sein Portemonnaie aus der Hosentasche. Er klappte es auf und entnahm ihm ein zusammengefaltetes Stück weißes Notizpapier. Das er mir ungeöffnet in die Hand legte. »Nehmen Sie das hier mit in Ihren Artikel«, sagte er. »Er wird wissen, was es bedeutet.« Nach dem Interview stieg ich sofort in mein Auto und dachte erst wieder an den Zettel, als ich schon im Flugzeug saß. Zwei mit Bleistift geschriebene Zeilen standen darauf, aus dem Song »Estranged« vom Album *Use Your Illusion II*:

»But everything we've ever known's here.
I never wanted it to die.«

6.

Axl hat mal gesagt: »Ich singe mit fünf oder sechs verschiedenen Stimmen, die alle ein Teil von mir sind. Keine davon ist künstlich.« Das sehe ich genauso. Eine der Stimmen ist ein überraschend passabler Bariton. Die wichtigste Stimme aber ist die Teufelsfrau. Sie kommt aus einem tieferen Bereich von Axl als alle anderen. Meistens fährt sie erst gegen Ende eines Songs in ihn. Der dramatische Konflikt zwischen der Teufelsfrau und ihrem gutmütigen, melodischen Yang – dem Axl, der solche Zeilen singt wie »Her hair reminds me of a warm, safe place«, »If you want to love me, then darling, don't refrain« und »Sometimes I get so tense« – ist genau das, was die größten Guns-N'-Roses-Stücke hervorgebracht hat. Nehmen wir »Sweet Child O' Mine«. Man mag diesen Song mit seinen Killerriffs und seinem merkwürdig gestrig klingenden Refrain sofort, von Anfang an. Aber es hängt ein Schwert über ihm. Man spürt: Das ist noch nicht alles. Ich bitte Sie, wer gibt sich schon mit einer solchen Zeile zufrieden: »Now and then when I see her face / It takes me away to that special place?« Was soll der Quatsch?

Dann aber, ungefähr bei fünf Minuten und vier Sekunden, ist sie da. Der Song ist zu diesem Zeitpunkt schon in Moll umgeschwenkt, die Wolken haben sich langsam zusammengeballt, und ich kann dieses großartige, intelligente Solo nicht hören, ohne dass ich Axl vor mir sehe, wie er sich zu dessen Beginn an einen Ort verabschiedet, wo er für sich ist. Während sein Körper gewisse Veränderungen durchläuft. Was ich daran so schätze, ist, wie er, wenn er wieder zu sich zurückkehrt, über sich hinausgewachsen ist (»fünf oder sechs Stimmen, die alle ein Teil von mir sind«); er ist eigentlich noch lange nicht fertig mit seinen ganzen Ichs, wenn dieses furchterregende Timbre sich mit Brachialgewalt seinen Weg bahnt. Und was hat sie zu sagen, die Teufelsfrau? Das, was sie immer zu sagen hat. Ist Ihnen das schon mal aufgefallen? Mir bislang noch nicht. »Sweet Child«, »Paradise City«, »November Rain«, »Patience«, alle diese Songs münden in eine Coda – Axl als Poet der dunklen, unerlösten Coda –, die wiederum jeweils was für eine Aussage trifft? Diese: »Everybody needs somebody.« – »Don't you think that you need someone?« – »I need you. Oh, I need you.« – »Where do we go? Where do we go now? Where do we go?« – »I wanna go.« – »Oh, won't you please take me home?« – »Take me down.«

7.

Als ich so um die siebzehn war, fuhr ich mit meinem ältesten Freund Trent zurück nach Indiana. Wir beide waren in derselben kleinen Stadt am Fluss aufgewachsen und ungefähr zur gleichen Zeit weggezogen, um woanders zur Schule zu gehen, verklärten also beide ein bisschen die Plätze unserer Kindheit und unsere früheren Spielkameraden – man kennt das ja. Im Sommer vor unserem letzten Highschool-Jahr unternahmen wir einen Nostalgietrip nach Hause, um bei allen vorbeizuschauen und zu hören, wie es ihnen so ergangen war. Wir schreiben 1991, das Jahr, in dem *Use Your Illusion* rauskam. Andauernd lief »Don't Cry« im Radio, und es machte Spaß mitzusingen. Trotzdem stand mir einer der trostlosesten Nachmittage meines Lebens bevor.

Ohne eine einzige Ausnahme ließen sich unsere alten Kumpels entlang einer Trennlinie in zwei Lager teilen. Die Linie verlief zwischen den Klassen. Diejenigen, die in Silver Hills aufgewachsen waren – da, wo man Kinder großzog, damit sie die Highschool abschließen und aufs College gehen –, schlossen gerade die Highschool ab und schickten ihre College-Bewerbungen los. Die, die nicht von dort waren, machten das nicht. Sie machten gar nichts. Zum Beispiel Brad Hope und Rick Sissy, zwei Jungs aus unserer alten Clique. Ihre Väter waren Arbeiter – der eine fuhr einen Bus, der andere einen Betonmischer; Letzterer konnte weder lesen noch schreiben. Aber die Grundschule, wo wir uns kennengelernt hatten, war noch gut durchmischt. Und diesem Alter zwischen neun und elf Jahren eignet etwas Besonderes – die eigene Persönlichkeit zeichnet sich zwar bereits ab, aber mit etwas Glück hat man die Vorstellung noch nicht internalisiert, dass man anders ist als alle anderen und dass es im Leben so etwas wie eine Leiter gibt.

Als Erstes hielten wir vor Rickys Haus. Ricky war eine Art White-Trash-Genie gewesen, genial in so gut wie allem. Sie kennen sicher diese Inserate hinten in den Comics, die behaupten, man könne ein Luftkissenboot aus Staubsaugerteilen bauen. Ricky war derjenige, der dieses Luftkissenboot baute. Und anschließend frisierte. Er war größer und schwerer als wir anderen, hatte eine helle Stimme und benutzte irgendein Öl für seine Haare. Trent schaffte es auf die University of Chicago und schrieb am Ende eine zweihundertseitige Diplomarbeit über das Münchner Abkommen, aber sogar er würde Ihnen bestätigen: Ricky war der Schlauste von uns allen. Einmal ballerten Ricky und ich auf dem kleinen Schrottplatz, den sein Vater als eine Art Nebenerwerb betrieb, mit Luftpistolen auf Autos und machten Spinnweben in die Scheiben. Plötzlich brüllte Rickys Vater, aus einem seiner epischen Nickerchen zwischen den Schichten erwacht, vom Schlafzimmerfenster aus: »Ricky, wehe, ihr schießt auf den orangen LKW! Von dem hab ich die Windschutzscheibe vertickt.«

Ich werde nie vergessen, wie Ricky mich noch nicht mal ansah. Wie er einfach losrannte. Die Pistole an Ort und Stelle fallen ließ und in den Wald rannte. Ich hinterher. Wir blieben den ganzen Tag weg. Mitten in einem Feld fanden wir ein altes Grab. Wir bestiegen den Gipfel des Schieferhügels, die höchste Erhebung unserer Stadt, und Ricky hielt mir einen Vortrag über die Entstehung von Schiefer und darüber, dass Tonschiefer nichts mit dem Schiefer genannten Gestein zu tun hat. Die angstvolle, ekstatische Freiheit dieser Stunden im Wald werde ich nie vergessen.

Als Trent und ich Ricky nach langer Zeit wieder einen Besuch abstatteten, saß er allein in einem abgedunkelten Zimmer und sah sich einen Porno an, in dem eine Frau es sich mit einer geschälten Banane selbst machte. Er sagte: »Scheiße, was is'n das für'n Ding da auf deinem Kopf?« Ich hatte gerade meine Bandana-Phase. An diesem Tag trug ich ein gelbes. Er meinte: »Als ihr aus dem Wagen gestiegen seid, hab ich gedacht: Scheiße, wer is'n das? Fast hätte ich dich für eine Schwuchtel gehalten und abgeknallt.« Wir fragten, was so los sei bei ihm. Er erzählte, er sei gerade von der Schule geflogen, weil er versucht habe, eines der Jungsklos zu zerstören, indem er bereits angezündete wasserfeste Böller runterspülte. Außerdem war er vor Kurzem in einen schlimmen Jeep-Unfall verwickelt gewesen; irgendwas stimmte mit seiner Schulter nicht. Sie sah aus, als sei sie komplett mit Schorf überzogen. Sein Vater schlief im Nebenzimmer. Er war jetzt im Ruhestand. Wir erzählten Ricky, dass wir noch weiter zu Brad wollten. Er sagte nur: »Brad hab ich ewig nicht gesehen. Habt ihr mitbekommen, dass er eine Neger-Ische durchgepimmelt hat?« Genau das hat er gesagt: »eine Neger-Ische durchgepimmelt«.

Auf dem Weg zu Brad schwiegen wir. Brad hatte schon einen richtigen Schnauzbart, war aber auch schon immer frühreif gewesen. Schon als wir noch viel mit ihm zu tun hatten, hatte er sich ständig entblößt. Einmal habe ich gesehen, wie er mit der Unterhose in den Kniekehlen immer rings um einen Campingplatz rannte und dabei rief: »Sieht das hier wie der Penis eines Elfjährigen aus?« Sah es nicht. Brad bettelte häufig seine Mutter an, für uns »Birmingham Sunday« zu singen, was sie auch meistens tat, a capella, in der Küche. Jetzt hatte er es die ganze Zeit mit Nigger hier, Nigger da. Trent war damals in Louisville gerade mit einem schwarzen Mädchen liiert. Wir waren beide unschlüssig, wie wir uns verhalten sollten. Brad muss gemerkt haben, wie unangenehm uns die Situation war, denn irgendwann sah er mich an und sagte: »Ach, ihr in Ohio habt wahrscheinlich nur gute Nigger.« In Ohio lebte ich. »Wir hier stellen uns schon drauf ein, gegen die, die wir haben, einen Rassenkrieg zu führen.« Er war von der Highschool abgegangen. Es war noch nicht länger als vier Jahre her, dass wir bei ihm übernachtet, zusammen Séancen und sonst was gemacht hatten, und jetzt gab es keinen einzigen Anknüpfungspunkt mehr. Ein Graben lag zwischen uns, der sich mit dem ersten Tag in der siebten Klasse aufgetan hatte, als ein paar von uns in die Schnellkurse wechselten, während die anderen in den normalen Kursen blieben. Es war sicher reiner Zufall, dass die Trennlinie zwischen den Kursen exakt parallel zu der zwischen den Einkommensgruppen unserer Eltern verlief. Ich erinnere mich, wie Ricky und ich am ersten Tag der siebten Klasse im Schulflur aufeinander trafen und uns beide mit einer Verwirrung, mit der wir nicht umgehen konnten, weil wir dafür viel zu jung waren, ansahen, als wollten wir sagen: »Warum haben wir keine einzige Stunde mehr zusammen?« Wenn ich darüber nachdenke, fällt mir auf, dass ich mich seit diesem Tag mit keinem der Jungs mehr getroffen hatte.

Axl hat es da rausgeschafft.

8.

Das südliche Flussufer des Nervión in Bilbao war mit Hunderten blauen Fahnen geschmückt, und auf jeder stand oben quer »GUNS N' ROSES«. Die Fahnen waren von einem tiefen, maurischen Blau und wehten vor einem nur etwas helleren, wolkenlosen Himmel. Später am Abend sollte die Band in den Hügeln oberhalb der Stadt als Headliner am ersten Tag eines dreitägigen Festivals auftreten, und dem Flusstal würde nichts anderes übrig bleiben, als den Sound derart klar zurückzuwerfen, dass die Leute in der Altstadt – sofern sie Englisch verstanden – einzelne Wörter ausmachen konnten. Aber für den Moment legte Bilbao noch seine leicht zugeknöpfte Ruhe und Schönheit an den Tag. Neben dem Guggenheim gibt es einen Springbrunnen, der alle vier oder fünf Sekunden Wasserfontänen in die Luft schießt und in dem Kinder mit olivfarbener Haut herumspringen. Jungs wie Mädchen ziehen sich bis auf die Unterhose aus und toben wie die Wilden. Es war herrlich, ihnen dabei zuzusehen. Können Sie sich im Zentrum einer größeren US-Stadt eine Rotte zwölfjähriger Mädels in Höschen vorstellen, die so im Wasser herumtollen, dass ihre Haarsträhnen Tröpfchenbögen in die Luft schleudern? Schwer zu sagen, was größer wäre: der Grad der elterlichen Paranoia oder die tatsächliche Menge herumlungernder Perverser. Hier machte alles einen so normalen, gesunden Eindruck. Axl und seine Jungs waren noch nicht gelandet. Sie befanden sich noch in der Luft.

Der Stadtteil, in dem sie spielen sollten, heißt Kobetamendi. Er liegt hoch oben, man kann von dort auf die Stadt hinuntersehen, auf den Fluss, die Kirchturmspitzen und die gleißenden Titanschuppen des Museums. Sobald es dunkel wird, sieht man die Lichter der Stadt. Wenn in Kobetamendi gerade keine Bühne aufgebaut ist, gibt es hier nicht viel mehr als ein großes, leeres Feld, das eine Straße durchschneidet, an der ein paar bescheidene Bauernhäuser liegen.

Als ich die Kuppe des Hügels erreichte, spielte gerade eine Crossover-Band. Crossover scheint seine Existenzberechtigung daher zu nehmen, dass das Resultat von über richtig schlechten Rock gelegtem richtig schlechtem Rap irgendwie gut ist – vorausgesetzt, die Raps werden von einem übergewichtigen Weißen mit kurz geschorenen Haaren und Unterarmtattoos gebellt. Die Frauen aus den kleinen Bauernhäusern hatten sich am Gartenzaun versammelt; da lehnten sie, tuschelten und ließen ihre Spazierstöcke baumeln. Eine von ihnen war einer der am ältesten aussehenden älteren Menschen, die ich je gesehen habe, mit drahtigen weißen Haaren und einem Gesicht wie das Innere einer Walnussschale, ein Gesicht, wie es nur wirklich steinalte Frauen bekommen. Sie und ihre Freundinnen hörten dem Crossover zu, und etwas in mir wollte hinlaufen und ihnen versichern, dass es auch nach ihrem Ableben noch Menschen auf dieser Welt geben würde, die wussten, wie entsetzlich diese Musik war, und dass diese Menschen ihr Wissen an sorgfältig ausgewählte Mitglieder zukünftiger Generationen weitergeben würden. Aber die Damen machten gar keinen besorgten Eindruck. Sie lachten sogar. Sicher erinnerten sie sich an Wanderzirkusse, die auf diesem Feld irgendwann in den 1890er Jahren gastiert hatten – und im Grunde war der Unterschied auch nicht besonders groß.

An diesem Abend schaffte ich es, mich in den Backstage-Bereich zu schleimen, indem ich der portugiesischen Modelfreundin des Bassisten einen kleinen Gefallen tat. (Ich gab ihrem Kumpel von zu Hause eine überzählige Presseakkreditierung, die man mir aus irgendeinem Grund ausgehändigt hatte.) Als der Security-Mann, der dem portugiesischen Model auf der Rampe zur Bühne noch nicht mal in die Augen sah, als sie an ihm vorbeiglitt, mir seine Hand gegen die Brust drückte, als wollte er sagen: »Moooment, das wird jetzt ein bisschen viel«, drehte sie sich kurz um und sagte: »Está conmigo«. Sie äußerte das mit ungefähr dem minimalen Grad an Nervosität und Unsicherheit, mit dem man vielleicht zu einem Oberkellner sagt: »Raucherbereich, bitte«. Bevor ich mich noch bei ihr bedanken konnte, sah ich Axl schon tanzen, und zwar aus einer derart unfassbaren Nähe, dass ich, hätte ich die Knie gebeugt, die Arme vorgestreckt und einen Hechtsprung gemacht, am nächsten Tag als derjenige, der Axl vor fünfundzwanzigtausend Leuten angegriffen hatte, zum Aufmacher der Vermischtes-Seite in *El País* geworden wäre.

Ich hatte auch früher schon mal inmitten eines Meeres aus schreienden, schwitzenden Jugendlichen gestanden, aber ein solches Meer von der Bühne aus zu sehen, direkt von oben, zu sehen, wie die Münder so vieler Tausender Leute Worte formen, die man sich irgendwann mal beim Zähneputzen ausgedacht hat (ich muss wohl nicht extra erwähnen, dass ich mir versuchte vorzustellen, ich hätte sie geschrieben), war berauschend. »Guns and RO-SES, Guns and RO-SES ...« Axl hämmerte im Rhythmus des Sprechchores den Fuß des Mikrofonständers auf die Bühne. Alle zehn Minuten oder so schaute ein bärtiger Junge uns an – mich, das Model und ihren Freund –, legte sich die Hände auf die Ohren und artikulierte tonlos das Wort »Pyro«. Dann hatten wir uns ebenfalls die Hände auf die Ohren zu legen, denn in Kürze würde sich in drei Metern Entfernung eine Explosion ereignen.

Manchmal vergaß uns der Junge – er hatte schwer zu tun –, dann schrien alle »Aaaarrrgh!« und krallten sich die Finger in die Ohren.

Neben mir stand ein leicht schwankender älterer Heini mit Zeitungsjungenkappe auf dem Kopf und Gitarre in der Hand – ein Techniker, dachte ich. Dann rannte er plötzlich auf die Bühne, und mir ging ein Licht auf: »Das ist ja Izzy Stradlin!« (der Guns-n'Roses-Gründungsgitarrist).

Für mich ist klar: Izzy war der Grund dafür, warum die Band an diesem Abend so viel besser klang als zwei Monate zuvor in New York. Damals war Izzy noch nicht wieder dabei gewesen, er kam erst einen Tag später zum ersten Mal für drei, vier Songs mit auf die Bühne, nach dem Eröffnungsstück, und das hat er seitdem immer mal wieder gemacht. Seine Anwesenheit – genauer: die Anwesenheit eines weiteren Mitglieds der Originalbesetzung – scheint bewirkt zu haben, dass die anderen sich mehr wie Guns N' Roses fühlten und weniger so, wie es *El Diario Vasco* am Tag nach dem Bilbao-Konzert schreiben würde: »una bullanguera formación de mercenarios al servicio del ego del vocalista«, was so viel heißt wie »eine widerspenstige Söldnerhorde in Diensten des Sänger-Egos«.

Die spanische Presse – nett war sie nicht. Sie schrieben, Axl sei ein »groteskes Spektakel« gewesen; sie nannten ihn »el divo«; sie sprachen von den endlosen, Nigel-Tufnel-esken »solos absurdos«, zu denen er jedes Bandmitglied in dem Bemühen zwinge, das Publikum zur emotionalen Verbandelung mit der neuen Besetzung zu bringen (es stimmt, die Solos sind einigermaßen unklug – aber so ergeht es dem Rock-Solo seit Jimis Tod ja insgesamt). In einem Artikel stand, dass »las fotos de Axl dan miedo«, was, glaube ich, doppeldeutig ist – einmal mitleidig und einmal hämisch – und übersetzt werden kann mit »die Bilder von Axl machen Angst«, mit diesem »Ziegenbärtchen, das ihm die Aura eines texanischen Millionärs verleiht«. Um dem Ganzen die Krone aufzusetzen, schrieben sie, er habe »die Stimme eines Hahns mit Priapismus«. Sie behaupteten, er verlange, dass sein Zimmer über und über mit Orientteppichen behängt werde und er nicht mit den anderen Bandmitgliedern in Kontakt treten müsse. Dass er in einem Extraflugzeug gekommen sei. Sie behaupteten, die Security hätte Anweisung, ihm nicht in die Augen zu sehen. Sie behaupteten, die anderen Bandmitglieder hassten sich alle untereinander und verlangten, auf unterschiedlichen Etagen des Hotels untergebracht zu werden. Sie schrieben, er reise mit einer winzigen asiatischen Gurufrau namens Sharon Maynard alias Yoda, ohne deren Ratschlag er gar nichts tue und die via Gesichtsbetrachtung die Leute auswähle, die er anstellen solle. Wie die Journaille auf dieser Europatournee insgesamt waren auch die Spanier vor allen Dingen fixiert auf die geheime Sauerstoffkammer, in der er angeblich während des Konzerts verschwinde, um daraus »más fresco que una lechuga« – frischer als ein Salatkopf – wieder hervorzukommen.

Ich kann die Sache mit dem Sauerstoff weder bestätigen noch dementieren, und es ist schwer zu beurteilen, ob ihre ständige

Erwähnung in der Presse Beweis genug ist für ihre Existenz oder nur ein Hinweis darauf, dass alle immer nur dasselbe Gerücht wiederkäuen. Der Manager der ungarischen Band Sex Action, die im Vorprogramm von G N' R gespielt haben, gibt an, die Vorrichtung mit eigenen Augen gesehen zu haben, aber Ungarn erfinden solche Märchen gern mal nur so zum Spaß.

Was ich von meinem modelnahen Aussichtspunkt aus berichten kann, ist, dass es auf der linken Hinterbühne eine quadratische, vollständig mit schwarzem Stoff verhängte Zelle gibt. Durch die Vorhänge sieht man nicht mehr als einen schmalen Streifen Licht, ich habe reingeschaut. Axl rennt im Verlauf eines Konzerts ungefähr fünfzehn Mal in dieses Ding. Manchmal kommt er in einem neuen Kostüm wieder heraus – was irgendwie sinnvoll erscheint –, manchmal aber auch nicht. Manchmal geht er rein, wenn einer der anderen ein Solo spielt oder so – was auch irgendwie sinnvoll erscheint –, manchmal aber auch in einem Augenblick, in dem es wirklich verwirrend ist, wenn er von der Bühne verschwindet. Ich weiß nicht, ob Sharon Maynard in dieser Zelle ist. Ich weiß nicht, was er da drin macht. Falls er künstlichen Sauerstoff schnüffelt, weiß ich nicht, ob er das auf die Michael-Jackson-Art macht – »Es tut mir gut« – oder ob er ein echtes Problem mit den Lungen hat. Ich weiß nichts darüber, was in dieser Zelle passiert, ich weiß nur, dass es sie gibt und dass es für Axl wichtig ist, drin zu sein.

Insgesamt bin ich dieses Konzert betreffend nicht einer Meinung mit meinen tintenfleckigen Halunkenkollegen aus der Alten Welt. Axl klingt wieder zunehmend voller. Ab und zu zieht der Soundmensch das Vocal-Mikro im Mix ganz hoch – um zu prüfen, ob das Pult richtig kalibriert ist –, dann hört man nichts außer Axl, und seine Töne sitzen. Fett ist er auch nicht. Eigentlich wirkt er sogar ziemlich schlank. Einmal zieht er sich während der Show ein recht knapp sitzendes T-Shirt an und sprintet von einem Bühnenende zum anderen. Es ist der Sprint des Querfeldeinläufers, der er früher war. Dana Gregory hatte erzählt, dass Axl früher überallhin gelaufen ist. Einfach nur gelaufen und gelaufen. Dana Gregory hatte davon erzählt, wie G N' R mal irgendwo an der Westküste in einem Stadion mit Aschenbahn spielten und Axl während eines Songs anfing, im Kreis zu rennen. Als einer von der Security ihn für einen durchgeknallten Fan hielt und ein Tackling versuchte, trat Axl ihm ins Gesicht. »Das ist drei Meter entfernt von mir passiert«, hatte Gregory gesagt. Und jetzt stand genau dieser Scheißkerl keine drei Meter von mir entfernt. Der Mond sah aus, als würde er von einer schwarzen Macht von der Seite her angenagt und um Hilfe schreien. Man rollte ein Klavier auf die Bühne, damit Axl »November Rain« spielen konnte, und man stellte das Klavier so, dass ich ihm direkt ins Gesicht sehen konnte. Als ob wir uns an einem Tisch gegenübersäßen. Näher bin ich ihm nie wieder gekommen. Und was mir bei dieser quasi nicht vorhandenen Entfernung auffiel, war der Friede auf seinen Zügen, als er das Intro herunterklimperte. Absoluter Friede. Eine warme, bei Weitem das Vermögen von Botox übertreffende Entspanntheit der Gesichtsmuskulatur – wiewohl ich nicht behaupte, dass kein Botox im Spiel war. Sein Gesicht lag in diesem Moment außerhalb der Reichweite dessen, was ihn verrückt macht.

Nach der letzten Zugabe rannten er und der Rest der Band eine Rampe hinunter durch die offene Tür eines wartenden Vans. Schwere Männer in Schwarz joggten wie Armeeausbilder neben dem Wagen her, der mit quietschenden Reifen davonfuhr und auch das Model mitnahm. Große schwere schwarze Limousinen scherten aus der Spur, um den Van zu flankieren. Dann war es ruhig, das Baskenland. Am nächsten Morgen wehten noch die Fahnen am Fluss, und die Presse schrieb an ihren Verrissen, aber Axl war weg.

Sie waren die letzte große Rockband, die es nicht irgendwie auch ein bisschen peinlich fand, eine Rockband zu sein. Es gibt immer und überall Tausende von Bands, für die Rock nicht im Ansatz lustig ist, aber sehr selten ist mal eine von ihnen gut. Um G N' R kam man – egal für wie geschmacksgebildet man sich in Sachen Popmusik hielt (lassen wir an dieser Stelle die paradoxe Natur der durch und durch sozialen Kategorie »Geschmack« beiseite) – nie ganz herum. Sie waren die erste Band, mit der ich meinem älteren Bruder gegenüber recht behielt. So ging es vielen in meiner Generation. Meine ganze Jugend hindurch hatte mich mein Bruder mit Musikgeschmack zwangsernährt – »Def Leppard ist Scheiße, du musst The Jam hören« –, aber jetzt gab es endlich eine Band, wegen der ich keine Abbitte zu leisten hatte. Ich erinnere mich bis heute an dieses kleine, glühende, mit Brüderlichkeit durchmischte Triumphgefühl, das ich verspürte, als er eines Tages zu mir sagte: »Alter, du hattest recht mit Guns N' Roses. Das is'n richtig gutes Album.« *Appetite* natürlich. Danach entwickelten sich die Dinge merkwürdig.

Manchmal liest man, Nirvana hätten Guns N' Roses obsolet gemacht. Aber Guns N' Roses sind nie obsolet gemacht worden. Sie haben sich einfach irgendwie aufgelöst.

Es entspricht eher den Tatsachen, dass Nirvana wegen G N' R überhaupt erst möglich wurden. Man denke an die Nische, die Nirvana angeblich erfunden und zur Perfektion gebracht haben – eine Megaband, die Indie-Snobs nicht gänzlich desavouieren können, egal, wie gern sie das würden: G N' R hatten diese Nische zuerst besetzt. Fast. Sie trugen dämliche Klamotten. Offensichtlich hatten sie kein Gespür für den Unterschied zwischen ihren guten Songs und ihren Scheißsongs. Aber man muss sich auch vor Augen halten, dass sie zu einer Zeit auf den Plan traten, als Bands mit Sängern, die aussahen wie Axl und die ihre Hüften unironisch nach vorn stießen, und mit Lead-Gitarristen, die mit gespreizten Beinen ihr Gitarrengott-Gegniedel abspulten, nicht interessant, melodisch oder auf irgendeine Art kultiviert zu sein hatten. G N' R waren das aber. Auch sie waren natürlich bizarr und derb und manchmal strunzdumm. Vielleicht sogar die meiste Zeit. Vielleicht sogar fast die ganze Zeit. Aber man wusste immer, dass man etwas erlebte, wenn man sie erlebte.

Sollte sich die Band nicht einfach wieder zusammentun? Ob ihnen klar ist, wie gigantisch das wäre? Dana Gregory hatte gesagt, dass Slash und Izzy nie wieder Vollzeit mit Axl spielen würden: »Die kennen ihn zu gut.«

Ich kenne ihn überhaupt nicht. Vielleicht hätte er mich, wenn mich seine Leute mit ihm hätten reden lassen, gebissen und geschlagen und mich angeraunzt, ich solle meine verfickten Blagen zu Hause lassen. Dann hätte ich mit diesem Gefühl arbeiten können. So, wie die Sache steht, bleibt mir nichts anderes, als mir noch einmal »Patience« anzuhören. Keine Ahnung, wie es dort aussieht, wo Sie leben, aber in den Südstaaten, wo ich wohne, spielen sie das Lied immer noch andauernd im Radio. Und ich pfeife mit und warte auf diese Stimme gen Ende, wenn dieses »Ooooooo, I need you. OOOOOOO, I need you« kommt. Und Axl auf dem ersten »Ooooooo« diesen taschentuchzerfetzenden Ton singt. Der das Bild von jemandem heraufbeschwört, der sich die Kopfhaut wie die Schale einer Weintraube vom Schädel pellt. Ich muss aufpassen, dass ich nicht versuche, an dieser Stelle mitzusingen, denn das kann dazu führen, dass ich so was wie würgen muss und mich fast ein bisschen übergebe. Und beim zweiten »OOOOOOO« stellt man sich dann nur noch einen nackten, grün phosphoreszierenden Schädel vor, der zitternd und mit klaffendem Maul in einer Gefängniszelle hängt.

Oder was auch immer Sie sich dabei vorstellen.

FÜSSE IM RAUCH

Als mein älterer Bruder Worth (kurz für Elsworth) am Morgen des 21. April 1995 in einer Garage in Lexington, Kentucky, seine Lippen an ein Mikrofon hielt, traf ihn im wahrsten Sinne des Wortes der Schlag. Worth war mit seiner Band, den Moviegoers, auf dem Weg von Chicago zu einem Konzert in Tennessee, wo ich damals studierte. Sie hatten in Lexington eine Pause eingelegt, um zu proben. Ein paar Tage zuvor hatte Worth mich angerufen und gefragt, ob ich beim Konzert bestimmte Songs hören wollte. Ich wünschte mir etwas Neues, das er bei unserer letzten Begegnung an Weihnachten geschrieben und mir vorgespielt hatte. Die Feiertage laufen bei uns immer auf dasselbe hinaus: Worth und ich bleiben lange wach, trinken und spielen uns gegenseitig neue Songideen vor. Mit seinem Bruder Harmonien zu singen, hat etwas biologisch Befriedigendes. Wir haben gelernt, uns über Musik zu verständigen, unsere Gitarren sind für uns, was Baseball für Väter und Söhne ist, eine Art emotionale Geheimsprache. Worth ist sieben Jahre älter als ich, ein Altersunterschied, der Brüder leicht zu Fremden machen kann. Ich bin mir ziemlich sicher, dass mein Bruder sich erst für mich zu interessieren begann, als er mich eines Tages im Keller unseres alten Hauses in Indiana mit seiner schwarzen Telecaster erwischte, die ich nicht anfassen durfte. Ich hatte versucht, mir »Radio Free Europe« beizubringen.

Das Lied, das ich mir gewünscht hatte, hieß »It's All Over« und war kein typischer Song der Moviegoers. Er war einfacher und ernsthafter als der ansteckende Pop-Rock, der ihr Markenzeichen geworden war. Die Band war mit den Änderungen noch nicht vertraut, und Worth hatte sie gerade durch die erste Strophe führen wollen, hatte sich gerade vorgebeugt, um die ersten Zeilen zu singen – »Is it all over? I'm scanning the paper/For someone to replace her« –, als ein elektrischer Stoß seinen Körper durchfuhr, das Mikro wie eine kleine, aber beharrliche Rakete an seinen Brustkorb saugte, die erste Saite und den Bund der Gitarre in seine Handfläche brannte und sein Herz anhielt. Worth kippte nach hinten, schlug auf und starb.

Wahrscheinlich wissen Sie das alles schon. Ich habe die Einzelheiten nämlich selbst aus einer öffentlichen Quelle, einer Folge der Reality-Show *Rescue 911*, die sechs Monate nach dem Unfall gesendet wurde (moderiert von William Shatner). In der nachgestellten Szene spielt sich mein Bruder selbst, was ihn amüsierte, da er sich an das tatsächliche Ereignis nicht erinnert. Für uns andere, seine Familie und Freunde, ist die Folge nur schwer zu ertragen.

Die Geschichte, die Shatner erzählt, endet mit der Gewissheit, dass mein Bruder überleben wird. Es ist eine andere Geschichte als die, die ich kenne. Seine Version erinnert allerdings daran, dass man bei medizinischen Notfällen nicht leichtfertig von »Wundern« sprechen sollte. Nichts gegen dieses Wort – die Belegschaft des Humana Hospitals in Lexington bezeichnete den Fall meines Bruders als »Wunderheilung«, und diese Leute haben etliche schreckliche Unfälle und unerklärliche Genesungen gesehen –, aber es wird dem menschlichen Können und der immensen Besonnenheit nicht gerecht, die es braucht, um ein Menschenleben zu retten. Ich denke dabei an Liam, den Bandkollegen und besten Freund meines Bruders, der irgendwie die Nerven behielt und Worth in den Armen hielt, bis Hilfe kam, und der ihn schon bei den ersten gemeinsamen Proben darauf hingewiesen hatte, immer seine Chucks zu tragen, deren Gummisohlen ihn vor einem endgültigeren

Schicksal bewahrten. Ich denke an Captain Clarence Jones, den Feuerwehrmann und Sanitäter, der Worth ausgerechnet mit 200-Joule-Elektroschocks zurück ins Leben holte (und später auf Gott verwies, als meine Großmutter ihm überschwänglich dankte). Ohne Menschen wie diese – und zweifellos viele andere, denen ich nie begegnet bin und die auch bei Shatner nicht vorkommen – hätte es kein Wunder gegeben.

Es war Nachmittag, als ich von Worths Unfall hörte. Mein Vater rief mich an und sagte mir geradeheraus, dass meinem Bruder »etwas passiert« sei. Ich fragte, ob Worth überleben würde, und nach einer abscheulichen Pause sagte er: »Ich weiß es nicht.« Ich stieg ins Auto und fuhr von Tennessee nach Lexington, für den Fünf-Stunden-Trip brauchte ich dreieinhalb. Auf dem Parkplatz des Krankenhauses erwarteten mich meine beiden Onkel mütterlicherseits, zweieiige Zwillinge und Geschäftsleute in Lexington. Sie brachten mich zur Intensivstation. Im Aufzug erklärten sie mir Worths Zustand, und dass sein Herz auf dem Weg ins Krankenhaus fünfmal stehengeblieben sei, gefangen in einem Zustand, den Captain Jones in der *Rescue 911*-Folge als »Asystolie« diagnostiziert, als »todbringenden Rhythmus«. Wenn ich ihn richtig verstanden habe, war der Puls meines Bruders ein fast ununterbrochenes Pochen gewesen, einem Trommelwirbel ähnlich, aber kraftlos, ohne Blut irgendwohin zu pumpen. Als ich ankam, schlug sein Herz zumindest wieder aus eigener Kraft, seine Atmung wurde von einer Maschine erledigt. Die schlechteste Nachricht betreffe sein Gehirn, erklärten sie uns, weil es nur ein Prozent Aktivität zeigte. Worth vegetierte vor sich hin.

Im Wartezimmer kam eine dicke, ungefähr sechzigjährige Krankenschwester auf mich zu, die sich als Nancy vorstellte. Sie nahm meine Hand und führte mich durch zwei leise, gläserne Schiebetüren zur Intensivstation. Mein Bruder war ein Albtraum aus Schläuchen und Drähten, finstre Maschinen zeichneten schweigend jede innere Bewegung auf, und eine Pumpe füllte und leerte seine nutzlosen Lungen. Es roch streng nach getrocknetem Speichel. Seine Augen waren geschlossen, die Muskeln schlaff. Es war, als lebten einzig die Maschinen, besessen von dem perversen Willen, seinen Körper nicht aufzugeben.

Ich stand vor ihm und starrte ihn an. Aus der Ecke des Zimmers redete die Krankenschwester in einem unerwartet vorwurfsvollen Tonfall auf mich ein, der mir damals einen Stich versetzte und selbst im Rückblick schwer zu erklären scheint. »Der große Bruder wacht morgen nicht einfach auf und alles ist wieder gut«, sagte sie. Ich sah sie an wie ein Auto. Hatte ich noch nicht ausreichend geschockt ausgesehen?

»Ja, das ist mir bewusst«, sagte ich, und bat sie, uns allein zu lassen. Als sich die Tür hinter mir schloss, ging ich zum Bett. Worth und ich haben verschiedene Väter, rein technisch gesehen sind wir Halbbrüder, obwohl er bereits bei meinem Vater lebte, als ich geboren wurde, was bedeutet, dass ich das Leben nicht ohne ihn kenne. Nichtsdestotrotz sehen wir uns überhaupt nicht ähnlich. Er hat dichtes dunkles Haar und olivfarbene Haut, und in jener Nacht im Krankenhaus war er das wahrscheinlich einzige Familienmitglied mit grünen statt blauen Augen. Ich beugte mich über sein Gesicht. Seine normalerweise geröteten Wangen waren weiß, seine Lippen leicht geöffnet für den Sauerstoffschlauch. Da war nichts, kein Anflug von Leben, kein Kampf und keine Krise, da waren nur die grauenhaft mechanischen Geräusche des Beatmungsgeräts, das Luft in seinen Brustkorb pumpte und wieder absog. Ich hörte die angestrengt beherrschten Stimmen meiner Onkel, die mir von der einprozentigen Hirnaktivität berichteten. Ich ging mit dem Mund dicht an das rechte Ohr meines Bruders. »Worth«, sagte ich. »Ich bin's, John.«

Ohne Vorwarnung erwachte sein Ein-Meter-vierundneunzig-Körper zum Leben, er wand sich unter den Fesseln, stemmte sich gegen die unzähligen Schläuche und Drähte, die in seinen Körperöffnungen steckten und seine Haut durchbohrten. Sein Kopf flog zurück, seine Augen klappten auf. Die Pupillen waren fast nicht vorhanden. Nur einen kurzen Augenblick lang sahen sie mich verschwommen an, dann schlossen sie sich. Aber was für ein Augenblick! Als freiwilliger Feuerwehrmann im College hatte ich einmal einen Toten aus einem umgestürzten Auto ziehen müssen, und ich erinnere mich an den Blick seiner offenen Augen, als ich ihn an meine Kollegen weiterreichte – ich hatte Pathos erwartet, einen Schatten seiner letzten Gedanken, aber seine Augen waren Murmeln, bloße Dinge. Die Augen meines Bruders waren anders. Sie waren die Augen eines Mannes, der aus einem Brunnen zu klettern versucht und bei der kleinsten Bewegung wieder hinab zum Grund rutscht. Worths Kopf sank bewegungslos ins Kissen, sein Körper war erschöpft vom kurzen Versuch, zurück in die Welt zu gelangen. Ich hatte seine Hand ergriffen, ohne es zu merken, jetzt ließ ich sie los und trat zurück auf den Flur.

Diese Nacht und weitere vierundzwanzig Stunden verbrachte Worth im Koma. Es gab keine sichtbaren Anzeichen für eine Veränderung, aber die Maschinen registrierten erste Hinweise auf vermehrte Hirnfunktion. Der Neurochirurg, ein Ire, erklärte uns, dass das Gehirn selbst eine Art elektrische Maschine sei (für ihn muss das wie Kindersprache geklungen haben) und dass der Strom, der aus dem klassischen Gibson-Verstärker meines Bruders in seinen Körper geflossen war und ihn traumatisiert hatte, auf gewisse Weise immer noch in seinem Schädel umhersause. »Es gibt eine reelle Chance«, sagte der Arzt, »dass er aus dem Koma erwacht.« Aber niemand könne sagen, was übrig bleibe; niemand könne sagen, wer es sein würde, der aus dem Koma auftaucht. Die Wartezeit ist mir als eine Collage aus fürchterlichem Essen, vorsichtigem Zuspruch der Pfleger und der beunruhigenden, trägen Präsenz meines Bruders in seinem Bett in Erinnerung. Ein Orakel, das die Antworten auf alle unsere Fragen kannte, aber sich weigerte zu sprechen. Wir betraten und verließen sein Zimmer wie Touristen die Ausstellungsräume eines Museums.

»Am dritten Tag« (ich selbst hätte das nie so formuliert, aber in seiner Sendung erledigt Shatner das für mich) wachte Worth auf. Die Schwestern brachten uns mit fast stolzen Gesichtern in sein Zimmer, und da saß er – vorsichtig auf seine Ellenbogen gestützt, mit schweren Lidern, fast so, als könne er sich jeden Moment entscheiden, wieder ins Koma zu gleiten, weil es ihm dort besser gefiel. Wenn wir jetzt sein Zimmer betraten, strahlte er wie ein glücklicher Idiot und begrüßte jeden von uns mit Namen, seine Stimme ein kaum hörbares Krächzen. Er schien uns zu kennen, aber keinen blassen Schimmer davon zu haben, warum wir alle da waren, oder wo »da« überhaupt war – obwohl er in den nächsten zwei Wochen einige Theorien zu diesem Thema entwickeln sollte: ein Hochzeitsempfang, ein High-School-Pokerturnier, irgendwann auch eine Art Gefängniszelle.

In den letzten Jahren habe ich immer wieder versucht, den Leuten die Person zu beschreiben, die aus dem elektrischen Nahtod aufwachte und etwa einen Monat bei uns blieb, ehe Worth wieder zu dem Menschen wurde, der er vorher war und jetzt wieder ist. Es würde mir eine Menge Mühe ersparen, wenn ich einfach sagen könnte: »Er war wie auf LSD«, aber das wäre nicht ganz richtig. Er schien eher auf einem dieser imaginären Acid-Trips zu sein, wie wir sie uns in der Junior High vorstellten, ehe wir begriffen, dass ein richtiger Trip in Wahrheit einen Tick weniger magisch ist. »Ey, Alter, deine Nase ist ein Stern oder so, abgefahren« – so war Worths Zustand. Mein Vater und ich machten Notizen, ohne zu wissen, dass der andere ebenfalls mitschrieb. Wir wollten jede seiner kleinen Enthüllungen festhalten, ehe sie verschwanden. Meine eigene Liste liegt jetzt vor mir. Ich weiß nicht, wo ich anfangen soll. Ich schreibe einfach ein paar Sachen ab:

Spät in der Nacht des 23. meine Hand gedrückt und geflüstert: »Das ist die menschliche Erfahrung.«

Beim Mittagessen am 24. plötzlich die Überzeugung, dass ich mich als sein Bruder ausgebe. Will meinen Ausweis sehen. Er fragt mich: »Wie kommt jemand auf die Idee, sich für John auszugeben?« Ich protestiere: »Worth, sehe ich etwa nicht aus wie John?« Darauf er: »Du siehst *exakt* so aus wie er. Kein Wunder, dass du damit durchkommst.«

Tagsüber am 25. steht er auf, und obwohl ich ihn zurückhalten will, kippt er das Tablett mit seinem Mittagessen um. Sein Blick streift meine Hände auf seinen Schultern, und er sagt: »Ich habe nichts gegen ... schwule Liebe. Aber ich stehe auch nicht drauf.«

Am Abend des 25. starrt er seine Zehen am Fußende des Betts an und bemerkt: »Das gäbe ein schönes Bild: Füße im Rauch.«

26., tagsüber. Nennt den Herzmonitor »eine starre, massive Tüte Nährstoffe.«

26., nachts: Worth schlägt mit voller Kraft nach mir, als ich mit Dad und Onkel John versuche, ihn unter Kontrolle zu bringen. Er verfehlt mich nur um Zentimeter. Die Infusionsschläuche werden aus seinen Armen gerissen, in seinen Augen sind Angst und Hilflosigkeit. Ich glaube, er hält uns für Faschoschläger.

Am Abend des 27. springt er plötzlich mit wirrem Ausdruck im Gesicht auf und läuft zur Wand. Er fährt mit seiner Hand über die Tapete wie ein Blinder. Dreht sich um. Fragt, wo die Piñata sei. Schlurft auf den Flur. Bemerkt eine dicke Krankenschwester, die vor uns den Korridor entlanggeht. Murmelt, »wenn die unsere Piñata hat, dann werde ich sauer.«

Was anfangs eine Tragödie zu sein schien, wandelte sich allmählich zur Tragikomödie und schließlich zur regelrechten Farce; es fällt schwer, das eine vom anderen klar abzugrenzen. Worth war der reizendste Betrunkene, den man je getroffen hat – ich musste ihm wie sein Sidekick durch das Krankenhaus folgen, damit er nicht stürzte, denn er konnte nicht stillstehen oder sich länger als eine Sekunde auf etwas konzentrieren. Er wurde zum heiligen Narren. Er sah in seine Handinnenfläche, in die der Bund der Gitarre und die sechste Saite ein tiefrotes Kreuz gebrannt hatten, und sagte: »Hey, fast wie Stigmata, wenn da nur nicht diese ganzen Ameisen rumkriechen würden.« Er stellte meine Eltern einander vor, als wären sie sich noch nie begegnet: »Mom, das ist Dad; Dad, das ist Dixie Jean.« Als der Neurochirurg ihn fragte, ob er seinen Namen buchstabieren könne, sagte er: »Wenn Sie Edmund Spenser wären, Doktor, würden Sie ihn wohl w-o-r-t-h-E buchstabieren.«

Als ich eine der Schwestern fragte, ob er jemals wieder normal sein würde, antwortete sie: »Vielleicht, aber wäre es nicht toll, wenn er so bliebe?« Sie hatte recht, sie brachte mir Demut bei. Ich kann mir nichts Hoffnungsvolleres oder Komischeres vorstellen als einen Sitzplatz im Hirnzirkus meines Bruders, während er seine Wirklichkeit wieder zusammensetzte. Wie so viele Menschen hatte ich als Vulgär-Hobbesianer immer angenommen, dass der Kern des Gehirns, wenn man ihn jemals finden könnte, notwendigerweise ein ziemlich dunkler Ort sein müsse und dass alles Gute und Schöne am Menschsein ein Ergebnis unseres Kampfes gegen alles Angeborene und Körperliche sei. Mein Bruder hat meine Meinung geändert. Sein Bewusstsein war bloß noch Materie, eine Kugel knisternder Synapsen – Worte, deren Verwendung er kannte, die er aber nicht mit den richtigen Dingen in Verbindung bringen konnte; seltsame neue Objekte, für die er Namen erfinden musste; unbekannte Menschen, die kamen und gingen wie Energiefelder. Dieses Bewusstsein war ein guter, vielleicht sogar ein poetischer Ort. Er hatte den Tod berührt, beziehungsweise der Tod ihn, aber trotzdem schien das Leben für ihn nicht minder interessant zu sein.

Da ist noch diese eine Sache:

Es war am späten Nachmittag des 25. April. Die Fensterläden warfen ihre Schatten in sein Zimmer auf der Intensivstation. Ich hatte meine Mutter und meinen Vater gefragt, ob ich einen Moment mit ihm allein sein könnte, weil ich mir immer noch nicht sicher war, ob er wusste, wer ich war. Ich wusste, dass er nicht wusste, dass er sich in einem Krankenhaus befand; aktuell glaubte er, dass wir im Haus meiner Großeltern eine Party feierten, und irgendwann machte er sich los und ging ins Schwesternzimmer, weil er wissen wollte, ob sein Smoking fertig sei. Jetzt saßen wir in seinem Zimmer. Keiner von uns beiden sagte etwas. Worth fuhrwerkte mit einer Gabel in seinem Wackelpudding herum, ich sah ihm zu und wartete. Morgens hatte ihm die Anwesenheit der vielen »Fremden« Angst gemacht, und ich wollte ihn nicht noch mehr erschrecken. Fünf Minuten lang war es absolut still.

Dann begann er, sehr leise zu weinen, die Wucht der Gefühle hob seine Schultern. Ich berührte ihn nicht; ich ließ ihn einfach weinen. Eine weitere Minute verging. Ich fragte ihn: »Worth, warum weinst du?«

»Ich habe an die Vision gedacht, die ich hatte, als ich wusste, dass ich tot war.«

Obwohl ich mir sicher war, ihn richtig verstanden zu haben, fragte ich noch einmal. Er wiederholte im gleichen flachen Ton: »Ich habe an die Vision gedacht, die ich hatte, als ich wusste, dass ich tot war.«

Wie konnte er von seinem Tod wissen, wenn er noch nicht einmal wusste, dass er sich im Krankenhaus befand oder dass ihm überhaupt etwas Ungewöhnliches zugestoßen war? War es ihm plötzlich klar geworden?

»Was war es? Was war deine Vision?«

Er sah auf. Die Tränen waren verschwunden. Er schien ruhig und ernst. »Ich stand am Ufer des Styx«, sagte er. »Das Boot, mit dem ich übersetzen sollte, kam näher, aber... statt Charon saßen Huck und Jim am Ruder. Nur dass Huck, als er seine Kapuze zurückschlug, ein alter Mann war... neunzig oder so.«

Mein Bruder vergrub sein Gesicht in den Händen und schluchzte noch ein wenig. Dann schien er den Vorfall zu vergessen. Laut meinen Aufzeichnungen waren seine nächsten Worte: »Guck mal, ich hab die Andrew Sisters in meinem Milchshake.«

Wir haben seitdem nie wieder ein Wort darüber verloren. Es ist schwierig, mit meinem Bruder über Dinge zu reden, die mit seinem Unfall zu tun haben. Ein ganzer Monat wurde von seinem Erinnerungstape gelöscht, und dieser Monat beginnt in der Sekunde, als seine Lippen das Mikrofon berühren. Er kann sich nicht an den Schock erinnern, nicht an den Krankenwagen, nicht an seinen Tod und auch nicht an seine Rückkehr ins Leben. Als er aus dem Krankenhaus entlassen werden sollte, konnte er sich immer noch nur vage zusammenreimen, dass er für irgendein Konzert irgendwo spät dran war, und meine letzte Erinnerung an den Worth dieser Phase ist sein ruhiges Winken, als ich ihm sagte, dass ich wieder zur Uni müsse. »Wir sehen uns beim Konzert«, rief er quer über den Parkplatz. Wenn bei Familientreffen das Gespräch auf seinen Unfall kommt, sieht er uns misstrauisch an. Es ist die Geschichte eines anderen, eine Geschichte, von der er vermutet, dass wir sie ein wenig übertreiben.

Manchmal, wenn ich nicht schlafen kann, versuche ich bis heute, seine Vision zu entschlüsseln. Mein Bruder war nie ein

großer Kirchgänger (mit fünfzehn bekannte er sich zum De-
ismus), aber zur High-School-Zeit ein hervorragender Latein-
schüler gewesen. Seine Lehrerin Miss Rank war eine herzens-
gute und geistreiche alte Dame mit Dutt, die ihren Schülern
klassische Mythologie eintrichterte. Vielleicht war es so, dass
mein Bruder, als die Zeit für seine Nahtod-Erfahrung gekommen war, in den Tiefen seiner Psyche nach einem Mythos suchte, der seiner Angst einen Sinn geben würde, und er sich für
die Geschichte entschied, die ihn als jungen Mann am meisten
gefesselt hatte. Für die meisten wäre das wohl die typische
Licht-am-Ende-des-Tunnels-Geschichte gewesen; für meinen
Bruder war es die Unterwelt.

Ich habe keine Ahnung, wie er dabei auf Huck und Jim kam.
Mein Vater war ein fanatischer Mark-Twain-Jünger – er verlor
seinen einzigen Job als Lehrer, weil er die Erstklässler in der
Pause im Klassenzimmer sitzen ließ und ihnen Plattenaufnah-
men mit Texten des Meisters vorspielte –, und er stieß auf die
einzige Spur: Der Unfall hatte sich an Twains fünfundachtzigs-
tem Todestag ereignet.

Ich bin einfach froh, dass Huck und Jim meinen Bruder an
diesem Ufer gelassen haben.

MR. LYTLE

Als ich zwanzig Jahre alt war, ging ich in eine Art Lehre bei einem Mann namens Andrew Lytle, den seit mindestens zehn Jahren niemand außer seiner fast ebenso steinalten Schwester Polly anders als Mr. Lytle genannt hatte. Sie nannte ihn Bruder. Oder Bruda – wahrscheinlich hat keiner von beiden jemals das R am Ende eines Wortes ausgesprochen. Seine beiden erwachsenen Töchter nannten ihn Daddy. Ich habe nie auch nur den entferntesten Wunsch verspürt, ihn mit Andrew oder *Old Man* oder sonst einer Vertrautheit anzusprechen, obwohl er mich des Öfteren wissen ließ, dass es in Ordnung wäre, wenn ich ihn *Mon Vieux* nennen würde. Er nannte mich »Junge« und »mein Lieber« und einmal, in einem Brief, »Hauch meiner Nüstern«. Kurz vor seinem zweiundneunzigsten Geburtstag zog ich in seinen Keller, und kurz bevor er im Winter darauf dreiundneunzig werden konnte, haben sie ihn in einem Sarg begraben, bei dessen Herstellung ich geholfen habe, einem Sarg aus Kiefernholz, denn Kiefer riecht gut, sagte er. Ich war keine große Hilfe. Ein paar Nächte blieb ich wach und rieb in einer eiskalten und grell erleuchteten Werkstatt Bienenwachs auf die Bretter. Wir waren zu viert – die anderen, älteren Männer sägten und hobelten selbstvergessen. Sie meißelten Schwalbenschwanzverbindungen. Abgesehen davon, dass ich im Werkunterricht ein paar Bretter an eine Bandsäge verfüttert hatte, ging meine Erfahrung mit Holzarbeiten gegen null, und weil keine Zeit war, um irgendwelche Pfuschereien von mir zu korrigieren, folgte ich einfach den Anweisungen und arbeitete mit einem zerrissenen Unterhemd Bienenwachs in das Kiefernholz ein, bis seine gräulichen Astlochwirbel lila leuchteten, als würden sie erinnertes Leben bergen.

Der Mann, der die Nachtwache beaufsichtigte, war ein Geigenbauer namens Roehm, dessen Haus im Wald am Rand des Plateaus stand. Er war knapp zwei Meter groß, seine Haare fielen ihm schlaff in die Stirn, er trug einen dicken, grauen Schnurrbart und eine riesige Brille. Ich glaube, ich habe noch nie jemanden getroffen, der so nervös war wie Roehm in diesen paar Tagen. Das Kiefernholz war »grün«, es war nicht ordnungsgemäß getrocknet worden. Er stöhnte, dass es sich nicht richtig verhalten würde. Er muss diese Hektik gehasst haben. Lytle hatte wochenlang im Sterben gelegen; einige Schlaganfälle hatten ihm die Orientierung genommen. Zum Ende nahm er mehr Morphium als Wasser zu sich. Immer wieder sagte er, dass es »Zeit sei heimzugehen«, womit er zuerst noch meinte, dass wir ihn zurück in sein Haus bringen sollten, sein richtiges Haus, nicht dieses schreckliche Trugbild, in das wir ihn in seiner Wahnvorstellung geschmuggelt hatten. Erst später, als die Fieberanfälle scheinbar zu einer Klarheit verschmolzen, die unerträglich gewesen sein muss, einer blauen Flamme hinter seinen Augen, bekam die Wendung die Bedeutung, die man vermuten würde.

Mit anderen Worten: Er ging nicht plötzlich. Er hatte ein Sterbebett. Und obwohl seine Familie und Freunde seit Jahren von seinem Wunsch nach einer Bestattung in Kiefer gewusst hatten, wofür ein Sarg eigens angefertigt werden musste, hatte sich niemand mit dem Gedanken beschäftigt, wer in dieser Gegend einen solchen Sarg bauen könnte und wie lange man dafür brauchte. Ich nehme ihnen – uns – diese Pflichtverdrängung nicht übel, denn sie beruhte auf einer fundamentalen Skepsis. Lytles Existenz war im Grunde schon so lange posthum gewesen, dass er nicht auf die alberne Idee kommen würde, jetzt auch noch tatsächlich zu sterben. Mein Großvater erzählte mir einmal, dass Lytle schon damals in Sewanee, in den dreißiger Jahren, als ein alter Mann galt – sechzig Jahre, bevor ich ihn kennenlernte. Und er bestärkte diesen Eindruck mit seinem Gerede davon, dass er »im Bewusstsein von Ewigkeit leben wolle«, und dass die Welt, in der er aufgewachsen war – Tennessee am Anfang des 20. Jahrhunderts – größere Ähnlichkeit mit dem mittelalterlichen Europa hatte als mit dem Süden seiner alten Tage. All seine Freunde und Feinde waren tot. Eine mittlere Tochter hatten sie schon vor Ewigkeiten begraben. Seine eigene Frau war seit vierunddreißig Jahren tot, und jetzt war Mr. Lytle tot, und wir hatten keinen Kiefernsarg.

Aber irgendwer kannte Roehm oder hatte von ihm gehört. Und wie sich herausstellte, kannte Roehm Lytles Bücher. Und als man Roehm sagte, dass er nur ein paar Tage haben würde, um seine Arbeit zu beenden, machte er sich ohne zu zögern und sogar mit einer gewissen Ungeduld an die Arbeit, als fürchtete er, einen unerbittlichen Meister zu verärgern. Ich sehe ihn in seiner kleinen Werkstatt, wie er immer wieder Tupperbecher mit schwarzem, angebranntem Kaffee in der Mikrowelle erhitzte und sie wie Coca-Colas kippte. Er war ein Riese. Er war derartig groß, dass für uns kaum Platz zu sein schien, vor allem weil der Sarg bereits aufgebockt in der Mitte des Raumes stand und wir uns an der Wand entlangschlängeln mussten. Ein paarmal pro Nacht kollabierte Roehm, der es sonst gewohnt war, sich monatelang mit kleinen, zarten Instrumenten herumzuplagen. Er kauerte dann auf seinem Stuhl, das Gesicht in den Händen vergraben, und stöhnte »Das geht so nicht!« in seine schweigenden Handflächen. Mein Freund Sanford und ich starrten ihn nur an. Aber der vierte Anwesende, ein kleiner Mann namens Hal, der zum Ende hin bei Lytle im Obergeschoss gewohnt und als Krankenpfleger fungiert hatte, kannte Roehm besser – jetzt, wo ich drüber nachdenke, kommt es mir vor, als sei er es gewesen, der der Familie von Roehm erzählt hatte. Hal also legte seine Hände auf Roehms

Schultern und flüsterte ihm zu, er solle ruhig bleiben, wir alle wüssten, dass er eigentlich zu wenig Zeit habe, und wenn er wollte, könnten wir eine Pause machen. Dann rauchte Roehm. Er hielt die Zigarette wie ein Bösewicht aus einem alten Film, zwei Finger oben, die Glut in der hohlen Hand. Sanford und ich saßen bei laufender Heizung in seinem alten Truck und tranken Wodka aus seinem mitgebrachten Flachmann, wir starrten den Schuppen und das kleine, helle Fenster an und sagten kein Wort.

Wochen später erzählte mir Sanford eine Geschichte, die er von Hal gehört hatte, wie Hal nämlich am Tag von Lytles Beerdigung – seltsamerweise tauchte Roehm dort nicht auf – um sieben Uhr morgens aufgewacht sei und Roehm am Fußende von Hals Ehebett gesessen und immer wieder »So geht's« vor sich hingesagt habe. Ich habe ihn nie wieder gesehen. Der Sarg war ein Kunstwerk, aber fast niemand bekam ihn zu sehen. Während des Gottesdienstes und auf dem Weg zum Friedhof war er unter einem Sargtuch verborgen, und als die Leute am Grab standen, um einer nach dem anderen Erde in die Grube zu werfen, war der sechseckige Deckel mit dem Rollwerk, für das Roehm unerklärlicherweise noch Zeit gefunden hatte, nur wenige Sekunden lang sichtbar, ehe er verschwand.

Verschiedene Jungen hatten bei Lytle gelebt, seit er seine Frau verloren hatte, vielleicht auch schon davor – jedenfalls war es eine etablierte, wenn auch nicht offizielle Praxis, als ich mit siebzehn ans College kam. Früher waren es hauptsächlich Studenten gewesen, deren Schreiben vielversprechend war, zumindest nach Meinung eines gewissen beliebten, frühzeitig ergrauten Professors, der seinerseits ein ehemaliger Protegé Lytles war, und für den ewigen Witwer fast wie ein Sohn. Die Jahre vergingen, Lytles Kräfte ließen nach, und mehr und mehr ging es bei dem Arrangement darum, dass jemand anwesend

war, der Lytle fuhr und Holz für ihn hackte und ihn hören würde, sollte er sich die Hüfte brechen.

Besonders unter den Literaturstudenten fand sich immer
jemand, der das als Privileg verstand. Wir studierten an der
University of the South in Sewanee, und Lytle verkörperte den
Süden, der letzte Überlebende der Southern Agrarians, der
letzte der »Twelve Southerners« mit ihrem Manifest *I'll Take
My Stand*, ein Kamerad der geheiligten Fugitive Poets, seit Kin-
dertagen befreundet mit Allen Tate und Robert Penn Warren,
Mentor für Flannery O'Connor und James Dickey und Harry
Crews und in den Sechzigern als Redakteur des *Sewanee Review* einer der ersten, der Cormac McCarthy publiziert hatte.
Vergessen Sie nicht, dass die Renaissance der Südstaaten-Lite-
ratur Mitte der Neunziger, als ich Lytle kennenlernte, fast völlig zu einem Regionalismus für Fachidioten verkommen war.
Dass Lytle immer noch da war, wenn auch nicht in alter Frische, war ein Stolpern der Zeit, das es zu nutzen galt.

Nicht alle dachten so. Eines Nachts in unserem Freshman-
Jahr saß ich mit meinem Mitbewohner Smitty auf dem Boden,
einem blonden Jungen aus Atlanta, der höchstens fünfzig Kilo
wog und an einer Privatschule vier miserable Jahre lang versucht hatte, ein Beckett-Stück aufführen zu dürfen. Sein bester
Freund war ein Junge namens Tweety Bird gewesen. Als ich
Smitty kennenlernte, fragte ich ihn nach seiner Lieblingsmu-
sik, und er antwortete wie aus der Pistole geschossen: »Trom-
peten.« In jener Nacht redete er über Lytle und wie grotesk
und faschistisch er sei. »Weißt du, was Andrew Lytle gesagt
hat?«, fragte er und wedelte mit seinem Feuerzeug. »Das Leben
ist ein Melodrama. Nur Kunst ist echt.«

Ich nickte voller Erwartung.

»Das ist doch *schrecklich*, oder?«

Fand ich nicht. Oder vielleicht doch, aber es war mir egal.
Ich wusste nicht, was ich fand. Der tragische Zauber des Sü-
dens hatte mich erfasst. Entweder man fühlt ihn, oder man

fühlt ihn nicht. In meinem Fall war es akut, weil ich in Indiana mit einem Yankee-Vater aufgewachsen war, auf dessen – und meine – Kentucky-Wurzeln ich übertrieben stolz war. Schon lange hatte ich an mir ein diffuses Nirgendwo-Gefühl beobachtet. Andere hätten es nicht bemerkt, hätten nichts darauf gegeben. Für mich war es ein körperlicher Schmerz. Jetzt endlich war ich irgendwo, nicht länger ohne Ort. Der Süden ... ich liebte ihn, wie ihn nur jemand lieben kann, der dort immer Außenseiter bleiben wird. Schon das nächtlich ausgesprochene Wort *Faulkner* verursachte stürmische Gefühle. Ein paar Monate nachdem ich an die Uni kam, las Shelby Foote dort aus seiner Geschichte des Bürgerkriegs. Als er fertig war, erhob sich in der dritten Reihe jemand aus dem Ort, ein Typ mit langen, fettigen weißen Haaren, einem weißen Anzug und Gehstock, und fragte, ob Foote denke, dass der Süden den Krieg hätte gewinnen können, wenn dieser oder jener General dies oder das getan hätte. Foote hatte geantwortet, dass der Norden »diesen Krieg« mit links gewonnen habe. Ein paar Zuschauer stöhnten. Ihre Anteilnahme war ergreifend. Ich konnte nicht anders, als mir Lytle in der Hütte seiner Vorfahren vorzustellen, im Schaukelstuhl vor den brennenden Scheiten, einen Silberbecher aus Familienbesitz mit Bourbon in der Hand und ganz in Gedanken an etwas, das Eudora Welty einmal zu ihm gesagt hatte. Wenn berühmte Schriftsteller die Uni besuchten, wollten sie Lytle treffen. Ich hatte versucht, seine Romane zu lesen, aber mein Verstand perlte an ihnen ab; sie waren undurchdringlich manieriert. Trotzdem hoffte ich darauf, ihm vorgestellt zu werden. Einer meiner Onkel war in den Siebzigern einmal von ihm eingeladen worden und hatte mir berichtet, wie ihn diese Erfahrung verändert habe, wie sie ihn auf Tuchfühlung mit der Wirklichkeit gebracht habe.

Die Umstände, die dann tatsächlich dazu führten, waren so seltsam, dass sie entweder als Beweis für die Wirkkraft des Schicksals oder seine sichere Nicht-Existenz gelten können. Ich war zu dieser Zeit noch nicht einmal mehr Student. Nach meinem zweiten Jahr hatte ich das Studium abgebrochen und war damit meiner Zwangsexmatrikulation aufgrund schlechter Noten zuvorgekommen. Ich lebte zusammen mit einem Freund in Irland, arbeitete in einem Restaurant und konnte mein Geld nicht zusammenhalten. Vor meiner Abreise waren allerdings noch ein paar Dinge passiert. Ich hatte mich mit Sanford ange-freundet, einem koboldhaften, unverbesserlichen Zurück-zur-Natur-Typen Ende vierzig, der allein und ohne Strom auf einer nahegelegenen Farm lebte. Sein Haus hätte eine Erfindung Jef-fersons sein können. Aus einem alten Milchtank, der sich in einem Türmchen auf dem Dach befand, lief Quellwasser; der Kühlschrank wurde mit Propangas betrieben, das Sanford aus alten Campingwagen rettete. Er hatte Solarzellen der ersten Generation auf dem Dach, einen lehmwandigen Rübenkeller, einen Holzofen. Ein Wasserfall war seine Dusche. Wir machten etliche halluzinogene Erfahrungen, die meinem Notendurch-schnitt nicht gut taten.

Sanford verdiente das wenige Geld, das er brauchte, mit the-rapeutischen Massagen im Ort, und einer seiner Kunden war niemand anderes als Andrew Lytle, der einmal in der Woche in seinem schokoladenfarbenen Eldorado von der Größe einer Yacht in die Stadt fuhr, je nach Laune auf der linken oder rech-ten Spur. Die Polizei folgte ihm in einiger Entfernung, einfach nur, um für seine Sicherheit zu sorgen. Er kam manchmal Stun-den zu früh und wartete dann ungeduldig im Auto vor San-fords Studio. Er sagte, er liebe das Gefühl von menschlichen Händen auf seinem Fleisch. Es halte ihn am Leben.

Bei einer ihrer Sitzungen erwähnte Lytle, dass sein dama-liger »Junge« bald sein Studium abschließen würde. Sanford, der damals noch nicht wusste, wie sehr ich in der Uni versagt hatte und dass ich mein Studium abbrechen würde, erzählte Lytle von mir und gab ihm ein paar meiner Geschichten. Oder Gedichte? Ohne Zweifel fürchterliches Zeug, aber vielleicht war es »vielversprechend«. Gegen Ende des Sommers wurden dann die ersten Luftpostbriefe unter der Tür unserer Wohnung auf den Hügeln von Cork durchgeschoben, ich erinnere mich noch an die leichte Biegung der Umschläge, die durch die schwere Schreibmaschine gewalzt worden waren. Der erste Brief war so datiert: »Nun, da ich im Sinne der Ewigkeit lebe, weiß ich nur selten das korrekte Datum, und einzig das Wetter berichtet mir vom Fortgang des Tages, aber ich glaube, es ist später August.« Er endete mit: »Ich rechne also damit, dass Sie hier bei mir leben werden«.

So ist es passiert: Er hat einfach gefragt. Eigentlich war es noch nicht einmal eine Frage. Dass er den normalen Dienstweg nicht eingehalten hatte, sorgte für ein paar kleinere Probleme mit der Universität. Aber damals war das alles egal. Ich spürte eine Art Rausch, das verwirrende Surren der Aufmerksamkeit eines großen Mannes, und irgendwo dahinter den heranrauschenden Ruhm. Seine Briefe kamen einmal, später dann zweimal pro Woche. Sie waren brillant vertrottelt, sprangen hin und her zwischen Kohärenz und Zusammenhanglosigkeit, zwischen den Zeiten, den Jahrhunderten. Seine Tippfehler und seine schwindende Sehkraft produzierten oft großartige Sätze, etwa das ergreifend kommalose: »This is how I protest absolutely futilely.« Er nannte mich einen Schriftsteller, allerdings wisse ich nicht, was ich tue. »Und an dieser Stelle kommt der ältere Künstler ins Spiel.« Er schrieb von der Muse und wie sie uns in unserer Jugend testet. Wir wurden persönlicher, Lytles Tonfall wurde dringlicher. Ich müsse bald zurückkehren. Wer wisse schon, wie lange er noch lebe? »Niemand kann verhindern oder vermeiden, was uns erwartet.« Es gebe Dinge, die er weitergeben wolle, Dinge, so schrieb er, »die zu lernen ich allzu lange gebraucht habe«. Nun habe ihn ein plötzlicher, später Schub Energie überrascht. Ich solle mir keine Sorgen um die Uni machen, sagte er. »Das College ist wohl nicht die beste Vorbereitung für einen Schriftsteller.« Ich sollte im Gästezimmer im Keller wohnen. Wir würden unsere Arbeit erledigen.

Ich brauchte mehrere Monate, um zurückzukommen, und Lytle wurde ärgerlich. Als ich dann endlich durch seine Haustür trat, blieb er sitzen. Er hing so kraftlos in seinem Sofa, als hätten Diebe ihm seine Knochen gestohlen und ihn dort zurückgelassen. Er deutete in Richtung des rauchenden steinernen Kamins und der riesigen schwarzen Feuerböcke und sagte: »Es tut mir leid, dass das Holz so miserabel ist, Junge. Ich wusste nicht, dass ich im November noch leben würde.« Er sah wie gelähmt zu, wie ich das Feuer neu entfachte. Er sprach nur, um mich zu kritisieren. Die schweren Scheite nach hinten, weil sie die Hitze reflektieren! Nicht zu viel Flamme! »Junge Männer machen diesen Fehler immer.« Er bat mich, ihm etwas Whiskey einzuschenken, und verkündete dann rundheraus, dass er jetzt ein Nickerchen machen werde. Er legte sich hin und legte sich den Samtbeutel, in dem die Flasche gewesen war, über die Augen. Ich saß ihm eine halbe Stunde gegenüber, vielleicht vierzig Minuten. Erst redete er im Schlaf, dann sprach er mit mir. Seine Rückkehr ins Bewusstsein kam zögerlich und nahm kaum merkliche Wendungen. Er murmelte, er warnte. Das Leben des Künstlers sei voller Fallen. Man hüte sich vor den »Machenschaften des Feindes.«

»Mr. Lytle«, flüsterte ich. »Wer ist der Feind?«

Er setzte sich auf. Seine eisblauen Augen irrten umher. »Was für eine Frage«, sagte er. »Die Bourgeoisie!« Ein paar Sekunden lang starrte er mich an, als habe er vergessen, wer ich war. »Natürlich«, sagte er. »Du bist eben noch ein Baby.«

Während seines Nickerchens hatte ich mir zwei Bourbons eingeschenkt, die ich jetzt ein wenig spürte. Er hob sein Glas. »Verwirrung dem Feinde«, sagte er. Wir tranken.

Es war idyllisch, wo Lytle lebte, auf dem Gelände einer alten Chautauqua namens »The Assembly«, einer jener ländlichen Zufluchtsorte, die man ganz bewusst nördlich oder hoch gelegen errichtet hatte, als Zufluchtsorte vor den Gelbfieberplagen, von denen die mittleren Südstaaten heimgesucht wurden. Lytle konnte sich daran erinnern, schon als Kind dort gewesen zu sein. Man erzählte sich, dass ein alter Richter das Haus im 19. Jahrhundert komplett aus einer Bucht hatte heraufbringen lassen. Obwohl es mit den Jahren durch Umbauten immer eleganter geworden war, konnte man noch die Stämme in den Wänden erkennen. Die Veranda lief um das ganze Haus. Normalerweise war es still, man hörte nur den Wind in den Pinien. Außer Lytles Gästen sah man niemanden. Ein Sommerhaus, mit dem Unterschied, dass Lytle niemals abreiste.

Er schlief in einem Eckzimmer auf einem großen, geschnitzten Bett. Sein Leben war eine unaufhörlich flüsternde Reise vom Bett zur Anrichte und zu seinem Platz am Feuer; in beigen Plüschpantoffeln umkreiste er sein Gebiet und markierte die Grenzen vorsichtig mit seinem Gehstock. Er sang vor sich hin. Das Appalachen-Lied, in dem es heißt: »A haunt can't haunt a haunt, my good old man«. Oder Lieder, die er einst in Paris gelernt hatte, als er in meinem Alter war oder sogar jünger: »Sous les Ponts de Paris« und »Les Chevaliers de la Table Ronde«. Sein Französisch war hervorragend, aber sein Akzent, wenn er Englisch sprach, war noch besser: jener ausgestorbene Pioniersakzent der mittleren Südstaaten, vermischt mit einem Hauch des keltisch-städtischen Nordostens (er sagte »boyned« statt »burned«) und seiner rauen Vornehmheit.

Ich konnte ihn oben im Haus herumlaufen hören und wusste immer, wo er gerade war. Meine Wohnung war einmal die Küche gewesen; die Bediensteten gingen über die Hintertreppe. Der Boden war aus nacktem, nasskaltem Stein und wärmte sich niemals richtig auf, ehe es irgendwann über Nacht unerträglich schwül wurde. Wenn man schlafen wollte, hüpften

Höhlenschrecken um einen herum, man hörte das leise Klicken ihrer Beinchen bei der Landung. Wenn ich morgens aufwachte, stand Lytle oft neben meinem Bett, den Krückstock in der einen und Kaffee in der anderen Hand, und fragte: »Nun, mein Herr, sollen wir aufstehen und Ihrer Ladyschaft unsere Aufwartung machen?« Ihre Ladyschaft war die Muse. Er hatte allerlei Begrüßungen parat.

Ein halbes Jahr lang arbeiteten wir kontinuierlich vom späten Vormittag bis zum frühen Nachmittag, dem Zeitfenster, in dem er sich am besten konzentrieren konnte. Wir lasen Flaubert, Joyce, ein wenig James, die berühmteren Russen – all die Bücher, über die er Essays geschrieben hatte. Er wollte, dass ich Jung lese. Er zerhackte meine Geschichten, bis nichts mehr davon übrig war außer den Enden, von denen er behauptete, dass er sie bewundere. »Allzu mühelose Beredsamkeit« war seine Diagnose. Ich versuchte, seine Ratschläge umzusetzen, aber sie waren derart anspruchsvoll, dass meine Bemühungen ihnen nie gerecht wurden. Er versuchte, mir bei der Lösung von Problemen zu helfen, von deren Existenz ich noch gar nichts wusste.

Ungefähr einmal pro Tag sagte er: »Vielleicht werde ich selbst etwas zu Papier bringen, wenn mein Geist mich nicht im Stich lässt.« Eines Morgens konnte ich sogar das Klappern der Schreibmaschine von oben hören. Als er an diesem Tag seinen Mittagsschlaf hielt, schlich ich mich in sein Zimmer und nahm die Schutzhülle ab, um zu sehen, was er geschrieben hatte: Es war ein einziger Satz von vielleicht dreißig oder vierzig Worten. Ein paar waren durchgestrichen, mit Kugelschreiber hatte er Alternativen darüber geschrieben. Der Satz überwältigte mich. Ein Teil von mir hatte ein zusammenhangloses Durcheinander befürchtet, das nichts Gutes über unser Experiment zu erzählen wusste, über die Ausbildung, die er mir angedeihen ließ, aber das Gegenteil war der Fall: Der Satz war perfekt. Lytle beschrieb darin eine Kindheitserinnerung: Ein paar Leute, die in einem frühen Automobil unterwegs sind, der Fahrer verliert die Kontrolle, und sie steuern in ein geöffnetes Scheunentor, aber eine Laune des Schicksals will es, das die Scheune komplett leer ist und die Tore an der anderen Seite ebenfalls weit offen stehen, und so fährt das Auto durch die Scheune und wieder ins Sonnenlicht, die Passagiere lachen und hupen und winken, berauscht von ihrem wundersamen Überleben, und Lytle hatte es irgendwie geschafft, den schnellen und fast alchemistischen Wandel von Schrecken zu Freude mit seiner Sprache nachzuempfinden. Ich weiß nicht, warum ich den Satz nicht abgeschrieben habe – wahrscheinlich war es mir peinlich, ihm nachspioniert zu haben. Danach schrieb er nie wieder etwas. Für mich allerdings war das der Schlüsselmoment meines Jahres mit Lytle. Was er trotz seiner Schwäche noch zustande brachte, war mir unmöglich. Ich fing an, ihm genauer zuzuhören, selbst wenn er mich langweilte.

Sein Haar war spärlich und quecksilbern. Er trug immer ein Tweedjacket und um den Hals einen Zahnstocher mit Goldgriff, der aus dem angespitzten Penisknochen eines Waschbären gemacht war. Einmal setzte ich mir seine Brille auf die Nase, und meine Hände wurden zu großen beigen Klumpen am Ende meiner Arme. Auf seiner Stirn hatte er ein Ding, eine außer Kontrolle geratene Zyste, nehme ich an. Es hatte die Größe und Form eines halben Tischtennisballs. Sein Arzt hatte ihm mehrmals angeboten, es zu entfernen, aber für Lytle war es willkommener Gesprächsstoff. »Die Eitelkeit kriegt mich nicht zu fassen«, sagte er. Er trug einen grauen Filzhut mit einer Hüttensängerfeder im Hutband. Die Haut seines Gesichts schien eigentümlich jung. Straff und durchscheinend. Der Rest seines Körpers dagegen war außerirdisch. Einmal in der Woche half ich ihm beim Baden. Gott allein weiß, wie lange die Muttermale und was er sonst noch auf seinem Rücken hatte schon ungesehen vor sich hin wuchsen. Seine Haut war teigig. Nicht schlaff oder knotig oder dergleichen – er war nicht krank –, sondern fragil, zart. Sein Körper war haarlos. Seine Zehennägel waren zu Horn verhärtet. Nach dem Bad legte er sich nackt zwischen frische Laken, er musste sich komplett trocken fühlen, ehe er sich anzog. Alle Lytles hätten nervöse Veranlagungen, sagte er.

Ich fand ihn exotisch; vielleicht fand ich ihn sogar schön. Meine Beziehung zu ihm war im Kern anthropologisch. Ihm seine mehr oder weniger täglichen Ausbrüche von Rassismus, Chauvinismus, Antisemitismus, Standesdünkel und etwas, das ich nur als Mittelalternostalgie beschreiben kann, übel zu nehmen, schien mir in etwa so abwegig, wie diese Dinge mit einem Höhlenmenschen zu diskutieren. Es blieb nur, den Mund zu halten und ihn zu fragen, was die Höhlenkunst bedeutet. Der Eigennutz und Zynismus dieser Haltung ist rückblickend leicht zu durchschauen, aber ich kann nicht so tun, als würde ich es bereuen oder mir wünschen, das Ganze abgebrochen zu haben.

Da war noch etwas anderes, etwas weniger Verachtenswertes, eine warnende Stimme in meinem Kopf, die es ungerecht fand, einen Mann mit derart verminderten Fähigkeiten zu belehren. Ich war mir nie sicher, was er sagte und tatsächlich so meinte und was einfach nur ungehindert seinem Es entglitt und durch seinen Mund entkam. Ich lief oft an seinem Hochzeitsfoto vorbei, das neben dem Geschirrschrank hing – die hohe Stirn, der breite Kiefer, die Segelohren –, und im Vorbeigehen dachte ich: *Wenn du dich mit ihm messen wolltest, müsstest du dich mit diesem Mann messen.* Sonst wäre es Betrug.

Nach einer Weile begann ich, ihn zu lieben. Nicht so, wie er es vielleicht wollte, aber auch nicht haushälterisch. *Mon Vieux.* Ich war zwanzig und glaubte, dass mir nicht noch einmal etwas derartig Seltsames passieren würde. Ich war ein Baby. Einmal saßen wir spät nachts in der Küche und tranken, als ich ihn fragte, ob er glaube, dass es irgendeine Hoffnung gebe. Einfach so: »Gibt es irgendeine Hoffnung?« Seine Antwort war fast feierlich. Er erzählte mir, dass in den Fluren von Versailles ein leichter Geruch, nur der Hauch eines Geruchs von menschlichen Exkrementen hing, »weil immer ein wenig aus den Töpfen spritzte, wenn die Zimmermädchen hin- und hereilten.« Viele Jahre später wurde mir klar, dass er sich halb an ein Detail vom Hofe Louis XV erinnert hatte, nämlich, dass es im Palast so wenige und so ungünstig gelegene Latrinen gab, dass sich die Marquisen davonstahlen, um sich in den Treppenhäusern und hinter all den schönen Möbeln zu erleichtern, aber an diesem Abend hatte ich keine Ahnung, was er meinte – bis heute habe ich es nicht wirklich.

»Habe ich dir meinen Weihrauchkessel gezeigt?«, fragte er. »Ihren was?«

Er schlurfte ins Esszimmer und öffnete eine Glasvitrine. Als er zurückkam, hatte er einen kleinen dreibeinigen Topf im Arm, den er vorsichtig auf den Hackblock zwischen uns stellte. Er war wunderschön bemalt und von winzigen Rissen überzogen. Ein Drache mit Hundegesicht lag zusammengerollt auf dem Deckel und bewachte eine grüne Perle. Lytle drehte das Gefäß in einen bestimmten Winkel, so dass die Oberfläche dunkler schien, mit einem Stich orange. »Die Glasur ist angesengt, siehst du?«, sagte er. »Von der Explosion, nehme ich an, oder von den Feuern.« Er drehte es um. Am Boden war die Signatur des Töpfers lesbar, oder sie wäre lesbar gewesen, hätte man Japanisch gekonnt. »Dieser Topf«, sagte er, »wurde aus den Trümmern von Hiroshima gerettet.« Ein Kommilitone aus Vanderbilt, einer der Fugitive Poets, war nach der Uni Marineoffizier geworden und hatte ihm den Topf nach dem Krieg gegeben. »Wenn ich tot bin, sollst du ihn haben«, sagte er.

Weil ich wusste, dass er sich am nächsten Morgen oder schon eine halbe Stunde später nicht mehr daran erinnern würde, sparte ich mir die Mühe der Ablehnung und bedankte mich. Aber er erinnerte sich. Er vermachte mir das Teil.

Zehn Jahre später, in New York City, stieß Holly Kitty, meine adoptierte Straßenkatze, den Topf von einem Regalbrett, von dem ich gedacht hatte, dass sie es nicht erreichen könnte, und er zerbrach. Einen Großteil der Nacht blieb ich wach und klebte die Splitter wieder zusammen.

Lytles Demenz schritt immer schneller voran. Ich hoffe, es ist nicht grausam zu erwähnen, dass ihre Auswirkungen bisweilen auch lustig sein konnten. Er bestand darauf, das K-Y-Gel, das wir als Gleitmittel für seinen Kolostomiebeutel benutzten, Kyle Gel zu nennen. Irgendwann kam er mit dem Verwendungszweck durcheinander und stand mit seiner Zahnbürste und einer leeren Tube von dem Zeug in meiner Tür. »Schreib Kyle auf die Liste, Junge«, sagte er. »Ist leer.«

Die Abende verbrachte er meist allein und wärmte vierzig Jahre alte Kämpfe mit toten Autorenfeinden wieder auf, Ein-Personen-Stücke, in denen er Doppelrollen einnahm und manchmal wild schrie und mit seinem Stock auf den Boden hämmerte. Am weitaus häufigsten war Allen Tate, sein Mitstreiter, der zur Nemesis geworden war, der Gegner, aber seine Wut war so allumfassend, dass scheinbar jeder, den er jemals gekannt hatte, zum Verräter werden konnte, der sich mit der Macht verbündet hatte. Es war besonders verwirrend, wenn die Originalversion dieses Scheingefechts zwischen ihm und mir stattgefunden hatte. Ihm und dem Jungen. Tatsächlich gerieten wir mehrere Male aneinander. Standen Auge in Auge da und schrien uns an. Ich nannte ihn einen miesen alten Mistkerl oder so ähnlich; er sagte, dass ich mein Talent vergeude. Am Abend dann hatte ich ihn oben zu dem Jungen sagen hören: »Denkst du etwa, du wärst *kein* Sklave?«

Einmal kam ich von irgendwoher ins Haus. Polly, seine Schwester, wohnte für ein paar Tage oben bei ihm. Ich mochte Pollys Besuche, alle mochten es, wenn sie da war. Sie buk Rumkuchen, an dem man sich zu Tode essen konnte. Wenn sie da war, gab es hausgemachte Gurken und Plätzchen. Sie war eine

kleine Frau mit dicken Brillengläsern, die ihre Augen riesen-
groß erscheinen ließen; ihre Knöchel waren kantig vor Arthri-
tis. Wer wusste schon, was sie über all die Nächte mit ihrem
Bruder und seinen interessanten Künstlerfreunden dachte
und ob sie sich überhaupt damit beschäftigte (einmal hatte
die Schlafzimmer-Aufteilung in irgendeinem gemieteten Haus
sie gezwungen, eine ganze Nacht zwischen dem fetten alten Ford Madox Ford und seiner Geliebten wachzuliegen).
Über meinen Umgang mit der Eisenpfanne, die ihre Familie seit
der Great Depression bei niedriger Temperatur gewürzt hatte,
schüttelte sie den Kopf. Ich vergaß manchmal, dass die Pfanne
nicht in die Spülmaschine gehörte. Wenn Lytle beim Essen unter dem Kronleuchter, zwischen Salzstreuer und Salatöl, davon schwärmte, welche Meisterschaft ich erringen würde, wenn
ich nur nicht in diese oder jene Hochmutsfalle geriete, grinste
sie nur und sagte: »Oh, Bruda, wie *aufregend*!«

Am fraglichen Nachmittag kam ich gerade durch das Sicher-
heitstor des »Geländes«, wie die Bewohner es nannten, als mir
Polly in ihrem winzigen blauen Auto entgegenkam. Irgendetwas stimmte nicht, denn sie blieb nicht stehen. Sie kurbelte
das Fenster herunter und sprach mit mir, aber rollte dabei im
Leerlauf und im Schritttempo weiter. Es war, als würde sie mir
aus einer Kutsche zuwinken. »Ich bin auf dem Weg zum Supermarkt«, sagte sie. »Wir brauchen ...« – der Rest war Gemurmel.

»Wie bitte?«

»BUTTAH!«

Ich sah ihr mit einem schlechten Gefühl nach. Zu Hause ti-
gerte Lytle voller Panik mit dem Stock über die Veranda. Er
winkte mir zu, als ich in die Kieseinfahrt bog, in der wir immer parkten. »Sie ist betrunken!«, bellte er. »Sieh dir diese Flasche an, mein Lieber. Großer Gott, die war heute Morgen noch
voll!«

Ich versuchte herauszufinden, was passiert war, aber Lytle

war zu zappelig. Er trug einen Schlafanzug, schwarze Pantoffeln ohne Socken, einen grauen Tweedmantel und seinen Filzhut.

»Oh, ich habe sie entzürnt, mein Liebster«, sagte er. »Ich habe sie entzürnt.«

Während wir zum Tor rasten, erzählte er mir die Geschichte. Es war mehr oder weniger, wie ich vermutet hatte. Jedes Mal, wenn Polly zu Besuch war, entbrannte derselbe Streit, aber ich hatte ihn noch nie derartig eskalieren sehen. Die beiden hatten Verwandte in einer entfernten Kleinstadt, mit denen sich Polly einigermaßen verstand, während Lytle darauf bestand, diese Leute zu meiden, und das auch von seiner Schwester verlangte. Das Ganze hatte mit einer alten Auseinandersetzung um Land zu tun, es ging um falsches Spiel mit einem Testament. Ein gieriger Onkel hatte versucht, Lytle die Farm seines Vaters zu entreißen. Aber die aktuellen Cousins, die Nachfahren der Widersacher, taten nicht etwa so, als verstünden sie nicht, warum er nichts mit ihnen zu tun haben wollte (wie Lytle glaubte). Ich denke, sie waren tatsächlich verwirrt. Er hatte ihnen Szenen gemacht. Er hatte in der Tür gestanden und sie rhetorisch ausgefeilt als »Saat des Usurpators« denunziert. Die Verwandten hielten ihn zweifellos für weggetretener, als er tatsächlich war, und glaubten, dass er einen Schwindler aus längst vergangenen Zeiten beschimpfte, denn obwohl sie nie näher als bis zu den Verandastufen kommen durften, kamen diese Verwandten immer wieder.

Und jetzt hatte Miss Polly sie in den Flur gelassen, an den Rand des Hofs der Muse. Für Lytle war das hemmungsloser Verrat. Als er aus seinem Mittagsschlaf erwacht war, hatte er sich der Verwandtschaft gegenüber abscheulich verhalten, und Polly war geflohen. Die Erinnerung an das, was er gesagt hatte, schien ihn aufzuwühlen.

»Mr. Lytle, was haben Sie gesagt?«

»Die Wahrheit«, sagte er leidenschaftlich. »Ich habe angemessen reagiert. Das habe ich getan.« Aber im defensiven Zittern seines Kiefers lag eine gewisse Beschämung.

Lytle erwähnt den Streit um das Land in seinen »Familienmemoiren« *A Wake for the Living*, seinem lesbarsten und aus vielerlei Gründen besten Buch. Vielleicht ist das aber auch nur meine Meinung. Weitaus belesenere Leute als ich halten seine Romane für vergessene Klassiker. Vielleicht liegt es an genau diesem faustischen Ego, das donnernd über seinem Selbstverständnis als Romanschriftsteller lag, dass er seine Memoiren unbelasteter angehen konnte und dass diese Freiheit stilistischen Elan und Spontaneität freisetzte, die man sonst nur in seinen Briefen findet. Es gibt eine Szene, in der er den Morgen beschreibt, an dem seine Großmutter 1863 von einem Soldaten der Union Army erschossen wurde. »Niemand erfuhr jemals, wer er war oder warum er es tat«, schreibt Lytle. »Er stieg auf ein Pferd und galoppierte aus der Stadt.« Am Ende ihres langen Lebens trug diese Frau ein langes Samtband um den Hals, das von einer goldenen Nadel zusammengehalten wurde. Lytle war nah genug am Bürgerkrieg dran, um als Kind beim Einschlafen nach oben zu langen und den Verschluss dieser Nadel zu streicheln. Das 18. Jahrhundert lag nur eine einzige weitere Generation in der Vergangenheit. Ich vermute: Wenn man es schafft, neunzig Jahre alt zu werden, kollabiert die Zeit. Als Lytle geboren wurde, hatten die Gebrüder Wright das Flugzeug noch nicht konstruiert. Als er starb, verließ Voyager 2 das Sonnensystem. Was fängt man mit dem Nebeneinander solcher Details in einem Leben an? Es lastete auf ihm.

Der Vorfall mit seiner Großmutter ist meisterhaft verarbeitet:

Sie lief zu ihrer Krankenschwester. Die Kugel hatte die Halsvene nur knapp verfehlt. Blut färbte den Apfel dunkel, den sie immer noch in der Hand hielt, und Blut war in ihrem Schuh. Der Feind fiel von der Straße ein in ihr Haus. Schaulustige kamen und starrten. Sie beschlagnahmten die Luft ... In den fiebrigen Augen des Kindes reichten die Bajonette der Soldaten, die an ihrem Bett vorbeimarschierten, bis an die Decke, ihre Blicke zugleich gelangweilt und neugierig.

Miss Polly kam uns wieder entgegen. Anscheinend hatte sie es sich mit der Butter anders überlegt. Wir drehten um und folgten ihr zur Hütte. Im Haus angekommen, umarmten sich die beiden. Sie vergrub ihr Gesicht in seinem Mantel, sie lachte und weinte. »Oh Schwester«, sagte er. »Ich bin so ein alter Trottel, verdammt.«

Ich habe mir manchmal gewünscht, dass wir uns einmal richtig verkracht hätten. Tatsächlich aber waren es zahllose Kleinigkeiten, die mich auf die Palme brachten. Er brauchte zu viel: essen und waschen und rasieren und ankleiden – mehr als er zugeben konnte, ohne seinen Stolz zu verlieren. Das war verständlich, aber ich hatte nicht als Butler bei ihm angefangen. Eines Tages traf ich zufällig den weißhaarigen Professor, der mir verriet, dass Lytle sich über meine Kochkünste beschwert hatte.

Hauptsächlich allerdings hatte ich mich in eine große, neunzehnjährige Halb-Kubanerin aus North Carolina verliebt, mit Sommersprossen und glattem schwarzen Haar bis zur Hüfte. Wäre ich an der Uni geblieben, wäre sie ein Jahrgang unter mir gewesen. Sie mochte Bücher. Bei unserem zweiten Date gab sie mir die zerfledderte Ausgabe von Knut Hamsuns Roman *Hunger*, die ihrem Vater gehörte. Immer öfter blieb ich im Untergeschoss. Lytle reagierte mit kläglicher Verärgerung. Als ich sie ihm vorstellte, behandelte er sie kühl, machte eine leicht beleidigende Bemerkung über »Latinos« und fragte sie irgendwann, ob sie die Rolle der Frau im Leben des Künstlers verstehe.

In einer eiskalten Nacht mitten im Winter schliefen sie und ich eingepackt in alte Decken unten auf zwei zusammenge-

schobenen Einzelbetten. Mittlerweile war unser Beziehungs-
dreieck derart unerquicklich geworden, dass Lytle an den Tagen, an denen er ihr Auto hinter dem Haus entdeckte, früher
als gewöhnlich zu trinken begann, während sie ihn längst nicht
mehr amüsant fand – und auch nicht mehr harmlos, vermute
ich. Ich war in einer abscheulichen Lage.

Sie rüttelte mich wach und sagte: »Das Ding. Er versucht,
mit dir zu reden.« Wir hatten eine dieser antiquierten Sprech-
anlagen, bei denen man einen großen Silberknopf drückt, wenn
man sprechen will, und ihn wieder loslässt, um zuzuhören.
Der Mann hatte in seinem ganzen Leben noch kein elektroni-
sches Gerät beherrscht. Eines Morgens beim Frühstück – ich
hatte den Fehler gemacht, nach einer durchgearbeiteten Nacht
meinen Computer oben stehen zu lassen – schrie er mich an,
weil ich ihm »den Feind ins Haus« geholt hatte, an »den Ort
der Arbeit«. Aber mit der Sprechanlage kam er einigermaßen
zurecht.

»Er ruft nach dir«, sagte sie. Ich blieb liegen und lauschte.
Es knackte.

»Mein Liebster«, sagte er, »ich störe dich nur ungern in deinem Schlummer. Aber ich glaube, ich friere mich hier oben zu
Tode.«

»Lieber Himmel«, sagte ich.

»Wenn du dich einfach ... zu mir legen könntest.«

Ich sah sie an. »Und jetzt?«

Sie drehte sich weg. »Ich fänd's besser, wenn du nicht da
hoch gingest.«

»Was, wenn er stirbt?«

»Meinst du, das könnte passieren?«

»Keine Ahnung. Er ist zweiundneunzig und sagt, er erfriert.«

»*Mein Liebster ...?*« Sie seufzte. »Wahrscheinlich solltest du
hochgehen.«

Er sagte nichts, als ich ins Bett schlüpfte. Er schlief sofort
wieder ein. Die Laken waren aus schwerem weißen Leinen

und teuer. Es schien, als lägen schattige Schneefelder zwischen seinem Körper und meinem. Ich driftete ab.

Als ich im Morgengrauen erwachte, knabberte er an meinem Ohr, und seine rechte Hand lag auf meinen Genitalien.

Ich sprang aus dem Bett und fing an, fluchend im Zimmer herumzuhüpfen, als hätte ich mir die Finger verbrannt. Lytle stöhnte vor Scham, mit den Händen vor dem Gesicht lag er im Bett wie ein angeschwemmtes Wrack. Ich muss erwähnen, dass er ein Wee-Willie-Winkie-Nachthemd und eine Nachtmütze trug, wie an jedem kalten Morgen. »Verzeih mir, verzeih mir«, sagte er.

»Jesus, Mr. Lytle.«

»Oh, Liebster...«

Es ging gar nicht darum, dass er solche Gelüste hatte – so naiv konnte niemand sein, seine Vorlieben waren mehr oder weniger offene Geheimnisse. Ich weiß nicht, ob er schwul war oder bisexuell oder pansexuell oder sonst was. Diese Unterscheidungen sind lediglich ungelenke Begrifflichkeiten für die Rätsel der Sexualität. Aber ein paar Mal hatte Lytle auf eine, wie ich fand, bewegend erotische Weise von seiner Frau gesprochen, ganz anders als ich jemals einen schwulen Mann über Frauen und Sex habe sprechen hören. Lytle musste Edna jedenfalls geliebt haben, denn es war offensichtlich, wie sehr er sein »Memphis-Gal mit den Eichkatzenaugen« vermisste. Er hatte sie jung geheiratet, und sie war immer noch jung, als sie an Lungenkrebs starb.

Wenn das Gespräch auf das Thema Sex kam, sprach er oft von einer homoerotischen Seite der Agrarierbewegung. Er erzählte mir, das Allen Tate ihm einmal Avancen gemacht hatte, »aber ich habe ihn abgewiesen. Ich mochte seinen Geruch nicht. Weißt du, mein Liebster, Geruch ist so wichtig. Tate hatte den schalen Geruch eines Mannes, der sich nie bewegt.« Ob es stimmte oder nicht, es war kein Einzelbeispiel. So haben spätere Autoren, darunter solche, die kein Interesse daran hatten, das Thema unnötig hochzuspielen, Robert Penn Warrens mehr als platonisches Interesse an Tate während ihrer Vanderbilt-Jahre bemerkt. Stark Young, ein selten erwähntes Mitglied der Twelve Southerners, war offen schwul. Lytle selbst bekannte sich zu einer glücklichen, aber sporadischen Affäre, die er als sehr junger Mann mit dem Bruder eines anderen Fugitive Poets gehabt hatte. Die beiden hatten irgendwann sogar Pläne für ein gemeinsames Leben auf einem kleinen Bauernhof gesponnen. Der Mann verschwand später und wurde in Mexiko ermordet aufgefunden. Warren erwähnt ihn in einem Gedicht, in dem Heimlichkeit ein Leitmotiv ist.

Der entscheidende Punkt ist, dass man diese für die amerikanische Literatur über Jahrzehnte prägende Bewegung nicht in Gänze verstehen kann, ohne zu wissen, dass einige der Autoren dieser Bewegung einander liebten. Zumeist natürlich »homosozial«, aber in einigen Fällen homoerotisch und bisweilen auch homosexuell. Daraus erwuchs ein Teil der Kraft, die diese Freundschaften so intensiv machte und diese Männer trotz Zankereien und geänderter Meinungen ihr Leben lang zusammenhielt, sogar über den Tod ihrer utopischen Hoffnungen für den Süden hinaus. Aus ihrer Mitte gingen ein paar gute und mit Warren sogar ein bedeutender Schriftsteller hervor, von dem man sagen kann, dass er auf den Schwingen der anderen in die ihm vorbestimmten Höhen getragen wurde.

Lytle hätte mich mit seinem Stock aus dem Haus geprügelt, wenn er gewusst hätte, dass ich solche Dinge ausspreche. Für ihn war das eine Sache von zwinkernder Übereinkunft, von Frontiersmen-Sexualität, von Verbindungsbrüdern, die ohne viel Aufhebens miteinander ins Bett fielen. Wahlweise auch Hellenismus, güldene Knaben am Hofe der Muse, William Alexander Percy und so. Was auch immer es war – ich akzeptierte es. Ich beschwerte mich nicht, wenn er sich setzen und mir beim Holzhacken zusehen wollte, oder wenn er mich bat, nicht jeden Morgen zu duschen, damit er mich besser riechen könne. »Ich bin fast blind, Junge«, sagte er. »Wie soll ich dich finden, wenn's brennt?« Ich hatte allerdings gedacht, dass wir uns einig wären. Ich hatte nicht damit gerechnet, dass er mich wie ein Zimmermädchen begrapschen würde.

Zwei Nächte blieb ich weg, dann kehrte ich zurück. Ich stieg die Stufen hoch, spähte durch das Fenster an der hinteren Veranda und sah ihn schlafend auf dem Sofa liegen (ich fragte mich jedes Mal, ob er tot war). Er hatte seine Hände auf dem Bauch gefaltet. Eine hob sich und hing dann zitternd herunter, das Winken eines Schauspielers. Er redete mit sich selbst. Aber als ich die Tür öffnete, stellte sich heraus, dass er mit mir sprach.

»Nun, mein Liebster, wir müssen diese Sache vergessen«, sagte er. »Ich wollte ihn lediglich kurz berühren. Weißt du, für mich ist das der interessanteste Teil des Körpers.«

Er machte eine Pause und sagte »Ja«, als würde er diesen Satz in Gedanken prüfen und für gut befinden.

»Ich weiß, dass du jetzt das Mädchen hast«, fuhr er fort. »Die Frau bietet dem Mann die Dinge, die er braucht, ein Zuhause und Kinder. Und sie ist ein hübsches Mädchen. Ich selbst habe in dieser Sache wohl nicht die richtigen Entscheidungen getroffen.«

Ich verzog mich nach unten ins Bett.

Kurz danach zog ich aus. Er war ebenfalls der Meinung, dass es zum Besten war. Ich schrieb mich wieder an der Uni ein. Man fand jemanden anderen, der bei ihm wohnte. Zu diesem Zeitpunkt war es bereits eine medizinische Angelegenheit, häusliche Pflege. Ich fuhr jede Woche raus, um ihn zu besuchen, und würde gerne glauben, dass ihm diese Besuche gefielen, aber die Dinge hatten sich geändert. Er konnte seine Formalität auf Zehntelgrade genau einstellen, damit man wusste, wo man stand.

Vielleicht muss man bei einem zweiundneunzigjährigen Mann gar nicht anmerken, dass sein Sterben begann, aber Lytle war das ganze Jahr sehr lebendig gewesen, vehement lebendig sogar. Es gab einige überflüssige kleinere Operationen, die ihn zurückwarfen. Seltsam, wie die Lebenden den Sterbenden auf die Sprünge helfen. Eines Nachts stürzte er direkt vor meiner Nase. Er stand mitten im Zimmer auf einem rutschigen Teppich, und ich ging auf ihn zu, um ihm ein Glas aus der Hand zu nehmen. Eine Sekunde später lag er mit gebrochenem Ellenbogen flach auf dem Rücken, der Arm schwoll an und wurde über Nacht schwarz. Seine Augen verloren ihren Glanz und wurden matt. Unterschiedliche Leute wechselten sich am Krankenbett ab, sie schliefen oben bei ihm, darunter auch der weißhaarige Professor, dessen Treue niemals ins Wanken geraten war. Auch ich blieb ein paar Nächte dort. Ich machte mir keine Sorgen, dass er wieder etwas versuchen würde. Er war ruhig, und man konnte sehen, dass er sich vorbereitete. Sein Schwiegersohn erzählte mir später, dass Lytle am Tag vor seinem Tod meinen Namen gesagt hatte.

Als der Sarg fertig war, holten die Männer vom Bestattungsunternehmen ihn mit einem Leichenwagen ab. Spätnachts kam ein Anruf, dass sie Lytles Leichnam nun einbalsamiert hätten. Er liege in der Kapelle, und wenn Roehm bereit sei, könne er kommen und den Deckel verschließen. Wir alle, die mit ihm an dem Sarg gearbeitet hatten, begleiteten ihn. Der Bestatter führte uns in einen erleuchteten Flur abseits des Kühlraums. Bei uns war ein alter Freund Lytles namens Brush, der für die Universitätsverwaltung arbeitete, ein kleingewachsener, lebhafter und muskulöser Mann mit jungenhaftem dunklem Haar, der immer eine Fliege trug. In einem Bowlingkugelbeutel hatte er, so nonchalant wie möglich, eine ausgezeichnete Flasche Whiskey mitgebracht.

Brush atmete tief ein, langte in den Sarg und stopfte die Flasche zwischen Lytles Rippenkäfig und seinen linken Arm. Er drehte sich um und sagte: »Dann hört man die Flasche nicht, wenn wir ihn aus der Kirche rollen.«

Roehm hielt einen wuchtigen Elektroschrauber in der Hand. Er schien nicht zu der handwerklichen Methode zu passen, mit der er den Rest des Jobs erledigt hatte, aber für Kieferndübel hatte seine Zeit nicht mehr gereicht. Wir standen an Lytles Leichnam. Sanford küsste ihn als Erster. Als wir alle fertig waren, setzten wir den Deckel auf den Sarg, und Roehm schraubte ihn fest. Jemand wünschte dem alten Mann eine gute Reise. In einem Nachruf in der folgenden Ausgabe der *Sewanee Review* hieß es, dass mit Lytles Tod »die Konföderation zu guter Letzt ihr Ende erreicht hat.«

Er erschien mir danach noch einmal, zweieinhalb Jahre später in Paris. Es ist nicht so, dass ich die Stadt kennen würde oder schon oft besucht hätte. Er kannte Paris gut. Ich stieg eine Treppe von der Metro hinauf ins Sonnenlicht, am linken Arm meine Freundin, die ich später heiraten sollte, als ich seiner Anwesenheit ungefähr einen halben Meter rechts von mir mit allen Sinnen gewahr wurde. Ich konnte ihn nicht direkt ansehen: Ich musste ihn am Rande meines Sichtfelds lassen, sonst wäre er verschwunden. Das war unsere stille Übereinkunft. Ich konnte erkennen, dass er zwar nicht jung war, aber immerhin zwanzig Jahre jünger als zu der Zeit, als ich ihn gekannt hatte, auf seiner Nase die schwarze Ingenieursbrille, die damals getragen hatte. Mit ernstem Blick stieg er die Stufen hinauf ins Licht, wo ich ihn aus den Augen verlor.

NACH KATRINA

Wenn man entlang des Golfs von Mexiko nach Osten fuhr, stieß man etwa bei Slidell auf erste Anzeichen dafür, dass etwas Monströses über die Gegend gekommen war. Ganze Wälder ausgewachsener Kiefern waren auf Kniehöhe abgehackt, als hätte eine Druckwelle sie erfasst. Die riesigen schwarzen Metallmasten der Werbetafeln an den Highways waren in der Mitte abgeknickt, die oberen Teile baumelten zackig geborsten herunter. Am unheimlichsten waren die totgefahrenen Tiere. In Mississippi ist das nichts Ungewöhnliches, aber jetzt sah man zwischen Waschbären und Wild und dem gelegentlichen Gürteltier auch etliche Hunde, die gesund aussahen und Halsbänder trugen, aber tot waren – mit anderen Worten: Das waren keine Streuner, zumindest nicht bis vor ein paar Tagen. Und diese kleinen, schwarzen Geier, die es dort unten gibt, mit ihren graubeschnabelten Gesichtern wie venezianische Masken, hüpften auf die Straße und pickten an den Hunden herum.

Das war der äußere Rand dessen, was der Hurrikan angerichtet hatte. Wenn man bei Gulfport die Küste erreichte, lag ein Geruch in der Luft, den man nicht länger als vielleicht fünfundvierzig Sekunden ertrug. Ich kannte ihn, hatte ihn jedoch noch nie in der Ersten Welt gerochen. Es war der Geruch großer organischer Dinge, die seit Tagen tot in der brennenden Sonne lagen. Sattelschlepper und Boote – besser: Schiffe – waren zu Dutzenden in die Luft gehoben und eine halbe Meile weit geschleudert worden, es hatte sie herumgewirbelt und zermalmt. Das alles schien den Gesetzen der Physik zu widersprechen, die Dinge waren Miniaturen, eine von einem wütenden Kind ausgekippte Spielzeugkiste. Wo massive Häuser gestanden hatten, waren jetzt nur noch nackte Holzgerüste. Wind und Wasser waren einfach durch sie hindurchmarschiert und hatten sämtliche Ziegel, Bretter und Schindeln weggeräumt. Sogar die Kloschüsseln waren weggesprengt.

Katrina hatte mit ziemlicher Sicherheit die gewaltigste Sturmflut ausgelöst, die jemals in den Vereinigten Staaten verzeichnet wurde: Die offiziellen Zahlen stehen noch aus, aber es waren wohl um die neun Meter. Die meisten Menschen, die in Mississippi starben, fielen der fürchterlichen Geschwindigkeit der Flut zum Opfer. Eben standen sie noch am Fenster, sie hörten den Wind und überlegten, ob sie fliehen sollten, und schon versuchten sie, die obersten Äste der Bäume zu fassen, an denen sie vorbeirauschten. Eine ältere Frau erzählte mir, dass eine riesige Meeresschildkröte durch ihre Küche schwamm, während sie auf der Anrichte hockte.

In der Notunterkunft, die das Rote Kreuz in der Harrison Central Elementary School in Gulfport eingerichtet hatte, hörte man immer wieder, wie Leute berichteten, sie seien »durch die Vordertür geschwommen«. Einer von ihnen war Terry DeShields, ein gepflegter, muskulöser Schwarzer mit einem ordentlich getrimmten Schnurrbart und einer üblen, aber abgeheilten Verbrennung am linken Arm. Der Hurrikan hatte die Küste an seinem Geburtstag erreicht. Terry hatte auf dem Sofa gesessen und sich gedacht, er könne »vor diesem Etwas davonlaufen«. Er machte ein Nickerchen. Als er aufwachte, stand das Wasser zwei Meter hoch in seinem Wohnzimmer. »Ich hörte dieses Poltern«, sagte er, »und dachte, oh Gott, jetzt geht's los!« Er erreichte die Tür nur wenige Sekunden, ehe die Welle »die Wände rausdrückte«.

»Der Wind pustet mich durch die Gegend«, sagte er. »Ich krache gegen Bäume. Um mich herum schwimmen Schlangen – und ich bin kein großer Schlangenfreund.«

DeShields wurde durch sein Viertel gespült, er suchte nach

etwas, auf das er klettern konnte. Die Welle schwemmte ihn auf den Parkplatz hinter einem Chinarestaurant, wo er zwei von diesen Großküchenöfen sah, der eine auf dem anderen festgeschraubt. Der obere lag noch über dem Wasserspiegel. De-Shields zog sich hoch und rollte sich zusammen. Stundenlang toste der Hurrikan um ihn herum. Das schien mir eine Menge Zeit zum Nachdenken, also fragte ich ihn, woran er gedacht habe. »Ganz einfach«, sagte er. »Ich werde sterben.«

Als das Wasser zurückging, stieg er runter und machte sich auf die Suche nach etwas zum Essen. »Es gab noch keine Notunterkünfte«, sagte er. »Zumindest wusste ich nicht, wo.« Er trug Unterwäsche und einen Socken. Zwei Tage lang irrte er durch die sengende Hitze. Er schlief im Wald auf dem Boden. Seine Hände waren von den Moskitostichen immer noch geschwollen wie Fäustlinge, als ich mit ihm sprach. Irgendwann kam ein Nationalgardist vorbei, gab ihm ein Paket Cracker und eine warme Dose Coca-Cola und zeigte ihm den Weg zur Unterkunft. »Als ich das Kreuz sah«, sagte er, »wusste ich, dass ich gerettet war.«

Trotzdem schlich er sich in der nächsten Nacht davon und ging zu einem Strand unweit des Ortes, wo einmal sein Haus gestanden hatte. »Ich konnte nicht anders«, sagte er. »Das war mein Strand, verstehst du? Ich musste das sehen. Alles weg. Die Villen, die Casinos. Der Gehweg, Mann. Ich saß da bis vier Uhr morgens und habe geweint.«

In der Unterkunft gab es einen älteren Mann, drahtig und dunkel, etwa Ende fünfzig. Auf beiden Seiten seines Lächelns hatte er einen einzelnen Zahn, die Symmetrie war perfekt. Sein Name war Ernel Poché, aber in der Unterkunft nannten sie ihn nur Boots, weil er mit einem Paar übergroßer dreckigweißer Gummischuhe aus seinem Haus geflohen war, die er seitdem nicht wechseln wollte. Er erzählte mir, dass er sich Sorgen um seine Tante mache. »Wir sind eine kleine Familie«, sagte er. »Ich weiß nicht, ob sie rausgekommen ist.« Als der

Mann vom Roten Kreuz zum ersten Mal den Fernseher angemacht und auf CNN geschaltet hatte, sah Boots ein Bild des Viertels, in dem seine Tante wohnte. Es lag unter Wasser. »Das war sehr beunruhigend«, sagte er.

Alles weg. Das waren die Worte, die hier alle verwendeten. Was ist mit deinem Haus? Hat es dein Haus erwischt? »Oh, alles weg, Schätzchen. Alles weg.« Die Wände »hat's weggepustet«. Die Zukunft war weggerissen und durch eine gewaltige Leerstelle ersetzt worden. Man fragte die Leute, was sie jetzt tun, wohin sie gehen würden, wie lange sie in der Unterkunft bleiben dürften. Sie sahen einen an, als würden sie sehr angestrengt über etwas völlig anderes nachdenken.

Es war Nachtruhe. Der Generator lief lediglich für eine Reihe Notleuchten im Flur, wo die Leute auf Matten lagen und schliefen. Mir war ein Platz in einem kleinen Klassenzimmer mit Bastelpapierbildern an den Wänden zugewiesen worden. Etliche Leute waren noch wach, sie flüsterten in kleinen Gruppen. Man hörte Babys schreien. Ein alter Weißer mit langem Bart, ohne Hemd und mit hängenden, haarigen Herrentitten hustete, ein schreckliches Bellen. »Mir sitzt eine Tablette quer!«, krächzte er. Ein anderer Typ erinnerte den Leiter der Unterkunft immer wieder daran, dass er ernsthaft manisch sei und schon seit fünf Tagen seine Medikamente nicht mehr genommen habe. »Und du weißt, wie das ist, wenn du deine Pillen nicht nimmst!«, hatte er mindestens vier Leuten erklärt. Eine Frau sagte dem Verantwortlichen, dass das Rote Kreuz »das Fernsehen zensieren müsse«, sie hätte in der Kantine ein paar Kinder erwischt, die Sexfilme geguckt hätten. »Richtig dreckiges Zeug«, sagte sie, »mit Brustwarzenlecken und allem.«

Ich stand auf und ging nach draußen. Auf einer kleinen Terrasse hinter dem Haus fand ich eine paar Leute, die sich im Laternenlicht unterhielten. Sie waren wunderbar aufgekratzt. Die meisten Leute in den Notunterkünften waren schon vor dem Sturm ziemlich weit unten gewesen. Ein paar von ihnen hatten berechtigte Hoffnungen, dass die neuen Unterkünfte der Katastrophenschutzbehörde schöner sein würden als die Wohnungen, in denen sie seit Jahren gelebt hatten.

Dort auf der Terrasse saß der am Hals tätowierte Krabben-fischer Bill Melton, ein dicker, fröhlicher Weißer mit Bart, entspannt in einem Holzsessel, daneben ein schwarzes Paar in den Vierzigern, R. J. und Jacqueline Sanders. Ich fragte, ob sie sich alle schon vor dem Sturm gekannt hatten. Weil er meine Frage missverstand (oder eventuell gerade weil er das Richtige heraushörte), sagte Melton: »Farbe zählt hier nicht, Mann. R. J. und Miss Jackie sind jetzt Bruder und Schwester für mich.« Dieses fast utopische Gefühl wurde hier oft geäußert. Auf dem Flur sprachen ein alter Mann und eine alte Frau miteinander. »Diese Reichen«, sagte er. »Mir egal, wie viel Geld du hast. Wir sind jetzt alle gleich. Deswegen sehe ich *immer* auf zu Gott. Mir ist egal, wie hoch ich komme.«

Bill und R. J. und Miss Jackie gehörten zu den wenigen Menschen in der Schule, die mit ihrer Situation fertigzuwerden schienen, indem sie ständig und fast verzweifelt in Bewegung blieben. Das Rote Kreuz stellte mehr als genug abgepackte Mahlzeiten für alle zur Verfügung, aber sie hatten die Frau, die den Speisesaal der Schule betrieb, überzeugen können, die Küche zu öffnen, damit das Essen verwendet werden konnte, ehe es verdarb. Boots arbeitet als Koch in einem Restaurant; er heizte den Gasherd an und übernahm das Kommando. Sie kochten für alle, ihre Energie hob die Moral (am nächsten Morgen probierte ich von Meltons Spezialität »S.O.S. – Shit on a Shingle«, Hackfleisch mit Soße im Brötchen – und fand es genießbar). »Wir kochen für jeeeeden«, sagte R. J., »nicht nur für unsere kleine Familie hier.«

»Sogar für die Polizei!«, fügte Melton hinzu.

Miss Jackie sprang auf und erklärte, ich müsse mir unbedingt die Dusche ansehen, die sie gebaut hatten. Normalerweise würde das Rote Kreuz eine Notunterkunft nicht an einem Standort ohne Dusche unterbringen, aber etliche der in Frage kommenden Gebäude waren vom Sturm zerstört worden, also hatten sie Harrison Central nehmen müssen.

Miss Jackie und R. J. führten mich durch einen Plastikvorhang in den Duschraum. Was sie gebaut hatten, war ziemlich raffiniert. Mit den Schlüsseln der Speisesaalfrau hatten sie eine Metallplatte aus der Wand entfernt, die einen Wasseranschluss abdeckte. Jemand hatte einen Gasbrenner so frisiert, dass man damit drinnen einen Wassertank heizen konnte. Sie hatten die Gegend um die Schule nach Metallrohren abgesucht und eine Leitung improvisiert. Als Duschkopf diente eine dieser seltsamen weißen Dosen, in welche die Anheuser-Busch-Brauerei anscheinend zu Katastrophenzeiten Leitungswasser abfüllt, leer und durchlöchert und mit Klebeband am Rohr befestigt.

»Dreh auf, Miss Jackie!«, sagte Bill Melton. Sie hatten Jackie die Schlüssel anvertraut. Sie öffnete den Metalldeckel und drehte an einem roten Knopf. Warmes Wasser spritzte aus der Dose, ein Springbrunnen. Im Licht von R. J.s Taschenlampe entstand ein spinnennetzartiges Muster.

»Das haben wir gemacht!«, sagte Bill Melton.

»Ist das nicht wunderschön?«, sagte Miss Jackie.

Mir fehlten die Worte.

»Es ist wunderschön«, sagte R. J.

Als ich die Unterkunft nach ein paar Tagen verließ und mit meinem Mietwagen nach Jackson zurückfuhr, hatte ich ein *Mad Max*-mäßiges Erlebnis, über das ich seitdem oft nachgedacht habe. Mir ging der Sprit aus, und die Benzinsituation war miserabel. Vor den wenigen Tankstellen, die noch Benzin hatten, standen die Leute meilenweit Schlange. Laut Anzeige war mein Tank nicht einmal mehr viertelvoll, also fuhr ich ab. Die Straße zur Tankstelle war lang und gerade. Man sah, dass es noch weit war, und ich fragte mich, ob ich überhaupt noch ausreichend Sprit hatte, um die Wartezeit zu überstehen. Es war verstörend, so etwas in Amerika zu sehen. In sämtlichen Atomkriegsfilmen, die uns als Kinder beschädigt hatten, gab es immer die Szene, in der die Leute für das rar werdende Benzin Schlange standen, oder nicht? Hier standen wir. Bis jetzt schienen alle so ruhig, als wäre es ein normaler Stau. Es war heiß und sonnig, als wir Stoßstange an Stoßstange über den Asphalt glitten, verflochtene Segmente eines langsamen, entschlossenen Insekts.

Irgendwann traf eine kleinere Straße auf die unsere, den Weg zum Benzin. Ein paar Leute waren unklug genug, zu versuchen, auf dieser Straße an der Schlange vorbeizufahren – sich also im Grunde vorzudrängeln –, und jedes Mal, wenn es jemand versuchte, stieg die Spannung, irgendwer schimpfte durchs Wagenfenster, und derjenige auf der Abbiegespur hob die Hände, als wolle er sagen, was soll ich denn machen. Nichts weiter Schlimmes. Keine Schlägereien. Im Radio lief »Sweet Emotion«.

An der Kreuzung der beiden Straßen gab es eine Ampel, und während ich sie überquerte, schaltete sie von Grün auf Rot. Und dann geschah etwas Heikles. Eine ältere Frau, die seit einer Stunde direkt hinter mir stand, wollte auch noch in dieser Ampelphase über die Kreuzung kommen. Sie dachte, dass sie es als Letzte noch schaffen würde, aber sie hatte sich verschätzt, und es war kein Platz mehr. Ich war so weit vorgefahren wie möglich, ohne den Truck vor mir zu berühren, aber die hintere Hälfte ihres Wagens stand immer noch auf der Kreuzung. Wäre jemand von der Gegenspur des Highways mit voller Geschwindigkeit in die kleine Straße abgebogen, wäre sie zerquetscht worden. In meinem Rückspiegel sah sie ängstlich aus, also tat ich das einzig Mögliche und schob die Nase meines Wagens Stück für Stück an den Rand des Highways, bis meine Stoßstange vorne rechts das Gras berührte und die Frau anderthalb, zwei Meter Platz hatte, um nachzurutschen und sich in Sicherheit zu bringen. Es war zwar keine Heldentat meinerseits, aber vor allem war es nicht die Mogelei oder die Hinterhältigkeit, deren mich der drahtige, betrunkene und extrem angepisste Typ aus Mississippi vor meinem Fenster fuchsteufelswild beschuldigte. »Ich hab gesehen, was du gemacht hast, Arschloch«, sagte er. Er war extra aus seinem Auto ausgestiegen und ein ganzes Stück die Straße entlanggelaufen, um mich anzumotzen.

»Was meinen Sie?«, fragte ich. »Ich habe nichts anderes gemacht, als hier stundenlang im Stau zu stehen.«

Er lief neben meinem Auto auf und ab und zeigte auf mich. Die Schlange stand still, er musste sich keine Sorgen um sein eigenes Auto machen.

»In dieser verfickten Schlange stehen Leute, die *seit Meilen* warten«, sagte er. »Du kannst dich verfickt noch mal nicht einfach vordrängeln.« Er hatte mein kleines Manöver beobachtet, mit dem ich Platz für die alte Dame machen wollte, und nahm nun an, dass er gerade eben mitbekommen hatte, wie ich von der Seitenstraße aus einscherte (was nicht völlig abwegig war).

Wer wusste schon, was dieser Typ in den letzten paar Tagen durchgemacht hatte. Sein Gesicht war stoppelig, sein Flanellhemd starr vor Dreck. Seine rastlosen Bewegungen sahen aus, als stünde er in der Wüste und würde Gott verfluchen.

Die kalten Instinkte, die in solchen Augenblicken übernehmen, befahlen mir, nicht wütend zu werden, sondern immer wieder zu *erklären*, was passiert war. Ich sagte: »Hör mir zu, Mann! Ich stehe seit Ewigkeiten in dieser Schlange. Lass mich erklären –«

Zunächst brüllte er mich nieder, aber mit jeder Wiederholung der Geschichte – die Ampel, die alte Dame – schien es, als würde ein weiterer Satz seinen Empörungspanzer durchdringen, und er beruhigte sich langsam. Schließlich ging er zurück zu seinem Auto. Zumindest dachte ich das. Tatsächlich aber lief er zu der alten Dame, um sich ihre Version anzuhören. Ich beobachtete sie im Rückspiegel. Sie schüttelte ihren Kopf und sagte offensichtlich immer wieder das Wort *nein*, sie sah mein Auto an und sagte *nein. War die alte ...?*

Mein Peiniger kam zurück. Die anderen Wartenden sahen und hörten zu. Es war peinlich. »Sie sagt, sie *kennt* dein Auto nicht«, sagte er.

»Was?« Ich drehte mich um und sah sie mit einem übertriebenen Wie-können-Sie-nur?-Gesicht an. Die Frau sah verängstigt aus.

Der Kerl fluchte weiter. »Geh zurück nach Tennessee!«, rief er. »Da oben gibt's genug Sprit.« Ich lebte nicht mehr in Tennessee. Woher wusste er, dass ich einmal dort gewohnt hatte? Das Nummernschild am Mietwagen hatte ich noch gar nicht bemerkt.

Letztendlich kurbelte ich mein Fenster hoch und drehte die Musik auf, und der Typ schmolz dahin. Es gab keine andere Möglichkeit für uns beide. Mein Benzin reichte bis zur Tankstelle. Aber den ganzen Rest der Wartezeit dachte ich, dass das tatsächliche Ende der Welt genau so beginnen würde. Anstatt nur zu starren, wären die anderen aus ihren Autos gestiegen und hätten sich ihm angeschlossen. Niemand wäre schuld gewesen.

HEY, MICKEY!

Wer in diesem jungen Jahrtausend Kinder großzieht, der lernt das Wort »Disney« als Verb zu verwenden. Beispielsweise »Disneyt ihr?«, oder: »Sollen wir dieses Jahr disneyen?« Streng genommen müsste man diese Ausdrücke benutzen, wenn man vom Original-Disneyland in Kalifornien spricht, aber das wäre nicht die übliche Verwendung. Nach Disneyland fährt man und hat dort jede Menge Spaß – wahrscheinlich jedenfalls, ich war noch nie da –, aber man *disneyt* im Walt Disney World Resort in Florida. Der Begriff impliziert die Kapitulation vor etwas Gewaltigem.

Eines Abends sagte M. J., meine Frau, dass ich mich fürs Disneyen bereitmachen solle. Sie präsentierte das nicht als Frage oder als etwas, über das man lange nachdenken müsste, sondern als etwas Unvermeidliches, auf das man sich gefasst macht. Wir haben alte Freunde, Trevor und Shell (kurz für Michelle), und die beiden haben eine Tochter, die fünfjährige Flora, die nur ein Jahr älter ist als unsere Tochter Mimi. Die Mädchen sind wie Cousinen aufgewachsen und verstehen sich blendend. Shell und Trevor haben auch noch einen jüngeren Sohn, Lil' Dog. Er hat auch einen richtigen, würdevoll klingenden Namen, aber seine Großeltern sind die Einzigen, die ihn jemals so nennen. Schon sein ganzes Leben heißt er Lil' Dog, einfach so. Sein Spitzname hat keine besondere Geschichte. Es ist, als habe er im Augenblick seiner Geburt den Mund aufgemacht und diesen Namen für sich beansprucht. Wenn man ihn ansieht, will man sofort »Lil' Dog« sagen. Er ist ein kleiner, kräftiger Kerl mit sandblondem Haar und ulkigem Grinsen, der immer doppelt so schwer ist wie erwartet, wenn man ihn hochhebt.

Über einen Verwandten war Shell an ein paar vergünstigte Tickets für uns sieben gekommen. Es schien gerade mal ein Tag vergangen zu sein, seit diese Nachricht vage zu mir durchgedrungen war, als ich mich schon am Steuer des schwarzen Hondas wiederfand und von North Carolina aus in südwestlicher Richtung fuhr. Dass es tatsächlich so schnell ging, ist nicht unwahrscheinlich. M. J. überrumpelt mich oft mit Ausflügen und fest zugesagten Terminen, manchmal tatsächlich von heute auf morgen, weil sie genau weiß, dass ich ihr, wenn sie den Zeitfaktor aus dem Spiel nimmt, nicht mit irgendwelchen neurotischen Ausreden kommen kann. Diesen Strategien verdanke ich einige meiner schönsten Urlaubserinnerungen, und sie belegen den Wert einer überaus nützlichen Regel für alle Paare: Versuchen Sie nicht, einander zu *ändern*. Analysieren und überlisten Sie einander.

Das Wohnmobil mit Shell, Trevor, Flora und Lil' Dog kam aus Chattanooga, von wo aus es in südsüdöstlicher Richtung fuhr. Wir näherten uns einander an wie zwei Geraden auf einem grafikfähigen Taschenrechner. Wenn man nicht sehr, sehr stark ist, wird man eines Tages disneyen, und jetzt waren wir dran, der Interstate 95 vor uns eine grelle Zeitleiste des Schicksals. Es war Samstag. Am nächsten Tag war Vatertag. Wie sich herausstellte, war die ganze Reise offiziell ein Vatertagsgeschenk für mich und Trevor, was in meinem Fall so war, als hätte man mich mit einem Betäubungspfeil beschossen, überwältigt und zu meiner eigenen Geburtstagsfeier verschleppt. Trotzdem machte ich mir kaum Sorgen – in Situationen völliger Alternativlosigkeit fühlt man sich seltsam frei. Im Rückspiegel zerrte Mimi vor lauter Ungeduld an ihrem Gurt. Meine Highway-Gedanken durchliefen eine merkwürdige Phase der Dankbarkeit gegenüber der Person Walt Disneys, die eine so intensive kindliche Freude möglich gemacht hatte. Vielleicht dachte Trevor, Hunderte von Kilometern entfernt und mit jeder Minute näher kommend, gerade dasselbe über seinen Nachwuchs.

Eine Sache sollte ich zu Trevor sagen (was ich niemals tun würde, wenn es nicht für diese Geschichte wichtig wäre): Er raucht eine unfassbare Menge Gras. Stellen Sie sich jemanden vor, der eine Packung Zigaretten pro Tag raucht, also zwanzig Zigaretten. Trevor raucht an manchen Tagen ungefähr so viele Joints, den ersten schon, während er morgens Kaffee macht. Und trotzdem funktioniert er in sozialer und beruflicher Hinsicht hervorragend, meistens jedenfalls. Ich habe auch schon erlebt, dass er eine Unterhaltung verbockt. Aber ansonsten – fast immer – ist er einer der klügsten und interessantesten Menschen, die ich kenne. Um es noch mal zu sagen: Der Typ ist immer high, die ganze Zeit. Und ich meine nicht von solchem Zeug, das Ihr Mitbewohner früher hinterm Haus angebaut hat; wir reden hier von Premium-Gras aus Kalifornien, das Trevor über eine Art landesweite Genossenschaft für medizinisches Marihuana bezieht, die den legal erworbenen Stoff von Kalifornien aus in die anderen Staaten verschiebt. Das funktioniert offenbar genauso wie der normale Handel mit Gras, nur unterstützt man dabei kein kriminelles Netzwerk. Abgesehen davon, dass man selbst Teil eines kriminellen Netzwerks ist. Das ist einer der vielen Widersprüche unserer Zeit, in der die eine Hälfte des Landes Gras für harmloser hält als Alkohol, und die andere darin eine gefährliche Einstiegsdroge sieht. Einmal habe ich Trevor nach seinen Bezugsquellen gefragt. Leider gebe es eine feste Regel, sagte er: kein Wort zu Freunden.

Als Trevor und ich uns anfreundeten – wir waren damals Anfang zwanzig und Nachbarn –, rauchte ich selbst ein bisschen, fast war es, als wollte ich mit ihm konkurrieren. Aber als ich dreißig wurde, ließ ich es ruhiger angehen. Ich mag das Zeug immer noch und glaube auch, dass es mir gutgetan hat, aber allmählich machte mich das Rauchen dumm, und mit dreißig war ich demütig genug, um zu erkennen, dass ich nicht mit genug geistiger Munition auf die Welt gekommen war, um sie einfach so zu verballern. Trevor hingegen blieb dabei. Und um ehrlich zu sein: Wenn wir uns ein paarmal im Jahr sehen, falle ich den alten Mustern zum Opfer. Manchmal macht meine Frau sich darüber Sorgen, besonders seit unsere Tochter da ist. Meistens aber sieht sie es als nützliches Druckventil, weshalb ich dann den Rest des Jahres klarer und fokussierter bin. Analysieren, überlisten, Glück.

Am Abend rannten die Kinder in unserer Suite im Disney-Hotel – kein Themenhotel, nur ein Standard-Freizeitpark-Luxuswohnheim – fast psychotisch in unendlichen Achten. Ein kleines Kind am Tag vor Disney ist ein Vollblutpferd, kurz bevor sich die Boxen öffnen. Ich beobachtete meine Frau und Shell, die sich lachend am beleuchteten, laminierten Tresen der Kochnische unterhielten. Shell sieht immer noch so aus wie zu der Zeit, als wir sie kennenlernten, teils Hippie, teils Übermutter, mit hübschen germanischen Zügen, langen dunkelblonden Haaren und einem Gesicht, das urplötzlich von Teilnahmslosigkeit zu einem entwaffnenden Lächeln wechseln kann. Sie und Disney, das hatte eine lange Vorgeschichte, von der ich bis dahin nichts wusste. Sie erzählte, wie sie und ihre Schwestern als Kinder hierher gebracht worden waren, und wie ihr Vater, ein Berufssoldat, sie durch den Park scheuchte und darauf bestand, dass kein Karussell ausgelassen wurde, um maximalen Spaß fürs Geld zu bekommen. Mittags ging es zurück auf den Parkplatz, wo sie im Wagen ihre mitgebrachte Verpflegung aßen. Dann schliefen alle. »Im Auto? Zu fünft?« Zu fünft – Mutter, Vater und drei Mädchen, in einem Ford Econoline. Fünfundvierzig Minuten Stille. Dann zurück zum Park. »Das habt ihr jedes Jahr gemacht?« Sogar zweimal pro Jahr, im Frühling und im Herbst. Die Attraktionen wurden absolviert wie ein Hürdensprint, nie fuhr man zweimal mit irgendwas. Das Detail des Mittagsschlafs im Auto faszinierte mich. Ich stellte mir vor, als Kind wach zu liegen, während die anderen schliefen, die Seltsamkeit dieser Stille.

Später, als die Kinder in kleinen Häuflein auf dem Schlafsofa verteilt lagen, standen Trevor und ich auf dem Balkon. Er sprach davon, wie schwierig es am nächsten Tag werden würde, und in den folgenden Tagen und Nächten, im Park zu sein, ohne rauchen zu können. Ich machte mir keine allzu großen Sorgen. Tatsächlich war ich töricht genug zu glauben, dass die Idee von Disney an sich – die Tatsache, dass wir uns in einem streng überwachten Freizeitpark aufhalten würden – jeden Gedanken ans Kiffen unmöglich machen würde, so dass Trevor sich nicht quälen und ich kein schlechtes Gewissen haben müsste. Ich wäre tagsüber nicht breit und würde nur abends ein paar Züge nehmen, das konnte der ehelichen Harmonie nicht schaden. Trevor wollte davon nichts wissen. Er war eindeutig gestresst. »Ich verlier da drin den Verstand«, sagte er. »Warst du jemals da drin?«

Einmal, mit elf. Ich konnte mich kaum erinnern. Es war an mir abgeprallt.

»Wir sind jedes Jahr hier«, sagte Trevor. »Und jedes Jahr hab ich das Gefühl, dass mir der Schädel platzt.«

»Ich hätte gedacht, du hast Kekse dabei«, sagte ich.

»Klar, hab ich Kekse dabei«, sagte er. »Jedes Mal. Aber... du weißt schon.«

Ich wusste. Einnahme über den Magen ist gut, und ein schlauer Kiffer geht irgendwann dazu über, um seine Lungen zu schonen, aber die Kombination aus Sauerstoffmangel und intensivem THC-Rausch, die man beim Rauchen erlebt, vor allem beim Rauchen von Joints, hat schon etwas. Für den Abhängigen gibt es dafür keinen richtigen Ersatz. Ein Haschkeks verändert deine Laune für Stunden, aber ein Joint fegt wie ein magischer Besen um dich herum – er räumt auf einen Schlag auf.

»Aber ich hab im Internet diese Seite gefunden«, sagte Trevor, »wo sich Leute darüber austauschen, wie man im Park kiffen kann.«

»Im Park? In Disney World?«, sagte ich, als hätte ich nicht zugehört.

Er winkte mich ins Zimmer und klappte auf dem Küchentresen leise seinen Laptop auf. »Schau dir das an«, flüsterte er. Nur wir beide waren noch wach.

Ich ließ mich in einen der Drehstühle vor dem hellen Bildschirm fallen. Ich las, bevor ich wusste, was genau ich da las, aber es sah wie eine Art Chatroom aus. Oder ein Forum. Forum trifft es besser. Am linken Rand waren Cannabisblätter und nackte Frauen mit glitzernden Blüten in der Hand zu sehen: ein Kiffer-Forum. Trevor scrollte runter zu einem Beitrag mit dem Betreff »Re: Hello from Disney World«.

Eine anonyme Person mit offenbar atemberaubend viel Erfahrung mit dem Rauchen von Gras im Walt Disney World Resort hatte der Community den Gefallen getan, sein oder ihr Wissen systematisch darzulegen. Das Ergebnis war nichts Geringeres als ein Disney-Reiseführer für fanatische Kiffer. Es zeigte präzise, wo man am sichersten einen durchziehen konnte, und wies darauf hin, worauf man an den verschiedenen Orten achten musste. Abgeschiedene Fußwege, die nicht viel benutzt wurden, normale Raucherbereiche, die durch besonders hohe Hecken abgeschirmt waren, eine Ecke, an denen man sich neben einem kleinen künstlichen Fluss unter einer Brücke verstecken konnte – das waren hier die interessanten Orte. Die Anzahl der Besucher ließ darauf schließen, dass diese Liste schon vielen verzweifelten Menschen geholfen hatte.

Die zentrale Botschaft war eindeutig: »Immer bereit sein, abzuhauen.«

Am nächsten Morgen ergriff ich die langen Plastikstangen und zog die Vorhänge auseinander: Regen! Tja. Dann würden wir wohl im Hotel bleiben müssen und lesen.

M. J. lachte. »Viel Erfolg, wenn du das Shell erzählst«, sagte sie. Als wir am Vorabend über unserer Disney-Planung gesessen hatten, war klar geworden, dass unsere Freundin weit mehr von der Haltung ihres Vaters zum Park geerbt hatte als gedacht. Sie war bereit, es krachen zu lassen, packte die Ausrüstung zusammen und sah mich mit zusammengekniffenen Augen an, als ich das Wetter erwähnte – so als hätte ich sie nicht mehr alle.

»Habt ihr Regenumhänge dabei?«, fragte sie.

Als ich erwiderte, dass wir keine Regenumhänge besäßen, nur einen Regenschirm, sagte sie: »Wir können unterwegs noch welche kaufen.«

Trevor zwinkerte mir von der Tür ihres Schlafzimmers aus zu, wo er Lil' Dog anzog. *Alles wird gut, Alter.* Er machte mit den Fingern die Dreh-Bewegung.

Beide Familien passten in das Wohnmobil, also fuhren wir damit. Doch als wir in unsere Lücke auf einem der riesigen, leeren Disney World-Parkplätze einbogen, eingewiesen von einer Reihe alter Männer mit machtbesoffen versteinerten Gesichtern, regnete es zu stark, um auszusteigen. Sogar Shell würde warten müssen. Sie wirkte zappelig, wie sie da in ihrem feuchten Regenumhang saß, und starrte eher auf die beschlagenen Scheiben als hindurch. Eine DVD von den *Backyardigans* lief, den Hinterhofzwergen.

Ich dachte an meinen verstorbenen Vater. Ich weiß nicht, warum. Er hätte uns niemals hierher gebracht. Hätte es nicht gekonnt. Disneyen wäre keine Möglichkeit gewesen für ihn. Man braucht dazu etwas wie … nicht unbedingt Willenskraft, aber Bereitschaft. In den langen Schlangen darf man nicht rauchen. Das hätte ihn verrückt gemacht. Die Anstrengung, viele Stunden lang so zu tun, als habe man Spaß, hätte ihn zur Verzweiflung getrieben; seine Reizbarkeit hätte allen den Tag verdorben. Am Ende hätte er versucht, es mit zotigen Witzen wiedergutzumachen, und wir Kinder hätten nicht anders gekonnt, als zu lachen. Meine Mutter hätte ihm diesen billig erkauften Sieg zu Recht übelgenommen, was zu Spannungen beim Abendessen geführt hätte. Danach Fernsehen.

Nicht, dass wir niemals Spaß hatten – oder niemals in Florida Spaß hatten. Aber immer auf *seine* Weise. Nicht Disney World, nicht einmal SeaWorld – Ocean World in Fort Lauderdale, *das* war nach seinem Geschmack. Ein Meerespark, den es heute nicht mehr gibt, in dem man die Delfine streicheln und füttern durfte – solange man sich nicht an den Hautkrankheiten störte, die viele von ihnen im zu stark gechlorten Wasser entwickelt hatten. In Ocean World gab es sogar Affen und Krokodile (der Ozean ist ein weites Feld). Mein Vater, der über Baseball schrieb, war da unten, um über die Saisonvorbereitung zu berichten. Ich weiß nicht mal mehr, um welches Team es ging. Wir besuchten ihn eine Woche lang und wohnten in einem Motel, in dem wir wahrscheinlich die Einzigen waren, die nicht entweder stunden- oder monatsweise zahlten. Es gelang ihm irgendwie, ein Auto zu mieten, das man schon seit zehn Jahren nicht mehr kaufen konnte, einen gigantischen, weißen Ford LTD aus den späten Siebzigern. Heute wird mir klar, dass wir auf dieser Reise wie das letzte Pack aussahen, aber ich fühlte mich unglaublich wohl. Dad hatte sein Pabst Blue Ribbon und seine Schweineschwarten und Mentholzigaretten, was hätte da schiefgehen können? Ich dachte darüber nach, dass seine Verschrobenheit, trotz all der Probleme, die sie verursacht hatte (nicht zuletzt seinen Tod), auch einen Freiraum in meiner Kindheit geschaffen hatte, einen der wenigen Orte, an denen ich entspannen konnte. Vielleicht würde Mimi mit mir ähnliches Glück haben. Mir kommt es so vor, als bestünde ein großer Teil der Bemühungen von uns Eltern darin, unsere Kinder vor uns selbst zu schützen.

Der Regen hörte so abrupt auf, als hätte jemand eine Kuppel über uns geschlossen. Wir stiegen aus, der Asphalt war nass, über uns ein unbeständiger Himmel, der keine zehn Minuten nach dem Regen heftige Hitze durchließ. Überall um uns herum pellten sich die Leute aus ihren Wagen und streckten ihre Glieder. Wir waren eine Armee sich entfaltender Insekten. Wir sammelten unsere Ausrüstung zusammen. Shell hatte einen Zwillingsbuggy mitgebracht. Darin würden immer zwei Kinder sitzen, während das dritte lief oder auf jemandes Schultern saß.

Wir hatten kaum unsere Finger auf die biometrischen Scanner gelegt – denn wem kann man seine biologischen Daten anvertrauen, wenn nicht Disney –, als der gute Trevor die ersten Symptome zeigte. Am Morgen hatte er nicht rauchen können, im Hotel waren überall zu viele Leute gewesen; er lechzte nach einem Joint. Nicht, dass er schlecht gelaunt oder nervös gewesen wäre. Aber an seiner Körpersprache und der Länge seiner Sätze konnte ich erkennen, dass er daran dachte. Nichts bringt den Verstand so sehr dazu, nach einem Notausgang zu suchen, wie ein geschlossener Raum – und in Disney World vergisst man allem Gigantismus zum Trotz nicht eine Sekunde lang, dass man sich in einem besonders engen geschlossenen Raum befindet.

Lil' Dog und die Damen segelten über uns auf dem Dumbo-Karussell vorbei, in drei aufeinanderfolgenden Elefanten. Mimi sah zaghaft glücklich aus. Ihr Gesicht sagte: »Ich bin grundsätzlich bereit, das hier als Spaß zu empfinden, solange es nicht schneller oder höher geht.« Trevor und ich lehnten am Geländer wie Wettende an der Rennbahn, wir lächelten und winkten jedes Mal, wenn sie vorbeikamen, als wären wir Puppen, deren Arme an Drähten befestigt waren. Trevor hatte sein Mobiltelefon in der Hand, die Website mit dem »Reiseführer« auf dem Display. Er las darin, wenn sie auf der anderen Seite ihrer Umrundung waren. Wir hielten eine Karte des Parks da-

neben und stellten fest, dass eine der Stellen nicht weit entfernt war, ein wenig benutzter Wartungsweg mit Bäumen und
ein paar Müllcontainern. Wenn einer an der richtigen Stelle
Schmiere stand, konnte man dort relativ entspannt einen durchziehen. Wir schlichen uns davon.

Und dann waren wir wirklich in Disney World angekommen. Dort landete man nicht jeden Tag. Also, was geht? Hallo,
Primärfarben. Hallo, sekundenlang aufscheinende Mikrodra-
men vorbeiziehender Gesichter, die sich hundertfach für oder
gegen Blickkontakt entscheiden müssen. Hallo, ewig gleiche
Stände und Souvenirläden. Wir liefen auf unseren Fußballen.
Die Oberfläche der Dinge war porös geworden und gestattete
vielleicht sogar echtes Vergnügen. Wo waren unsere Frauen
und Lil' Dog? Komm, gehen wir sie suchen. Lass uns gute Väter
sein. Morgen war Vatertag. Oh Mann! Das hatte ich ganz vergessen!

»Wir müssen nicht daran denken«, sagte Trevor. »Wir sind
es ja selbst.«

»Wir sind der Vatertag?«

Wie um seiner Feststellung Nachdruck zu verleihen, hielt
ich an und kaufte für einen obszönen Preis zwei blaue Plastik-
Sprühflaschen mit Ventilatoren. Haben Sie die schon mal gesehen? Die sind wie ganz normale Pflanzenbefeuchter, nur
mit einem kleinen Ventilator vor der Düse. Die Idee ist, dass
man sich gleichzeitig Luft zufächelt und mit Wasser besprüht.
Trevor und ich probierten sie aus, während wir unsere Familien suchten. Der Ventilator brachte gar nichts; Ventilator
und Zerstäuber zusammen wirkten tatsächlich lindernd, aber
nur einen grausam kurzen Augenblick lang, wie Eis bei Zahn-
schmerzen. Es war inzwischen Mittagszeit und so heiß, dass
die Glut vom Asphalt unsere Zellen wie eine Mikrowelle zu er-
hitzen schien. Damit der Ventilator überhaupt etwas nützte,
hätte man sich nonstop besprühen und bespritzen müssen,
und das kam uns vor wie etwas, das nur Verrückte oder Pro-

minente machen würden. Irgendwann hängten wir uns die Dinger an ihren Tragegurten über die Schulter und gingen weiter.

Nächste Erinnerung: mit einem mechanischen Boot durch den »It's a Small World«-Themenpark gefahren und dabei ständig Mimi besprüht, die aussah wie ein gekochter Hummer, so rot waren ihre Wangen, so sehr glühte ihre kleine Stirn. Die ganze Zeit, in der ich sprühte, winkte sie den Puppen zu. Sie erwiderte das Winken jeder einzelnen Puppe, als wäre sie von dem zwangsneurotischen Verlangen getrieben, nicht eine auszulassen. Es sah aus, als habe sie das Wesen des Ganzen missverstanden und würde denken, wir selbst wären Teil einer Parade, der die Puppen zusahen. Das ist wahrscheinlich die plausiblere Sicht. Warum sollte man auch in einem Boot sitzen, um sich die Kinder am Ufer anzusehen; sie würden eher dich ansehen. Denn du bist eine *Prinzessin*. Flora war sauer, weil Lil' Dog den Zerstäuber ihrer Familie nicht rausrückte und sich immer nur selbst besprühte, mitten ins Gesicht, und als die Fahrt vorbei war, war das Wasser leer. »Sohn«, sagte Trevor.

Nächste Erinnerung: schlagartig und zum ersten Mal begreifen, wie irisch das klang, Disney, und den Namen in Gedanken zu hören, gesprochen mit dem Kilkenny-Akzent seines Urgroßvaters Arundel Disney, mit einer scharfen Hebung auf der letzten Silbe. Und den im Grunde tragischen Charakter seiner Scharlatanerie etwas besser verstehen.

Es war eine doppelte Halluzination: Ich halluzinierte in Walt Disneys Halluzination. Genau das hatte er gewollt.

Abends im Bett las mir meine Frau, die Akademikerin ist und sich für transnationale Ströme von Entertainment-Kapital und solche Sachen interessiert, aus einem Buch vor, das sie mitgebracht hatte: *Married to the Mouse* von dem Politikwissenschaftler Richard E. Foglesong. Darin geht es um Disney und

Florida, was sich als wesentlich fesselnder herausstellte, als ich dachte und als Sie erwarten würden.

Um zu verstehen, was hier passiert war, muss man von Walt Disneys Enttäuschung über Disneyland wissen, nicht über den Park selbst, sondern über die Neubebauung ringsherum, über den Boom der Tourismusindustrie, die überall schäbige Hotels und aufdringliche Werbung aus dem Boden wachsen ließ und die falsche Sorte Gäste anzog. Disney war tief betrübt – er, der visuell so akribisch war, dass er in den Tierheimen und Zoos von Los Angeles herumschlich, um die kleinen Geschöpfe zu filmen, damit seine Animatoren die Muskulatur und die Bewegungen richtig hinbekamen. Wie sollte er vor dem Hintergrund urbaner Ödnis eine makellose Traumwelt gestalten? Wie sollte er, in den Worten von Bob Hope, »einen Fluchtweg aus unserer Aspirin-Existenz in ein Land des Funkelns, des Lichts und der Regenbogen« eröffnen? Um das zu erreichen, brauchte er Kontrolle über den gesamten Kontext des Parks. Es ging nicht um Land, es ging um eine Welt. *Virgin* – jungfräulich: Das war das Wort, das er kurz vor seinem Tod in einem Werbefilm benutzte. Walt Disney starb, während er von Disney World träumte; es heißt, dass er in seinem Krankenhauszimmer auf dem Rücken lag und die Kacheln an der Decke in eine Karte seines geliebten »Florida-Projekts« verwandelte.

Die Art, wie Walt an der Umsetzung seiner Idee arbeitete, war clever und gab eine gute Geschichte ab. Er wollte mehr als hundert Quadratkilometer zusammenhängenden Privatbesitzes in Central Florida kaufen. Das Land war alles andere als jungfräulich – Central Florida ist immerhin der Ort des amerikanischen Sündenfalls –, aber es war entvölkert. Disney wusste, dass die Preise in die Höhe schießen und die Gesamtkosten außer Kontrolle geraten würden, wenn jemand mitbekäme, dass Walter Disney Grundstücke aufkaufte. Also gründete er Briefkastenfirmen, gab ihnen irgendwelche ausgedachten Namen und erwarb das Land parzellenweise – lauter kleine

Puzzleteile. Die Landbesitzer hatten keine Ahnung, dass eine Einzelperson ihr ganzes Land aufkaufte, bis ein Lokaljournalist dahinterkam und Disney gezwungen war, eine Pressekonferenz abzuhalten. Ihr habt richtig gehört, Leute! Ich war's.

Man kann sich auf den Standpunkt stellen, der Staat Florida habe seine Bürger bewusst getäuscht und ein Unternehmen dabei unterstützt, sich einen beträchtlichen Teil seines Gebietes unter den Nagel zu reißen; eine andere Sicht der Dinge ist, dass er ein Geschäft absicherte, das für Floridas Ökonomie so einträglich werden sollte wie kein zweiter Wirtschaftszweig seit dem Beginn des Orangenanbaus. Die Leute streiten sich bis heute, ob es wirklich ein so kluges Geschäft war. Disney World hat sehr viel Geld eingebracht, aber ob Florida seinen gerechten Anteil daran bekommen hat, ist unklar. Das liegt vor allem an den eigentümlichen und höchst regelwidrigen Steuervereinbarungen, die Disney verabreden beziehungsweise – um den Begriff zu benutzen, der Walts Bruder Roy bei der ersten Pressekonferenz rausrutschte – »einfordern« konnte. Diese Steuervorteile wurden im Laufe der Jahre noch erweitert. Heute gibt es sogar eine Art »Disney-Visum«, das der Konzern mit der US-Regierung ausgehandelt hat. Damit kann Disney seinen Bedarf an ausländischen Akzenten in Epcot decken, dem zweitgrößten Themenpark des Walt Disney World Resort.

Interessant wurde es, als es darum ging, wie Disney die Regierung von Florida täuschen musste, um an diese außergewöhnlichen Machtbefugnisse zu gelangen, während beide gleichzeitig auf verschiedenste Weise zusammenarbeiteten. Hier wurde es sehr komplex und legalistisch, aber im Grunde ging es darum: Disney verkaufte Disney World gegenüber der Regierung von Florida nicht als Ferienort, sondern als richtige Stadt. Sie haben sicher schon von Epcot – *The Experimental Prototype Community of Tomorrow* – gehört. Wenn Sie ein Disney-Freak sind, wissen Sie vielleicht, dass die ursprüngliche

Grundidee nicht war, Tagestouren rund um die Welt zu simulieren, sondern eine tatsächlich existierende Utopie, eine Modellstadt und »lebendige Blaupause«, wie Disney es in besagtem Film so anschaulich beschreibt, während er vor wandgroßen Diagrammen von geometrischen Stadtplänen steht, die aussehen, als stammten sie aus dem 21. Jahrhundert oder aus der Zeit der Französischen Revolution. Zwanzigtausend Menschen sollten in dieser Community unter einer Glasglocke leben, »vollkommen eingeschlossen … klimatisiert … Shopper und Theaterbesucher … Tag und Nacht vor Regen, Hitze und Kälte und Feuchtigkeit geschützt … der Fußgänger wird König … über den Straßen werden nur Elektrofahrzeuge schweben.« Disney brachte die wichtigsten Industrieriesen dazu, für Epcot neue Technologien zu entwerfen und zu testen, um »Lösungen für die Probleme unserer Städte zu finden«.

Foglesong zeigt, dass Disney tatsächlich niemals gewollt hat, dass Menschen dauerhaft in Epcot lebten. In den Disney-Archiven stieß Foglesong auf eine Notiz, aus der dies klar hervorgeht: das sogenannte »Helliwell Memo«, das von einem seiner Anwälte geschrieben und mit Randbemerkungen von Walt persönlich versehen wurde. Disney hatte jede Erwähnung von »dauerhaften Bewohnern« gestrichen. Die Bewohner von Epcot sollten Besucher bleiben, Langzeittouristen, die höchstens ein paar Monate blieben. Wie hätte es auch anders sein können? Wenn Sie eine Stadt besitzen, in der Menschen wohnen, dann sind diese Menschen Bürger einer Gemeinde der Vereinigten Staaten, die einer Verwaltung untersteht – Ihrer Verwaltung. Aber als Bürger darf man wählen. Man darf Sie abwählen. Als Unternehmensstrategie taugt das nicht besonders. Aber ohne den Gemeindestatus hätte Disney keine legislativen Geschenke bekommen, keine aberwitzigen Steuervorteile und keine beispiellose Kontrolle über die Verwendung von Land und Wasser, über Bauverordnungen und so weiter. Um all das zu erhalten, brauchte er Einwohner. Also tat Disney so, als wolle er tatsächlich welche. Foglesong argumentiert nun, dass aufgrund dieser Manöver die Rechtmäßigkeit von Disney World nicht geklärt ist. Das Unternehmen genießt die Vorteile einer autonomen Gemeinde (und sogar noch ein paar mehr), ohne je Bewohner gehabt zu haben. Streng genommen dürfte es Disney World gar nicht geben.

Wenn man all das weiß, ist es verstörend, sich den Werbefilm anzusehen. Ich ziehe es vor, aus der angenehmen Distanz linker Theorie meine Überzeugung von Disney als Feind der Demokratie zu pflegen. Disney verkaufte keine Utopie, sondern eine Perversion der klassischen utopischen Ideale. Sicher, es sollte kein Privateigentum geben, keinen Besitz (wie gesagt: wenn jemand Land besitzt, steht ihm auch ein Stimmrecht zu), doch anstatt Gemeindeland gerecht zu verteilen, wie es Sozialplaner seit Jahrhunderten vergeblich versucht hatten, sollten die Epcotianer lediglich Mieter sein. Pächter (so wie heute die Bewohner von Celebration in Florida, Disneys 1994 eröffneter Planstadt). Die hohen, architektonisch innovativen Bürogebäude in der Innenstadt? Sie würden »speziell entsprechend der lokalen und regionalen Bedürfnisse großer Unternehmen entworfen«. Und all das auf dem Boden, auf dem die frühesten gesellschaftlichen Utopien Nordamerikas zerstört worden waren, als die Siedler von South Carolina zu Beginn des 18. Jahrhunderts die heute vergessenen Franziskaner-Missionen von Spanisch-Florida niederbrannten, die Priester töteten und die dort lebenden Native Americans versklavten. Disneys Bauunternehmer rodeten Orangenhaine, die zu diesen Missionen gehört hatten. So viel zur Jungfräulichkeit der Neuen Welt.

Am nächsten Morgen hatte Mimi ein blaues Auge, ein richtiges Veilchen. Sie hatte es sich abends bei einem Unfall im Schwimmbad zugezogen. Flora wollte ihr ein Plastikboot zuwerfen. Das Boot erwischte irgendwie einen Luftstrom, segelte für einen Augenblick wie ein Gleiter durch die Luft und traf Mimi – Bug voran – mitten ins Gesicht. Beide Mädchen weinten, meines blutete. Lil' Dog saß wie ein Nix auf seinem aufblasbaren Krokodil und guckte bestürzt. Wir Erwachsenen vollführten das Ritual, einander übertrieben oft zu versichern, dass alles in Ordnung sei, Schwamm drüber, keine Absicht. Trotzdem sah es schlimm aus – und die Antwort auf die kritische Frage einer dauerhaften Narbe war eindeutig unklar.

Das Deprimierende für mich war, dass Mimis Verletzung ihren Enthusiasmus für Disney kein bisschen dämpfte. Vierundzwanzig Stunden zuvor hatte ich meine Hoffnung auf das schlechte Wetter gesetzt, und jetzt hatte ich darauf spekuliert, im Hotel bleiben und ihr Eisbeutel ans Gesicht halten zu können. Wir würden lesen. Kein Problem, ich könnte ihr ja aus meinem Große-Leute-Buch vorlesen. Aber es kam anders: M. J. weckte mich und sagte, ich solle mich anziehen und fertig machen.

Ich ging rüber in das kleine Fernsehzimmer. Shell packte gerade und hatte einen kampfeslustigen Ausdruck im Gesicht. Ich muss ungefähr so geschaut haben wie Lil' Dog am Abend zuvor. »Gehen wir wieder dahin?« Wieso? Wir waren doch gestern schon da! Und ich war nicht mit dem Gefühl ins Bett gegangen, die Möglichkeiten des Parks nicht voll ausgeschöpft zu haben.

Trevor und ich hatten die Sache mit dem Schmierestehen noch zweimal durchgezogen. »Und nicht vergessen«, flüsterte er: »Immer bereit sein, abzuhauen.« Als könnte man in Disney World tatsächlich davonlaufen, wo es überall Kameras gibt und unterirdische Tunnel und eine private Polizeitruppe. Abhauen wohin?

Die Tunnel sind nicht wirklich »unterirdisch«. Das habe ich mal in einer Doku gesehen. Die Tunnel sind das Erdgeschoss. Alles andere ist darüber gebaut. Disney World ist ein riesiger

Mound, einer der größten, die je in Nordamerika gebaut wurden. Wenn man durch den Park läuft, befindet man sich gut viereinhalb Meter über dem Punkt, an dem die Bauarbeiten begannen.

Die Tunnel waren Disney deshalb wichtig, weil so die kostümierten Figuren unsichtbar bleiben konnten, wenn sie gerade nicht auf der Bühne standen. Die Kinder sollten auf keinen Fall sehen, wie Pluto nach Schichtende in den Pausenraum latscht. In Disney World sind die Figuren nur zu sehen, wenn sie zu sehen sein sollen; anschließend verschwinden sie wieder.

Im größeren Maßstab gilt das für das gesamte Gelände: Wenn man von einem der Themenparks – Magic Kingdom, Typhoon Lagoon, Epcot etc. – zu einem anderen will, kommt man an riesigen Brachflächen vorbei, an sorgsam gepflegter Leere. Diese Freiflächen waren Disney auf eine Art wichtiger als irgendeine Attraktion des Parks. Die Leinwand musste weiß sein.

Auch dieser Tag brachte äquatoriale Hitze, die einen fast körperlich bedrängte. Die Schultern der Unterhemdmänner um uns herum verfärbten sich krebsverheißend. Psychische Ausgeglichenheit war nötig, um für diese langen Tage des Vergnügens gewappnet zu sein. Wir hatten den Parkplatz noch nicht verlassen, als sich die drei Kinder schon zankten, wer im Kinderwagen sitzen durfte. Die Mädchen gewannen. Mimi und Flora saßen nebeneinander, eine zweiköpfige Galionsfigur, den Blick stolz nach vorne gerichtet, und bespritznebelten sich. Mimi mit ihrem lila Auge. Irgendwie blieb es an mir hängen, Lil' Dog zu tragen. Der Weg durch diese leer daliegende Fata Morgana war zu weit für seine kleinen Füße. Lil' Dogs Gewicht oder besser gesagt: seine Körperdichte ist irgendwie unnatürlich. Nicht von dieser Welt. Es war, als würde ich einen Meteoriten befördern. Beide Mädchen zu tragen wäre leichter gewesen.

Als wir Epcot betraten, fing Trevor sofort an, auf sein Telefon zu sehen. Ich will Sie nicht mit den Details langweilen, nichts ist so langweilig wie Kiffergeschichten; es genügt zu sagen, dass wir den Rest des Tages pendelnd zwischen zwei Zuständen verbrachten: hier die ekstatische, überaufmerksame Vaterschaft, dort die Hingabe an Sucht und Laster.

Man mag noch so bereit sein, das Büßerhemd anzuziehen, man kommt trotzdem nicht um das Gefühl herum, dass dies die perfekte Art ist, einen Tag in Disney World zu verbringen. Ich war weniger anfällig dafür, ob der dekadenten, spätimperialen Vergänglichkeit all dessen schlechte Laune zu bekommen. Ich dachte nicht mehr zwanghaft daran, welche Firmen Disney ganz oder in Teilen gehören: ESPN, Marvel und ABC, oder war es CBS? Welche gigantischen Landstriche unserer visuellen Umgebung sind es, die dieses Unternehmen mit vermutlich ebensolcher Akribie gestaltet wie seine Freizeitparks?

Ich fuhr mit Mimi Achterbahn (auf Zuspruch ihrer Mutter; bei mir war nicht etwa die Abenteuerlust ausgebrochen, Mimi wollte unbedingt). Aber ach – das arme Kind war noch nicht bereit dafür, wie sich zeigte. Die Bahn war klein, aber trotzdem ziemlich schnell. Sobald es nach oben ging, zog Mimi den Kopf ein. Sie schrie nicht einmal, sie hielt sich bloß an der Stange vor ihr fest, nahm den Kopf so weit runter, dass ihr Gesicht fast in ihrem Schoß lag, und während wir durch die Kurven rasten, wiederholte sie immer wieder, wie einen Zauberspruch, die Worte »oh Gott«. Zwei Minuten später war es vorbei. Sie formulierte es so: »Viel Angst, aber ein bisschen Spaß.« Das Kind ist eine so noble Seele! Sie erinnert mich an meine Mutter, sowohl in ihrer Vornehmheit, als auch in der gelegentlich komischen Art, diese zum Ausdruck zu bringen. Einmal aßen wir alle zusammen Pizza in St. Augustine, Florida, als es vor dem Restaurant eine Messerstecherei gab. Meine Mutter packte Mimi und hielt sie, als müssten sie gleich durchs Feuer laufen. »Ich bring dich hier raus, meine Kleine«, sagte sie. Sollte mal die Geheimpolizei nach mir suchen – und nach der Veröffentlichung dieses Textes könnte es sein, dass Disney sie schickt –, dann wäre es mir viel lieber, eine der Frauen in meinem Leben öffnet die Tür, als irgendeiner der Männer, die ich kenne.

Wir schauten uns die Leute an. Damit verbringt man die meiste Zeit in Disney World. Es ist in allererster Linie ein Ort, an dem Menschen andere Menschen beobachten (die Schlangen und das endlose Herumlaufen und die überfüllten Futterstationen), um sich zu vergewissern, dass man gemeinsam dort ist, dass dieser Ort es wert war, von überall auf der Welt anzureisen. Keine Ahnung, was wir voneinander dachten, während wir uns ansahen. Als Disney World gebaut wurde, verkörperte es eine weithin geteilte Idee von Amerika als einer reinen kapitalistischen Fantasie. Diese Idee vermittelt es heute nicht mehr; die Idee ist nicht mehr verständlich. Ich weiß nicht, was es heute vermittelt. Die alten Werte sind verloren, die neuen nicht identifizierbar.

Und trotzdem trifft man, wohin man auch reist, überall auf der Welt erstaunlich viele Menschen, für die Orlando Amerika ist. Wenn man eine dieser Cartoon-Karten aus dem *New Yorker* über die Sicht der Welt auf Nordamerika zeichnen würde, dann wären die Mauertürme des Magic Kingdom eine ganze Nummer größer als alles andere, das Empire State Building zum Beispiel. Erst kürzlich wurde vermeldet, dass Orlando als erstes US-Urlaubsziel überhaupt fünfzig Millionen Besucher in einem Jahr angelockt hat. Die Auswirkungen der Bewegung solcher Menschenmassen auf die Umwelt müssen gewaltig sein. Man trifft Engländer, man trifft Deutsche, man trifft Lateinamerikaner. Warst du schon mal in den USA?, fragt man sie, und sie sagen: »In Orlando.«

Als ich ein Jahr lang an einer Schule in Lima unterrichtete, war der große Held unter den Schülern immer der, der gerade aus Orlando zurückgekommen war. Kein Mensch interessierte sich für Kalifornien oder New York. Einer der Schüler hieß Lucho. Er brachte von seiner Reise einen weißen Umschlag mit, darin ein Stapel Fotos, die er den anderen zeigen wollte. Und damit dreißig Minuten Unterricht vergeuden? Okay, Lucho, überredet. Leider waren es allesamt Bilder von Frauenhintern. Lucho hatte sich aber nicht für »schöne« oder wohlgeformte Hintern interessiert, sondern ausnahmslos für enorm fette. Fast überall auf der Welt haben sie noch nie Menschen gesehen, die aussehen wie wir. Ich konfiszierte die Bilder und blätterte sie vor der Klasse stehend mit rotem Kopf durch. Eine Großaufnahme nach der anderen von kolossalen, mit Kratern übersäten und in unfassbar enges und verräterisches Elastan eingeschweißten Ärschen. Unser Lucho hatte genügend davon gefunden, um einen ganzen Film zu verknipsen. Es fiel mir schwer, einen Schüler zu tadeln, der eine so gründliche Beobachtungsgabe an den Tag legte. Jedes Mal, wenn einer dieser Amerikaner an mir vorbeistampfte, musste ich an ihn denken.

Disney offenbart ein tiefes Verlangen. Das ist es, was man spürt, wenn man sich in dem Zustand befindet, in dem wir uns befanden, wenn alle emotionalen Poren weit geöffnet sind. Verlangen. Für all die Familien steht etwas auf dem Spiel, der Grat zwischen Spaß und Enttäuschung ist messerscharf. Wenn man Leute sieht, deren Kinder eindeutig keinen Spaß haben, sondern schreiend stehen bleiben und an Geschirr und Leine weitergezerrt werden müssen, dann pocht mitfühlende Trauer in einem. Sie haben kein gutes Disney.

Ich sah Mimi an. Hatte sie Spaß? Mir kam es so vor – sie lächelte. Aber ich wusste auch, dass es damals für meine Eltern manchmal so ausgesehen haben musste, als hätte ich einen Mordsspaß, während mich tief im Innern irgendeine irrationale Sorge quälte. Oh Jugend! Wie viele meiner Gene hatte Mimi geerbt, und wie könnte ich ihr beibringen, das Beste aus ihnen zu machen? Man wünscht seinen Kindern Freude, aber man selbst hat sie in diese Welt des Leidens gebracht.

Das Mittagessen wurde von Prinzessinnen serviert. Besser

gesagt, Prinzessinnen machten unserem Tisch ihre Aufwartung. Ich vermute, dass die Kellnerinnen in ihren skandinavischen Trachten pseudo-historisch betrachtet die Dienerinnen oder Vasallentöchter der Prinzessinnen sein sollten, Dorfmädchen aus längst vergangenen Zeiten. Ich bestellte Frikadellen und Bier. In dem Teil des Restaurants, in dem wir saßen, starrte alles auf Lil' Dog, der in einer sehr witzigen Position eingeschlafen war: stocksteif und aufrecht saß er in seinem Stuhl, sogar den Kopf hielt er gerade, die Augen waren geschlossen, der Mund stand offen. Es sah grotesk aus, als wäre er ein Langzeitkomapatient, den wir trotzdem mitgenommen hatten. Wir weckten ihn auf, doch er konnte sich nicht konzentrieren oder etwas essen.

Dornröschen kam hinter der Bühne hervor. Die Mädchen holten ihre Disney-Sammelalben heraus. Ihre Mütter hatten sie ihnen gekauft, während wir Sprühflaschen mit Ventilatoren besorgt hatten, die, wie sich herausstellte, Sonnenbrand im Gesicht verursachten.

Dornröschen kniete und schrieb ihren Namen in einer riesigen, stilisierten Kursivschrift. Ich stellte mir vor, wie sie die vor dem Einstellungstest geübt hatte. Mimi bebte vor lauter Begeisterung, fast verkrampfte sie.

»Sag Dankeschön zu der Prinzessin!«

Später war ich allein, ich weiß nicht mehr genau wieso, aber die anderen waren weg und ich saß auf einer Bank. Ich hatte mich wohl irgendwie abgemeldet von der Veranstaltung. Am anderen Ende der Bank saß eine Familie. Eine große Familie, sowohl numerisch als auch körperlich. Das Mädchen in dem Hightech-Rollstuhl war ungefähr vierzehn Jahre alt und schwerbehindert. Sie begann zu grunzen, sie hatte einen Anfall. Als er vorbei war, saß ich da und hörte zu, wie die Familie darüber stritt, ob man zurück zum Hotel sollte, um sich um die Gesundheit der Tochter zu kümmern, oder ob man bleiben und weiter Spaß haben sollte, der Anfall sei ja vorbei, warum denn nicht. Fairerweise muss man sagen, dass das Mädchen selbst auch bleiben wollte. Der Park würde nur noch zwei Stunden geöffnet sein. Vielleicht hatten sie seit Jahren von diesem Besuch geträumt.

Das war noch nicht mal der letzte Tag. Weitere folgten. Es war kaum zu glauben, aber so läuft das, man fügt sich, sonst ist man der Arsch. Shell war unermüdlich, und alle anderen waren auf ihrer Seite, sogar Trevor, der mich, wie mir jetzt klar wurde, als Handlanger benutzt hatte. Er, der fast jedes Jahr herkommen musste, hatte es für sich erträglicher gestaltet, indem er mich mitnahm. Dagegen ist nichts zu sagen, aber er hätte mich vorwarnen können. An einem der Tage waren wir in diesem Wasserpark, Typhoon Lagoon. Auf riesigen Rutschen ging es im nahezu freien Fall hinab. Jede Menge mehr oder weniger abstoßende blasse Körper, darunter meiner, quetschten sich auf den Treppen aneinander. Die Frauen und Lil' Dog saßen unten, um Trevor und mich rutschen zu sehen. Auf dem Weg nach unten kam mir ein Gedanke, ein Kiffergedanke, der trotzdem richtig sein könnte. Normalerweise gibt es bei jedem Rausch einen Gedanken, der auch anschließend noch wahr erscheint, manchmal für den Rest des Lebens, und jetzt dachte ich, dass wir uns, wenn es denn keinen freien Willen gibt, und ich zweifle mehr und mehr daran, nicht vor Schuldgefühlen und Sorge um unsere Kinder verrückt machen müssen. Wir sind nicht für sie verantwortlich. Für ihre Erziehung schon, aber nicht für ihre Existenz. Das Schicksal will, dass sie da sind. Es benutzt uns nur, um sie in die Welt zu setzen.

Das Letzte, was passierte, war zugleich das Eigenartigste. Als wir den Park am Abend des abschließenden Tages verließen, fing es monsunartig an zu regnen. Sie müssen mir glauben, wenn ich sage, dass der Regen außergewöhnlich heftig war. Am nächsten Morgen sagte ich zu einem der Pagen im Hotel: »Sie haben hier bestimmt oft so ein Wetter, oder?« – »Nein, eigentlich nie«, sagte er. Es war, als wäre ein schwarzes Raumschiff herbeigeflogen und hätte die Sonne verdeckt. Heftige Böen fegten vorbei. Direkt über unseren Köpfen entluden sich Blitze. Die Trambahn musste immer wieder anhalten, was es noch beängstigender machte. Als hätte man uns als Opfergabe ins Freie gebracht, als Übungsziele für einen wütenden Sturmgott. Außerdem war es verstörend, die uhrwerkartige Perfektion der Disney-Maschinerie derartig bedroht zu sehen. Eine grundlegende Schwächung von etwas Größerem schien sich anzukündigen. Die Tram, in der wir saßen, war an den Seiten offen, und über unseren Köpfen war lediglich ein Baldachin aus Plastik. Wir waren Regen und Sturm ungeschützt ausgeliefert. Aber wir hatten die Disney-Regenumhänge. Shell hatte uns alle gezwungen, welche zu kaufen – an einer Tankstelle, vielleicht waren es Fälschungen. Aber sie funktionierten, und indem wir sie alle ausbreiteten und eng zusammenrückten, konnten wir ein Zelt daraus machen. Es muss sehr seltsam ausgesehen haben. Andererseits bin ich überzeugt, dass jede andere Person in dieser Bahn sich wünschte, in unserem Zelt zu sein, und ich bin mir ziemlich sicher, dass sich tatsächlich ein paar fremde Kinder unter uns mischten. Im Zelt, im Dunkeln – die Kinder liebten das. Mimi und Flora schrien jedes Mal vor Angst, wenn es donnerte, aber ihre Angst war aufgeladen mit Freude, und anschließend wurde gelacht. Es war wunderbar, sie schützen zu können. Solange wir nicht direkt vom Blitz getroffen würden, hatten wir die Lösung.

Diese Fahrt habe ihm am besten gefallen, sagte Lil' Dog, als wir ihn später danach fragten.

Mitarbeit an der Übersetzung: Tobias Schnettler

DER WAHRE KERN DER WIRKLICHKEIT

Es war etwa eine Stunde vor Mitternacht im Avalon Nightclub von Chapel Hill, und der Miz war nervös. Ich habe das damals noch gar nicht registriert – ich meine: Ich kapierte es gar nicht. Er sah aus, wie er seit seiner ersten Staffel immer ausgesehen hatte, fand ich, genau wie damals, als ich mich zum ersten Mal für ihn begeistert hatte: leuchtende Augen, symmetrisches Gesicht – ein Kind von genmanipuliertem Mais, mit dem aufgepumpten, unbehaarten Oberkörper des aufstrebenden Profi-Wrestlers und dem typischen Lächeln des Mittleren Westens, das man selbst in der Zeppelintotalen eines Fußballstadions erkennen würde. Er trug ein cooles, frisch gebügeltes Hemd und anstelle seiner alten Stirnfransen neuerdings eine Art Gel-Iro, ein kleines, künstlich gehärtetes Kämmchen mittig auf dem Kurzhaarschnitt.

Auf dem Parkplatz, gleich neben dem Müllcontainer, auf den ein Mitbürger mit weißer Farbe *Meat Market – Bitches* gesprüht hatte, wies eine Kreidetafel die Laufkundschaft darauf hin, dass heute The Miz am Start sei. Falls jemand Feierlaune hätte. Er kippte Gratis-Kurze von irgendeinem aromatisierten Schnaps und redete mit Studentinnen, nach und nach wurden es mehr und mehr, und sie kamen immer näher. Während er mit ihnen sprach und grinste, wirkte er so harmlos und selbstvergessen, als gehöre Nervosität nicht zu seinem Gefühlsrepertoire. Zugegeben, wir hatten gemeinsam mit Jeremy, dem Besitzer des Clubs (und gutem Kumpel vom Miz), schon ein paar Runden hinter uns gebracht, und mindestens eine davon hatte der Miz mit einem Toast bedacht, der auf seinen bekannten

Lieblingsspruch hinauslief, seinem Motto sozusagen: »Be good. Be bad. Be Miz.« Was einen dürren, bärtigen Typ, der mit uns trank (und zwischendurch noch fleißig alleine), dazu veranlasste, »oder FLANGEY!« zu rufen. Wahrscheinlich hieß er so. Aber ich war noch nicht völlig besoffen, und ich fand, der Miz wirkte, als sei er in Topform. Hinterher würde er allerdings in sein Online-Tagebuch schreiben, dass er nervös gewesen sei, weil ich ihn begleitete, mit meinem Notizblock und meiner Meinung und meiner fragwürdigen, wenn auch aufrichten Behauptung, ich sei ein »Hardcore-Fan« von MTVs *The Real World* und ihren diversen Spin-Offs (deren vermutlich bekanntester und beliebtester Teilnehmer der Miz ist). Und obwohl diese Clubauftritte normalerweise cool laufen würden und der Laden so richtig brummte, könne es auch mal passieren, dass nur acht Leute kommen, ganz finster. Was, wenn heute so ein Tag wäre, und dann steht das alles in irgendeinem Magazin? Das wäre ein Fiasko. Oder wie der Miz sagen würde – tatsächlich hat er es sogar bei anderer Gelegenheit genauso in besagtem Tagebuch geschrieben – ein *Fiasklo*.

Er hätte unbesorgt sein können. Der Laden füllte sich so schnell, als würden die Leute reisebusweise angekarrt. Es war wie bei diesen asiatischen Nudeln, die explodieren, wenn man sie ins heiße Öl wirft. Ich ging in aller Ruhe aufs Klo, und als ich zurückkam, war kaum noch genügend Platz, um ein Getränk zum Mund zu führen. Und wie der Laden brummte. Er war voll mit Mädchen von der Sorte, die ihre Brüste und Ärsche zeigen, wenn Typen sie darum bitten, ihre Brüste und Ärsche zu zeigen. Eine junge Dame – ein bildhübsches indisches Mädchen, das nicht älter als neunzehn gewesen sein kann (ich wollte die Polizei rufen und sie nach Hause fahren lassen) – bat um eine Unterschrift auf ihrer rechten Brust. Jemand reichte dem Miz einen dicken Filzstift. Ich muss sagen, dass er bemerkenswert konzentriert unterschrieb. Ein anderes Mädchen – sie arbeitete in einer nicht gerade nahen Stadt bei Hooters, um Geld für ihr Studium zu sparen – war den ganzen Weg allein hergefahren.

»Ich bin nur hier, um den Miz zu sehen«, sagte sie, aber die Leute standen schon Schlange, um mit ihm zu reden, Frauen *und* Männer, und da sie gesehen hatte, dass der Miz und ich uns kannten, hing sie eine Weile mit mir ab.

»Bist du ein Fan der Show?«, fragte ich sie.

»Klar«, sagte sie. »MJ habe ich hier auch schon gesehen, und Cameran [zwei aktuelle *Real World*-Lieblinge]. Eine ganze Menge *Real World*-Leute kommen hier vorbei.«

»Ich schaue das seit der Highschool«, sagte ich.

»Echt? Ich auch«, sagte sie.

»Seit der Highschool« hieß in meinem Fall: seit es die Show gab. Für sie bedeutete es: seit der letzten Staffel, worauf mir traurigerweise klar wurde, was für ein Poser sie war. Konnte sie sich überhaupt an die Staffel mit dem Miz erinnern? Wahrscheinlich kannte sie ihn nur aus der Gameshow *The Real World/Road Rules Challenge*, die – obwohl er darin großartige Auftritte hat – nicht die beste Sendung ist, um zu begreifen, was den Miz zu einer so unglaublichen Spaßmaschine macht.

Andererseits war die junge Dame offenbar eine Veteranin der Clubauftritt-Szene, und ich war heute zum ersten Mal dabei. Hätte sich nicht in genau dieser Sekunde eine Lücke im Tussenspalier aufgetan, die direkt zum Miz führte, und wäre sie nicht folglich direkt auf ihn zu gehechtet, dann hätte ich sie gefragt: »Worum geht es hier eigentlich?« Sie gehörte einer Welt an, die ich bislang nur vom Hörensagen kannte und die ich mir ansehen wollte: jene ökonomische Blase, die sich rings um *The Real World* und den weit weniger unterhaltsamen Mutantenzwilling *Road Rules* (im Grunde *Real World* im Wohnmobil) gebildet hatte.

Ich weiß nicht, wie sehr Sie gewillt sind, sich Ihre Vertrautheit mit der Show und dem Drumherum einzugestehen, deshalb will ich kurz mal so tun, als müsste ich tatsächlich erklären, worum es hier geht. Am Ende jeder *Real World*-Staffel werden die Ensemblemitglieder, die sich während der Ausstrahlung als »beliebt« herausgestellt haben (die also entweder besonders gutaussehend, besonders grundamerikanisch-sympathisch oder besonders krass verhaltensauffällig sind), in eine Schattenwelt jenseits des Rampenlichts der Serie selbst geladen. Diese Schattenwelt besteht aus etlichen Kammern: Club-Auftritte (wie heute in Chapel Hill), Spring Break (im Grunde eine hochgetunte und verlängerte Version des einfachen Club-Auftritts: einige vollgepackte Tage wildester Feierei in den Bars und Clubs irgendeines Badeorts), »Vortragstermine« (an Colleges, vor Jugendgruppen, in Nichtrauchervereinen und so weiter – hierfür ist es besonders vorteilhaft, wenn man in der Sendung selbst ein persönliches Bekenntnis abgelegt hat, Schwulsein, Alkoholismus, Bulimie, Unzufriedenheit mit Brustimplantaten, beängstigende cholerische Anfälle, emotionale Bedürftigkeit, Schwindelgefühle angesichts großer Schiffe oder Krypto-Rassismus, der ebenfalls sein Publikum hat), »Produkteinführungen« sowie – und das ist der wichtigste Teil dieser Welt: die sorgfältig gehüteten Plätze im Rampenlicht von *The Real World / Road Rules Challenge*, wo sich ehemalige Ensemblemitglieder zusammentun, um – ach, scheiß drauf, Sie kennen das doch genauso gut wie ich. Es ist wie eine zehnmal so gute Version von *Battle of the Network Stars* – und weil wir uns im 21. Jahrhundert befinden und die Realität unsere Fiktionen längst hinter sich gelassen hat, wurden natürlich einige der Topleute von *Real World / Road Rules Challenge*, unter ihnen der Miz, für eine Neuauflage von *Battle of the Network Stars* gecastet. Es ist nämlich so: Niemand verlässt *The Real World* jemals wirklich, jedenfalls nicht, wenn er oder sie mit einem ordentlichen Sixpack respektive Vorbau gesegnet ist.

Der Agent, der die meisten dieser Veranstaltungen organisiert, ein Typ namens Brian J. Monaco – der den Job seit elf Jahren macht und beim Miz und jedem anderen, der mal dabei war, absolutes Vertrauen genießt –, erzählte mir, dass manchmal unbeliebte ehemalige Teilnehmer von *The Real World* und *Road Rules* versuchen, sich an das Business dranzuhängen, indem sie sich unwilligen Club-Besitzern »für einen Teil der Abendkasse« aufdrängen. Und bei *The Real World/Road Rules Challenge*, einer Schattenwelt innerhalb der Schattenwelt, in der Teilnehmer Botschaften über Siebdruck-T-Shirts kommunizieren, staffelübergreifend miteinander streiten und absurde Rivalitäten erfinden (alte Hasen gegen Neulinge), die dann später offizielle Handlungsstränge werden, hatte ich sogar zwei Mädchen gesehen, die sich über irgendwas in die Haare gerieten, das draußen im »echten Leben« passiert war (*the real world*): Die eine beschuldigte die andere, ihr Vortragstermine gestohlen zu haben, indem sie einer Universitätsverwaltung erzählt habe, dass sie »nicht einfach« sei und zu viel fluche. Und in meinem Kopf formte sich das perfekte Bild aller ehemaligen Teilnehmer, einer Manson-Family mit perfekten Zähnen, die immer noch abhängt, immer noch streitet, sich immer noch betrunkene Avancen macht (man hat mir gesagt, ein paar von ihnen wohnen sogar alle um die Ecke voneinander in Los Angeles), und jeder von ihnen lebt sein Leben als jemand, der mal bei *The Real World* war, einer Sendung, die davon handelt, dass man einfach man selbst ist. Meine Güte, wie perfekt ...

Viele der jungen Leute, die dem Miz Fragen zubrüllten, schienen verwirrt zu sein ob der Details des Ganzen. »Was genau machst du hier?«, fragten sie ihn, und der Miz, ganz der Profi, antwortete jedes Mal: »Das Avalon hat mich eingeladen.«

Mit großen Augen fragten sie: »Kriegst du Geld dafür, dass du hier bist?« Und der Miz sagte: »Klar, von irgendwas muss man ja leben.« Und sie: »Vom Feiern?«

Ein paar von den Jüngeren hatten es auf mich abgesehen, wahrscheinlich dachten sie, ich sei so was wie sein Manager. »Wie jetzt, er fährt durch die Welt und feiert?«, wollten zwei College-Kids in Polohemden wissen.

»Klar«, sagte ich. »Er ist 'ne große Nummer.«

»Und was machst du hier?«, fragten sie mich.

Ich sagte: »Ich schreibe über ihn.«

»Und, was ist mit ihm?«, fragten sie.

Wir drehten uns um und sahen zu ihm rüber, als stünde ihm die Antwort ins Gesicht geschrieben. Er leuchtete. Für einen Augenblick war es, als wären wir alle geeint in Belustigung und Verwirrung. Es lief Musik, die klang wie ein hämmerndes Hasenherz im Innern des eigenen Hirns. Auf der Bühne stand ein Gangsterstyle-Typ, der die Menge mit seinen Armen dirigierte, sie wogte hin und her. »Bist du ein verdeckter Ermittler?«, fragte mich einer der Studenten. Als ich verneinte, sagte er: »Warum hast du dann so kurze Haare?« Es war mir ein Fest, als der Miz den beiden Wichsern später kein Bier ausgeben wollte.

Er hatte sich kurz von seinen Fans losreißen können und lehnte mit dem Rücken an der Bar. Man kam nicht umhin, sein frisches Aussehen zu bewundern. Der Mann trank, seit er aus dem Flugzeug gestiegen war. Der Besitzer hatte ihn abgeholt und direkt auf eine Grillparty verfrachtet, wo alle Tequila gekippt hatten. Es folgten ein paar Bars in der Innenstadt, in der ersten hatte ich ihn Martinis schlürfend angetroffen (er nannte das sein »kleines Aufwärmprogramm«). Zwischendurch war er sich mal nicht sicher gewesen, ob er bis zum Abend durchhalten würde, dann aber hatte er den Entschluss gefasst, »sich am Riemen zu reißen«. Dazu kam, dass er es in der Nacht zuvor richtig hatte krachen lassen. Er war mit MJ und Landon, zwei männlichen Teilnehmern der aktuellen *Real World*-Staffel, in einem Club in Austin aufgetreten. Da waren so, sagen wir mal, zweihundertachtzig Leute. Der Laden hat gebrummt, Mann!

Mittlerweile ist es eine Binsenweisheit, dass sich jede *Real World*-Besetzung nach demselben Prinzip zusammensetzt: Da gibt es die Schlampige, die Süße, den Mischling, den Schwulen, die nette Schlampe aus dem Süden und so weiter. MJ und Landon waren zwei Wiedergänger des Miz, wenn Sie verstehen, was ich meine – muskulöse weiße Typen aus winzigen Städten, die von nichts eine Ahnung haben, im multikulturell-urbanen Sinn, die dann aber sehr schnell lernen und am Gelernten wachsen. Der Miz hat den Scheiß erfunden, klar. MJ und Landon hoben die Typisierung in neue Höhen, indem sie bestürzend gleich aussahen, mit ihrem gelockten blondes Engelshaar und ihrem starren Blick, der nie Furcht gekannt hatte. Sie versetzten einen in Angst und Schrecken, und zwar bevor Landon hackedicht und halbnackt mit einem Schlachtermesser hinter dem Rücken in der WG stand. Beide waren natürlich extrem beliebt, auf jeden Fall werden sie viel in Clubs gebucht. So wie der Miz. Der macht das seit Jahren.

Ich fragte ihn: »Mike« – das ist sein richtiger Name – »Macht dich dieses Leben nicht fertig?«

Und er: »Klar, aber ich passe auf mich auf, Alter. Erstens: Ich trinke nie durcheinander. Wenn ich Wodka trinke, bleibe ich beim Wodka. Bei Kurzen wird's allerdings schwierig. Jemand gibt dir 'nen Kurzen, da kannst du schlecht ›Kann ich was anderes haben?‹ sagen. Aber meistens …«

»Aber was ist mit deiner Seele?«, fragte ich. »Wie schützt du deine Seele?« Er sah in sein Glas …

Ha, reingefallen! Das habe ich ihn nicht gefragt.

Ein paar Mädels kamen rüber und quetschten den Miz über die Staffel aus, die gerade auf MTV lief. War die-und-die wirklich so eine eiskalte Schlampe? War der-und-der wirklich so nett, wie er aussah? Würde Miz' Team gewinnen?

Der Miz spitzte die Lippen und schüttelte langsam den Kopf. Er kannte diese Momente – er kennt sie seit Ewigkeiten. Ein absolutes Tabu mit unmittelbaren Konsequenzen. Niemals spricht man über zukünftige Folgen. Ein Mädchen sagte: »Ich mag diese eine nicht. Wie heißt die noch – nicht Veronica, aber irgendwie erinnert sie mich an Veronica. So'ne Kleine. Braune Haare, große Titten.«

Der Miz schien verblüfft. Wer könnte wie Veronica ausse-hen? Kleine, fiese Veronica, Königin des Badewannendreiers, die zierliche und vollbusige Vielleicht-Lesbe, die fast in den Tod gestürzt wäre, weil Julie, die durchgeknallte Mormonin, während eines Hochseil-Rennens an ihrem Gurtzeug herum-gefummelt hatte?

»Meinst du Tina?«, fragte ich.

»Genau! Tina!«, sagte das Mädchen.

Der Miz sah mich an. »Verdammt, Alter... Du bist gut.«

»Na ja ...«

Es gab mal eine Zeit, in der die Leute gerne darauf hinwiesen, dass Reality-TV gar nicht wirklich echt war. *Die machen das nur für die Kameras! Das ist inszeniert! Die Produzenten schrei-ben ihnen vor, was sie tun sollen! Ich hasse diese Arschlöcher!* Und so weiter. Es folgte eine Art *deuxième naïveté*, als die Leu-te überlegten, ob die Sendungen vielleicht doch etwas Reales hatten. *Denn seien wir doch mal ehrlich: Dieser Narzissmus, das sind tatsächlich wir! Das ist eine Abbildung unserer Kultur! Rea-lity-TV ist eine Art Fenster, durch das wir bestimmte ...* Solche Sachen. Ich würde allerdings behaupten, dass sie alle das wirk-lich Interessante an Reality-TV übersehen, nämlich die Art, wie es sich die Realität erfolgreich *zu eigen* gemacht hat.

Am Anfang, 1992, als *The Real World* auf Sendung ging und die grundlegenden Muster etablierte, an denen sich Reality-TV fortan orientieren würde, war das Spiel plump und offensicht-lich – war sich eine Figur »der Kameras bewusst« oder »ver-gaß sie die Kameras« für eine Weile? Darum ging es damals, bevor Reality-TV die gesamte Fernsehlandschaft überwucher-te, gedüngt von Quoten und fast nicht existenten Produktions-kosten, und bevor dann ziemlich schnell jedermanns Mutter, Schwager oder Exfreundin in irgendeiner Show zu sehen war – bevor Realityshow-Castings zu einer Art Initiationsritus wurden, wie die erste eigene Wohnung oder das erste Wadenimplantat. Vor ein paar Monaten habe ich mal in eine der neuen Sendungen reingeschaut, *The Rebel Billionnaire* von Richard Branson, und sah plötzlich einem meiner ältesten Jugendfreunde dabei zu, wie er auf einem Heißluftballon mit Sir Richard, diesem wirren, wispernden Finanz-Faun, Tee trank und Sachen sagte, die ich ihn noch nie hatte sagen hören, die ich allerdings hundertfach von anderen kannte. Sachen wie: »Warum sollte man sich um die Zukunft sorgen, wenn man heute eine solche Erfahrung machen kann?«, immer im gleichen Tonfall. Lag da ein ironisches Lächeln auf seinem Gesicht, als er das sagte? Man weiß es nicht.

Irgendwann war der Punkt erreicht, an dem die Leute, die für die Shows gecastet wurden, größtenteils selbst begeisterte Zuschauer solcher Shows waren. Leute, besonders jüngere, die von diesen Shows *geprägt* worden waren. Irgendwo ganz weit unten im Bewusstsein war ein Schalter umgelegt worden. Wenn man sich heutzutage eine Realityshow ansieht, dann beobachtet man keine Menschen, die in ein künstliches Szenario geworfen und dabei gefilmt werden, sondern Menschen, die dabei gefilmt werden, *Teilnehmer* einer Realityshow zu sein. Das ist der eigentliche Plot aller Realityshows, ganz egal, welches ausgedachte Thema darübergestülpt wird.

Und jetzt zu dem, was so verblüffend ist an diesem Wandel hin zu einem neuen Bewusstsein der eigenen Teilhabe an der Künstlichkeit des Ganzen: Er machte das Ganze realer. Denn natürlich sind diese Leute genau das: Menschen in Realityshows. Angenommen, Sie kommen in mein Büro und filmen mich dabei, wie ich meine Arbeit erledige (ich habe keine, aber das macht dieses Gedankenexperiment nur noch schlüssiger). Was Sie sehen, ist nicht, wie es wäre, mich dabei zu beobachten, wie ich meine Arbeit erledige, denn Sie stehen ja da und beobachten mich (die Heisenbergsche Unschärferelation und so). Und noch ein Schritt: Was wäre, wenn meine Arbeit darin bestünde, in einer Realityshow zu sein, gefilmt zu werden, mich von Ihnen beobachten zu lassen, und immer so weiter? Was, wenn genau das meine Realität wäre, Freunde? Platzt euch schon der Schädel?

Das ist der Punkt, an dem sich unsere Gesellschaft befindet. Und nicht nur das. Nein, die andere spannende Entwicklung der letzten paar Jahre ist die Beschleunigung eines sich selbst verstärkenden Systems, das mit Reality-TV entstanden ist. Weil in der Bevölkerungsgruppe, aus der sich die Teilnehmerfelder der Realityshows zusammensetzen, mittlerweile fast alle diese Shows durchschauen und folglich wissen, dass man dabei mit einiger Sicherheit gedemütigt und unwiderruflich kompromittiert wird, ist es für die Produzenten und Casting-Direktoren, die schon immer Kandidaten aussortieren mussten, die sich ihrer selbst zu sehr bewusst waren und vor einer Kamera dazu neigten, sich zu verspannen und »würdevoll« zu agieren, zunehmend schwer geworden, überhaupt noch »spontane« Personen aufzutreiben, also solche, die »gar nicht anders können, als sie selbst zu sein«, wie es der Miz anerkennend beschreibt.

Die Auswirkungen dieser Entwicklung – die Tatsache, dass Casting-Direktoren immer verrücktere Entscheidungen treffen müssen, was wiederum, wenn die Sendungen gelaufen sind und das Land beeinflusst haben, eine noch krassere Besetzungsdemografie zur Folge hat, weil ganz tief gegraben werden muss, um überhaupt jemanden zu finden, der sich auch nur in die Nähe einer Realityshow wagt – waren jahrelang kaum wahrnehmbar. Doch mittlerweile ... Haben Sie in letzter Zeit mal den Fernseher angemacht? Es sieht so aus, als würden die jetzt betreute Wohngruppen direkt ins Studio karren. So real und echt ist das alles geworden. Niemand schauspielert mehr. Beziehungsweise: Klar schauspielern sie, aber es gibt den Moment nicht mehr, in dem sie *nicht* schauspielern.

Viele hassen diese Sendungen, doch dieser Hass riecht nach Verleugnung. Die alten Fratzen Amerikas, hier sind sie alle,

Whitmans und Poes Retortenbabys, starre Blicke, die keine Zweifel kennen, aufgerissene Mäuler, aus denen sich spektakuläre Phrasenfontänen ergießen, undurchdringlich in ihrer Selbstrechtfertigung, dunkle gemurmelte Gebete, Gott möge sie vernichten, die Wichser, die ihnen ans Geld wollen, an ihr Bares, und immer allwissend, immer predigend. Bizarre Formulierungen, die eigentlich kein Mensch verwendet, nur dass sie jetzt jeder verwendet. Immer gibt es irgendwelche »Ziele«, die man sich stecken muss. Und wenn jemand unsere Lieblingstasse benutzt, bespritzen wir ihn mit Kohlensäure, und dann rufen wir Mama an und winseln: »Keiner hier versteht mich.« Wir laufen halbnackt herum und verstecken ein Messer hinter unserem Rücken. Und immer ganz geradeaus, so sieht's aus (hört hört!). Niemals passiv-aggressiv, nein. Wir sagen es ihnen direkt ins Gesicht. Aber mit Tränen in den Augen ... Bei Gott, in Realityshows sind mehr Tränen vergossen worden als von sämtlichen Kriegerwitwen dieser Erde. Sind wir so dünnhäutig, so verletzlich? Muss wohl so sein. Es gibt einfach zu viele von ihnen, zu viele Sendungen und zu viele Leute in diesen Sendungen, als dass sie uns nicht etwas Grundlegendes über uns selbst verraten würden. Das sind wir: ein Volk gefühlsduseliger Barbaren, weinend und Gewichte stemmend.

Der Clubauftritt reichte nicht für eine Reportage. Ich lud den Miz, Melissa und Coral zum Abendessen ein. Ich wollte herausfinden, ob sie echt waren. Ob nach all den Jahren, in denen sie dafür bezahlt wurden, sie selbst zu sein, noch ein Selbst übrig war, oder ob sie sich vielleicht schon langsam aus ihrer Existenz ausblendeten wie in einer *Star Trek*-Folge. Aber dann verlor ich diese Frage aus den Augen. Sie wissen ja, wie das ist, wenn man einfach nur abhängt. Ich fing an, ihnen von meinen Lieblingsmomenten zu erzählen. Wie Randy und Robin in der San-Diego-Staffel mal oben auf der Terrasse saßen und zusammen einen tranken. Big Ran erläuterte Robin seine persönliche

Philosophie, unter anderem sein Einverständnis mit erkennt-
nistheoretischen Zweifeln, etwas, das er »Agnostismus« nannte.
Als Robin ihn (sehr nett, wie ich fand) zu seiner philosophischen Seite beglückwünschte, die sie bisher noch gar nicht bemerkt hatte, sagte Big Ran: »Ich teile mein Wissen gerne mit
dir.«

Ich mochte Big Ran. Er war, wer er war – wie der Miz richtig
sagte: Er konnte nicht anders. Er war so einer, der einem immer sagt, was für einer er ist. Vor ein paar Monaten wäre ich
ihm fast einmal begegnet. Ein Reiseveranstalter hatte eine *Real
World*-Kreuzfahrt in die Karibik angekündigt. Big Ran und
Trishelle (die größte Südstaaten-Schlampe der *Real World*-Ge-
schichte) sollten mitfahren. Ich besorgte mir Tickets. Meine
Vorfreude wuchs. Aber letzten Endes haben sie uns verarscht.
Die Kreuzfahrt wurde gestrichen. Keine Ahnung, warum, ob
zu wenige Tickets verkauft wurden oder was, aber kurz hatte
ich die Vorstellung, der einzige Mensch zu sein, der die Reise
gebucht hatte. Ich stellte mir ein Szenario vor, bei dem die
Kreuzfahrtgesellschaft aufgrund einer vertraglichen Spitzfin-
digkeit gezwungen wäre, die Sache trotzdem durchzuziehen.
Ich stellte mir vor, wie ich mit Big Ran und Trishelle in See ste-
chen und auf unserem Geisterschiff übers Meer treiben würde. Wir würden uns von der Füllung der Sofakissen ernähren.
Auf jeden Fall würde es Tränen, Ringkämpfe und was nicht alles geben, aber am Ende ...

Der Miz, Coral und Melissa konnten sich nicht erinnern – sie
wussten auch nicht mehr, dass Big Ran gesagt hatte, dass er
gerne sein Wissen teile. Ich hatte den Eindruck, dass sie die
Show gar nicht verfolgten, zumindest nicht, seit sie selbst dabei waren. »Es ist schwierig«, sagte Coral, »weil man es besser
weiß. Man weiß, dass das alles nicht so ist.«

Ich brauchte zwanzig Minuten, um zu verstehen, was mit
unserem Gespräch nicht stimmte: Es machte mir Spaß. Nor-

malerweise ist man angespannt, wenn man Fremde befragt, man hat Angst vor einer Blockade oder dass man vergisst, die einzige wichtige Frage zu stellen. Aber seit wir uns hingesetzt hatten, war ich völlig entspannt. Und dann sah ich, dass dieses Licht, ein bebendes, bläuliches Licht, das über ihre Gesichter spielte, genau das Licht war, in dem ich sie kannte. Ich hatte sie instinktiv in einen Laden namens Blue on Blue in Beverly Hills gebracht, in dem es neben dem Pool offene Badehütten gibt, und in einer von denen chillten wir, und das Licht spielte über ihre unglaubliche, makellose Haut. Wie oft hatten wir schon so gesessen, am Rande von Pools und Jacuzzis? Wie oft hatten wir schon so abgehangen, getrunken, diskutiert? Tausende Male. Mein Nervensystem war überzeugt, dass wir auf Sendung waren.

»Ja«, sagte der Miz, »das ist das Gute und das Schlechte daran, in einer Realityshow zu sein.« Er hatte einen Wodka-Drink in der Hand (jeder weiß, dass klarer Alkohol auf Dauer besser für den Darm, die Prostata und so weiter ist – außerdem, betont der Miz, hat er weniger Kalorien). »Du isst irgendwo was, und dann hörst du: ›Der Typ da vorne, genau DER! Was geht, Alter?‹ Tom Cruise passiert so was nicht. Selbst einem zweit- oder drittklassigen Schauspieler passiert so was nicht. Aber sie denken, dass sie uns kennen, also können sie auch kommen und sagen, was sie wollen ...«

Fast hätte ich den Miz darauf hingewiesen, dass er für Leute wie mich wahrscheinlich weniger ansprechbar rüberkommen würde, wenn er sich nicht von Clubs wie dem Avalon dafür bezahlen lassen würde, mit uns zu feiern, aber das wäre mir echt arschlochmäßig vorgekommen gegenüber einem Typen, der mir über die Jahre so viel Freude bereitet hatte. Und außerdem stimmten ihm Melissa und Coral zu. Coral war in der *Back to New York*-Staffel dabei, zusammen mit Miz. Die beiden sind für meine Generation so was wie Ozzie und Harriet, obwohl sie, soweit ich weiß, nie etwas miteinander hatten (zum großen

Ärger von Millionen). Ihre Freundschaft begann wackelig. Eines Morgens beim Frühstück, irgendwann 2001, war das Gespräch auf das altbewährte Thema Weiße und Schwarze gekommen. Dem Miz war herausgerutscht, dass sein Vater in seinem Sandwichladen in Ohio nur ungern Schwarze anstellte, weil die innerstädtischen Schulen dort schlecht und die Schwarzen »begriffsstutzig« seien. Coral – die schwarz, schön und auf eine irgendwie beängstigende Weise intelligent war – fand das nicht so cool. Ihre gnadenlosen Bemühungen, Mike als Idioten dastehen zu lassen (als der er sich sowieso schon fühlte), wurden zum wichtigsten Handlungsstrang der Staffel. Aber dann trafen sich die zwei bei *The Real World/Road Rules Challenge* wieder, gewannen gemeinsam die erste Staffel, und obwohl sie noch keine gemischtrassigen Drillinge produziert haben, herrscht zwischen ihnen schlicht und einfach echte Zuneigung. Coral sagt »Mikey« zum Miz.

Melissa ist halb Afroamerikanerin, halb Filipina und gesegnet mit einer außerordentlichen Oberlippe, wie man in aller Unschuld nicht umhin kommt zu bemerken. Coral und Melissa sind beste Freundinnen, erzählten sie mir, sie wohnen sogar zusammen. Melissa war in der New-Orleans-Staffel. Sie ist die, der wir alle dabei zusehen konnten, wie sie damals wegen dieser zwielichtigen Sache mit den Vortragsterminen auf Julie losging (unser erster Hinweis darauf, dass *The Real World* wirklich das echte Leben war). Man kann nicht behaupten, dass sich Melissa und Julie je nahegestanden hätten, vor allem nicht, seit Melissa Julie einmal gebeten hatte, ihr einen Puddingbecher zu reichen, worauf Julie sagt: »Wo ich herkomme, antwortet man auf so eine Frage mit: Sehe ich aus, als wäre ich schwarz?«

Der Miz, Coral und Melissa waren gerade von einem »Vortrag« an der Texas Christian University zurückgekommen. Die drei waren zusammen mit David Burns aufgetreten (ebenfalls ein *Real World*-Teilnehmer, der am Myrtle Beach eine Bar namens Reality Bites eröffnen will, in der nur ehemalige Teilnehmer der Show kellnern – dazu muss ich schnellstens mal erwähnen, dass ich nur ein Stündchen von Myrtle Beach entfernt wohne, den Rest könnt ihr euch denken, Leute).

Jedenfalls, sie machten ihr Ding, teilten ihr Wissen, am Ende war Zeit für Fragen. Das übliche Format. Genauso üblich wie die Fragen, die von den Studenten dann tatsächlich gestellt werden, nämlich: »Kriege ich eine Umarmung?« Der Miz hat sich deshalb angewöhnt, vor dem Frageteil eine Durchsage zu machen. Er sagt: »Hinterher ist noch *Meet 'n' Greet*, dann gibt's auch Bilder und Umarmungen. Ihr müsst also nicht nach Umarmungen fragen.«

Also, der Frageteil lief ganz okay. Die Zeit war fast rum. Der Miz sagte: »Letzte Frage. Etwas Pikantes.« Und dann steht dieses Mädchen auf und sagt: »Da es ja jetzt keine Bilder oder Umarmungen gibt, wenn ich das richtig verstanden habe, wollte ich fragen, ob du mich vielleicht lecken willst.«

Der Miz starrte vor sich hin, offenbar beschäftigte ihn das. »Ich war wirklich fassungslos«, sagte er. »Das war immerhin die Texas *Christian* University.«

Ich hätte mir gewünscht, dass der Miz, Coral und Melissa menschlich irgendwie kaputter gewesen wären. Ich habe das vage Gefühl, den Lesern das schuldig zu sein. Ich habe ein paar abartige Sachen über ein paar Leute gesagt, die im Fernsehen zu sehen waren, und ich nehme die auch nicht zurück – aber diese drei kamen mir eigentlich recht normal vor. Und smart. (Okay, *smart* ist vielleicht nicht die Beschreibung, die ich dem Miz aufbürden sollte, aber wie wäre es mit *nett* und *halbwegs beisammen*? Das auf jeden Fall.) Eine Stunde lang versuchte ich mit aller Kraft, ihnen mein Verständnis der *Real World*-Folgeexistenz als Form der Spaß-Sklaverei zu verkaufen. Ich erzählte ihnen, was mir Brian Monaco gesagt hatte, dass sich ehemalige Teilnehmer bei ihm melden, die achtundzwanzig sind, verbrannt von den Bars und den Clubs und den Vorträgen und von *Road Rules Challenge*, und sie fragen ihn: »Brian, was soll ich nur machen? Ich hab nichts in meinem Lebenslauf.« Allerdings traf das auf keinen der drei zu, die ich zum Essen eingeladen hatte. Der Miz hat einen Supervertrag als Wrestler (und wird später unter dem Kampfnamen »The Miz« richtig berühmt werden und mir eine Kiste kubanischer Zigarren schicken); Coral moderiert ein paar Sendungen auf MTV; Melissa war in einer Comedy-Show auf dem Oxygen Channel dabei, *Girls Behaving Badly*, die unter anderem auch Chelsea Handler hervorbrachte.

Ich könnte grundlos prognostizieren, dass sie mit alldem irgendwann scheitern werden (was wahrscheinlich nicht zutrifft); ich könnte darauf hinweisen, dass Reality-Ruhm – im Gegensatz zu Schauspiel-Ruhm oder anderen respektierten Formen des Ruhms in der Unterhaltungsindustrie – eine Sackgasse ist. Brian Monaco formulierte es so: »Ich habe diese Kids bei Premieren zusammen mit Filmstars gesehen, und sie bekommen eine riesige Reaktion auf dem roten Teppich, aber wenn ihnen keiner die Drinks bezahlt, sitzen sie auf dem Trockenen.« Selbst bei *The Real World/Road Rules Challenge* »kriegen sie nur so tausend Dollar die Woche«. Und das, obwohl *The Real World* und seine Ableger seit zehn Jahren zu den erfolgreichsten Sendungen auf MTV gehören. Die Leute werden verarscht. Vor einer Weile haben ein paar der Kids sogar Anwälte beauftragt, um sich gegen den Sender zu verbünden. Aber wie der Miz richtig sagt: »Warum sollten sie uns mehr bezahlen? Von uns gibt es so viele. Die sagen einfach: Was, du willst nicht? Okay, dann rufe ich halt So-und-so an.« Dazu kommt wieder dieses verfluchte Phänomen, dass wir denken, wir würden diese Leute kennen. Wer würde wollen, dass der Miz eine richtige Sendung moderiert? Das wäre, als würde der eigene Bruder sie moderieren. »Schau mal, da ist Mike!«, würde man sagen und wegschalten.

Wir redeten hauptsächlich über Julie aus der New-Orleans-Staffel, die diese seltsamen rassistischen Sachen zu Melissa gesagt hatte; sie war es auch, von der es hieß, sie wolle Melissa um ihr Geld bringen, und die beim Wettbewerb im Klettergarten fast Veronica umgebracht hätte, als sie auf Höhe des achtzehnten Stocks versuchte, ihren Sicherheitsgurt auszuklinken. (Auch so ein irrer Moment – alle schrien Julie an, der Moderator hatte sogar ein Megafon, »nein, Julie, nein!« Veronica schluchzte und schrie. Und Julie? Beißt die Zähne zusammen und machte einfach weiter, Alter!) Julie hat ihren mormonischen Glauben wiederentdeckt. Sie jetzt bei *Challenge* zu sehen, ist krass. Sie betet die ganze Zeit, ob sie gerade eine Felswand hochklettert oder sonst was. Aber wenn es zur Sache geht, spring sie in die Luft und ballt die Fäuste und kreischt, als wäre sie vom Teufel besessen. Sie ist auf jeden Fall einer meiner absoluten Lieblingsteilnehmer überhaupt. So in der Art lief unser Gespräch über Julie ab.

ICH: Gab's eigentlich jemals eine Transe in der Sendung?
CORAL: Nicht, dass wir wüssten. Aber vielleicht ...
MELISSA: Julie?
CORAL: Ich hab ihre Eier gesehen! Echt!
MIZ: Aber die Produzenten wollen eher ... Leute, mit denen sich die Leute identifizieren können.
CORAL: Alter, es gibt auch Transen, die *The Real World* gucken!
ICH: Coral, das ganze Land guckt *The Real World*.
CORAL, stirnrunzelnd: Klar, aber schon komisch, oder nicht? Dass sie so tun, als wär's nicht so.

Coral zündete Kippen an und reichte sie mir rüber. Sie zeigte mir das Spinnentattoo auf ihrem Fuß (in Erinnerung an die Spinne, die sie vor ein paar Staffeln gebissen und eine allergische Reaktion verursacht hatte, was wiederum dazu führte, dass sie und der Miz mit ihrem Team die *Challenge* verloren). Zweimal kamen wir auf die Echtheit von Corals unfassbaren Brüsten zu sprechen, und Coral packte sie (einigermaßen gewaltsam), quetschte sie zusammen, drückte sie gleichzeitig nach oben und schüttelte sie irgendwie. Waren sie echt? Ich weiß nicht – sind die Blue Ridge Mountains echt?

Die Lage entspannte sich, als ich sagte: »Coral, was hast du vorhin gemeint, als du gesagt hast, dass du die Sendung nicht anguckst, weil du weißt, dass das alles nicht so ist?«

Der Miz kam ihr zur Hilfe. (Das fiel mir auf: Wenn man Coral etwas fragt, antwortet der Miz, und umgekehrt.)

»Also, stell dir vor, wir unterhalten uns hier«, sagte er. »Und hier ist ein Kameramann. Dort der Beleuchter. Der Regisseur. Und da stehen noch mal ungefähr fünf Leute, während wir uns hier unterhalten. Man weiß natürlich, was die gerade machen ... Und man weiß, dass die in den Interviews Fragen stellen. So was wie: Glaubst du, dass die anderen über dich reden?«

ICH: »Die« stellen euch Fragen?

MIZ: Klar.

CORAL: Es gibt die Beichte ... Du musst eine Stunde pro Woche zur Beichte, und dann sind da noch die Interviews jede Woche. Mit einer Psychiaterin.

ICH: Im Ernst?

MIZ: Ich schwör's. Dr. Laura.

CORAL: Dr. Laura.

MELISSA: Dr. Laura.

CORAL: Die ich liebe.

ICH: Aus der Sendung?

MIZ: Also, aus *unserer* Sendung.

ICH: Nicht Dr. Laura aus ...

MELISSA: Dr. Laura Schlessinger? Das wäre zum Schreien ...

Ich hatte immer vermutet, dass es bei *The Real World* so etwas wie Puppenspieler gab, die im Hintergrund »Dramen« anzettelten, aber die Vorstellung, dass der Sender dafür eine Psychiaterin anstellt? Eine, die die Teilnehmer nicht nur während der

Drehzeiten manipuliert, sondern bereits im Casting-Prozess, wie mir die drei versicherten? Und die auch für andere Sendungen gearbeitet hat? Das sagte einiges über *The Real World*, über das ganze System. Als ich weiter oben schrieb, dass die Casting-Leute die Sendungen immer verrückter werden lassen, hatte ich keine Ahnung, wie recht ich damit hatte! Diese Frau war eine inoffizielle Administratorin der realen Welt. Und wie sich herausstellte, war Dr. Laura Psychologin, keine Psychiaterin, was besser ist, wenn man es recht bedenkt, denn Psychologen müssen den Hippokratischen Eid nicht schwören, und diese Frau hat ganz ganz sicher Schaden angerichtet. Es war so was von klar, dass ich sie auf keinen Fall anrufen würde.

Stattdessen beschwöre ich lieber das Bild vom Miz herauf, als ich den Avalon Nightclub verließ, und wir uns verabschiedeten. Er tanzte gerade mit dem Mädchen, dessen Brust er signiert hatte. Sie ließen ihre Hüften kreisen, er hinter ihr. Die Nacht war gut gelaufen. Er sah, dass ich aufbrechen wollte, und winkte und warf mir diesen Blick zu: »Du haust ab?« Und ich rief: »Ich muss los!« Und er brüllte: »Alles klar, Alter!« und tanzte weiter. Die bunten Lichter auf seinem Gesicht. Die Leute guckten.

In diesem Augenblick fiel es mir unheimlich schwer, etwas Schlechtes über den Miz zu denken. Erinnern Sie sich an ihr letztes Jahr im College? Wie das war? Feiern war alles, worum man sich kümmern musste, und wenn man loszog, spürte man, dass die Leute einen cool fanden. Es war ein großer Spaß, jung und Amerikaner zu sein. Erinnern Sie sich an dieses Gefühl? Ich mich auch nicht. Aber der Miz erinnert sich. Er hat einen Weg gefunden, für immer in diesem Gefühl zu leben.

Drückt ihm die Daumen, Leute.

MICHAEL

Wie sonst kann man über Michael Jackson reden, als dass man Prince Screws erwähnt?

Prince Screws war Sklave auf einer Baumwollplantage in Alabama. Nach dem Bürgerkrieg wurde er Pachtbauer, wahrscheinlich auf dem Land seines ehemaligen Herrn. Sein Sohn Prince Screws Jr. kaufte eine kleine Farm. Dessen Sohn wiederum, Prince Screws III., verließ zur Zeit der Great Migration, als Millionen Schwarze aus den Südstaaten abwanderten und in den Industriestädten des Nordens sesshaft wurden, die alte Heimat und ging nach Indiana, wo er Arbeit als Schlafwagenschaffner – als einer der sogenannten *Pullman Porter* – fand.

Hier wurde die Ahnenreihe unterbrochen. Dieser letzte Prince Screws, der in den Norden gegangen war, hatte keine Söhne. Dafür zwei Töchter, Kattie und Hattie. Kattie brachte zehn Kinder zur Welt, das achte ein Junge namens Michael, der seine eigenen Söhne Prince nennen sollte, zu Ehren seiner Mutter, die er vergötterte, und als Zeichen der Rückbesinnung. Den lächerlichen Spitznamen, den ein weißer Mann seinem schwarzen Sklaven gegeben hatte, so als würde er einen Hund taufen, verlieh nun ein schwarzer König seinen hellhäutigen Söhnen und Erben.

Und wir hielten den Namen für affektiertes Getue und machten uns darüber lustig.

Nicht, dass es dafür keinerlei Anlass gegeben hätte. Aber von all den Dingen, die Michael unbegreiflich gemacht haben, ist der Glaube, ihn verstanden zu haben, der irreführendste. Wir sollten ihm nicht weiter anhängen.

Fangen wir nicht mit der TV-Serien-Kindheit und Josephs endlosen Probesessions mit der Familie an, sondern mit der späteren und, wie es scheint, genauso prägenden Motown-Kindheit, als Michael ungefähr zwischen elf und vierzehn war – Jahre, die er, sofern er nicht gerade auf Tour war, meistens alleine verbrachte, hinter Sicherheitsmauern, mit Privatlehrern und geheimen Notizbüchern. Ein Hans-Guck-in-die-Luft, der Regenbögen mag und Bücher. Der anfängt, exotische Tiere zu sammeln.

Seine ältesten Brüder sind irgendwann mal Kinder gewesen, die davon träumten, Kinderstars zu sein. Einen solchen Wunsch kann Michael nie entwickeln. Als er alt genug ist für so etwas wie Eigenwahrnehmung, ist er bereits ein Kinderstar. Und der Kinderstar träumt davon, Künstler zu sein.

Wenn er für sich ist, legt er Klassik-Platten auf, weil er gemerkt hat, dass sie ihn beruhigen. Auch die alten Südstaaten-Sachen, die sein Onkel Luther singt, gefallen ihm. Sein Onkel schaut ihn an und findet, dass Michael traurig wirkt für sein Alter. Da sind wir schon in Kalifornien, das arme, braune Gary in Indiana mit seiner vergifteten Luft, die man weit über die Stadtgrenzen hinaus riechen konnte – durchaus möglich, dass die zehn Jahre, in denen Michael dieser Luft ausgesetzt war, sein Immunsystem schon nachhaltig geschädigt haben –, gehört bereits der Vergangenheit an.

Er macht sich über vieles Gedanken, und manchmal, wenn sie zusammensitzen, spricht er mit seinen Freunden Marvin Gaye und Diana Ross darüber. Er hört sich Alben an und vergleicht. Auf den Alben, die er und seine Brüder machen, sind immer ein paar gute Stücke, die die Platte verkaufen sollen, dazu jede Menge B-Ware, um dem LP-Format Genüge zu tun. Bei Leuten wie Tschaikowsky dagegen, da gab es keine Nieten. Aber man muss seine eigenen Lieder schreiben. Michael hat schon immer Melodien im Kopf gehabt, kleine Riffs und Beats. Aber das ist nicht dasselbe. Bei Motown läuft es so, dass Songwriter-Teams in verschiedenen Städten fertige Jackson-5-Songs liefern. Die Brüder werden dann zum Einsingen und zur Ergänzung kleiner Akzente ins Studio geholt.

Michael möchte Zugang zur »Anatomie« der Musik. Dieses Wort benutzt er immer wieder. *Anatomie.* Was in ihrer Struktur setzt Musik in Bewegung?

Als er siebzehn ist, bittet er Stevie Wonder, bei der Produktion von *Songs in the Key of Life* dabei sein zu dürfen. Man stelle sich Michael vor, unsicher, schüchtern und voller Ehrerbietung, wie er sich mottengleich gegen die Wand des Motown-Studios drückt. Stevies Blindheit ist in diesem Zusammenhang irgendwie anrührend. Zweifellos nimmt er Michaels Anwesenheit über weite Strecken nicht wahr. Bittet ihn nie, eine Rassel oder irgendwas zu spielen. Erwähnt ihn nie. Aber Michael hört ihm zu. Die meisten der Jackson-Geschwister verlassen in dieser Zeit Motown und wechseln zu einem anderen Label, bei dem sie einen etwas größeren künstlerischen Spielraum durchgesetzt haben. Das Erste, was Michael schreibt, ist »Blues Away«, ein zu Unrecht vergessener Song, dessen Schicksal es ist, eines der am wenigsten veraltet klingenden Stücke zu werden, das die Jacksons gemeinsam aufnehmen. Ein hübsches, rollendes Klaviermotiv, darüber Streicher und ein gehauchter Refrain – Burt Bacharach, wenn der wie Stevie Wonder in einem frühen Discostück klingen würde, dazu etwas ganz Eigenes von Michael, das im introvertiert klingenden Rhythmus der Gesangsspur steckt. Ein lieblicher, leicht kryptischer Text, der erste Anklänge von Melancholie als letztem geschützten Zufluchtsort enthält: »I'd like to be yours tomorrow, so I'm giving you some time to get over today / But you can't take my blues away.«

1978, dem Jahr von »Shake Your Body (Down to the Ground)«, gemeinsam geschrieben von Michael und dem kleinen Randy, haben sich seine Methoden eingespielt. Er fängt immer mit dem Tonbandgerät an. Er singt und beatboxt die Schnipsel, die er hört, die einzelnen Stimmen. Woher die kommen? Von oben.

Er behauptet, jedes Mal, wenn er einen solchen Schnipsel auf-geschnappt hat, auf die Knie zu fallen und Jehova zu danken. Von seinem Gesangslehrer stammt die Geschichte, wie Michael eines Tages während der Stunde die Hände in die Luft hebt und vor sich hinzumurmeln beginnt. Der Lehrer, Seth Riggs, beschließt, ihn alleine zu lassen. Als er eine halbe Stunde spä-ter wiederkommt, soll Michael geflüstert haben: »Danke für meine Gabe.«

Manche der Dinge, die Michael in seinem Kopf hört, über-trägt er auf ein anderes Instrument, aufs Klavier (das er nicht gut, aber passabel spielt) oder auf den Bass. Die Melodie und ein paar perkussive Elemente verbleiben bei seiner Stimme. Den Rest arrangiert er darum herum. Es gibt ja noch seine Brü-der und Schwestern. Er dirigiert.

Seine Kunst wird fortan von seiner Fähigkeit abhängen, den Kontakt zu halten zu diesem kindlichen inneren Instrument, so nah bei sich zu bleiben, um den eigenen melodischen Einge-bungen folgen zu können. Wer schon mal dem Singsang von Kleinkindern gelauscht hat, der weiß, dass ihre spontanen Er-findungen oft erstaunlich eingängig und raffiniert sind. Aus der *Off the Wall*-Phase gibt es ein Demo vom späteren *Thriller*-Hit »Wanna Be Startin' Somethin'«, auf dem Michaels Gesang an nichts so sehr erinnert wie an spielerische Schulhof-Hänselei-en. Schlecht wird er immer dann sein, wenn er macht, was er sich unter »großer« Musik vorstellt, denn die bringt er aus-nahmslos mit militärischen Motiven in Verbindung.

1979, das Jahr von *Off the Wall* und seiner ersten Nasen-OP, markiert eine undurchsichtige Krise. Zu Beginn dieses Jah-res wird ihm die schwule Hauptrolle in der Filmfassung von *A Chorus Line* angeboten, die er mit folgender Erklärung ab-lehnt: »Ich hätte große Lust, aber wenn ich das mache, wird man mich mit dieser Rolle identifizieren. Wegen meiner Stim-me denken sowieso schon manche, dass ich so bin, also homo, aber das stimmt überhaupt nicht.«

Man will wissen: Hatten Sie denn, als Sie zum Mann wurden, keinen Stimmbruch? Dabei änderte sich seine Stimme durchaus, doch zu was wurde sie? Wenn man sich Interviews aus verschiedenen Phasen der Siebziger anhört, kann man verfolgen, wie er daran arbeitet, seine Stimme zu verändern. Zuerst, um 1972, 1973 herum, wird sie etwas tiefer. (Wer ihn als Vierzehnjährigen in der Fernsehshow *The Dating Game* von 1972 sieht, hört eine tiefere Stimme als die des Dreißigjährigen.) Dieses potenziell katastrophische Ereignis hatten Familie und Label wahrscheinlich seit Jahren gefürchtet. Michael Jackson ohne sein Falsett ist nicht mehr die Ware, von der ihr kollektiver Traum abhängt. Michael wiederum hat noch nie die Erfahrung einer Realität gemacht, die sich vor seiner schöpferischen Kraft sperrt. Er arbeitet daran, etwas zu entwickeln – kein Falsett, mit dem man oberhalb seines natürlichen Stimmumfangs singt, sondern einfach einen höher gelagerten Stimmumfang. Er isoliert vollkommen andere Bereiche und Stellungen seiner Stimmbänder, entdeckt neue Ritzen und Spalten und trainiert deren Flexibilität. Gesangslehrer sagen, dass das geht, aber als extreme Praxis erachtet wird. Ob dieser Prozess in Michaels Fall bewusst abläuft, liegt jenseits jeder Erkenntnis. Wahrscheinlich entwickelt er diese Technik während der Pubertät, um weiter jeden Abend Jackson-5-Songs singen zu können. Im Endeffekt hat er sich so auf überraschend schöpferische Weise weniger kastriert als vielmehr verfraulicht. Eigentlich entwickelt er eine Drag-Stimme. Auf einer frühen, zu Hause mit Hilfe von Randy und Janet aufgenommenen Demoversion von »Don't Stop 'Til You Get Enough« kann man geradezu hören, wie er sich in diese Stimme hineinarbeitet. In diese Kunstfigur. »We're gonna be startin' now, baby«, sagt er erst mit entspannter, gemäßigt hoher Männerstimme. Dann intoniert er den Songtitel: »Don't stop 'til you get enough«, in einer weicheren, leiseren Version der im Grunde genau gleichen Stimme. Er wiederholt die Zeile in einer noch höheren Stimmlage, fast schnurrend. Und schließlich singt er – mit einer glockenhell perlenden Mädchenstimme.

Eine Zeugin wird später behaupten, dass Michael einmal in einem Augenblick des Zorns in eine tiefe, barsche Stimme ausbrach, die sie nie zuvor gehört habe. Auch Liza Minnelli gibt an, diese andere Stimme gehört zu haben.

Interessant, dass dieses Aufblitzen seiner »natürlichen« Stimme immer in Situationen passierte, in denen er, wie man sagen würde, nicht er selbst war.

Im Internet gibt es ein Bild von ihm kurz vor seinem Lebensende, daneben eine digital erstellte »Hochrechnung« seines vermutlichen Aussehens im selben Alter, aber ohne Operationen, Schminke und Perücke. Es ist das Bild eines lächelnden, auf landläufige Weise gutaussehenden Schwarzen mittleren Alters. Wir sollen natürlich Verbundenheit empfinden mit diesem armen Nie-Gewesenen und die skurrile Kreatur bemitleiden, die sich selbst verstümmelt hat. Ich kann aber nicht der Einzige sein, der diese Simulation im Gegenteil als irgendwie metaphysisch abstoßend wahrnimmt. Als Abscheulichkeit. Michael hat sein wahres Gesicht gewählt. Das, was ist, ist natürlich.

Wenn man so will – und auch, wenn man nicht so will –, ist sein physischer Körper das größte Werk postmoderner amerikanischer Bildhauerkunst. Man muss ihn sorgfältig konservieren.

Es ist überaus spannend, die Interviews zu lesen, die er im Laufe der letzten dreißig Jahre *Ebony* und *Jet* gab. Ich gebe zu, dass sie mich als Weißen verwirren. Während die großen Medien endlose Berichte über seine bizarren Gewohnheiten und seine Zurückgezogenheit brachten, gewährte er diesen beiden Magazinen über Jahre hinweg immer wieder intime, offenherzige Einblicke, wobei er nie vergaß, seine Gesprächspartner daran zu erinnern, dass er nur ihnen vertraute und nur mit ihnen sprechen würde. Die Artikel führen mir vor Augen, dass die einzige Persönlichkeit namens Michael Jackson, die ich je kannte, ein Mensch war, der sich vor Weißen gegen den Vorwurf passiv-aggressiven Kindesmissbrauchs verteidigt. Mit Schwarzen redete er anders, fühlte sich wohler. Die Sprache und die Beschaffenheit der Details unterscheiden sich – ohne dass die Konstellation journalistisch objektiver gewesen wäre.

Die Verlegerfamilie John H. Johnson, die *Jet* und *Ebony* herausgibt, stärkte Michael immer den Rücken, kittete und pflegte seine komplizierten Beziehungen mit der Black Community und versicherte den Lesern, dass man in Michaels Gegenwart »schnell hinter das Leuchten der rätselhaften Ikone, unter ihre fast durchscheinende Haut sehen und feststellen kann, dass diese afroamerikanische Legende mehr ist, als der oberflächliche Blick verrät«. Manchmal, vor allem, als die »Homo«-Sache losging, kippte die Unbedingtheit der positiven Berichterstattung auch ins Komische, wie in einer 1982er Ausgabe von *Ebony*, in der Michael über obsessive männliche Fans spricht:

MICHAEL: Sie versuchen auf jede Art, an uns ranzukommen, da sind die Jungs genauso schlimm wie die Mädchen. Wenn Jungs auf die Bühne springen, stürzen sie sich meistens auf mich und Randy.
EBONY: Aber das bedeutet doch nur, dass sie dich bewundern, oder?

Und trotzdem ist es ein neuer Michael, den man hier entspannt und unprätentiös über das reden hört, was er am meisten liebte: Kunst. Ein Mensch, der nicht das Geringste zu tun hat mit beispielsweise dem Michael aus *Living with Michael Jackson*, Martin Bashirs berüchtigtem Dokumentarfilm, in dem Michael zugibt, sein Schlafzimmer mit Kindern zu teilen. Man muss *Jet* und *Ebony* lesen, um zu verstehen, wie ansonsten geradlinig wirkende Menschen jedweder Hautfarbe über all die Jahre gute Freunde von Michael Jackson bleiben konnten. Er ist sympathisch; er hat einen regen Geist. Was für eine Freude, dabei zu sein, wie er sich frühe Demos seiner eigenen Kompositionen anhört und sagt: »Und hier, das ist zu Hause, mit Janet und Randy... Hier hört man vier Bässe ...« Oder wie er nicht ganz so vorgefertigte Anekdoten erzählt, wie die von dem schönen schwarzen Mädchen, das, als es ihn im Flugzeug entdeckte, wie vom Donner gerührt im Gang stehen blieb und sich so einnässte, dass es ihr die Beine runterlief. Oder die von dem blonden Mädchen, das ihn am Flughafen küsste und, als er nicht zurückküsste, sagte: »Was ist dein Problem, du Schwuchtel?« Er wird müde, immer wieder daran erinnern zu müssen, dass »es einen Grund gibt, warum ich als Mann geschaffen wurde. Ich bin kein Mädchen.« Den Grund lässt er ungenannt.

Als sich Michael und Quincy Jones am Filmset von *The Wiz – Das zauberhafte Land* über den Weg laufen, fällt Michael eine Jahre zurückliegende Begebenheit ein. Damals hatte Sammy Davis Jr. im Backstage Jones zur Seite genommen und ihm zugeflüstert: »Der Junge hat was; er ist umwerfend.« Michael hat diese Begebenheit »aufbewahrt«. Jones' Namen kennt er von den Hüllen der Jazzalben seines Vaters, er weiß, dass Jones eine Autorität ist. Er wartet bis zur Fertigstellung des Films, dann ruft er ihn an. Jones schüchtert ihn etwas ein, und genau deshalb fühlt er sich zu ihm hingezogen. Er sehnt sich nach einer Art Konkurrenz, die großformatiger ist als die alte innerfamiliäre, die er zudem seit langem dominiert. Die Familie ist ein Dame-Spiel, er will Schach. Verblassende Kinderstars haben es leicht, sich weiteren Motivationsversuchen zu verweigern, wenn sie sich das wünschen, und das tun die meisten. Es ist der menschlichere Weg. Michael aber sucht den Druck, zumindest in diesem Moment. Er umgibt sich mit Leuten, die ihn zu »höheren Anstrengungen« bringen, wie er es formuliert.

Quincy Jones gibt ihm den Spitznamen Smelly, wegen seiner Gewohnheit, mit den Fingern der linken Hand ständig die eigene Nase zu berühren oder zu verdecken, ein Tick, der auch in Nachrichtenclips aus dieser Zeit nicht zu übersehen ist. Er schämt sich wegen seiner breiten Nase. Diverse Operationen später – nachdem man es, so steht zu vermuten, im Jackson-Lager als undiplomatisch gebrandmarkt hatte, über Michaels frühere, sein Gesicht betreffende Unsicherheit zu sprechen – klingt die Geschichte anders. Man erzählt uns, dass Michael immer, wenn ihm im Studio ein Track gefiel, von einem »Smelly jelly« sprach. Vielleicht stimmen beide Geschichten. »Smelly jelly« klingt nach einer von Jacksons merkwürdigen, infantilen Redewendungen. Zu einem späteren Zeitpunkt in seinem Leben würde er, wenn er sich schwach fühlte, zu seinen Leuten sagen: »Ich habe Schmerzen … deckt mich zu!« Was unter anderem bedeuten konnte: Zeit für meine Medizin.

Michael weiß, dass er seine Solokarriere nicht wirklich anschieben muss, bevor sein eigenes Songwriting nicht ein anderes Niveau bekommt. Er will nicht einfach nur dazugehören. Er will Ehrfurcht. Jones hat einen zuverlässigen Songwriter in seinem Stall, den Engländer Rod Temperton, der mit Heatwave bekannt wurde und jetzt den Song »Rock with You« anbietet. Der Song ist sehr gut. Michael hört ihn und weiß, dass das ein Hit ist. Hits sind ihm zu diesem Zeitpunkt eigentlich gar nicht so wichtig, er sieht sie als eine Art Nebenprodukt auf dem Weg zur Perfektion. Er fährt nach Hause und schreibt »Don't Stop 'Til You Get Enough«. Janet klingelt mit einer Glasflasche. Der treue Randy spielt Gitarre. Mit diesen beiden Geschwistern zieht Michael ins Quincy-Jones-Abenteuer, sie nimmt er mit in die innerste Zone, wo er komponiert. Wir unterstellen immer, dass seine Familie musikalisch nichts zu seiner Solokarriere beigetragen hat, es sei denn, aus Schuldgefühlen heraus. Aber bei diesen beiden fühlt er sich aufgehoben, es ist ihm wichtig, sie weiterhin in sein Nest eingewoben zu wissen. Beide sind jünger als er. Seine kleine Schwester.

Aus dem Abstand von dreißig Jahren betrachtet ist »Don't

Stop 'Til You Get Enough« ein sehr viel besseres Stück als »Rock with You«. Sosehr man »Rock with You« auch bewundert: Michaels Song ist melodisch deutlich unverwechselbarer. Was man hier hört, ist nicht handwerkliches Geschick, sondern ausgeprägt entwickelter Instinkt.

Off the Wall hinterlässt bei Michael ein Gefühl der Enttäuschung. Das Album wird mit einem Grammy ausgezeichnet, generiert mehrere Nummer-Eins-Singles, steigert Jacksons sowieso schon erhebliche Berühmtheit, rettet Disco genau im richtigen Moment: im Augenblick des Disco-Todes. Diana Ross, die die Jacksons einst unterstützt hatte, indem sie ihren hübschen Arm um sie legte, möchte Michael wieder bei ihren Konzerten dabei haben, und zwar nicht ihm zuliebe, sondern sich selbst zuliebe. Nicht, dass sie verzweifelt ist, aber es hat sich etwas verschoben. Quincy Jones und Bruce Swedien, der Aufnahme-Guru, mit dem Jones zusammenarbeitet, halten allein die Idee, in Sachen Erfolg einen »Nachfolger« von *Off the Wall* zu produzieren, für absurd. Man gibt sein Bestes, aber so etwas passiert trotzdem nur, wenn es eben passiert. Jones weiß das. Michael nicht. Er nimmt an *Off the Wall* nur wahr, dass im selben Jahr noch größere Alben erschienen sind. Er will etwas schaffen, das sich, wie er sagt, »weigert, ignoriert zu werden«.

Zu Hause nimmt er mit Randy und Janet eine Demoversion von »Billy Jean« auf. In dem Part, der den Song einmal unsterblich machen wird, singen Janet und Michael noch »Whoo whoo / Whoo whoo«.

Von Michaels Gehirn geht es also über eine kleine Bandmaschine ins Heimstudio. Bruce Swedien kommt vorbei. Wenn man Michael Jackson ist, der am Nachfolger zu *Off the Wall* arbeitet, heißt das auch, dass manchmal der beste Toningenieur der Welt zu dir nach Hause kommt und deine Demos aufnimmt. Das Team arbeitet trotzdem sehr minimal, ohne jede Rauschunterdrückung. »Meistens kommt das Beste dabei heraus«, sagt Michael, »wenn man alles aufs absolute Minimum runterfährt, in sich hineinhört und einfach loslegt.«

Auf diesem Home-Demo, das zwischen der allerersten Fassung und der Albumversion entstanden ist, kann man Michaels geheimnisvolle Platzhalter-Vocals hören. Der eigentliche Text war noch nicht geschrieben. Wir hören ihn sagen: »Mehr Kick und so auf die Kopfhörer ... Ich brauche, ähm ... mehr Gerüst, mehr Kick auf die Kopfhörer.«

Dann die Musik. Und etwas, das sich anhört wie:

»[nuschel nuschel nuschel] oh, to say
On the phone to stay ...
Oh, born out of time.
All the while I see other eyes.
One at a time
We'll go where the winds unwind.

She told me her voice belonged to me
And I'm here to see
She called my name, then you said, Hello
Oh, then I died
And said, Gotta go in a ride
Seems that you knew my mind, now live
On that day got it made
Oh, mercy, it does care of what you do
Take care of what you do
Lord, they're coming down.

Billie Jean is not my lover
She just a girl that says that I am the one
You know, the kid is not my son.«

Swedien – groß, rundlich, warmherzig, skandinavischer Typ, aus Minnesota – hat sich zwar mit klassischer Musik einen Namen gemacht, weiß aber, dass er sich beim Aufnehmen von Klassik auf nichts weiter als auf die Klangtreue konzentrieren kann. Aber er möchte beteiligt sein am Entstehungsprozess und die Songs mitformen. Er, ein frustrierter Anatom, der formal von ganz oben kommt und auf dem Weg nach unten ist, begegnet Michael, dessen Stern im Steigen begriffen ist. Quincy, mitten in seiner Cool-Jazz-Phase, nennt ihn Svensk. Der Weiße pflegt die liebenswerte Gewohnheit, mit beiden Händen gleichzeitig die grauen Enden seines Walrossschnauzers glatt zu streichen. Er hat eine Veranlagung namens Synästhesie. Das bedeutet, er sieht beim Musikhören Farben. Er weiß, dass der Mix erst dann stimmt, wenn er die richtigen Farben sieht. Michael singt gern für ihn.

1993 spricht Swedien in einem Seminarraum in Seattle bei einer Audio-Pro-Nerd-Konferenz über sein Handwerk. Er spielt die Aufnahme von Michaels fehlerlosen, in einem Take abgenommenen Vocals von »The Way You Make Me Feel« vor, ohne jeden zusätzlichen Effekt, um die Toningenieure im Publikum den reinen Stoff hören zu lassen: ein tolles Mikrofon vor einer tollen Stimme, so wenig Interferenz wie möglich, der richtige Winkel, das richtige Aufnahmegerät, fertig.

Jemand im Saal meldet sich und fragt, ob es schwer sei, Michael aufzunehmen, immerhin sei Michael doch, wie Swedien eben selbst gesagt habe, sehr »körperlich«. Swedien kapiert zunächst nicht. »Ja, ganz unproblematisch ist das nicht«, antwortet er, »aber es ist nie vorgekommen, dass das Mikrofon beschädigt worden wäre. Obwohl, einmal …«

Der Fragensteller unterbricht ihn: »Ich meine nicht, dass etwas kaputtgeht, ich meine dieses Nähe-Ding.«

»Oh!«, macht Swedien, dem plötzlich ein Licht aufgeht. Seine Stimme wird zu einem Flüstern: »Er ist unglaublich.« Darauf folgt die schönste aller Beschreibungen: »Michael nimmt im Dunkeln auf, und er tanzt dazu. Stellen Sie sich vor: Sie schauen durch die Scheibe. Und es ist dunkel. Nur ein stecknadelkopfgroßer Lichtpunkt liegt auf ihm.« Swedien hebt die Hand, um einen schmalen Lichtkegel anzudeuten, der senkrecht herunterleuchtet. »Und hier müssen Sie sich das Mikro vorstellen. Er singt seine Zeilen. Und dann verschwindet er.«

In der umgebenden Dunkelheit tanzt er jetzt, wirbelt und zuckt herum. Mehr wissen Quincy und Swedien nicht.

»Aber dann« – Swedien boxt in die Luft – »ist er zum exakt richtigen Zeitpunkt wieder zurück am Mikro.«

Swedien erfindet einen speziellen Reißverschlussüberzug für die Mikrofonierung der Bassdrum bei »Billie Jean«. Ein dämpfendes Gehäuse. Was dem Lied diese mumifizierte Herzschlagintensität verleiht, die einen Dancefloor, Sie werden es selbst schon erlebt haben, lebendig werden lässt. Die geschichteten Bassklänge auf der Eins und der Drei verleihen dem Stück ein schleichendes, katzenhaftes Pochen. Bassdrum, Bassgitarre, ein doppelter Bass aus dem Synthesizer – eben die vier Bässe, die zusammen das machen, was bei Michael und Janet am Anfang noch ein von Jehovah kommendes »Whoo whoo whoo whoo« war. Dessen Tempo wie der Herzschlag eines schlafenden Menschen ist.

Michael ist noch mal für einen Tag zurück im alten Motown-Gebäude, um irgendein Video abzumischen, als Berry Gordy zu ihm kommt und fragt, ob er bei der NBC-Sondersendung zum fünfundzwanzigsten Labeljubiläum dabei sei. Michael zögert. Ein klaustrophobischer Moment für ihn. Dieses ganze Business, seine Brüder, Motown, die Jackson 5, die Vergangenheit: Das alles ist ein Kokon, in dessen Inneren er sich gewunden und durch den er sich endlich nach außen gebissen hat. Er weiß, dass »Billie Jean« eingeschlagen ist wie eine Bombe, er weiß, dass er gerade zu einem ganz anderen wird. Aber wie ein Tier wittert sein Ehrgeiz die Gelegenheit. Er handelt mit Gordy den legendären Deal aus, dass er sich zusammen mit seinen Brüdern auf die Bühne stellen wird, wenn er die Erlaubnis bekommt, auch einen seiner eigenen Post-Motown-Hits zu bringen. Gordy willigt ein.

Was Michael dann – in Anbetracht des Kontextes und der Tatsache, dass seine Brüder gerade erst die Bühne verlassen haben, die Mr. Berry Gordy gehört – mit seinem Moment macht, ist unverschämt. In den YouTube-Clips von diesem Auftritt, die mittlerweile Kultstatus erreicht haben, ist Michaels Vorrede meist weggeschnitten, weswegen es sich lohnt, das Ganze auf DVD anzuschauen (auf der übrigens auch einer der letzten Auftritte von Marvin Gaye vor seiner Ermordung zu sehen ist).

Verschwitzt stolziert Michael über die Bühne. »Danke ... Oh, ihr seid wunderbar ... Danke«, sagt er, vor lauter Sexiness fast lallend. Man merkt ihm an, dass er bei den Jackson-5-Songs Nerven gelassen hat. Jetzt gehört ihm der Raum wie das Innere seines Käfigs. Abermillionen Augen ruhen auf ihm.

»Ich muss sagen: Das waren die guten alten Zeiten«, schwadroniert er weiter. »Ich liebe diese Songs, es waren magische Augenblicke mit meinen Brüdern, auch mit Jermaine.« (Der Hang der Jackson-Familie, in entscheidenden Momenten passiv-aggressive Schläge auszuteilen, ist außergewöhnlich; bei Michaels Beerdigung wird Jermaine sagen: »Ich war seine Stimme und sein Rückgrat, ich habe immer hinter ihm gestanden.« Um dann hinzuzufügen, als fiele ihm gerade ein, sich auch noch bei seinem Agenten zu bedanken: »Wie die gesamte Familie.«)

»Es waren gute Songs«, sagt Michael. »Mir gefallen die Songs sehr, aber ganz besonders gefallen mir« – seine Stimme weicht für eine Sekunde vom Mikro zurück, was die Authentizität des Live-Auftritts derart strahlen lässt, dass einen dieses Strahlen fast festnagelt – »die neuen Songs.«

Unbändiges Kreischen. Er greift nach dem Mikrofonständer so, wie James Brown immer danach gegriffen hat: als ob der Ständer einen Hals hat und er ihn erwürgen will. Die Leute auf den Plätzen schreien: »Billie Jean! Billie Jean!«.

Ich werde die Einzigartigkeit dessen, was er als Nächstes tut, nicht mit Worten zukleistern, will allerdings auf etwas hinweisen, das man ansonsten eventuell übersieht (weil es so offensichtlich ist): Er tut es vollkommen allein. Die Bühne ist überwältigend leer. Die Silhouetten der Orchestermitglieder klatschen ganz hinten im Dunkeln. Wenn man den glitzernden Handschuh – der laut einer Quelle dazu da war, die fortgeschrittene Weißfleckenkrankheit zu kaschieren, die seine linke Hand entstellte – nicht mitzählt, hat Michael nur ein einziges Requisit dabei: einen schwarzen Hut. Und den wirft er fast sofort weg. Bühne, Tänzer, Scheinwerfer. Er schnappt sich das Mikro vom Ständer wie aus den Händen eines nervigen Kindes.

Mit dem Handwerkszeug eines Mimen macht er im Folgenden das möglicherweise Fesselndste, was ein Mensch je vor Zeugen auf einer Bühne gemacht hat. Richard Pryor, der wahrlich nicht dafür bekannt war, ein Schleimscheißer zu sein, geht hinterher zu Michael und sagt schlicht: »Das war der großartigste Auftritt, den ich je gesehen habe.« Fred Astaire nennt ihn den »größten lebenden geborenen Tänzer«.

Michael gesteht *Ebony*: »Ich erinnere mich ganz genau an diese Performance, und ich erinnere mich deshalb so gut, weil ich mich so über mich geärgert habe, denn das war nicht, was ich wollte. Ich wollte mehr als das.« Am Ende des Moonwalks noch länger mit gebeugten Knien auf Zehenspitzen stehen, heißt es. Wenn man richtig hinsieht, kippt er zwar von seinen Zehen, aber mit perfektem Timing, und lässt den Fall zum Teil einer Drehung werden. Genauso wischt er sich gegen Ende exakt getaktet den Schweiß von der Oberlippe.

Die Gefühlstiefe hinter seinem Gesicht sieht unerträglich aus.

Quincy ermahnt ihn ständig: »Smelly, geh mal einen Schritt zur Seite und mach Platz, damit Gott hereinkommen kann.«

Ein Gott bewegt sich durch ihn hindurch. Der Gott tritt ein, der Gott tritt aus.

Es ist seltsam, über einen Menschen zu schreiben, von dem man weiß, dass er eventuell ein mehrfacher Kinderschänder war, ohne das aber sicher zu wissen. Ob Michael es getan hat oder nicht: Die Mutmaßungen haben sein Leben eine sehr lange Zeit überschattet und letzten Endes seine Seele getötet. Es heißt, dass er sich mit denselben Narkotika, die ihm wahrscheinlich den Garaus gemacht haben, betäuben ließ. Nicht stunden-, sondern tagelang. Als wollte er sich auslöschen lassen. Zeugen, die seinen Körper auf dem Seziertisch gesehen haben, berichten, dass seine künstliche Nase fehlte. Dass sein Gesicht nur aus Löchern bestand. Eine Mumie. Zwei unabhängig voneinander durchgeführte, vollständige Autopsien: Sie haben ihn zerstückelt. Zum Zeitpunkt der Niederschrift dieses Textes weiß außerhalb des Jackson-Lagers niemand mit Sicherheit, wo sich sein Körper befindet.

Im vergangenen Monat habe ich einen Stapel Bücher über ihn gelesen, mehr, als ich mir je hätte vorstellen können – aber nicht mehr, als ich wollte. Er verdient eine seriöse, objektive Biografie, die er zweifelsohne eines Tages auch bekommen wird, schließlich fanden in ihm sämtliche großen Stränge amerikanischer Musik zusammen. Dass ihn gerade sein rassisches Dazwischen-Sein zu einer zentralen Figur unserer Kulturgeschichte gemacht hat, müssen wir noch zu akzeptieren lernen. Er hat es bereits begriffen und benutzt. Seine Ehe mit der Tochter von Elvis war in Teilen ein Kunstwerk.

Von allen Büchern beunruhigt und beschäftigt mich das des Promi-Journalisten Ian Halperin am meisten: *Unmasked: The Final Years of Michael Jackson*. Halperin, der für ein Buch und einen Film berühmt wurde, in denen er die zweifelhafte These vertritt, Kurt Cobains Selbstmord sei ein verschleierter Mord gewesen, ist sicher keine ideale, aber eben auch keine nutzlose Quelle. Treffsicher prognostizierte er Michaels Tod sechs Monate im Voraus und scheint sich an vielen Stellen in die Jackson-Welt gewühlt zu haben. Halperin behauptet, dass er mit seinem Buch anfänglich vor allem den Beweis dafür erbringen wollte, dass Michael kleine Jungen sexuell belästigte und sein Geld dazu verwendete, um damit durchzukommen. Diese ursprüngliche Motivation nehme ich ihm sofort ab, denn ein solcher Beweis hätte die meiste Sensationspresse gehabt, den größten Absatz gezeitigt usw. Nachdem er diversen Spuren erschöpfend nachgeht, stellt Halperin schließlich fest, dass ihm jeder Ansatz einer Beweiskette wie Sand durch die Finger rieselt. Entweder verlangt ein vermeintlicher Zeuge – und sei es ein Familienmitglied – Geld oder hat vorher schon Leute angezeigt oder ist offenkundig verrückt. Und fast immer bleibt am Ende nichts außer dem Gerücht, dass jemand anderes etwas über eine angebliche geheime Schmiergeldzahlung gehört haben soll. Und dann gibt es noch Jungen wie Macaulay Culkin (den liebkost zu haben Michael auch vorgeworfen wurde), die an die Öffentlichkeit getreten und angegeben haben, dass nie etwas Unbotmäßiges mit Michael passiert sei. Dass der Freispruch vor Gericht das richtige Urteil gewesen sei.

Das ist die erste Hälfte der Halperin-These. Die zweite Hälfte beschäftigt sich damit, dass Michael ein in vollem Umfang aktiver schwuler Mann gewesen sein soll, der sich sein gesamtes Erwachsenenleben hindurch heimliche Liebhaber genommen hat. Halperin behauptet, zwei seiner Liebhaber getroffen und Bilder gesehen zu haben, die zumindest einen der beiden zusammen mit Michael zeigten. Sie waren jung, aber definitiv volljährig. Der eine erzählte Halperin, Michael sei ein unersättlicher Bottom gewesen.

Was Michaels Interesse an Kindern anbelangt: Man kann sich schwerlich vorstellen, dass es keinerlei erotische Dimension hatte. Aber möglicherweise war es tatsächlich asexuell. Michaels Entwicklung hat im Stadium der Adoleszenz haltgemacht – ungefähr zur Zeit der frühen, verträumten kalifornischen Jahre im gestreiften Sweatshirt –, und er wollte Zeit mit Menschen verbringen, die er als gleichaltrig empfand. Kissenschlachten veranstalten, sich gegenseitig Dödel nennen. Das ist vielleicht gruselig, fordert aber auch keine Opfer. Es würde ihn – medizinisch-kategorial formuliert – zu einem partiell passiven, fixierten Pädophilen machen. Noch kein Verbrechen, jedenfalls solange die Gedankenlese-Maschinen nicht in Gang gesetzt sind.

Ich plädiere nicht dafür, dass Sie sich Halperins Meinung anschließen, ich würde mir nur wünschen, dass Sie zugestehen, was ich mich genötigt sehe zuzugestehen: dass das psychologische Bild, das Halperin heraufbeschwört, nicht weniger plausibel und vielleicht sogar etwas plausibler ist als jenes andere, in dem Michael die Neverland Ranch als Spinnennetz gebraucht, um kleine Jungs in sein Bett zu locken. Wenn Sie so sind wie ich, dann haben Sie einen großen Teil Ihres Lebens unterbewusst angenommen, dass Letzteres mehr oder weniger der Fall ist. Aber es besteht eine gewisse Wahrscheinlichkeit, dass das nie gestimmt hat und dass Michael Kinder mit einer zwar schrägen, aber nicht unmoralischen Zuneigung geliebt hat.

Sollten Sie Lust haben auf ein verstörendes Gedankenexperiment, dann lassen Sie erst einmal diese, ich will nicht sagen: Fakten, aber vielleicht: Möglichkeitsgebilde sacken und sehen sich noch einmal Martin Bashirs Dokumentarfilm von 2003 an. Es bringt nichts, an dieser Stelle die fortgesetzte Dämonisierung von Bashir zu betreiben, der Michael mit seiner Freundlichkeit mehr oder weniger dazu gebracht hat, sich als ultimativer, Gespielen um sich versammelnder Unhold zu verkaufen, vor allem, wenn man sich vor Augen hält, dass Bashir uns relativ offenherzig in Kenntnis setzt von seinen Vorurteilen Michael gegenüber. Nämlich dass er das mit Michael und den Kindern für wahrscheinlich zutreffend hielt.

Wenn man den Film aber mit einer zweifelnden Haltung anschaut und sieht, wie Michael seine Unschuld verteidigt und – Händchen haltend mit einem zwölfjährigen Krebsüberlebenden – fragt: »Was ist so falsch daran, Liebe zu teilen?«, oder sich vor Augen führt, wie er viele Jahre vorher in einem merkwürdigen, auf seine Initiative hin veröffentlichten Statement mit kaum verhohlenem Zorn die Demütigung beschreibt, seinen Penis von der Polizei untersuchen lassen zu müssen – verdammt noch mal, dann erscheint sein Leben plötzlich doch in einem ganz anderen Licht. Es ist nicht völlig von der Hand zu weisen, dass Michael eine Art Märtyrer war.

Wir werden ihn nicht bemitleiden. Dass er sein Schicksal selbst gewählt hat, dass er von vornherein wusste, was der Ruhm mit ihm anstellen, wie er ihn entstellen würde, befreit uns davon, ihn zu idolisieren.

Trotzdem leidet dieses Land an der Pathologie der Pathologisierung. Es ist eine bürgerliche Krankheit, und wir tun recht daran, sie einen großen Scheißdreck zu nennen. Wir beklagen, dass Michael sein Gesicht verändert hat, weil er sich selbst hasste. Aber vielleicht hat er geliebt, zu was er wurde.

In den neunziger Jahren hat *Ebony* ihn in Afrika getroffen. Von Dorfbewohnern in der Elfenbeinküste war er gerade zum König von Sani gekrönt worden. »Sie wissen, dass ich eigentlich keine Interviews gebe«, sagte er in diesem Dorf zu Robert E. Johnson. »Sie sind der Einzige, dem ich genug vertraue, um eine Ausnahme zu machen. Tief im Inneren habe ich das Gefühl, dass die Welt, in der wir leben, eigentlich ein großes, riesiges, monumentales Symphonieorchester ist. Ich glaube, dass die gesamte Schöpfung in ihrer ursprünglichen Gestalt Klang ist, und zwar nicht einfach nur zufälliger Klang, sondern Musik.«

Mögen dies seine letzten Gedanken gewesen sein.

IN UNSEREM AMERIKA

Im Prinzip bekriegten sich schon in der ersten amerikanischen Revolution im Jahr 1609 Befürworter und Gegner des Sozialismus. Das wird selten erwähnt. Seitdem spaltet dieser Graben unsere Nation. Lange vor der Sklaverei und dem Völkermord an den Indianern.

In jenem Jahr sank vor den Bermudas ein Schiff namens Sea Venture. Shakespeares Stück *Der Sturm* basiert teilweise auf ihrer Geschichte. Die Sea Venture war unterwegs, um die junge Kolonie von Jamestown in Virginia zu unterstützen. Das Schiff war also noch nicht einmal hier angekommen – so früh war das.

Einige unter den Passagieren hingen separatistischen Ideen an, Brownisten und Familisten, deren Vorstellungen von Gesellschaft und Christentum von radikalen Sekten aus der Zeit vor dem Bürgerkrieg beeinflusst wurden. Diese Leute waren die Vorfahren der Levellers, Diggers und Quäker (jener Gruppen also, die man aus Christopher Hills 1972 erschienenem Klassiker *The World Turned Upside Down. Radical Ideas During the English Revolution* kennt). In dieser oder jener Form ging es bei diesen Bewegungen immer auch darum, dass man alles miteinander teilen sollte.

Die Passagiere retteten sich ans Ufer und begannen sofort, ein neues Schiff zu bauen.

Einige von ihnen zumindest. Die anderen fragten sich: Was machen wir hier eigentlich? Warum wollen wir unbedingt nach Jamestown, wo wir lediglich koloniale Arbeitsbienen sind, bis wir verhungern oder von Heiden gefressen werden, wenn es auf dieser Insel doch alles gibt, was wir brauchen? Frisches Obst, Fisch, jede Menge Platz. Lasst uns hier in Eintracht zusammen leben, Gott ehren und die Früchte der Erde teilen, und niemand soll mehr des anderen Untertan sein.«

Die Bermudas waren unbewohnt. Keine Indianer. *Terra pura*, reine Erde.

Und was geschah? Die Pilger, die dafür waren, nach Jamestown aufzubrechen, versuchten diejenigen, die auf der Insel bleiben wollten, einzusperren oder zu töten. Also versteckten sich Letztere im Wald.

Um ein Exempel zu statuieren, brachte der Gouverneur einen der Anführer der Abtrünnigen um, einen gewissen Henry Paine. Er wollte ihn hängen, aber Paine bat darum, wie ein Gentleman erschossen zu werden. Seine letzten Worte waren den Quellen zufolge: »Der Gouverneur kann mir den Arsch küssen«. Er hat das wörtlich so gesagt.

Am Ende gingen fast alle nach Jamestown und starben.

Heute ist der 12. September 2009. Wir marschieren.

Genauer gesagt: Wir sammeln uns um einen Festwagen, der uns von der Freedom Plaza bis an die Stufen des Kapitols führen wird.

Einen einzelnen Festwagen sieht man selten, der Rest des Festzugs fehlt. Das Ding ähnelt einem Schiff auf einem Meer aus Menschen. Wir sind das Meer. (Wäre die Atmosphäre anders, könnte man das Ding auch für einen Heuwagen halten, der außer Kontrolle geraten und in einen Mob gedonnert ist).

Vom Schiff herab spricht eine Frau zu uns. Sie ist etwa sechzig und nur schlecht zu sehen. Sie hat ein Mikrofon, doch die Anlage ist machtlos gegen den Lärm der Masse. Man versteht so gut wie nichts. Normalerweise wäre das ärgerlich. Heute ist es aufregend. Wir sind uns selbst schon beinahe zu viele, und wir werden immer mehr. Wir sind nicht mehr die schweigende Mehrheit, sagen unsere Schilder.

Die Frau kündigt jemanden an; wir würden ihn wahrscheinlich schon aus dem Internet kennen, sagt sie. In den letzten Tagen sei er eine YouTube-Berühmtheit geworden. Er hat sich zu
Hause mit seiner Webcam gefilmt und frei von der Leber weg
über diese Nation und darüber gesprochen, was mit ihr passieren wird, wenn die guten Menschen nicht endlich auf die
Barrikaden gehen. Der Mann ist ein Mittdreißiger mit braunen
Haaren. In seinem Video sagt er irgendeinen Satz, der den Nerv
der Leute trifft. Wer es gesehen hat, kennt auch den Satz; ein
paar von uns kennen das Video nicht und hören auch nicht
mehr gut genug, um den Satz heute zu verstehen, aber der Tonfall kommt an. Etwas wie »Ich will mein Amerika zurück!«
Oder: »Was ist mit meinem Amerika passiert?«

Ein Kerl hinter mir hält ein pfiffiges selbstgemachtes Schild
in die Höhe. Aus einem riesigen Pappgesicht von Nancy Pelosi,
der Sprecherin des Repräsentantenhauses, hat er den Mund her-
ausgeschnitten, und jetzt ist da ein Loch, ein klaffender Schlund.
Dahinter hat er wie bei einem Bean-Bag-Spiel auf dem Rum-
mel einen Sack angebracht. Er verteilt Lipton-Teebeutel und
fordert die Leute auf, sie in Pelosis Hals zu hängen. Die Leute
machen mit und lachen, sogar die Damen. Und Pelosi mit ihren
riesigen verrückten Augen schluckt eifrig und starrt uns an.

Das ist nur gerecht. Die Linken haben sich über uns lustig
gemacht, weil einige von uns zunächst nicht kapiert haben,
was die Witze mit den Teebeuteln sollten. »Tea-Bagging« sagt
man, wenn jemand seine Eier in den Mund einer Frau hängt
oder – wenn man eher so orientiert ist – in den eines anderen
Typen. Ein paar von uns, meistens die Älteren, haben sich möglicherweise selbst kurz »Tea-Baggers« genannt, in all ihrer Un-
wissenheit und Unschuld. Heute drehen wir den Spieß um.
Wer Humor hat, den trifft so was nicht.

Auf einer Mülltonne steht eine seltsame Figur und zieht die
Blicke auf sich. Ein kleiner Mann oder eine kleine Frau – man
sieht vom Körper nicht genug, um das zu erkennen – hält ein

selbstgemaltes Plakat mit den Worten »YES I AM« in die Luft. Das Wesen trägt eine Obama-Maske. Wenn jemand »Obama!« schreit, wendet es sich dem Rufenden zu und tänzelt auf der Stelle. Über der Obama-Maske trägt es eine goldene Pappkrone. Obama hält sich für einen König! (Ist das die Bedeutung von »YES I AM«? Ja, ich bin König?) Der König trägt einen leuchtend violetten Zuhältermantel mit einem Kragen aus falschem Leopardenkragen. Ein afrikanischer König also? Der Umhang sieht aus wie etwas, das man in einem Antiquitätenladen im Süden entdeckt, aber dann doch dort hängen lässt. Wir machen ein Foto und drehen uns weg.

Man kann sich nicht mehr so leicht seitwärts bewegen wie noch vor ein paar Minuten. Langsam bewegt sich die Menge weiter. Auf zum Kapitol!

Das Datum ist gut gewählt. In Wahrheit hat man die Demonstration sogar nach dem Datum benannt. Der Marsch des 12. September. »9/12« bezieht sich auf eine Bewegung, die auf Glenn Beck von Fox News zurückgeht, der die Ereignisse heute im Studio begleitet. Glenn will, dass wir als Nation wieder so werden wie am Tag nach dem 11. September. Kein Rot, kein Blau, kein Rechts, kein Links, nur Amerikaner, vereint und bereit. In den Straßen von New York City haben die Menschen Bush damals mit Applaus empfangen, auch jene, die ihn nicht gewählt hatten und das auch 2004 nicht tun würden. Er war der Präsident.

Ist es seltsam, mit Nostalgie auf diesen Tag zurückzublicken? Es war immerhin der erste Tag einer Art Krieg. Die menschlichen Überreste in den Trümmern der Gebäude schwelten noch. Für sehr viele Menschen war es eine zutiefst traumatische Zeit; nur wer die Ereignisse aus großer Distanz erlebt hat oder eine abstrakte Beziehung zu ihnen pflegt, wird sich freiwillig an diesen Tag erinnern – geschweige denn, die Stimmung bewusst noch einmal heraufbeschwören. Man muss schon ein unfassbar großer Narzisst sein, um auf die Idee zu kommen, diesen Zustand bewahren zu wollen. Aber wir haben uns den Namen ja auch nicht ausgedacht. Er stammt von Beck, obwohl der das abstreitet und obwohl er heute nicht hier ist. Im Fernsehen hat er seine Rolle so beschrieben: »Wenn du es baust, werden sie kommen.«

Beck ist ein Entertainer. Wir lieben ihn, aber manchmal übertreibt er es.

Wie viele sind wir? Wie immer, wenn es um die Schätzung politisierter Menschenmassen geht, wird man sich wochenlang über die wahre Teilnehmerzahl streiten. Unter den Anwesenden kursieren wilde Spekulationen (zwischen anderthalb und zwei Millionen); die Nörgler von der Stadtverwaltung werden später viel bescheidenere Zahlen präsentieren (etwa sechzigtausend). Fünfundsiebzigtausend würde der Sache wahrscheinlich am ehesten gerecht. Bei einer Demonstration wie dieser kommt es ohnehin vor allem darauf an, dass sie sich groß anfühlt, und man braucht nicht viel, um sich wie eine Armee zu fühlen.

Ab und zu schreit jemand: »Hört ihr uns *jetzt*?« (Das ist der Satz des Tages, zusammen mit »Ich will mein Amerika zurück!«). Meistens lächeln dann nur die Leute in unmittelbarer Hörweite, oder sie kichern kurz. Man kennt das von Konzerten, wenn jemand im Publikum etwas Witziges ruft und sich alle grinsend nach dem Rufer umdrehen – so gucken wir, wenn jemand »Hört ihr uns *jetzt*?« schreit.

Diese amüsierte Reaktion erinnert uns immer wieder daran, dass es sich bei unserem Marsch auch – vielleicht sogar hauptsächlich – um eine ironische Großveranstaltung handelt. Konservative demonstrieren nicht. Konservative schütteln den Kopf und halten am Straßenrand Schilder in die Höhe, wenn die Linken marschieren. Aber heute marschieren wir selbst. Wir »marschieren«. (Wir können das nämlich auch.)

Das erklärt auch, weshalb so viele von uns glauben, dass zwei Millionen Menschen da sind, was deutlich mehr wäre als bei Obamas Amtseinführung. (Die legte damals die ganze Stadt lahm; wir behindern nicht einmal den Verkehr.) Schließlich war niemand von uns jemals zuvor auf einer Demonstration.

Zum ersten Mal in unserer Geschichte wohnt ein Schwarzer im Weißen Haus, und heute wird erstmals massiv gegen seine Regierung protestiert. Wir sind zu 99,9999 Prozent weiß und glühende Anhänger von rassenhetzerischen TV-Experten – und das in Amerika, wo man keinen Laden betreten kann, ohne mindestens drei heftige, heikle, bisweilen auch inspirierende Vorfälle mitzubekommen oder am eigenen Leib zu erleben, bei denen es um die Spannungen zwischen den Rassen geht –, doch trotz alledem hat das hier heute »nichts mit Rasse zu tun«. Kommende Generationen werden vom »Rassenwunder des 12. September« sprechen.

Wir nähern uns dem Kapitol – ohne Zweifel die bewegendste von Menschenhand geschaffene Sehenswürdigkeit in Amerika. Blickt man in die dunklen Schatten hinter den Säulen, begreift man sofort, dass man ein Stein gewordenes Abbild der amerikanischen Psyche betrachtet, nicht das reale Land, sondern die Idee eines Landes, die himmlische Stadt, die sich die Philosophen des 18. Jahrhunderts ausmalten (man »steckt im wörtlichen und im physischen Sinn mitten in L'Enfants Traum«, wie es in einem Zitat George Sessions Perrys heißt, das man an der Freedom Plaza in den Asphalt graviert hat) –, erwartet uns dort ein überraschender Anblick: ein dunkler Schwarzer mit Sonnenbrille auf einem Videoschirm. Er steht wirklich selbst dort oben, aber man kann ihn vor lauter Menschen nicht sehen. Auf dem Bildschirm dreht er sich um und wendet sich direkt an den anderen Schwarzen, den im Weißen Haus.

Das ist Reverend C. L. Bryant, ein konservativer Prediger aus Louisiana. Heute ist sein großer Augenblick.

»Die Politiker haben Mauern gebaut«, sagt er. »Mauern aus Missverständnissen« (Rufe der Zustimmung), »Mauern zwischen den Rassen« (Brausen), »Mauern zwischen den Klassen« (Tosen).

»Lassen Sie mich die Worte zitieren, die Ronald Reagan vor der Berliner Mauer an Michail Gorbatschow gerichtet hat«, sagt Bryant, und seine Predigerstimme wird dabei dringlicher, unser Lärm verdreifacht sich, »Mr. Obama, reißen Sie diese Mauern nieder!«

Weiß Gott, was das bedeutet, aber er ist auf unserer Seite.

Der Rassismus ringsherum ist unverhohlen. Später wird man zwar das Gegenteil hören, doch er ist einfach nur komisch kodiert. Vielleicht liegt es am fortgeschrittenen Alter vieler von uns – der Faktor, der auch zu der Peinlichkeit mit den Teebeuteln führte –, dass wir immer noch in Siebziger-Jahre-Soulbrother-Slang verfallen, wenn wir rassistisch sein wollen. Der YES I AM-Zuhälterkönig ist nur ein Beispiel, solche Sachen findet man hier zuhauf. Ein Schild zeigt Obama, der ein Grab für die Verfassung buddelt, darunter steht »I don't dig Barack«. Das Beispiel ist jetzt möglicherweise zu subtil, um Sie zu überzeugen. Ein anderes Plakat allerdings zeigt ein Affengesicht und den Schriftzug »HEY, BRUDER, FINGER WEG VON MEINEM GELDBEUTEL«. Sie verstehen vielleicht so langsam, was ich meine.

Ein Vater und sein kleiner Sohn stehen neben einem Baum. Auf dem Schild des Vaters steht »WIR WISSEN, DASS DER PRÄSIDENT HEIMLICH RAUCHT – ABER RAUCHT ER WIRKLICH IMMER NOCH CRACK?«

Dann wieder Musik. Nach Reverend Bryant hat ein konservativer Folksänger die Bühne betreten und spielt ein Lied mit dem Titel »We Gotta Get Back« (zum Zustand des 12. September).

Ronnie Reagan ist überall. »GRABT IHN AUS FÜR 2012« hat ein höflicher junger Student aus South Carolina auf sein Schild geschrieben. Er heißt Franklin McGuire, und ich frage ihn, auf welches Thema es ihm heute besonders ankommt. Er macht einen smarten Eindruck und absolviert diesen Herbst ein Praktikum bei einem konservativen Thinktank in Washington.

»Eigenverantwortung«, sagt er. Er ist noch jung, aber selbst er spürt, dass es bergab geht mit dem Land.

Wenn wir bei kleineren Tea-Party-Veranstaltungen draußen im Land auf Feldern oder in Parks stehen und darauf warten, dass Joe der Klempner seine Ansprache hält, hören wir uns über die Lautsprecheranlage alte Reagan-Reden an, die wir bei iTunes gefunden haben. Darin ist das eigentliche Amerika konserviert. Die Geschichte geht weiter, aber wir steigen aus.

Uns fällt nur ein einzelner Gegendemonstrant auf, sofern er überhaupt einer ist. Der Mann trägt einen Anzug, und sein Plakat fordert »BESTEUERT DIE REICHEN!«. Er steht mitten im Menschenstrom, man kann ihn nicht übersehen. Sein Schild verwirrt die Leute. Ein Tea-Party-Patriot in Jeans, Turnschuhen und Baseballmütze stellt ihn zur Rede. »Was ist denn verkehrt an reichen Leuten? Sind reiche Leute etwa nicht gut?«

»Ein paar von ihnen bestimmt«, antwortet der Mann im Anzug und zuckt mit den Schultern, als werde er von irgendjemand dafür bezahlt, hier rumzustehen. Hinten auf seinem Schild steht christliches Zeug.

Der Patriot kneift die Augen zusammen und will den Mann mit Beleidigungen eindecken, winkt dann aber angeekelt ab und stolziert davon.

Später an diesem Abend half mir ein großer, blonder, »mit Regierungsangelegenheiten befasster Mitarbeiter eines gut vernetzten Wirtschaftsverbands« (kurz: ein Lobbyist von einer dieser Klitschen, angesiedelt in der Halbwelt, in der Versicherungsleute und das politische Washington einander begegnen) im Mandarin Oriental die Minibar einer Suite auszukundschaften, die irgendjemand anderes bezahlen wird.

Der Mann ist mein Cousin, wir sind zusammen aufgewachsen und halten immer noch engen Kontakt. In den vierziger Jahren hat unser Großvater mit zwei alten Freunden eine Versicherung in Kentucky geerbt, die dort bereits seit 1850 im Geschäft ist. In jahrzehntelanger Arbeit machten sie die Versicherung zum ältesten und, über viele Jahre, erfolgreichsten kleinen Unternehmen des Staates. Heute leiten meine beiden Onkel die Firma, sie sind Zwillinge. Eines Tages sollen ihre Söhne sie übernehmen. Das ist die amerikanische Geschichte. Das ist eine amerikanische Geschichte. Mein Großvater fuhr Buicks, meine Onkel fliegen in Privatjets. Mein Großvater versprach Leuten seine Stimme; meine Onkel helfen Leuten dabei, gewählt zu werden. Ich bin am Rand dieser Welt großgeworden, wir waren eine typische Mittelklassefamilie, und ich freute mich über die Vorteile, die die Nähe zu einer solchen Firma mit sich bringt, wenn ich im Country Club wieder mal unzählige Cokes auf den Deckel meiner Cousins trinken durfte. Immer im Bewusstsein, dass dieses Wohlstandserhaltungssystem im Notfall für mich da wäre, dass man dann aber wieder auf Distanz gehen würde.

Sie ließen meine Familie und mich nie etwas von alldem spüren; sie sind nette und humorvolle Menschen, fast schon übertrieben fürsorglich und gastfreundlich. Bisweilen war es beinahe anstrengend. Man bekommt eine Art Taschengeld, wird in Gästezimmern untergebracht, nicht in Hotels – solche Sachen waren Gründe für ihren Erfolg. Aber sie hatten es nie nötig, uns das in irgendeiner Form spüren zu lassen. Sie gehörten zum Südstaatenadel, und wir waren nicht auf den Kopf gefallen. Wenn ich in der Dämmerung vom Balkon aus meinen liebenswerten Cousin mit seinem breiten Lächeln betrachtete (ich hatte einmal dabei geholfen, ihm einen Zahn zu ziehen), kam er mir vor wie der nächste logische Schritt in der Evolution. Als hätte unsere Provinzfamilie in einer Sonde eine Probe unseres Genoms nach Washington geschickt, um zu erkunden, welche Möglichkeiten sich in der Hauptstadt boten. Politik, mein Junge. Ihm gefiel das.

Wir sprachen über den Marsch des 12. September, den wir

uns teilweise zusammen angeschaut hatten. Ich machte ihm und seinen Kollegen Vorhaltungen, immerhin waren eigentlich sie für das Ganze verantwortlich. War der Müll, den diese Leute redeten, nicht ursprünglich den E-Mail-Programmen von Lobbyisten, »ehemaligen Vorstandsvorsitzenden« und anderen zynischen Gestalten entsprungen, die ihre eigenen Interessen verfolgten? Warum sonst sollten die Bürger da draußen eine dermaßen große Angst vor einem »verstaatlichten Gesundheitssystem« haben? Ein nicht unerheblicher Teil von ihnen war in Rollstühlen »marschiert«, viele zeigten deutliche Anzeichen von chronischen Krankheiten und Fettleibigkeit, von ihrem Alter ganz zu schweigen – mit Sicherheit wurde der Löwenanteil der Kosten dafür von Medicare oder vom Ministerium für Kriegsveteranen übernommen. Diese Tea-Party-Leute verdankten dem staatlichen Gesundheitssystem ihr Leben. »Du und dein Vater«, sagte ich, »seid die Einzigen, für die etwas auf dem Spiel steht.«

Mein Cousin wies das zurück. Er habe mit alldem rein gar nichts zu tun. Er und seine Kollegen betrachteten die Demonstranten höchstens als »willkommene Ablenkung«, was ich für mich übersetzte als »sie verleihen einer Sache nützlichen populistischen Glanz, bei der es sich im Kern um eine Meinungsverschiedenheit innerhalb der Eliten darüber handelt, wie die Dinge geregelt werden sollen«.

»Das waren die Palin-Leute«, sagte mein Cousin.

»Genau«, sagte ich. »Das war ›Senioren entdecken das Internet‹.«

Er erzählte mir, ein paar dieser Leute hätten ihn heute in seinem Büro besucht. »Verstehe«, sagte ich. »Und wenn diese Leute dann im Fernsehen lautstark gegen ein staatliches Gesundheitssystem protestieren wollen …«

»Dann ist das doch eine tolle Sache!«

Ich hatte immer noch das fast körperliche Gefühl, mit ihnen da unten auf der Straße zu stehen. Was mein Cousin über sie sagte, spiegelte nicht annähernd wider, wie sie sich selbst sahen. Sie holten sich die Macht zurück, sie nahmen ihr Schicksal in die Hand. Doch selbst der afrikanische Zuhälterkönig war nur eine Art Bauer in einem Schachspiel – oder wie auch immer Bob Dylan das in einem seiner elfminütigen impressionistischen Story Songs ausdrücken würde.

Im Fernsehen liefen Bilder des Marsches, und wir schalteten hin und her zwischen ihnen und einer Sportsendung, die mein Cousin sehen wollte. Die Entfernung zwischen hier oben und dort unten wuchs. Waren wir marschiert, damit meine Verwandtschaft reich bleiben konnte? Waren wir für die Reichen auf die Straße gegangen wie der Typ, der den Gegendemonstranten angemacht hatte? Welch bizarre Wende in der amerikanischen Politik. Der Marsch des 12. September – für den privaten Versicherungskonzern Aetna. Auf dem Weg in die Stadt war ich auf dem Highway an Vans vorbei gekommen, die mit selbst gemachten Pro-Fox-News-Plakaten dekoriert waren.

Mein Cousin erzählte mir beiläufig, er habe vor drei Monaten mit einem wichtigen republikanischen Senator gefrühstückt, der beim Abschied geschworen habe, »die staatliche Lösung radioaktiv zu verseuchen«.

Ich bekam schlechte Laune, die konventionelle Hässlichkeit der Menge fiel mir auf. Alles deutete auf unvermischtes germanisches Material hin. Nein, es war falsch zu glauben, solche Leute würden nicht marschieren; sie marschieren mit Fackeln.

Mein Cousin bekam eine SMS, er musste los. »Viel Glück mit deiner Geschichte«, sagte er. Wir umarmten uns wie Männer.

»DIESES MAL KOMMEN WIR IN FRIEDEN UND UNBEWAFF-NET. DIESES MAL«, stand auf einem der Schilder. Sein Besitzer lächelte allerdings, als stünde er vor dem Studio des Frühstücksfernsehens von NBC.

Ich kam pünktlich zu dem Town Hall Meeting in Virginia, doch die Türen waren zu. Der Raum war bereits überfüllt; die Feuerwehr hatte entschieden. Ein paar von uns warteten vor der Tür. Wenn jemand Neues ankam, folgte immer dasselbe Verbrüderungsritual: »Da ist zu«, murmelten wir freundlich warnend. »Echt? (Er probiert es trotzdem.) Was zum Teufel?« »Genau! Was zum Teufel!«

Ich fragte eine schlanke rothaarige Frau um die vierzig, was sie hierher verschlagen hatte. »Die Angst«, sagte sie. »Ich habe wirklich Angst vor diesem Präsidenten. Ich meine, die reden jetzt schon über Geburtenkontrolle. Wie viele Kinder man bekommen darf. In unserem Amerika.«

Ein Mann kam und zog an der Türklinke. »War klar«, sagte er. »Ist ja ein Linker.« (Er meinte den demokratischen Kongressabgeordneten, der die Versammlung abhielt.)

Die Leute um mich herum schnaubten und brummten verächtlich, es waren aber auch ein paar Gewerkschaftsleute da. »Oh, ein paar von uns sind ziemlich schlau«, sagte einer von ihnen, ein weißbärtiger Kerl.

»Ach wirklich?«, fragte der Mann.

»Ja«, sagte der Gewerkschaftsmann. »Ein paar von uns haben sogar *Master-Abschlüsse* und *Doktortitel*.«

Für eine politische Auseinandersetzung war das ziemlich zahm, aber man konnte sehen, dass die Nervosität in unserer kleinen Gruppe wuchs. (Ein paar Tage später würde jemandem während einer Debatte über das Gesundheitssystem ein Finger abgebissen werden. Wir waren bereit.)

Drei Leute gingen, also ließ der Feuerwehrmann drei neue rein, so funktionierte das hier. Ich brauchte mehr als eine Stunde, um in die Sardinenbüchse von einer Halle zu gelangen, in der sich der Kongressabgeordnete Tom Perriello den Fragen einer sich permanent selbst erneuernden Schlange unzufriedener republikanischer Wähler gegenübersah. Wie sich herausstellte, hätte ich mir keine Sorgen machen müssen, etwas zu verpassen; die Versammlung würde noch ewig dauern. Jeder, der gekommen, war, schien auch etwas sagen zu wollen.

Als wir uns langsam dem Saal mit den Mikrofonen näherten, konnte man durch die Türen vereinzelte Worte hören. Am deutlichsten und lautesten vernahmen wir das Wort »Sozialismus«, und darauf folgten auch die mit Abstand heftigsten Reaktionen.

Ein Mann, den ich von meinem Platz aus nicht sehen konnte, stand auf und sagte zu Perriello (er intonierte eher, als dass er sprach): »Jeder nach seinen Fähigkeiten, jedem nach seinen Bedürfnissen.« Er machte eine Pause. »Nach Karl Marx ist das das Credo des Kommunismus. Und jetzt würde ich gerne wissen: Was ist der Unterschied zwischen diesem Satz ... und dem, was uns bevorsteht?«

Das war der einzige Moment an diesem Tag, als im Saal donnernder Applaus ausbrach.

»Aber das steht in der Bibel«, murmelte ich. »Im Neuen Testament.« (Apostelgeschichte 2 und 4: »Alle aber, die gläubig geworden waren, waren beieinander und hatten alle Dinge gemeinsam. [...] Es war auch keiner unter ihnen, der Mangel hatte; denn wer von ihnen Äcker oder Häuser besaß, verkaufte sie und brachte das Geld für das Verkaufte und legte es den Aposteln zu Füßen; und man gab einem jeden, was er nötig hatte«.)

Die Frau neben mir sah mich an, als hätte ich sie angerülpst.

»Wirklich!«, sagte ich.

Der nächste Redner war finster, leise und bärtig, eine Studie in Braun und Khaki. Er ging langsam nach vorne. Er hatte auf diesen Moment gewartet. »Ich habe eine Frage«, sagte er zu Perriello. »An welcher Stelle der Verfassung steht, dass wir dafür sorgen müssen, dass alle krankenversichert sind?«

Perriello hatte die übliche linke Antwort auf diese Frage bereits gegeben (ich vermute mal, dass die Verfassung ein Betriebssystem ist für die weitere Vollendung des niemals endenden amerikanischen Projekts, keine Kette, die uns an die Geschichte fesselt). Der Abgeordnete verwies auf seine frühere Antwort. »Darüber haben wir bereits gesprochen«, sagte er.

»Danke«, sagte der Mann. »Das beantwortet meine Frage.« Großer Jubel im Saal.

Mir gefiel die Frage des Mannes. Sein Verhalten war für die Situation zwar um ein Vielfaches zu feindselig gewesen, er verkörperte allerdings einen interessanten Aspekt der Entwicklung, die die Debatte um die Gesundheitsreform in diesem Jahr genommen hatte. Anders als bei den meisten Fragen von nationaler Bedeutung, anders sogar als bei den Kriegen, kann man darüber nicht diskutieren, ohne über den Wesenskern Amerikas zu reden. Zum ersten Mal in den einhundert Jahren, in denen diese Forderung ein erklärtes Ziel progressiver Amerikaner gewesen ist (zunächst der Katholiken, später der Arbeiter- und Bürgerrechtsbewegung und schließlich der Verbraucherschützer), haben wir die Mittel und mancherorts den Willen, ein wirklich universelles Gesundheitssystem zu installieren, etwas, das nach Benjamin Disraeli »wenn nicht die erste, dann auf jeden Fall eine der ersten Erwägungen eines Staatsmannes« sein muss. Eine Mehrheit der Bürger – keine große, aber eine stabile – behauptet, dass sie das will, und entweder machen wir das jetzt oder wir lassen es bleiben. In Momenten wie diesem wird einem klar, dass wir immer noch innerhalb der Matrix eines Gedankenexperiments leben, das politische Philosophen im Zeitalter der Aufklärung formuliert haben (wir sind praktisch die Untersuchungsobjekte dieses Experiments), und jetzt stellen wir dieses Experiment in Frage. »Was würden die Gründungsväter tun?« ist nicht länger eine rein akademische Frage, sondern in gewisser Weise der alles entscheidende Punkt. Ist Amerika ein Land, in dem man das macht? In dem man sich um alle kümmert? Oder ist das nicht unser Weg?

Wie es der Zufall will, wurde auch der Über-Gründungsvater Benjamin Franklin im Jahre 1751, kurz vor der Publikation seiner ersten Schriften zur Elektrizität, in eine ganz ähnliche Diskussion über eine Gesundheitsreform und ihre öffentliche oder private Finanzierung verwickelt. Thomas Bond, ein befreundeter Chirurg, wandte sich mit dem Vorschlag an ihn, sich im Parlament Pennsylvanias für den Bau eines Hospitals für arme Kranke in Philadelphia einzusetzen, ein Krankenhaus mit fortschrittlichen Methoden, wie Bond sie in England und am Hôtel-Dieu in Paris kennengelernt hatte.

Bond wusste, dass Franklin zwar andauernd von Plänemachern belagert wurde, dass er neuen Dingen aber nicht abgeneigt war, wenn er sie für sinnvoll hielt. Der Arzt stellte in seinem Vortrag das Gute in den Vordergrund, das eine solche Institution für die ganze Provinz würde bewirken können. Behandle die kranken Armen, und du hast weniger Arme, da Krankheit dauerhaft in die Armut führt oder verhindert, dass man ihr entkommt. Das ist das eine. Zudem brechen Epidemien häufig unter den Armen und Notleidenden aus. Man könnte sie so schneller eindämmen. Die städtischen Hospitäler wären eine harte Schule für Ärzte, die Nachwuchs ausbilden könnten, der ihre Kunst dann aufs Land oder in die besten Kliniken weitertragen würde. Alles Argumente, um Franklin anzuspornen.

In der von ihm gegründeten *Pennsylvania Gazette* und in seinen Reden vor dem Parlament bereitete Franklin die Angelegenheit wochenlang vor. Zuallererst müsse man sich klarmachen, dass es so etwas wie »die Armen« gar nicht gebe. Armut sei eine Zwischenstation, die jeder Mensch passieren müsse, auch Ehrenmänner und -frauen. »In dieser Welt sind wir einander wechselseitig Gastgeber«, sagte er, und verwies auf die uns heute so vertraute explosive soziale Dynamik, die sich in der atlantischen Welt des 18. Jahrhunderts vor seinem Fenster entfaltete und in der »sich die Verhältnisse und Geschicke von Männern und Familien ständig ändern; wir sahen, wie die Kinder reicher Leute innerhalb weniger Jahre in

Not und Elend stürzten und die ihrer Diener zu Landgütern kamen«.

Franklin schlug eine Einrichtung vor, die »ohne Entgelt« die beste medizinische Versorgung für alle bieten sollte (»Ernährung, Behandlung, Rat und Medizin«), ganz gleich, ob »Bürger der Provinz oder Fremde«, sogar »arme, kranke Ausländer«, deren steigende Anzahl und »ungebührliche Manieren« viele in der Kolonie beunruhigten (Franklin eingeschlossen, der schrieb, bald müsse jedermann Deutsch lernen).

Franklin hatte eine ganze Liste von Gründen – er liebte Listen –, aber letztlich lief es auf etwas sehr Grundlegendes hinaus, nämlich dass es völlig inakzeptabel sei, Menschen leiden zu lassen, weil sie sich Hilfe, die prinzipiell zur Verfügung stand, nicht leisten konnten. Das scheine ihm »grundlegend für den wahren Geist der Christenheit«, schrieb Franklin, »und sollte für alle gelten, ob sie es verdienen oder nicht, soweit es in unserer Macht steht«.

»Ihr müsst es bauen«, sagte Franklin zu der Versammlung.

»Nein«, sagte das Parlament, »Sie müssen das mit privaten Spenden schaffen. Wir können keine Steuern von der Landbevölkerung eintreiben, um damit ein Krankenhaus in der Stadt zu errichten.«

»Das wird nicht gehen«, sagte Franklin, »so viel Geld wird man nie auftreiben können; eine vernünftige Gesundheitsversorgung ist teuer.« Er erinnerte an die »entlegenen Teile dieser Provinz«, in denen »Behandlung nur um einen Preis bereitgestellt werden kann, den weder sie [die kranken Armen] noch ihre Gemeinden aufbringen können«.

Außerdem, schrieb Franklin, »ist die Linderung, die ein einzelner Mann den Kranken verschaffen kann, klein, verglichen mit der, die man gemeinsam erreicht«.

»Das Volk wird dem niemals zustimmen«, sagten die Parlamentarier. Doch Franklin wusste, dass die Mehrheit bereits auf seiner Seite war. Er kannte das Volk.

»Mein Vorschlag«, sagte er zu den Parlamentariern, »sieht folgendermaßen aus: Wenn ich und meine Mitstreiter sound-so viel Geld auftreiben [er nannte eine für die damalige Zeit enorm hohe Summe], legt ihr dieselbe Summe oben drauf, und wir bringen das Projekt auf den Weg.«

»Einverstanden!«, sagten die Parlamentarier. Sie wussten, dass Franklin niemals die Mittel auftreiben würde. Sie konn-ten sich großzügig geben, ohne einen Penny aufwenden zu müs-sen.

Franklin zog los und warb in kurzer Zeit eine deutlich hö-here Summe als jene ein, die er vor dem Parlament genannt hatte. Er nutzte den leicht kompetitiven Ansatz seines Spen-denmodells aus, um die Gaben in die Höhe zu treiben. Sie ha-ben behauptet, wir würden das niemals schaffen! Darauf hat-ten die Menschen nur gewartet. Das Parlament, in das Franklin selbst bald gewählt werden würde, war mitsamt den dort ver-tretenen Interessengruppen übertölpelt worden. Niemals ha-be ein Schwindel in ihm so wenig Schuldgefühle hervorge-rufen, sagte Franklin später.

So bekamen wir: das Pennsylvania Hospital. Daraus entstand: die amerikanische Chirurgie. Daraus entstand: die amerikani-sche Psychiatrie.

Ein Jahr später, 1752, kam ein weiterer Freund zu Franklin, der ebenfalls eine Idee hatte, die sich vernünftig anhörte: die moderne Privatversicherung.

Bei der Bürgerversammlung hielt eine Frau ein Schild hoch, auf dem stand: »NEIN ZUR VERSTAATLICHUNG DES GESUND-HEITSSYSTEMS!«

Bei der Hochzeit einer gemeinsamen Cousine traf ich meinen Vetter wieder. Vierhundert Gäste, Abendgarderobe, Empfang im altehrwürdigen Club, eine Soulband, die man direkt aus dem Jahr 1967 auf die Bühne gebeamt hatte. Es war großartig. Ich habe eine schwarz-weiße Katze mit schwacher Blase, und diese Katze hatte auf meine Fliege gepinkelt, also trug ich nur eine schwarze Krawatte zum Smoking. Einer meiner Onkel packte mich am Schlips und sah sich nach Publikum um. »Seht mal«, rief er, als sei er beeindruckt, »fast dem Anlass angemessen!«

Ich hatte das Town Hall Meeting, die Demonstration und die Tea-Party-Kundgebungen mit dem Gefühl verlassen, dass trotz des ganzen Krypto-Rassismus und trotz aller Witze über Waffen und so weiter nichts Ernsthaftes zu befürchten stand, zumindest nicht mehr als sonst – und mit Sicherheit drohte keine Neuauflage des Bürgerkriegs. Diese Leute erinnerten mich an jene alten Russen, die jeden Winter mit pro-sowjetischen Plakaten aus ihren Löchern kriechen. Sie waren die bizarre kapitalistische Spiegelung dieser Nostalgie für den Kalten Krieg, ihre Siegerversion. Die meisten kamen aus Langeweile und Frustration. Und es war auch nicht so, dass man sich nicht doch mit der Hälfte dessen, was sie sagten, irgendwie identifizieren konnte. Die meisten Kritiker zentralistischer Regierungsapparate haben wahrscheinlich mit dem ein oder anderen Punkt nicht ganz unrecht. Zudem schien mir die Hoffnung nicht ganz abwegig, dass es auch sein Gutes haben könnte, wenn so viele Amerikaner sich mit politischen Entscheidungen auseinandersetzten und fragten, ob diese Entscheidungen im Einklang stehen mit den vornehmsten Hoffnungen, die wir für dieses Land hegen.

Zwar las man beunruhigende Nachrichten, etwa im *Boston Globe*, der berichtete, der Secret Service habe große Mühe, der seit Obamas Amtsantritt exponentiell gestiegenen Morddrohungen Herr zu werden. Und Leute wie Sean Hannity, die Karriere gemacht und einen Status zu verteidigen hatten und daher daran interessiert sein sollten, keine allzu radikalen Positionen zu beziehen, begannen, im Radio recht gewagte Dinge zu sagen. Man tat ganz offen so, als sei die Obama-Regierung eine proto-totalitäre Schlägertruppe, die bald auch in Ihrem

Wohnzimmer stehen würde. (Wohlgemerkt: Wir reden von einer Regierung, die nicht in der Lage war, eine verwässerte Gesundheitsreform nach europäischem Vorbild durch den Kongress zu bringen, ohne dabei eine nationale Krise heraufzubeschwören.) Bisweilen drängte sich beinahe die Frage auf, ob da jetzt nicht der alte amerikanische Caliban zum Vorschein kam, dieser Teil von uns, der zwar weiß, was richtig wäre, der sich dann aber doch lieber eine Schlägerei anschaut.

Am 23. September berichtete die Nachrichtenagentur AP in einer kurzen Meldung, am Tag des »Marsches des 12. September«, in dem Moment, als wir uns den Stufen des Kapitols näherten, hätten entsetzte Touristen in der Nähe von London im Südosten Kentuckys die Leiche eines Volkszählers aus der Gegend gefunden. Viele der Radiomoderatoren, die von den Demonstranten wie Propheten verehrt wurden, hatten ihre Hörer zum Boykott der Volkszählung aufgerufen: Der Zensus sei ein Tentakel der Regierung, mit dem sie in unser Privatleben und unser Eigentum eindringen wolle. War dieser Mord ein erster Warnschuss der radikalen Rechten? Das Magazin schickte mich hin.

»Du fährst nach London?«, fragte mein Cousin, und fast automatisch sagten wir beide: »Warum Kentucky verlassen, wenn es dort Paris, Athen und London ...« (Ein alter Witz.)

Ich war noch nie in London gewesen, zumindest nicht in London, Kentucky. Ich wusste, dass wir uralte Wurzeln in diesem Teil des Staates hatten. Auf dem Weg las ich auf Plakatwänden immer wieder den Mädchennamen meiner Mutter. Ohne Zweifel würde der Geist des Ortes spüren, dass sich mit diesem Besuch nach langer Zeit ein Kreis schloss, und mich wie einen Einheimischen begrüßen. Leider machte die örtliche Polizeichefin dann einen ziemlich verärgerten Eindruck, meine Anwesenheit schien sie geradezu anzuwidern.

»Warum sind Sie hier?«, fragte sie mich, wobei sie mit vor der Brust verschränkten Armen an der Wand lehnte.

Ich hielt das für einen Scherz, denn allein im letzten Monat waren mehr Reporter nach London gekommen als in den letzten zehn Jahren zusammen. Alle hatten dasselbe gewollt. »Nun«, sagte ich mutig. »Sie wissen doch, warum ich hier bin.«

»Nein, das weiß ich nicht«, sagte sie kühl. »*Was suchen Sie hier?*«

Sie sah aus, als habe man die Fernsehmoderatorin Nancy Grace in die Uniform der Nationalgarde gesteckt. Sie war jünger, und ihrem Haar fehlte wohl die Magneto-Helm-Kraft der Frisur der berühmten Crime-Show-Moderatorin – ich stelle mir immer vor, dass die Produzenten kurz vor Beginn der Aufzeichnung in einem abgedunkelten Raum den Haarhelm ganz langsam auf ihren Kopf herablassen, während sie bewegungslos dasitzt und sich vorbereitet –, aber die Silhouette der Polizeichefin und ihr spöttisches, abweisendes Lächeln waren gleich.

»Das ist interessant«, sagte ich (in der Hoffnung, dass sie ein »Auch Ihnen einen schönen Tag, Beschützerin unseres geliebten Gemeinwesens« heraushören würde). »Glauben Sie nicht, dass es hier eine Geschichte gibt?«

Man hatte Bill Sparkman, den Volkszähler, in einem angrenzenden, überwiegend bewaldeten County gefunden, nackt an einen Baum gefesselt. Jemand hatte mit einem dicken Filzstift »FED« auf seine Brust geschrieben und seinen Dienstausweis an seinen Nacken gepinnt, wie man sonst erlegtes Wild kennzeichnet. Kurz zuvor hatte eine rechte Kongressabgeordnete aus Minnesota ihre Mitbürger im Fernsehen daran erinnert, dass man die japanischstämmigen Amerikaner im Zweiten Weltkrieg mittels einer Volkszählung zusammengetrieben und dann in Internierungslager gesteckt hatte. Das war mir nicht bekannt, ich hatte gerade erst erfahren, dass Sparkman am Tag des Marsches von Washington gefunden worden war. Es sah aus wie ein regierungsfeindlicher Lynchmord.

Das FBI schaltete sich ein, aber die Londoner Polizei leitete die Ermittlungen, und nach sechs Wochen war man gerade einmal so weit, dass man offiziell von einem Tötungsdelikt sprach. Jetzt erzählte mir die Polizistin – eins der wenigen Dinge, die sie mir überhaupt erzählen würde –, die Polizei wolle die Geschichte mit dem Lynchmord »im Keim ersticken«. Die Leiche des Volkszählers hatte man eingeäschert. Die Polizeichefin behauptete, sie warte immer noch auf die Ergebnisse der forensischen Untersuchung.

Ich weiß nicht, wie es Ihnen geht, aber mein eingebauter Story-Sensor blinkte grün!

Sie gab mir ihre Visitenkarte. Gegen Ende des Gesprächs war sie sogar einigermaßen nett. Ich verstand, wie sehr es an jemandem, der – wie sie – aus der Gegend stammte und diesen Teil des Landes liebte, nagen musste, wenn plötzlich lauter Auswärtige mit ihren Wahrheitsansprüchen hereinplatzten. Leute, die diesen Staat sonst nur während des Kentucky Derbys zur Kenntnis nahmen oder wenn etwas außergewöhnlich Schreckliches geschah, und die zu den »irren Landeiern gebracht werden wollten, die den Mann von der Regierung umgebracht haben« (das war im nahegelegenen Manchester tatsächlich passiert). Die Polizistin wusste, was Amerika über sie und ihre Kollegen dachte. Sie wusste auch, dass sie gute Arbeit machte. Die Kombination musste sie ärgern.

Ihr Assistent, ein Beamter, der während des Interviews schweigend dabeigestanden hatte, sagte nur einen bemerkenswerten Satz, nämlich dass er überzeugt sei, dass man über diesen Fall noch lange sprechen würde – ganz egal, wie er ausgehe.

Sie wünschten mir Glück.

Der Friedhof, auf dem Bill Sparkman gestorben war, lag malerisch an einem Hang, wie man sie in der zerklüfteten Höhlen-und-Hügel-Landschaft im Südosten Kentuckys häufig findet.

Kentucky kann manchmal atemberaubend schön sein, wenn sich eine kleine Straße plötzlich zu einer Lichtung öffnet. Wenn Sparkman sich hier aufgehängt oder erdrosselt haben sollte, wie manche glauben, hatte er sich eine dramatische Kulisse ausgesucht. Die Touristen aus Ohio, die Sparkmans Leiche entdeckten, als sie die Gräber von Angehörigen besuchten, und die den starken Eindruck hatten, dass er sich nicht selbst umgebracht hatte, sondern grausam ermordet worden war, sagten später Reportern gegenüber, es habe so ausgesehen, als solle Sparkman genau so gefunden werden.

Der Friedhof liegt wie eine Treppe aus verwittertem Fels am Rand eines natürlichen Amphitheaters, in den tiefsten Festen des Daniel Boone National Forest. Ich bezweifle, dass ich den Ort ohne das Navigationssystem des Mietwagens gefunden hätte (obwohl der Friedhof in der Nähe einer Hütte lag, die meinen Vorfahren gehört hatte und in der ich als Kind einmal gewesen war – wir waren in irgendeinem Jeep durch ein Flussbett gefahren, und mein Bruder hatte eine alte Flasche mit Quacksalber-Medizin entdeckt, versteckt in einer Ritze der Küchenwand).

Man konnte sich nur schwer vorstellen, dass es möglich war, auf so einem steilen Hügel tatsächlich Menschen zu begraben. Die Gräber hatte man zwangsläufig fast terrassenartig angelegt, es gab kleine hölzerne Stühle und Bänke, weil man nicht stehen konnte. Grab um Grab ging es aufwärts. Ich brauchte eine Viertelstunde, um auf den Kamm zu klettern. Beim Aufstieg bewegte man sich rückwärts durch die Generationen der Familie Hoskins, erst kamen moderne Grabsteine mit laminierten Fotos von Typen mit E-Gitarren, dann ältere Betonplatten mit plumper Beschriftung und Schreibfehlern, schließlich flache Steine aus dem Fluss, die die längst unleserlichen Initialen der Ur-Hoskinses trugen. Weiter oben, jenseits der Gräber, schritt man auf einem schweren Teppich aus Moos und Flechten, Arten, die aus anderen Arten wuchsen. Von unten hatte der Hügel für einen Novembertag seltsam grün ausgesehen – jetzt war klar, warum.

Der Todesbaum selbst war riesig und herrlich anzusehen. Seine Blätter klimperten unaufhörlich im Wind eines stürmischen Tages, als habe man die Zweige mit dünnen Kupfermünzen behängt. Der Baum hatte schon vor dem ersten Hoskins hier gestanden.

Man fand Bill Sparkman aufgeknüpft an einem der Äste, er hing jedoch nicht in der Luft. Die Tatsache, dass Teile seines Körpers den Boden berührten, war der Polizistin wichtig gewesen (über Gebühr, wie ich fand). Anders ausgedrückt: Er baumelte nicht, wie man es auf Bildern von Lynchmorden sieht. Sparkmans Hände waren mit Isolierband gefesselt, in seinem Mund steckte ein roter Knebel. Bis auf die Socken war er nackt. Neben dem verdächtigen Wort auf seiner Brust fiel vor allem sein Dienstausweis auf. Abwehrspuren gab es nicht. Er war genau hier den Erstickungstod gestorben.

Mord, Selbstmord, Unfall – die Polizeichefin bestätigte, unfassbarerweise, wie ich fand, dass man noch keine der drei Möglichkeiten ausgeschlossen hatte. Es war schwer zu begreifen. Selbst-Lynchmord?

Ein paar Tage vor meiner Ankunft hatte eine regionale Zeitung eine Kontaktperson bei einer Polizeibehörde zitiert, die nicht direkt mit dem Fall befasst war, aber angedeutet hatte, wer verstehen wolle, was mit Bill Sparkman geschehen sei, solle sich noch einmal den Tod von David Carradine vor Augen führen. Carradine, Sie erinnern sich vermutlich, wurde im Schrank seines Hotelzimmers in Bangkok erhängt aufgefunden. Offenbar war bei einer autoerotischen Handlung etwas schiefgegangen.

Oder hatte die Quelle sich auf die Familie des Schauspielers bezogen, als sie Carradine ins Spiel brachte? Einige Angehörige beharrten schließlich immer noch darauf, er sei einem als autoerotischer Erstickungstod getarnten Mord zum Opfer gefallen.

Ich legte mich ins Moos. Es war unglaublich weich. Wie eine Matratze, die sich ein Milliardär mit Rückenproblemen maßschneidern lassen würde. Kein bisschen nass oder matschig.

Wenn es ein Tötungsdelikt gewesen war – ob nun vorsätzlich oder versehentlich –, steckte dann vielleicht eine Sache unter Schwulen dahinter? Nicht gerade die aufgeklärteste aller Fragen, aber sie stellte sich. Wenn man wollte, konnte man Sparkmans Vita problemlos auf eine doppeldeutige Art zurechtbiegen. Mittelalter Junggeselle, ehemaliger Messdiener, alleinerziehender Vater eines adoptierten Sohnes, lebenslange Verbindungen zu den Pfadfindern, Aushilfslehrer an der Grundschule, feminine Stimme. Das letzte Detail kannte ich, weil ich mir im Internet eine Rede angehört hatte, die Sparkman im Jahr zuvor gehalten hatte. Nachdem er an einer Online-Universität seinen Abschluss gemacht hatte, bat man ihn, im Namen seiner Klasse ein paar Worte zu sagen. Seine Geschichte war dazu angetan, andere zu inspirieren. Während er sich auf die Prüfungen vorbereitete, hatte er nämlich gegen eine Krebserkrankung gekämpft, wie es damals aussah mit Erfolg. Er war ein Mann mit einem runden, teigigen, freundlichen, bebrillten Gesicht und schütterem rötlichem Haar. Auf dem Bild, das man am häufigsten von ihm sah, trägt er eine Wollmütze, die seinen nach der Chemotherapie kahlen Kopf bedeckt; er beugt sich von hinten über die Schulter eines männlichen Schülers und deutet auf etwas auf einem Stück Papier.

Während ich dort lag, glühten die Drähte der TV- und Radioexperten, die Blogosphäre rauschte; überall wurde darüber spekuliert, was auf diesem moosbewachsenen Hügel nun passiert sein mochte oder eben nicht.

War Sparkman auf seiner Volkszählrunde Psychopathen in die Arme gelaufen, die dort unten Crystal Meth brauten? Hatte er sie gefragt, wie viele Menschen in ihrem Wohnwagen lebten und womit sie ihr Geld verdienten? Hatte er sich so den Erstickungstod eingebrockt?

Die Linken witterten, dass etwas unter den Teppich gekehrt werden sollte. Sparkmans Blut klebe an den Händen all der Glenn Becks und Michele Bachmanns dieses Landes. Die Rechten klammerten sich derweil an jedes vage Indiz, das dafür sprach, dass es sich nicht einmal um Totschlag handelte, geschweige denn um eine politische Hinrichtung. Da sieht man ja mal wieder, wie schnell Ihr Linken dabei seid, wenn es darum geht, uns zu dämonisieren! Beide Seiten fauchten sich an, ein Ritual, das heute so routiniert abgespult wird wie eine Nummer aus der *West Side Story*.

Verspätete orangefarbene Schmetterlinge flatterten über mein Bett im Moos. Auf dem Weg hierher war ich an Straßenschildern vorbeigekommen, die direkt aus unserer Familienbibel zu stammen schienen. Brightshade, Barbourville. In Barbourville hatte meine Urururururgroßmutter Kate Adams der Bürgerwehr während einer Zeremonie eine Flagge der Union überreicht. Das örtliche College stellt diese Flagge bis heute aus. Meine Ahnen gehörten zu den seltsamen Südstaatlern, über die man in Büchern über den Bürgerkrieg nur selten liest: weiße Landbesitzer und Sklavenhalter, die jedoch als überzeugte Republikaner für den Norden kämpften. Mitten durch Kentucky ging damals ein tiefer Riss. Deshalb sagen sie, Brüder hätten gegen Brüder gekämpft, wenn von uns die Rede ist. Meine Ahnen entließen ihre Sklaven aus einer Haltung des »Na gut, dann rennt halt weg« heraus in die Freiheit – sie sahen keinen anderen Ausweg, und wohl nur die Edelmütigsten unter ihnen waren erleichtert, endlich das Richtige zu tun und das große Experiment voranzutreiben, anstatt es aufzuhalten. Ich hörte den Motor eines näherkommenden Fahrzeugs und wartete, dass es vorbeifahren würde. Es fuhr nicht vorbei. Das machte mich nervös. Sie hatten mein Auto gesehen. Man kann nicht oft genug erwähnen, wie weit abseits der Zivilisation diese Stelle liegt – eine knappe Meile weiter endet die Straße. Wenn man im Daniel Boone Forest in einer Sackgasse

landet, steckt man ziemlich tief in einer der größten bewaldeten Mittelgebirgslandschaften, die in Amerika heute noch übrig sind. Man kann sie aus dem Weltall sehen. Auf meinem Weg
über die verschlungenen, steilen Straßen hatte ich Klapper-
schlangen in den Flussbetten gesehen. Davon gibt es nicht
mehr viele. Es war eine Zeitreise nach Kentucky-Art. Ich wollte
nicht paranoid oder dumm sein, also wartete ich erst einmal
ab. Wer auch immer da war, fuhr außer Hörweite.

Als ich den Wagen startete, sah ich, dass sie noch ganz in
der Nähe waren. Ein Deputy-Sheriff parkte mitten auf der Straße. Er musste den Friedhof Tag und Nacht beobachten, denn
dass er mich ausgerechnet an dieser Stelle in Clay County
zufällig gefunden hatte, war extrem unwahrscheinlich. Erwartete er, dass ich anhielt und ausstieg? Ich stoppte direkt
hinter ihm, mit einem mulmigen Gefühl ließ ich den Motor
laufen. Dann entschied ich mich, ihn langsam zu überholen.
Wir winkten uns zu. Ein lächelnder Mann mit grauem Schnurrbart und Brille. »Kommen Sie wieder«, sagte er und ließ mich
fahren.

Die nächsten paar Meilen blieb ich unruhig. »Kommen Sie
wieder.« War das unheimlich? Eine schiefe, zynische Veral-
berung des herzlichen »Come back, now, y'hear!«, wie man
es aus dem Süden kennt? Eine beiläufig ausgesprochene Dro-
hung?

Nein, es war Ironie. Auf Fremde zu achten, die riesige Umwege in Kauf nahmen, um frische Tatorte zu besichtigen, gehörte durchaus zu den Aufgaben eines Deputys. Jemand musste ihn wegen mir angerufen haben. Hatte ich mich vorher nicht
kurz verfahren? War ich dabei nicht an einem Schrottplatz
vorbeigekommen, auf dem die Hunde angeschlagen hatten?
Der Schrotthändler hatte angerufen. Wahrscheinlich amüsierte sich der Deputy über uns verirrte Gaffer, die hier mit ihren
Navigationssystemen ankamen, um den Baum zu sehen, an
dem Bill Sparkman gestorben war. Als er »Kommen Sie wie-

der« sagte, meinte er: »Ich weiß, dass wir Sie hier nie wieder sehen werden«. Und das sollte wiederum so viel heißen wie: »Und darüber bin ich auch froh, du opportunistischer Clown, der du noch einmal in deine Provinzheimat gekommen bist, um jetzt zurück ins Büro zu fahren und dort einen Artikel zu schreiben, in dem du mich so dämlich und furchterregend aussehen lassen wirst, wie es nur irgendwie geht. Und das, obwohl wir schon seit den Zeiten Daniel Boones in diesem Wald sitzen und ums Überleben kämpfen, während du dein Leben lang rumgehüpft bist wie ein Floh, immer auf der Suche nach Geld.«

Das alles hatte er zwar nicht explizit gesagt, aber es schwang doch mit in diesem »Kommen Sie wieder«. In Kentucky kommuniziert man über die Lautstärke und das Tempo hingebrummter Standardphrasen. Als sich unsere Blicke im Vorbeifahren begegneten, hatten der Deputy und ich einen Zustand absoluter sozialer Transparenz erreicht.

Das heißt nicht, dass ich auf dem Rückweg nicht doch sorgfältig darauf geachtet hätte, eine möglichst exzentrische Route zu wählen. Ich fuhr im Kreis und hielt an Tankstellen, um für den Fall meines Verschwindens Anhaltspunkte zu liefern, anhand deren sich die Chronologie würde rekonstruieren lassen. In einer Tankstelle wurde ich Zeuge einer Unterhaltung über Religion. Ich zögere fast, sie aufzuschreiben, weil sie so ausgedacht klingt. Die Frau an der Kasse redete mit einem Hillbilly, der gerade ein Päckchen Billigzigaretten gekauft hatte. Der Typ meinte, dass es in diesem Teil von Kentucky alle möglichen Religionen gebe.

»Haben Sie schon mal Schlangen gesehen?«, fragte die Frau. Sie meinte die christlichen Schlangenbeschwörer, die es hier im Süden noch gibt.

»Nee«, sagte der Mann. »Sie?«

»Nicht in der Öffentlichkeit«, antwortete die Frau. »Aber ich kannte Leute, die das im Hinterzimmer machten.«

Während ich zahlte, tauschten sie ein paar Nichtigkeiten aus, dass jeder seinen eigenen Glauben habe etc. Doch dann sagte die Frau: »Sagen wir so, wenn zehn Leute einen Autounfall sehen, erzählt jeder der Polizei eine andere Geschichte.« (Eine anschauliche Art, das Gleichnis von den Blinden, die den Elefanten abtasten, auf Kentucky zu übertragen, wie ich fand.)

»Sagen Sie mir, welcher von ihnen aussteigt, um zu helfen«, sagte der Mann, »und seine Religion wird meine Religion sein.«

Die Frau und ich standen da. Uns beiden war auf unsere je eigene Weise bewusst, dass uns Snuffy Smith da gerade durch eine Öffnung in seinem vom Tabak braunen Bartnest eine höhere Weisheit vor die Füße gespuckt hatte.

Zurück im Hotel rief ich Sparkmans Sohn Josh an. Ich war ihm schon einmal in der Auffahrt vor ihrem Haus begegnet. Ein mit allerhand schwerem Gerümpel beladenes Sofa hatte wie eine Barrikade vor der Haustür gestanden, und ein riesiger Hund hatte auf eine Weise gebellt, die klarmachte, dass er so lange weiterbellen würde, bis man verschwand. Ich wollte Josh gerade eine Nachricht hinterlassen, als er in die Einfahrt bog. Er war ein bärtiger Junge mit dunklem Haar und sorgenvollen Augen, erst höflich, dann unerwartet redselig. Er sei nur hier, um ein paar Sachen vorbeizubringen. Wir könnten uns später treffen.

Josh beharrte darauf, dass sein Vater sich nicht umgebracht habe. Er wiederholte mir gegenüber, was er auch den anderen schon gesagt hatte: Ein Mann, der so tapfer gegen den Krebs kämpft, bringt sich nicht um. Bill Sparkman hatte jeden Tag bewiesen, wie sehr er am Leben hing. Es machte Josh wütend, dass die Polizei seinem Vater auch noch die Würde des Opfers verweigerte. Ihre Rumeierei ließ die ganze Sache immer geschmackloser werden. Tatsächlich versetzten mich an meinem letzten Tag in London zwei meiner zuvor kooperativen Interviewpartner. Niemand wollte mehr etwas mit dieser Geschichte zu tun haben.

Joshs Interesse an der Feststellung der Todesursache hatte jedoch auch ganz praktische Gründe. Er wollte das bescheidene Farmhaus behalten, das als sein Erbe gedacht war. Bill Sparkman hatte sechzehn Jahre lang gearbeitet, um Josh dieses Haus hinterlassen zu können. Ohne das Geld aus der Lebensversicherung seines Vaters würde er es verlieren.

Er erzählte mir, dass die Versicherung schon Probleme gemacht hatte, ehe die Leute überhaupt angefangen hatten, den Tod seines Vaters wie einen Selbstmord aussehen zu lassen. Sie hatten behauptet, sein Vater habe eine Rate nicht gezahlt und die Versicherungspolice sei schon vor seinem Tod ungültig gewesen. Josh wollte wissen, ob ich Rechtsanwälte kannte.

Er und sein Vater hatten im Jahr zuvor eine schwierige Phase durchgemacht. Während Bill gegen den Krebs kämpfte, war Josh mit ein paar geklauten Sachen erwischt worden und schließlich bei einer Church's-Chicken-Filiale gelandet. Sie hatten ihre Beziehung seitdem allerdings gekittet und sich noch kurz vor Bills Tod gesehen.

Die ganze Sache war todtraurig, wenn nicht sogar schlimmer. Das war die eigentliche Frage, glaube ich: War alles noch schlimmer? Betraf das alles mehr als nur diese paar Leute hier unten? Die Polizeichefin war direkt zum Punkt gekommen: »Was suchen Sie hier?« Als auch Josh mich am nächsten Tag versetzte, packte ich meine Sachen und flog nach Hause.

Der Abschlussbericht der Polizei kam Wochen später – ich sah mir die Ausführungen der Polizeichefin live im Internet an – und war wie eine finstere Schlusspointe. Bei Sparkmans Tod ging es vor allem um das Gesundheitssystem. Ohne eine vernünftige Versicherung hatte er sich im Kampf gegen die Lymphome finanziell ruiniert. Um seine Schulden und die Hypothek abzuzahlen, hatte er mehrere schlechtbezahlte Jobs angenommen und auf seinen Abschluss hingearbeitet, der ihm minimal bessere Möglichkeiten eröffnen würde. Bei der Volkszählung arbeitete er, wie die meisten anderen auch, aus reiner Not mit.

Die polizeiliche Untersuchung ergab, dass Sparkmans Selbstmord Teil eines tragischen Falls von versuchtem Versicherungsbetrug war. Kurz vor seinem Tod hatte er zwei Lebensversicherungen abgeschlossen. Würde er sich umbringen, wären die Policen ungültig, doch für Mord galt das nicht. Er hatte gerade erfahren, dass der Krebs zurück war. Nur auf diesem Weg konnte er Josh etwas hinterlassen. Josh wusste von alldem nichts. Sie hatten das Rätsel unter anderem gelöst, indem sie das Wort FED auf Sparkmans Brust untersuchten. Die Form der Buchstaben ermöglichte Rückschlüsse auf die Beugung des Handgelenks, das den Stift hielt. Und die war so, wie man sein Handgelenk beugt, wenn man versucht, etwas auf die eigene Brust zu schreiben.

Meinen Cousin sah ich bei einer Feier in dem kleinen Dorf an einem See im Norden Michigans wieder, in dem die Familie meiner Mutter seit dem 19. Jahrhundert jeden Sommer verbringt. Es ist eine Art Utopia aus kleinen viktorianischen Hütten, in der Zeit eingefroren wie das Dorf Brigadoon, ein WASP-Paradies. Meine Onkel richteten ein Fest für einen weiteren Cousin aus, den Bruder des Lobbyisten, der gerade aus Afghanistan zurückgekehrt war, wo er als Nachrichtenoffizier gedient und »es ihnen gezeigt« hatte, wie er sagte. Im Ernst: Er war in den tödlichsten Monaten seit dem Einmarsch dort gewesen. Meiner blonden Tante, seiner Mutter, merkte man die Erleichterung fast körperlich an.

Der Lobbyisten-Cousin sagte, in Washington werde die Luft dünner. Seit der Abstimmung im Repräsentantenhaus war die Stimmung zugunsten der staatlichen Lösung gekippt. Gerade erst an diesem Morgen hatte ihn sein Chef mit den Worten »Wahrscheinlich sind wir am Arsch« verabschiedet.

Von der Terrasse aus konnte man die tiefgrüne Wiese überblicken, auf der wir als Kinder um die Wette gerannt waren; von der hinteren Veranda sah man den kleinen, postkartenschönen Hafen. Die weißen Segel der Sportboote hingen bewegungslos im Nachmittag wie Motten an einer blassblauen Wand. Wir waren hier aufgewachsen, in diesem Paradies für Kinder. Und all das dank einer Versicherungsfirma. Jetzt rannte meine eigene Tochter an uns vorbei, sie jagte einem Hund hinterher. Konnte man etwas gegen diese Welt haben? Es ging doch viel eher darum, dass alle diese Dinge haben sollten.

Ich fragte meinen Cousin, ob er noch ein paar Tage hierbleiben könne oder ob er zurück nach Washington müsse.

»Ich muss zurück«, sagte er. »Nächsten Monat kommt es im Senat zum Showdown. Es gibt noch viel zu tun.« Jede Menge Frühstücksverabredungen und Bürobesuche. Ein Senator prophezeite einen »Heiligen Krieg«.

»Die Verhältnisse und Geschicke von Männern und Familien«, sagte Franklin, »ändern sich ständig.«

Ich hoffte, mein Cousin würde scheitern, und wünschte ihm Glück.

HÖHLEN OHNE NAMEN

In einem berühmten Bonmot bezeichnete Henry Louis Mencken den amerikanischen Süden als die »Sahara of the Bozart«. Der Witz besteht darin, dass ein Südstaatler genau das hört, wenn jemand *beaux arts* sagt, schöne Künste. Mencken übertrieb natürlich, aber schon damals gaben ihm viele Südstaatler recht: Die Region hat immer ihre Genies hervorgebracht, aber niemand hat je von ihr als Brutkasten der Zivilisation gesprochen.

Es ist deshalb umso seltsamer und wundervoller, dass Archäologen in Tennessee in den letzten Jahrzehnten – still und von der Öffentlichkeit kaum bemerkt – kunstvolle, jahrtausendealte prähistorische Höhlenmalereien entdeckt haben. Man findet diese Bilder nicht in der *twilight zone*, wie Speläologen den an die Eingangskammer grenzenden Bereich nennen, der noch von diffusem Sonnenlicht erreicht wird. Die amerikanischen Ureinwohner, die diese Kunstwerke geschaffen haben, mussten vielmehr, mit Fackeln aus Schilf bewaffnet, unter großen Gefahren Meter, bisweilen sogar Kilometer auf Knien tief ins Innere dieser Höhlen kriechen, in Bereiche, in denen absolute Dunkelheit herrscht. Ein paar befreundete Hobbyforscher, die für die amerikanische Forstverwaltung arbeiteten, entdeckten 1979 die erste dieser Höhlen. Sie hatten einen alten Felsenkeller erkundet und sich durch einen schmalen Durchgang gezwängt. Die Wände waren von einer dünnen Lehmschicht überzogen, Rückstände längst vergangener Überschwemmungen, die von der stabilen Temperatur und Feuchtigkeit in der Höhle bewahrt worden waren. Das Zeug war noch weich. Zunächst sah es so aus, als hätte ein Kind mit Finger-farbe alles vollgemalt – die Männer waren sich nicht einmal si-cher, ob es sich lohnen würde, irgendjemandem davon zu er-zählen. Der Älteste unter ihnen interessierte sich allerdings für Lokalgeschichte. Ein paar der Motive hatte er bereits als Malereien auf Töpfen und Schalen gesehen, die man auf den Feldern der Gegend gefunden hatte: Vogelmänner, ein tanzen-der Krieger, eine gehörnte Schlange. Hier gab es zudem natu-ralistische Tierdarstellungen: eine Eule und eine Schildkröte. Ein paar der Bilder schienen erst gemalt und dann auf ritual-hafte Weise verstümmelt worden zu sein, erstochen oder mit einem Stock verprügelt.

Über die Entdeckung der Mud Glyph Cave wurde weltweit berichtet, es gab ein Buch und einen Artikel im *National Geo-graphic*. Niemand wusste damals, wie man die Höhle einordnen sollte. »Am ehesten«, berichtete der *Christian Science Moni-tor*, »ist sie mit den südfranzösischen Höhlen und ihrer Eiszeit-kunst zu vergleichen.« Ein Team von Wissenschaftlern kam vor Ort zusammen. Die Glyphen, stellten sie per Kohlenstoff-datierung einiger halbverbrannter Schilfreste fest, waren etwa achthundert Jahre alt und konnten der Mississippi-Kultur zu-geordnet werden, dem Vorläufer der heutigen Stämme im Süd-osten und Mittleren Westen der USA. Die Bildsprache war ty-pisch für den Southeastern Ceremonial Complex (SECC), den gewaltigen, aber immer noch unzulänglich erforschten religiö-sen Ausbruch, der um 1200 nach Christus über den östlichen Teil Nordamerikas fegte. Wir wissen einiges über die Kunst dieser Periode, weil wir etliche Objekte kennen, die Plünderer und Archäologen im Lauf der Jahre aus Gräbern geholt haben: Wie Tierkörper geformte Schalen und Pfeifen und kniende Götzen mit geisterhaftem Blick; die geschnitzten Ringkrägen der Eliten. Aber diese unterirdischen Malereien waren neu, eine unbekannte Form kulturellen Schaffens aus dieser Phase. Die dauernde Feuchtigkeit der Höhlenwände hatte, um mit den

Worten eines Kunsthistorikers vor Ort zu sprechen, »eine Tradition erhalten, die uns sonst nur wenige Spuren hinterlassen hat«.

Diese Aussagen sind fünfundzwanzig Jahre alt. Heute kennen wir östlich des Mississippi mehr als siebzig solcher Höhlen, und jedes Jahr kommen neue hinzu. In einer Handvoll davon findet man nur spärliche Markierungen und Schraffuren (*lusus Indorum* war der Begriff der Altertumsforscher), aber andere sind recht aufwendig, weit mehr noch als in Mud Glyph. Einige sind zudem deutlich älter. Die bisher älteste stammt etwa aus dem Jahr 4000 vor Christus. Die Höhlen finden sich in einem Gebiet, das sich von Missouri bis nach Virginia und von Wisconsin bis nach Florida erstreckt, aber die meisten liegen mitten in Tennessee, ein Großteil davon auf oder in der Nähe des Cumberland-Plateaus, das in einer Südwest-Neigung entlang des östlichen Teils des Staates verläuft wie eine riesige Mauer, die die Appalachen vom Landesinneren trennt.

Genau das war es auch für die weißen Siedler, die mit ihren Fuhrwerken auf die andere Seite wollten. Wenn man etwas über Daniel Boone und den »Cumberland Gap« liest und darüber, wie begeistert man im 18. Jahrhundert war, einen natürlichen Pass über die »Cumberland Mountains« entdeckt zu haben (den im Übrigen jeder anständige indianische Führer kannte), dann sprechen die Autoren von diesem Plateau. Rein technisch gesehen ist es kein Berg oder eine Bergkette, auch wenn es so ähnlich aussieht. Ein Berg entsteht, wenn zwei tektonische Platten gegeneinander krachen und die Vorderseiten sich in den Himmel erheben wie Sumoringer auf der Matte. Ein Plateau hingegen liegt oberhalb der Landschaft, weil es übrigblieb, während alles andere drum herum weggeschwemmt wurde. Die Hochebene des Cumberland-Plateaus besteht aus einer waagerechten Schicht erosionsresistenten Grundgesteins, einem kieseligen Sandsteinkonglomerat, das die Auflösung und Abschwemmung der direkt darunter liegenden Schichten verhindert oder sie zumindest verzögert. Mehr kann das Gestein allerdings nicht ausrichten. Wenn man in einem kleinen Flugzeug über das Plateau fliegt, sieht man, dass es ein riesiger, zerfallender Block ist, der Felsbrocken groß wie Häuser kalbt, während saisonale Frostsprengungen ihn innerlich bersten lassen und seine porösen Schichten von Sturzbächen ausgewaschen werden. Wasser schießt aus Steilwänden: Die Ränder eines Plateaus sind nicht sanft wie die Hänge eines Bergs, sie sind wie abgeschnitten oder stürzen an den Rändern jäh hinab. Diese Klippen bilden eine physische Hürde für sämtliche Lebewesen, oben leben daher andere Tiere und Pflanzen als unten. Für den deutschen Naturforscher Alexander von Humboldt war diese klare Trennung zwischen unterschiedlichen Lebensräumen Kennzeichen eines echten Plateaus (Humboldt tadelte seine Kollegen gerne für ihren laxen Umgang mit dem Begriff *Plateau*).

Das Cumberland-Plateau ist besonders: Es ist ein Karstplateau, und Karst bedeutet Höhlen. Tatsächlich ist es eine Höhlenlandschaft, das Ergebnis des Aufeinandertreffens von viel nacktem Kalkstein und Regen. Der Begriff Karst stammt von einem anderen Plateau im Grenzgebiet von Slowenien und Italien. Dort unternahmen Geologen erste Schritte zur Erforschung des *Karstphänomens*, wie sie die einzigartigen und manchmal bizarren hydrologischen Formationen nennen sollten, die man in karstischen Terrains findet: Dolinen, Reculées, Buchten und unterirdische Seen. Zu den berühmtesten Karstphänomenen gehören die sogenannten verschwindenden Flüsse. Man hat einen großen, rauschenden Fluss, der seit Jahrtausenden fließt, und plötzlich entsteht ein Loch in seinem Kalksteinbett, und der gesamte Strom verschwindet auf Nimmerwiedersehen in ein Höhlensystem unter der Erde. Das kann ganz plötzlich geschehen, Menschen haben dieses Phänomen beobachtet. Auf dem Cumberland-Plateau gibt es einen klassischen verschwundenen Fluss, man könnte auch von einem Geisterfluss sprechen, dessen auf ewig trockenes Bett sich durch den Wald schlängelt wie eine weiß gepflasterte Landstraße.

Das Plateau ist förmlich wurmstichig vor lauter Höhlen. Schachthöhlen, Kuppelhöhlen, große, weitläufige Touristenhöhlen und kleine, nicht einmal dreißig Meter tiefe Felsspalten – vor gar nicht langer Zeit verkündeten Forscher die Entdeckung der Rumbling Falls Cave, eines (soweit wir bisher wissen) fünfzehn Meilen langen Höhlensystems, in dem es eine sechzig Meter hohe Kammer namens Rumble Room gibt, in der man locker ein paar Sozialbauten errichten könnte. All das befindet sich im Plateau und im Inneren seiner Umrandung aus Kalkstein.

Wir rauschten in einem weißen Truck über die Hochebene. Der Archäologe Jan Simek, den ich gerade auf einem Parkplatz kennengelernt hatte, saß hinter dem Steuer (Jan wie Jan van Eyck, der flämische Maler, nicht wie Jan Brady aus der Serie *Brady Bunch*). Er ist Professor an der University of Tennessee und hat die letzten fünfzehn Jahre die Forschungsarbeit in den Höhlen ohne Namen geleitet. Man nennt sie so, um ihre Lage geheim zu halten. Wir wollten zur Elften Namenlosen. Es war ein klarer später Wintertag, so spät, dass er wie frühester Frühling aussah und sich auch so anfühlte. Simek ist ein Mittfünfziger mit breiter Brust – buschiges dunkles Haar mit stahlgrauen Strähnen, sportliche Sonnenbrille. Dem Namen nach hatte ich einen Europäer erwartet, aber er war in Kalifornien aufgewachsen. Sein Vater, Vasek Simek, stammte aus der Tschechoslowakei und war Charakterdarsteller in Hollywood: Er spielte sowjetische Präsidenten, russische Schachspieler, zwielichtige Wissenschaftler aus »dem Ausland«. Jan sieht aus wie er. Er hat einen freundlichen Sarkasmus an sich. Er machte Witze über mein edles neues Notizbuch und wollte mir ein wasserdichtes besorgen, wie es die Geologen benutzen.

Simek wusste nichts von den Höhlen, als er 1984 an die University of Tennessee kam. Damals hatte man erst einige von ihnen entdeckt. Seine bekanntesten und für seine Karriere wichtigsten Forschungsarbeiten hatte er in Frankreich durchgeführt – nicht in berühmten Höhlen voller Kunst, sondern in Siedlungen der Neandertaler. Simek hatte fast zehn Jahre in Grotte XVI in der Dordogne gearbeitet, einer altsteinzeitlichen Höhle mit weitem Eingang und gewaltigen Schätzen an kulturellen Ablagerungen. Aufgrund der komplizierten hydrologischen Geschichte der Höhle waren die schichtenkundlichen Befunde verwirrend. Man konnte dort nicht einfach graben. Unter einem dreißigtausend Jahre alten Artefakt tauchte plötzlich ein zwanzigtausend Jahre altes auf. Und wenn man in diese sehr tiefen Schichten vorstieß, waren sie so komprimiert und dünn, dass man nach Schlieren dunkler Erde suchte: Feuerstellen der Neandertaler. »Im Prinzip betreibe ich eigentlich Bodenchemie«, sagte Simek. Seine Arbeit in Grotte XVI spielte eine wichtige Rolle bei der Rehabilitierung der Neandertaler, die sich in den letzten zehn Jahren vollzogen hat. Simek konnte zeigen, dass sie uns ähnlicher waren als vermutet, schlauer und sozial komplexer (tatsächlich sind wir sie: wir wissen aus DNA-Untersuchungen in Deutschland, dass die meisten von uns Neandertaler im Stammbaum haben).

Simek jedenfalls hatte von Mud Glyph gehört – das Buch, das sein Kollege Charles Faulkner über die Höhle herausgab, erschien gerade, als er in Tennessee anfing. Als Neuankömmling fiel ihm die Aufgabe zu, Doktoranden für die Bodenschatz-Studien der Tennessee Valley Authority (TVA) auszuwählen, und Simek erinnerte sie daran, immer die Wände der neu entdeckten Höhlen zu prüfen, ehe er sie ins Feld entließ. Nachdem er das jahrelang ohne großen Erfolg getan hatte, platzten eines Abends ein paar Studenten in sein Büro und berichteten aufgeregt von einer Höhle, die sie oberhalb des Tennessee Rivers entdeckt hatten. An eine der Innenwände sei eine

Spinne gemalt. Sie zeichneten für ihn um die Wette, wie der Spinnenkörper kopfüber an der Wand hing, die Augen nach vorne gerichtet. Simek ging zum Regal und zog ein Buch heraus. Er schlug eine Abbildung auf, die ein *Gorget* zeigte, ein Muschelamulett aus der Zeit der Mississippi-Kultur mit einer beinahe identischen Spinne in der Mitte. »Sah sie so aus?«, fragte er.

Das war die erste Höhle ohne Namen, »bis heute meine Herzenshöhle«, sagte Simek. Als ich mit ihm hinfuhr, zeigte er mir die Spinne. Und dann eine seltsame, menschenartige Figur mit langem, wallendem Haar, die Hände über dem Kopf. Die Erste Namenlose ist ausgerechnet die jüngste dieser Höhlen. Ihre Malereien stammen etwa aus der Zeit um 1540. Die Spanier waren bereits seit einigen Jahrzehnten in Florida und hielten Sklaven. Epidemien suchten in großen, vernichtenden Wellen den Südosten heim. Der Konquistador Hernando De Soto erkundete mit seinen Männern die Region und stieß dabei bis ganz in die Nähe der Höhle vor. Die Welt des Volkes, das diese Glyphen geschaffen hatte, die späte Mississippi-Kultur, fiel bereits auseinander.

Wir bogen in eine Seitenstraße, dann in eine andere, stärker zugewachsene, und schließlich fuhren wir über Haarnadelkurven hinunter in ein Tal. Erst als ich unten ausstieg und mich umsah, bekam ich ein Gefühl dafür, wo wir uns befanden – es sah aus, als hätte ein Riese eine Axt kilometertief in den Boden gehauen und sie wieder herausgerissen. Um uns herum stiegen bewaldete Wände hoch und höher. Wir liefen über die kleinen schmalen Patchwork-Felder. Die Farm gehörte den Leuten, die sich um diesen Ort kümmerten. Jan hatte sie angerufen und uns angekündigt. Über unseren Köpfen sah man einen Keil blauen Himmels, auf einer Seite sammelten sich Sturmwolken. Donner erfüllte das Tal.

Wir näherten uns einer Grotte. Ein gebogener, einem Amphitheater ähnlicher Berghang führte hinab in einen Kessel.

Es war das Paradies. »Noch nie hat es ein Taucher geschafft, den Grund von diesem Ding zu erreichen«, sagte Jan und zeigte auf das blau-schwarze Bassin. Frösche sprangen hinein, als sie uns sahen (oder hörten). Wir traten zur Seite und folgten einem schmalen Pfad durch Farne, violetten Phlox und kleine weiße trompetenartige Blumen, deren Namen ich nicht kannte.

Wir umrundeten das Becken auf einer schmalen Kante und erreichten den Eingang. Jan hatte Probleme mit dem Schloss. Es sah aus wie ein riesiges Stück Metall. Ich fragte mich, ob sie nicht ein wenig übertrieben – aber das war, bevor ich die ganzen Geschichten darüber gehört hatte, was manche Menschen in Tennessee anstellten, um in Höhlen zu gelangen, die sie nicht betreten sollten: Dynamit, Schneidbrenner, Lastwagen, die man an Höhlentore kettete, um sie im Ganzen aus dem Erdreich zu reißen. Jan schickte mich zurück zum Auto, um Motoröl für das Schloss zu holen. Ich ging gerne und lief nicht schneller als nötig durch diesen heiligen Ort, der jungfräulich weiße Grubenhelm baumelte an meiner Hüfte.

Eine Aufzeichnung der ersten Weißen, die diesen Ort gesehen haben, hat überlebt. Im Jahr 1905 fand ein Mann aus dem Dorf die Notizen seines Urgroßvaters, der 1790 zu den Erstbesiedlern des Tals gehört hatte, und veröffentlichte sie in der Lokalzeitung. In der Hoffnung auf ein kleines Utopia, eine Gemeinschaft mit ihren eigenen Gesetzen, waren Männer und Frauen und Kinder aus Maryland hierhergekommen. Ihr Führer war ein Mann namens Greenberry – Greenberry Wilson. Sie brachten ein Handvoll Sklaven mit, die Musikinstrumente dabei hatten, und ab und zu soll Greenberry befohlen haben, ein Lied anzustimmen. »Der alte Cato zwinkert und die Melodie von Old Zip Coon schwebt durch die Waldluft. Die wilden Tiere lauschen in einiger Entfernung, die finstre Indianermagd kommt näher und betrachtet die Freude ihrer weißen Schwester mit neidischen Blicken.« So bunt sind die Beschreibungen. Es ist nicht klar, inwiefern sie als zuverlässige Zeitzeugnisse gelten können. Der Urenkel scheint ein Trinker gewesen zu sein. Ein paar Wochen später erzählte er in der gleichen Zeitung eine völlig andere Version derselben Geschichte. Eindeutig vermischt er Details aus den alten Tagebüchern mit seinen eigenen Träumereien. Irgendwann, glaube ich, gibt er es sogar einmal zu, aber an anderer Stelle versucht er, es zu verbergen. Der einzige Grund, weshalb wir überhaupt wissen, dass es Notizen aus dem 18. Jahrhundert gegeben haben muss und dass der Nachfahre das Ganze nicht einfach erfunden hat, besteht darin, dass er die Siedler sagen lässt, die Höhle sei voller Mumien gewesen. Ohne irgendwelche Aufzeichnungen hätte er im Jahr 1905 schlicht und ergreifend nicht über diese Information verfügen können.

»Wir bereiten eine ordentliche Fackel, dann umkreisen wir den Teich rechtsherum auf einer Kante oder einer Platte aus Fels, dort betreten wir einen etwa drei Meter breiten Gang, den wir fünfzehn oder zwanzig Meter entlanglaufen, und dann öffnet sich der Gang ... An den Wänden finden sich auf Vorsprüngen und Plattformen Skelette von riesiger Statur, die zu einem vergangenen Weltzeitalter gehören.«

Die Grabstätten sind immer noch da, bedeckt von Ablagerungen, die durch den Karst gespült wurden, als die Bauern um 1800 begannen, das Hochland zu kultivieren. Ausgräber der Universität von Tennessee entdeckten sie, wie in den Aufzeichnungen beschrieben, auf den Felsvorsprüngen unter einer Schlammschicht. Als sie die Knochen sahen, die aus dem Dreck ragten, rührten die Archäologen sie nicht an. All ihr Schmuck und die anderen Gegenstände, die man ihnen für das Jenseits mitgegeben hatte, waren wahrscheinlich längst gestohlen worden – im kleinen Trupp der Siedler hatten sich auch ein paar eifrige Plünderer befunden. Als sie die Höhle an jenem Tag erkundet hatten, rissen sie den indianischen Mound zwei Meilen talabwärts auf. Man »begann in der Mitte des Mounds« und »brachte etliche Reliquien in Sicherheit«.

Zu jener Zeit war der Boden dieser verwinkelten Täler von Steinkistengräbern übersät. Nachlesen kann man das in den nahezu unbekannten Reiseberichten von George Featherstonhaugh. Featherstonhaugh war ein Geologe, der in den dreißiger Jahren des 19. Jahrhunderts die Gegend im Auftrag der Regierung zu Pferde durchquerte. Er beschreibt die vierzig Jahre zuvor geplünderten Hügelgräber als »praktisch von der Zeit ausradiert«. Meistens spricht er allerdings darüber, wie besessen die Bauern von den Hunderten von Kistengräbern auf ihren Feldern waren. Sie lieferten sich Wettbewerbe, wer die meisten öffnete und darin den besten Plunder fand. Kleine Särge aus Kalksteintafeln, keiner länger als sechzig Zentimeter. Die Indianer stellten ihre Leichen also zuerst aus und trockneten sie, um sie dann zu biegen und rituell zu beerdigen. Die Bauern waren sicher, dass sie zu einer Zwergenrasse gehörten. Jeder Tote hatte einen Topf, einen einzelnen irdenen Topf unter dem Kopf. Featherstonhaugh beschloss, selbst ein Kistengrab zu öffnen. Mit dem Messer hebelte er den Kalksteindeckel los. Drinnen fand er das Skelett eines kleinen Kindes, daneben lagen ein Schneckenhaus und die Rippe eines Rehs.

Mounds zu öffnen war für die weißen Besatzer Amerikas in den ersten Jahrhunderten völlig normal. Das macht es uns nicht unbedingt leicht, uns eine Landschaft voller Mounds vorzustellen. Aber die Eingeborenenkulturen im Osten Amerikas hatten seit fünf Jahrtausenden Mounds gebaut, zunächst die Poverty-Point-Kultur in Louisiana, die manche für älter halten als die monumentale Architektur Lateinamerikas. Dann die Adena-Kultur, die Menschen der Woodland-Periode und die Mississippi-Kultur – allesamt Moundbuilder-Kulturen. Manche waren einfache Grabhügel: Auf den toten Körper einer wichtigen oder geliebten Person wurde Erde gehäuft. Andere symbolisierten Tiere, etwa die schönen und auffällig großen Mounds in Ohio und Kentucky, die wie Vögel oder Schlangen geformt sind. Schließlich gab es die riesigen flachen Tempelmounds der Mississippi-Kultur, deren Zweck ein Rätsel bleibt. Nur ein winziger Bruchteil wurde nicht von den weißen Plünderern verwüstet.

Das Erste, was die Pilgerväter taten, war, einen Grabhügel zu plündern. Myles Standish führte eine kleine Gruppe an Land. Sie folgten einem Sandpfad. Sie entdeckten einen Grabhügel. An einem Ende war ein Gefäß vergraben, und oben drauf befand sich ein Objekt, das aussah wie ein umgedrehter Mörser. Sie diskutierten und entschieden sich zu graben. Sie fanden einen Bogen und ein paar verrottete Pfeile. Sie schütteten das Grab wieder zu und zogen weiter, »weil wir es ihnen gegenüber widerwärtig fanden, ihre Gräber zu plündern«.

Herzlich wenige ihrer Nachfahren ließen sich von solchen Skrupeln aufhalten. Neben den klassischen Pionierplündereien, wie sie in den Aufzeichnungen festgehalten wurden, gab es im 19. Jahrhundert gewerbliche Grabräuber (die mit Hausbooten durch den Süden fuhren, Gefäße ausbuddelten und sie per Kleinanzeige verkauften), gefolgt von semi-professionellen Antiquitätenhändlern, die unzählige Mounds im Mittleren Westen aufrissen, was dann zu den riesigen, in ihren Ausmaßen an den Bau der Pyramiden erinnernden Grabungen führte, die man zu Zeiten des New Deal in den dreißiger und vierziger Jahren realisierte. Die schiere Masse an Material, die Letztere ans Tageslicht brachten, führte zu der ersten ernsthaften Klassifizierung der Kunst der Mississippi-Kultur und der Geburt der Idee des Southern Cult. Zwei Forscher, Antonio Waring und Preston Holder, bemerkten das gehäufte Vorkommen bestimmter Motive im Süden und behaupteten, es handele sich um Zeugnisse einer religiösen Bewegung, die unbekannte Gottheiten verehrt habe.

Als das Tor geöffnet war, schalteten wir unsere Helmlampen an. Die schlammigen Ablagerungen erschwerten den Zugang zur Höhle immer mehr. Wir konnten nicht einfach »einen Gang betreten« wie die Siedler 1790. Stattdessen quetschten wir uns auf dem Bauch hindurch. Der Schlamm war wie geschmolzene Schokolade und drang durch den Reißverschluss meines Billig-Overalls. Es wurde so eng, dass mir beim Robben auf dem Bauch die Höhlendecke den Rücken kratzte. Jan erzählte, dass sie schon ein paar Leute hatten ausgraben müssen.

Irgendwann waren wir durch und konnten gebückt stehen. Ich drehte meinen Kopf, um mit dem Lichtstrahl die Wand zu beleuchten: eine hellbraune Höhle. Jan hatte eine größere und kräftigere Batterielampe. Er leuchtete umher. »Feuerspuren«, sagte er und nickte zu einem Fleck an der Wand. In seinem Blickfeld sah man ein paar schwarze Punkte, wie ein Schwarm schwarzer Fliegen, den man mit einem Streich an den Stein geklatscht hatte. Man fand sie überall in der Höhle. Sie markierten die Stellen, erklärte Simek, wo die alten Höhlenkletterer ihre Schilffackeln »abgeascht« hatten. Wenn man das nicht tat, wurde es immer rauchiger.

Er hielt an und wartete auf mich. Sein Gesicht zeigte zur Wand. »Das erste Bild«, sagte er und zog den Lichtkegel enger. »Doppelte Spechte.« In den Kalkstein geätzte schwach-weiße Linien. Man erkannte die Vögel sofort. Einer über dem anderen. Eine auffällige Zahl von Höhlen, sagte Simek, habe Vögel als Eröffnungsbilder.

»Was bedeutet das?«, fragte ich.

»Das wissen wir nicht«, sagte er.

Ich begriff, dass dies seine Standardantwort auf die Frage *Was bedeutet das?* war. Er bot einem dann eine plausible und interessante Theorie an, aber erst sagte er: »Das wissen wir nicht«. Das war keine Verschrobenheit, sondern eine theoretische Grundhaltung.

Spechte könnten etwas mit Krieg zu tun haben, sagte er. In

anderen indianischen Mythen tragen sie die Seelen der Toten ins Jenseits.

Wir kamen voran. An den Wänden hingen kleine braune, in sich selbst gewickelte Zwergfledermäuse. Die Kondenswassertröpfchen auf ihren Flügeln funkelten im Licht unserer Lampen und ließen die kleinen Kreaturen aussehen, als seien sie mit Juwelen überkrustet. Als Jan sich hinkniete, um etwas unten an der Wand zu beäugen, landete eine auf seinem Rücken. Er bat mich, sie zu vertreiben. Ich nahm meinen Helm und wollte ihr nahelegen, abzuhauen – die Fledermaus löste sich und verschwand in der Dunkelheit.

Jan ging ein paar Meter und legte sich dann auf einer Erhöhung in der Höhle flach auf den Rücken. Ich tat es ihm nach. Wir beide sahen nach oben. Mit seiner Lampe tastete er eine Bilderreihe ab. Die Bezeichnung Tafelbild fühlte sich instinktiv richtig an – es gab eine Reihenfolge, eine Art Geschichte wurde erzählt. Da war eine Axt oder ein Tomahawk mit menschlichen Zügen und einem verzierten Haarknoten, einem Irokesenschnitt ähnlich (derselbe Haarknoten, den wir von den Spechten kannten). Neben der Axt hockte ein Kriegsadler, der mit ausgebreiteten Flügeln Schwerter schwang. Und zuletzt das Bild eines Krönungszepters, geformt wie ein länglicher Läufer beim Schach, das wohl eine symbolische Waffe darstellen sollte und möglicherweise von der Elite der Häuptlinge bei öffentlichen Ritualen getragen wurde. Ein typisches Artefakt der Mississippi-Kultur, was bedeutet, dass sein Fund immer auf den Southeastern Ceremonial Complex hindeutet, den Archäologen Southern Death Cult genannt haben (und immer noch so nennen, wenn sie unter sich sind). In diesem Fall schien sich das Objekt in einen Greifvogel zu verwandeln. Was hatte das zu bedeuten?

»Das wissen wir nicht«, sagte Simek. »Aber es geht eindeutig um Transformation.«

Hier verwandelte sich alles, in alles andere.

Wenn es darum geht, was all das zu bedeuten hat, sind nicht alle so skeptisch wie Simek. In den letzten zehn Jahren hat eine texanische Forschergruppe unter der Führung des Anthropologen F. Kent Reilly verschiedene historische Aufzeichnungen verwendet – hauptsächlich ethnografische Studien aus dem 19. Jahrhundert –, um sich in die Weltsicht der Mississippi-Kultur einzuarbeiten, samt ihrer grausigen Kriegsgötter und -monster und dem Glauben an einen dreigeteilten Kosmos aus Oberwelt, dieser Welt und Unterwelt. Die Arbeitsgruppe SECC, wie sie genannt wird, behauptet, dass von der Mississippi-Kultur weit mehr übrig ist, als allgemein anerkannt wird. (Die Europäer sind ihnen immerhin noch begegnet, die Glut der Mississippi-Gesellschaft verlosch erst, als die Franzosen 1731 die letzte »Große Sonne«, wie die Natchez ihre Häuptlinge nannten, versklavten). Reilly und seine Mitarbeiter haben die Forschungsgruppe ausdrücklich nach dem Vorbild des Maya Hieroglyphic Workshop der University of Texas aufgebaut, einem Epigraphiker-Seminar, das die Entzifferung der Maya-Glyphen vorantrieb und uns dadurch ein (ansatzweises) Verständnis der Maya-Gesellschaft ermöglichte.

Im Falle Nordamerikas gibt es keine Sprache, die zu knacken wäre. Die technisch avancierteste Gesellschaft amerikanischer Ureinwohner, die Mississippi-Kultur zu ihrer Hochzeit – eine Kultur, deren majestätische Mounds den mexikanischen Steinruinen in fast nichts nachstanden, die jedoch aus Erde waren und deshalb schneller verschwanden –, hat uns nichts zum Lesen hinterlassen. Fachleute für nordamerikanische Prähistorie hat das immer ein wenig in den Wahnsinn getrieben. Etliche verrückte Theorien rankten sich um eine mysteriöse Schreibtafel voller hebräischer oder phönizischer Buchstaben, die in einem indianischen Mound aufgetaucht war. Ein genialer Naturforscher des 19. Jahrhunderts, Constantine Rafinesque, das durchgeknallte Genie aus Kentucky, hatte in der Tat riesige und weithin anerkannte Fortschritte bei der Entschlüsselung der Maya-Sprache gemacht und *gleichzeitig* das Lenape erfunden, eine nordamerikanische Schriftsprache, die nie existiert hat.

Ich traf Kent Reilly vor einigen Jahren in Chicago. Er führte mich durch die »Hero, Hawk, and Open Hand«-Ausstellung am Chicago Art Institute. Es war die erste wirklich repräsentative Ausstellung indigener Kunst Nordostamerikas. Sie enthielt die großen Werke – große Plastiken, aus dünnen Glimmer-Scheiben geschnittene Figuren, Gefäße mit menschlichen Gesichtern aus Arkansas –, aber wahrscheinlich waren sogar Fachleute überrascht von den weniger bekannten Artefakten: der Nachbildung eines menschlichen Daumens aus einem zweitausend Jahre alten Hopewell-Grab oder dem sogenannten Froschgefäß, einer roten Schüssel aus der Mississippi-Kultur, mit realistisch aussehenden grünen Fröschen verziert. Wie viele Amerikaner aus dem Mittleren Westen waren sich im Klaren darüber, dass die Kulturen unter ihren Füßen eine solch große Ausdrucksvielfalt erreicht hatten?

Reilly beschrieb einige der Leistungen seiner Gruppe. Mithilfe intensiver Motivanalysen hatten zwei Mitarbeiter eine exotisch aussehende geometrische Form, die auf etlichen Mississippi-Objekten zu finden ist, als Schmetterling identifiziert. Sie konnten die abgegrenzten Flecken auf dem sich entfaltenden Körper – man erkennt das, wenn man lange daraufstarrt – sogar einer existierenden Spezies zuordnen. Bei der erneuten Untersuchung von Ringkrägen aus dem Etowah Mound in Georgia hatten sie festgestellt, dass der Kopf einer bestimmten menschenköpfigen Schlange derselbe Kopf zu sein schien, den ein Falkenkrieger auf einem anderen Kragen hielt. »Wir glauben, dass wir möglicherweise einen neuen mythologischen Komplex entdeckt haben – allein auf der Basis von Kunstgegenständen«, sagte Reilly.

Simek glaubt nicht an solche Dinge. Er mag Daten. Er mag Sätze wie »Zweihundert Meter hinter dem Eingang der Höhle fanden wir ein Piktogramm, das einen Hund darstellte, Kohle, vertikal ausgerichtet« und so weiter. Er will nicht darüber mutmaßen, ob der Hund tote Seelen den Seelenpfad entlang führte – obwohl Hunde so was in mehr als einer Religion des Südostens getan haben. Er mag das »vielleicht« nicht, was dabei übrigbleibt. Die Gesellschaften, die diese Ethnologen untersuchten, hatten seit der Mississippi-Periode immense Schocks und Brüche erlebt, vor allem natürlich die Begegnung mit den Europäern, aber auch schon früher. Die Mississippi-Hochkultur zerbrach, kurz *bevor* die Spanier Florida erreichten, und nicht kurz danach, wie man angesichts der Massaker und Krankheiten erwarten würde – eines der großen Rätsel der amerikanischen Archäologie. Simek war der Meinung, dass man angesichts all diesen Rauschens nicht zu im wissenschaftlichen Sinne sicheren Erkenntnissen gelangen konnte.

»Mais, Bohnen und Kürbis«, sagte Reilly, als ich ihn auf Simeks Kritik ansprach. Er meinte damit das fade, knochentrockene Datenmaterial aus den Laboren der Anthropologen. Ich hörte so viel heraus wie: Wenn die bei diesem langweiligen Kram bleiben wollen – sollen sie doch.

Aber was immer wir auch gerade sahen – es war nicht langweilig. Ich lag da und starrte die Bilder an, die kühle Atmosphäre der Höhle, Erinnerungen, die in der Haut gespeichert sind, wenn man wie ich in einem Karstgebiet aufgewachsen ist, südliches Indiana, Erinnerungen an Kindheitsausflüge zur Wyandotte-Höhle, wenn sie die Lichter ausdrehten – »Das ist absolute Dunkelheit, Kinder« – und wir uns die Hände vors Gesicht halten mussten, um zu sehen, dass wir sie nicht sahen.

»Meine Kollegen streiten sich über Fragen wie: ›Was ist der SECC? Was bedeutet das?‹«, sagte Simek. »Ich bringe sie hierher und sage dann: ›Guck dir diese Bilder an. Das ist der Southern Cult‹.«

Wir gingen weiter. Das nächste Piktogramm, sagte Simek, zeige ein Motiv, das in einigen der Höhlen ohne Namen vorkomme: der grauenvolle Zahnschlund. Ein runder, abgehackter Kopf, dem Blut aus dem Hals tropft. Weinende Augen. Ein breites Kürbislächeln, das wohl verwesendes Zahnfleisch andeuten soll. Simek sagte, dass man dieses Motiv zumeist an Grabstätten findet. Sie hätten sogar eins in einer Höhle aus der Woodland-Periode gefunden – einer Phase vor der Mississippi-Kultur, über die man sogar noch weniger weiß. Aber zumindest für ein paar Jahrtausende hieß dieses Motiv an einer Höhlenwand in diesem Land: »Hier Tote begraben.«

Einer von Simeks Doktoranden war Cherokee. Russ Townsend ist ein guter Archäologe – er ist jetzt »Beauftragter für die Bewahrung der Stammesgeschichte« für die östlichen Cherokee-Indianer. Townsend hat mit Jan an etlichen Projekten gearbeitet, aber er hat niemals einen Fuß in eine der Höhlen gesetzt. Ich fragte ihn danach. »Die Haltung der Cherokee ist, dass man Höhlen nicht einfach so betreten darf«, sagte er. »Nur schlechte Menschen stiegen so tief hinunter. Man brachte schlechte Menschen tief in die Höhlen und ließ sie dort zurück. Damit sie auf Fels liegen und nicht in der Erde. Für die meisten Cherokee ist das beunruhigend. In der Unterwelt ist alles durcheinander und chaotisch und schlecht. Einen solchen Ort, an dem die Beziehung zwischen unserer Welt und dem Jenseits derart angespannt ist, will man nicht betreten.«

Wir kamen in einen großen Saal. Die Decke war sehr hoch, mindestens dreißig Meter. Sie war glatt und blassgrau. Simek richtete seine Lampe nach oben und schwenkte sie langsam über das Gewölbe. »Was sehen Sie?«, fragte er.

»Sind das Grabwespennester?«, fragte ich. Für mich sahen sie so aus.

»Die Decke«, sagte er, »ist mit dreihundert Lehmklumpen übersät.«

Ich starrte mit offenem Mund nach oben. Dazu fiel mir keine gute Frage ein.

»Genau das haben wir auch gesagt«, sagte er. »Was haben sie sich dabei gedacht?« Also kletterte ein Forscher hoch, nahm einen der Klumpen ab und brachte ihn ins Labor der Universität. Sie schnitten ihn auf. Im Inneren fand man ein verkohltes Stück Schilfrohr, wie ein Zigarettenfilter. »Das Stück war etwa so groß«, sagte Jan und zeigte seinen kleinen Finger. Die Indianer hatten brennende Schilfrohre in Lehmbälle gesteckt und sie an die Decke geschleudert. »Der Laden hat geleuchtet wie eine Geburtstagstorte, Mann!«, sagte er.

»War das eine Art zeremonielle Feier oder so?«

»Wer weiß«, sagte er. »Vielleicht haben sie Fledermäuse gejagt.«

»Was haben die hier gemacht?«, fragte ich, als würde ich niemanden fragen.

»So einiges«, sagte er. »Kunst schaffen, ihre Toten begraben, den Laden zum Leuchten bringen. Vielleicht Fledermäuse jagen.«

Wir stiegen im hinteren Teil der Höhle einen Lehmhang hinauf. Im Boden waren zwei nackte Fußabdrücke nebeneinander. Simek sagte, dass sie einem Orthopäden Gipsabdrücke dieser Spuren gezeigt hatten, ohne zu sagen, worum es sich handelte. »Diese Person hat keine Schuhe getragen«, sagte der Arzt. Die Zehen waren gespreizt.

Oben auf dem Lehmhügel betrachteten wir ein letztes Bild, das gleiche Motiv wie am Eingang, allerdings hier nur ein einzelner Specht. Ein Kohlepiktogramm, überzogen mit einer durchscheinenden Schicht Höhlensinter, fast wie laminiert. So alt waren diese Dinger. Der Stein war über den Vogel geflossen und hatte ihn umhüllt. Dieser Specht stand aufrecht, als würde er an einem Baum arbeiten. Spechte am Eingang, ein Specht hier. Was hatte das zu bedeuten?

»Ende der Geschichte«, sagte Jan.

Zum nächsten Höhlentrip, den Jan für mich organisiert hatte, kam er selbst nicht mit – eine lange, feuchte, schwierige Höhle. Er war schon oft genug hier gewesen. Ich sollte eine der ältesten Höhlen sehen, fast viertausend Jahre alt, aus der späten archaischen Periode.

Ich lernte ein paar Leute kennen, die mit den Höhlen ohne Namen zu tun hatten, eine Riege hochrangiger Höhlenfreaks, die Simek in den Neunzigern unter dem Namen CART (Cave Archeological Research Team) zusammengestellt hat. Es gibt einen Experten für Höhlenbestattungen, es gibt einen *National Geographic*-Höhlenfotografen, es gibt einen Forscher für die Verwendungsgeschichte der Höhlen (Salpeterminen und »Höhlentanz«).

Der Held von CART ist Alan Cressler, ein großer, dünner Glatzkopf, der für die amerikanische Kartografiebehörde USGS (United States Geological Survey) arbeitet. Trotz etlicher Verletzungen ist er in Topform, seine Arme und Beine sind haarlos – rasiert er sich, um sich in den Höhlen besser bewegen zu können? Anscheinend das Ergebnis eines evolutionären Prozesses. Cressler ist Höhlenforscher, kein Höhlensportler. Mit Vorliebe entdeckt er jungfräuliche Durchgänge, er überschreitet die Grenzen des Bekannten. Zudem ist seine Expertise für die Farne des Südostens berühmt. Als ich ihn danach fragte, sagte er: »Ich konnte mich schon immer darauf konzentrieren, Dinge zu finden. Lange haben mich Farne interessiert. Ich konnte mit achtzig Sachen den Highway entlangfahren, an dieser Wand aus grünem Zeug vorbei, und dabei in voller Fahrt Farne bestimmen. Ich finde eine Pfeilspitze in einem Kiesbett.«

Nachdem Cressler zu CART gekommen war, stieg die Entdeckungsrate. Er ist verantwortlich für die Entdeckung von mehr als einem Drittel der Namenlosen Höhlen. Er kann nicht mehr so aggressiv forschen wie damals, jetzt hat er es auf die Kunst abgesehen und macht Fotos. Es gibt ein paar Höhlen, die Jan nie gesehen hat und vielleicht nie sehen wird, weil sie zu schwer zu erreichen sind. Cressler geht rein und bringt Fotos mit.

An jenem Tag waren wir mit Jans ehemaligem Doktoranden Jay Franklin und ein paar seiner Studenten unterwegs. Alle trugen riesige Ponchos, wurden aber trotzdem klatschnass. Im Gehen sprach Franklin langsam und wohlüberlegt, gerade laut genug, damit ihn die Gruppe verstand. Sein Forschungsschwerpunkt ist die Archäologie, die auf dem Plateau betrieben wird. Lange Zeit hätten die Südstaaten-Archäologen das Plateau fälschlicherweise für Niemandsland gehalten, erklärte er. Das habe daran gelegen, dass die Ureinwohner sich dort nicht dauerhaft angesiedelt hätten. Sie hätten keine guten Artefakte zurückgelassen, »kein Zeug, das man ans Smithsonian schicken könnte«. Franklin hatte jedoch entdeckt, dass sie das Plateau intensiv bereist, als Rohstoffquelle genutzt und die dortigen Höhlen erkundet hatten.

Jan sagte, es gebe sogar Beweise dafür, dass das Plateau selbst für die Völker des Südostens ein heiliger Ort war, eine Pilgerstätte. Ein Kollege hatte im Labor ein altes Keramik-Ensemble entdeckt und untersucht, das man in den siebziger Jahren in einer Petroglyphen-Stätte unter freiem Himmel gefunden hatte, »einem kleinen Unterstand ganz oben auf dem Plateau, von wo man die untergehende Sonne beobachten konnte«. Sie bemerkten, dass die Töpferstile auf eigentümliche Weise untypisch waren. Die Keramiken aus den Jagdlagern hingegen waren recht homogen. »Die Petroglyphen-Stellen«, sagte Jan, »wurden definitiv eindeutig nach einem anderen Plan aufgesucht.« Und das Plateau war voll von solchen Stellen.

Der Eingang der Dritten Namenlosen lag etwa zehn Meter über dem wütenden, braunen Fluss, der schon die Bäume in der Nähe umspülte (in ein paar Stunden würde er über die Ufer treten, wie sich herausstellte). Aber wir waren in Sicherheit. Man konnte trocken und bequem im Höhleneingang hocken und unbemerkt den Fluss hoch und runter sehen, wenn man den Kopf drehte. Dieser kleine Vorraum hatte etwas, vielleicht lag es an der Dichte des Lehmbodens, ich würde fast sagen, am Grundriss, das einen spüren ließ, wie lange hier schon Leute kauerten.

Franklin ging zuerst in die Höhle, wir anderen folgten ihm. Der Eingang wurde schnell enger. Wir kamen an einem Wasserfall vorbei, einem wild in sich verschlungenen Tau aus Weißwasser in der Mitte der Höhle, das in wer weiß welche Untiefen stürzte. Es war eine wilde Höhle, es gab keine Stufen oder Geländer; man konnte das eisige Wasser berühren.

Wir blieben stehen. Franklin drehte sich zu uns um. Wir seien an einer heiklen Stelle angekommen, sagte er, der Boden des Stollens würde ab hier plötzlich steil abfallen. Wir sollten ihn genau beobachten; er würde uns zeigen, wie man auf die andere Seite käme. Er wuchtete seinen Körper vom Boden hoch und positionierte ihn waagerecht zwischen den Höhlenwänden, die Füße an der einen, seine Schultern an der anderen Wand, er hielt sich dort nur mit der Kraft seiner Muskeln. Hatte man sich einmal so im Übergang festgeklemmt, begann man, den Körper nach rechts zu schieben. Auf diese Weise konnte man den Zwanzig-Meter-Abgrund überwinden. »Kamintraverse« nannte man ihn. Die Studenten schafften es ohne Probleme, sie kicherten. Und tatsächlich war es, technisch gesehen, gar nicht schwer. Franklin hatte die Physik des Ganzen erklärt. Die Beine haben deutlich mehr Kraft, als nötig ist, um einen zwischen den Wänden zu halten. Um abzustürzen, müsste man schon etwas Verrücktes machen und die Beine entspannen. Trotzdem zitterten mir die Knie, als ich auf der anderen Seite ankam. Ich trat auf einen losen Stein, ein Geräusch wie von einem Maschinengewehr.

An den Wänden um uns herum waren wieder die mittlerweile vertrauten Rußspuren, schwarz verschmierte Konstellationen, verpixelte Schatten des Wegs, den die Ureinwohner durch die Stollen genommen hatten. In dieser Höhle konnte man ihre Präsenz körperlich spüren, direkt vor der eigenen Nase. Der dicke Rauch ihrer Fackeln hing noch unter der Decke. Höhlenwandern in einem derart aufgeladenen prähistorischen Kontext hat diesen Effekt. Das hat mit der räumlichen Konzentration des Raums zu tun, seiner physischen Enge – man muss ständig Dinge auf die genau gleiche Weise tun wie sie. Man weiß, dass sie mit ihren Rücken genauso am Fels entlanggerutscht sind. Sie mussten dort auftreten, und hier mussten sie sich bücken.

Franklin hielt wieder an. Wir sammelten uns hinter ihm. Wir standen in der letzten Kammer der Höhle, dem Raum mit der Kunst, langgezogen, mit einer niedrigen Decke und ein paar dunklen Gauben an den Rändern, die sich dem Licht unserer Lampen widersetzten.

Franklin dozierte und führte uns mit seinem Leuchtstab an den Petroglyphen vorbei. Ein geometrisches Rautenmuster. Etwas, das möglicherweise eine Art Auge mit langen Wimpern darstellen sollte. Ein Wesen mit spitzem Kopf und spitzen Ohren, einem herabhängendem Schwanz, ausgestreckten Armen und Beinen. Sie nannten es »Possum Boy«. Es gab ein Sonnensymbol. Eine Freundin von Patty Joe Watson – Watson ist die bekannteste Höhlenarchäologin des Ostens; wenn Sie jemals eine Frau im Kabelfernsehen über die Untersuchung von Paläofäkalien haben sprechen hören, dann war das Patty Jo Watson – hatte in dieser Kammer auf dem Rücken gelegen und mit ihrer Lampe die Decke untersucht, als sie »Die Sonne! Die Sonne!« schrie. Alle dachten, sie hätte einen neuen Zugang entdeckt, und freuten sich, weil sie jetzt nicht den ganzen Weg zurücklaufen müssten.

Franklin brachte den Teil mit der Kunst eilig hinter sich. Sie interessierte ihn nicht. Er interessierte sich für prähistorische Steinwerkzeuge. Als er alle Glyphen abgehakt hatte, führte er uns in eine Ecke und ging in die Knie. Wir stellten uns in einem Halbkreis hinter ihm auf und leuchteten mit unseren

Strahlern auf den Boden vor ihm. Überall lagen dicke Klumpen schwarzen Hornsteins – Hornstein ist Feuerstein in Reinform, das graue, glasige Gestein, aus dem die meisten Pfeilspitzen gemacht sind. Feuerstein und Hornstein entstehen beide durch einen chemischen Prozess im Kalkstein. Der Fels hatte die erstklassigen Hornsteinklumpen abgesondert. Sie könnten der Grund gewesen sein, warum die vorzeitlichen Bergleute überhaupt ihr Leben riskiert hatten und so weit in die Höhle vorgedrungen waren – um das Zeug für ihre Waffen und Werkzeuge zu bekommen. Allerdings gab es an der Erdoberfläche ebenso guten Feuerstein, sagte Franklin. Warum sie überhaupt hier runter gekommen waren, blieb rätselhaft.

Franklin wurde langsam warm, er zeigte uns, wie sie die Felsklumpen aufgebrochen hatten, um an den guten Feuerstein im Inneren zu kommen. Es war bemerkenswert, wie seine Hände die Klumpen rekonstruierten, wie flink sie den »Freistellungsprozess« umkehrten; was die Indianer zerschlagen hatten, setzte er wieder zusammen. Die Einzelteile lagen vor ihm, wie man sie vor viertausend Jahren fallen gelassen hatte – es war, als sähe man einem dieser Kinder zu, die blitzschnell einen Zauberwürfel lösen können. Und plötzlich hielt Franklin das komplette Straußenei aus dunklem Stein in seiner Hand, als hätte er es geheilt.

Die Indianer wussten, dass sie mit ihrer Zeit haushalten mussten, erklärte uns Franklin. Sie mussten diese Exkursionen planen: Sie machten in den Höhlen Feuer, schleppten also Holz mit. Sie hatten Hammersteine dabei, um hämmern zu können. »Sie durften hier unten keinesfalls eingeschlossen werden«, sagte Franklin. Das erkannte man an der Geschwindigkeit, mit der sie nach gutem Feuerstein gesucht haben mussten, oft ließen sie sogar gute Stücke zurück. Sie schlugen einen Klumpen auf. Wenn ihnen der Inhalt nicht sofort gefiel, warfen sie ihn beiseite und versuchten es beim nächsten. Und trotzdem hatten sie noch Zeit gehabt, diese Bilder anzufertigen.

Ehe wir die »Kammer der Glyphen« verließen – Franklin nannte sie die »Arbeitskammer« –, führte er uns zu ihrem hinteren Ende, wo er uns einige viertausend Jahre alte Fußabdrücke anstarren ließ. Links, rechts, links – eine kleine Bewegungsfolge in Stein. Man rechnete fast damit, beim letzten Abdruck noch die Ferse zu sehen, wie sie sich mit einem schmatzenden Laut aus dem Schlamm löste. Der Abdruck jedes einzelnen Zehs war zu erkennen. Dieser Fußabdruck war schon dreitausend Jahre alt gewesen, als der andere, den ich gesehen hatte – der mit den gespreizten Zehen – im Lehm hinterlassen wurde. Natürlich ist an der Neuen Welt nichts neu. Die Indianer hatten ihre eigene Prähistorie. Sie sammelten zehntausend Jahre alte Speerspitzen und arbeiteten sie um; ein paar davor hat man in Gräbern gefunden. Sie hatten ihre eigenen Theorien darüber, wer die Mounds erbaut hatte.

Einmal brachte Simek eine Reihe Bücher mit ins Büro, die aussahen, als stammten sie aus dem 19. Jahrhundert. Die erste Ausgabe von Garrick Mallerys *Picture Writing of the American Indians*, ein Schatz seiner Höhlenkunst-Bibliothek. Er schlug einige Seiten auf. Mallery hatte sich nicht besonders ausführlich mit dem Osten beschäftigt. Keiner der frühen Forscher hat darüber geschrieben. Sie mochten die riesigen lebhaften Tafelbilder in den Canyons des Westens. Städte, die perfekt erhalten hoch oben auf Felsen in der Wüste liegen, man kann sie problemlos besichtigen. Unsere Städte sind unsichtbar.

Trotzdem gab es im Osten einige wenige berühmte Stätten. Der Dighton Rock ist die bekannteste. Cotton Mather schrieb darüber; Bishop Berkeley fuhr hin und sah ihn sich an. Dighton Rock ist ein großer, walfischförmiger Felsen am Taunton River in der Nähe von Berkeley, Massachusetts, der über und über von den verschlungenen Petroglyphen der Ureinwohner bedeckt ist. Jan zeigte mir die Seiten in Mallerys Buch – ich kannte sie aus der Taschenbuchausgabe, aber auf diesen Abbildungen glänzte ein tiefes Schwarz –, auf denen der Autor Zeichnungen aus mehr als zweihundert Jahren ziemlich genial reproduziert hatte. Er hatte sie beschnitten, sie waren alle gleich lang und gleich hoch, und dann hatte er sie in chronologischer Reihenfolge arrangiert. Es war eine Tür zur Geschichte; man konnte durch sie für kurze Zeit die amerikanische Seele betreten. Man sah den Wandel: Anfangs hatten die verschiedenen Künstler versucht, »Hieroglyphen« nachzuahmen, die sie kannten – ägyptische, nordische, was auch immer. Oder sie machten sie zu anachronistisch modernen Dingen, einem Segelboot oder einem Pilger. Wenn man dann die Jahrhunderte im Daumenkino vorbeiziehen lässt, entwirren sich die Linien, und man erkennt Menschen und Vierfüßler. Von Bedeutung sind wir immer noch meilenweit entfernt. Tatsächlich ist genau das passiert: Das Auge löst sich vom Wunsch nach Bedeutung, und die Bilder treten hervor. Simek zeigte mir die Seiten Mallerys, um mir zu demonstrieren, wie gefährlich es ist, etwas zu lesen, das man gar nicht lesen kann. Und wir können es nicht lesen.

Versuch erst mal, es zu sehen. Das ist schwer genug.

Von Knoxville aus fuhren wir westwärts Richtung Plateau. Die Felder im mittleren Tennessee waren im Oktober kühl und grün, Raureif wie Milchglas. Während wir Fast-Food-Biscuits aßen, erzählte Simek über das Ziel unserer Reise, die Zwölfte Namenlose. »Die ist wirklich großartig«, sagte er. Es gebe dort über dreihundert Bilder, ein paar davon so klein, dass man die Augen zusammenkneifen müsse.

Es war nicht nur diese eine Höhle. In dieser Gegend kannte man damals schon eine ganze Handvoll (heute sind es mehr), die sich im Stil ähnelten. Nummer Zwölf war eine davon. Die Wissenschaftler hatten in einer Höhle noch nie etwas Ähnliches gesehen. Nirgendwo hatte irgendjemand etwas Derartiges gesehen. Sie waren weder als Woodland- noch als Mississippi-Malereien identifizierbar, obwohl die Datierung (in diesem Fall etwa 1160) sie genau an der Woodland/Mississippi-Schwelle verortete. Jan vermutete, dass diese besonderen Höhlen Überbleibsel einer örtlich begrenzten, regionalen Woodland-Kultur waren, ehe diese vom Southern Death Cult ausradiert oder einverleibt wurde.

Wir rumpelten durch ein Tor und direkt auf ein Farmgelände, eine weitere Stätte, die von diskreten Landbesitzern beschützt wurde. Wir legten die Ausrüstung an und liefen über ein Stoppelfeld, wir wichen Kuhmist und weißen Pilzkolonien aus. Nach ein paar hundert Metern ging es leicht, aber merklich bergab. Wir erreichten ein altes »Waschbecken« – eine Senke, die durch den Einsturz einer Kammer im Kalkstein entstanden war. In der Mitte dieser grünen Schüssel war ein deutlich sichtbares Loch, eine Art Krater. Drumherum Bäume. Wir kraxelten über Schutt nach unten.

Jan entdeckte Fußabdrücke im Schlamm. »Wem gehören die?«, fragte er verwundert.

Unmittelbar hinter dem Eingang zur Höhle war ein Loch im Boden: »Das ist frisch«, sagte er. »Das waren Höhlenplünderer, sogenannte Pot-Digger.«

Eine Coladose stand auf einem Felsen über den Gruben. Sie war noch warm. Jan hob sie hoch und roch daran, »Kerosin«, sagte er. Sie hatten seinen Truck gehört. Sie waren gerade erst abgehauen.

Es gibt ein bemerkenswertes FBI-Abhörprotokoll aus den neunziger Jahren. Guy Blackwell, der ehemalige Assistant U. S. Attorney von East Tennessee hatte mir eine Kopie gegeben. Für Blackwell war die Sache der seltsamste Fall, an dem er jemals gearbeitet hatte. Eines Morgens hatten ein paar Männer aus dem Dorf Rauch aus einem Loch in der Hügelflanke kommen sehen (neue Höhlen werden häufig durch Zufall entdeckt). Sie krochen hinein und fanden etwas, das Quentin Bass, der Archäologe der örtlichen Forstverwaltung, als »so nah dran an einer Indianer-Schatzhöhle, wie man es sich überhaupt nur vorstellen kann« beschrieb (er sagte das, obwohl er nur die zerstörten Überreste gesehen hatte). Leute, die sich beruflich mit der Prähistorie des Südostens beschäftigen, kennen Lake Hole Cave – eine perfekt erhaltene Grabhöhle der späten Woodland-Epoche. Es gab dort weit über hundert Skelette von Angehörigen unterschiedlicher Generationen. Die Eingänge zu den Grabstätten waren absichtlich mit riesigen Steinen versperrt worden, »wie das Grab Jesu Christi oder so«, sagte einer der Plünderer, der geholfen hatte, sie zur Seite zu rollen. Sie waren wochenlang in der Höhle gewesen und hatten eine ausgefeilte Eimerkette organisiert, um das ganze Zeug aus der Höhle zu schaffen. Einer von ihnen war ein recht bekannter Mann aus der Gegend, ein reicher Typ mit einer Sucht nach Artefakten. (Gute Digger arbeiten am Ende normalerweise immer für »einen reichen Typen« – man fragt sie: »Was ist das für einer?«, und sie antworten: »Stinkreich ist der.«)

Das FBI hatte gerade erst einen anderen Typ aus demselben County, einen großen Halbcherokee namens Bob, wegen des Besitzes von Plündergut hochgenommen (im Wert von Hunderttausenden von Dollar, ging das Gerücht). Man hatte Bob überzeugt, sich als Gegenleistung für eine milde Strafe im Lake-Hole-Fall verkabeln zu lassen und einen Digger zum Reden zu bringen – jeder im Ort wusste, dass Bob mit diesen Dingen zu tun hatte, und man vertraute ihm.

Er fuhr zu einem Mann namens Newell, und sie saßen zusammen in seinem Wohnzimmer. Hauptsächlich hört man Newells Verwunderung über den Fund und über das, was sie dort unten sonst noch gesehen hatten. Er hatte ganze Nächte bekifft in der Höhle verbracht (die Polizisten hatten neben einer Grube eine fette Tüte gefunden) und zweitausend Jahre alte Artefakte ausgebuddelt, von denen er seit seiner Kindheit geträumt hatte. Es ist bewegend – und gleichzeitig schrecklich, wenn man bedenkt, dass alle oder zumindest etliche der

Relikte verschollen sind, in den Fluss geworfen, als die Digger von der bevorstehenden Razzia Wind bekamen –, ihren kleinen Sofadialog zu lesen, die Artefakte vor ihnen auf dem Couchtisch.

> BOB: Ich wollte Sie treffen um rauszufinden, ob [der reiche Typ] die Pfeife verkaufen will.
> NEWELL: Vielleicht.
> BOB: Ich wollte sie mir mal ansehen.
> NEWELL: Eins weiß ich: So was habe ich noch nie gesehen. So was habe ich noch nie gesehen.
> BOB: Aber wie sieht sie aus? Können Sie sie beschreiben oder zeichnen?
> NEWELL: Sie ist, zeichnen ist schlecht bei mir ... Okay, versuchen wir es. Hier oben ist sie lang, hier geht's hoch, so etwa. Dann quer, ungefähr so, und hier wieder runter. Und sie hat einen großen Stiel, und dann wieder hier zurück ...
> BOB: Also ist sie, ist sie –
> NEWELL: Hier hat sie Flügel, aber aus demselben Material. Das Scheißzeug ist seltsam.
> BOB: Was ist das denn?
> Newell: Keine Ahnung. Es ist Lehm, aber außen dran ist irgendwas Gemahlenes ...
> BOB: Shit.
> NEWELL: ... Ich sag's Ihnen, ich sammel' schon mein ganzes Leben und hab 'ne Menge gesehen, siebzehn Jahre in den Hopewell Mountains und im Ohio Valley, und in den dicken Museen in Columbus und, äh, Pennsylvania, Pittsburgh, und so weiter, aber ich hab noch nie so ein Zeug ...

An anderer Stelle reden sie über eine Schildkröte – das ist alles, was sie sagen: »diese Schildkröte ... diese Schildkröte«. Bob wollte nicht das ganze Geld ausgeben, das er für das Finanzamt auf die Seite gelegt hatte, sagt er, und dann kauft

jemand anderes die Schildkröte. Newell zeigt ihm einen Mu-
schel-Ringkragen mit einem aufwendigen Klapperschlangen-
muster:

BOB: Puh!
NEWELL: Das ist Southern Cult, Death Cult.
BOB: Genau, ich würde gerne mal einen dieser Spechte se-
hen ...
NEWELL: Die sind selten.

Das ist es, was ich meine, wenn ich vom *Ausmaß* der Auslöschung spreche. Lake Hole Cave ist kein Einzelfall. Auslöschung
geschieht in Wellen. Die Zeit der Depression war schlimm.
Während der gigantischen New-Deal-Grabungen bemerkten
die örtlichen Anwohner das große Interesse und begannen ihrerseits, wie wild nach Artefakten zu graben. Die Siebziger waren auch schlimm. Die Preise für Artefakte stiegen mit der
Begeisterung der Hippies für die Kultur der amerikanischen
Ureinwohner. (Bob sagt an einer Stelle in den Lake-Hole-Ton-
bändern: »Ich würde gerne mal was von dem Zeug sehen, das
sie in den Siebzigern gefunden haben.«) In jenem Jahrzehnt
gab es zum ersten Mal eine kulturelle Schnittmenge zwischen
Höhlenkletterern und Pot-Diggern. Man betrat Orte, die vorher nicht zugänglich waren. Und in Deutschland und Japan,
wo viele Menschen von der Geschichte der amerikanischen
Ureinwohner besessen sind, wuchsen die Märkte.

Etliche wichtige Fundorte sind überhaupt erst durch Hin-
weise und Berichte von Plünderern bekannt geworden. Zum
Beispiel der Spiro Mound in Oklahoma, am westlichen Rand
des Death-Cult-Gebietes. Die Mühlen der SECC-Arbeitsgrup-
pe verdanken Spiro wohl mehr Material und ikonografisches
Mahlgut als jedem anderen Fundort, und einen Großteil der
Informationen haben wir ausschließlich aus Interviews mit
Plünderern. Diese Interviews wurden noch nicht einmal von

einem Anthropologen geführt, sondern von einem Banker aus Missouri namens Henry Hamilton. Bei einem Besuch vor Ort bemerkte er schnell, was dort vor sich ging. Sechs Männer hatten einfach ein Unternehmen gegründet und es als Bergbaufirma deklariert – jetzt holten sie Tag und Nacht und schubkarrenweise das Material aus dem Mound-Komplex heraus. Ohne Notizen, ohne Fotos. Sie hatten einen Zwischenhändler gefunden, der die Fundstücke über das ganze Land verteilte. Viele wurden angeblich nach Frankreich verkauft. Während er den Männern zuhörte, begriff Hamilton, dass sie außergewöhnliche Dinge gesehen hatten, die man trotz ihres unwiederbringlichen Verschwindens zumindest beschreiben konnte. Er schaffte es, die vier Digger dazu zu bewegen, mit ihm zu sprechen. Sie erzählten, wie sie sich in das Herz des größten Mounds gegraben und dort eine Kammer aus Baumstämmen gefunden hatten. Sie hatten die Stämme herausgeschafft und verbrannt. Die Kammer war allerdings leer und trocken. Als sie in den Raum eindrangen, blies ihnen kühle Luft ins Gesicht. Sie fanden Altäre voller Perlen und Figuren von weiblichen Körpern. An den Wänden waren Meeresschneckenhäuser in Mustern angeordnet. Dieser kleine Raum, eine Totenkammer der späten Mississippi-Kultur, bietet uns ein einzigartiges Bild – von den Plünderern, von seinen Zerstörern gezeichnet. Hamilton könne selbst hineinkriechen und die Reste inspizieren, boten sie ihm an, aber als er sah, dass der Stollen vollkommen ungesichert war, lehnte er ab.

Ich habe einmal einen Archäologen in Kentucky besucht, einen großen, entspannten und auf trügerische Weise verschlagenen Kerl namens Tom Des Jean, der als Spezialist für kulturelle Ressourcen (»Das ist mir lieber als ›Archäologe‹«, sagte er, »denn wenn sie Stellen streichen, feuern sie die Spezialisten als Letzte«) im Big-South-Fork-Nationalpark arbeitet, der sich auf dem Plateau von Tennessee bis nach Kentucky erstreckt. Bei den ständigen Konfrontationen mit Plünderern auf dem Gelände des Parks hat Des Jean tatsächlich ein paar von ihnen kennengelernt. Als sie merkten, dass er sie nicht verhaften, sondern nur dazu bewegen wollte aufzuhören, luden sie ihn zu sich nach Hause ein, um ihm ihre Sammlungen zu zeigen. Er war immer wieder verblüfft, was er dort zu sehen bekam – Stücke, die auch ohne Herkunftsangabe und Kontext allein durch ihre bloße Existenz Einfluss auf die Geschichtsschreibung des Plateaus haben. Er begriff, dass er gegenüber den Plünderern eine Art Entspannungspolitik betreiben musste; für Snobismus stand zu viel auf dem Spiel. »Es gibt all diese Leute, die all dieses unglaubliche Zeug finden«, sagte er. »Und sie haben Angst, jemandem davon zu erzählen, weil sie nicht erwischt werden wollen. Aber wer ist am Ende der Dumme?« Des Jean fing an, über ihre Sammlungen zu schreiben, und ließ sich bei seinen Ausgrabungen von ihnen beraten. In der Folge gingen die Plündereien im Nationalpark zurück, Neuentdeckungen wurden schneller gemeldet. Er gab mir einen interessanten Aufsatz eines Kollegen, der darüber schrieb, wie man mithilfe von Bodenanalysen Fundort-Informationen aus Plündergut gewinnen kann.

Des Jean erklärte mir, dass das Schürfen in den Halbhöhlen auf beiden Seiten des Parks eine regelrechte Volkskultur sei – das sogenannte »sifting« (am Eingang zum Park gebe es einen Ort namens »Sifter's Hill«, sagte er). Er hatte sich zusammengereimt, dass die ganze Sache etwas mit der Jagd zu tun haben musste. »Das Wild isst morgens«, sagte er. »Auf Nahrungssuche wagt es sich heraus, aber dann ist es satt und kommt erst in der Abenddämmerung wieder zum Vorschein. Und so lange sitzt man im Wald und wartet. Was macht man also? Man gräbt nach Pfeilspitzen.« Er erzählte mir von einer Familie, die gerne nachts gemeinsam im Licht eines Scheinwerfers grub, den sie an die Batterie ihres Armee-Jeeps anschlossen (die wachsende Zahl von Jeeps hatte laut Des Jean nach dem Krieg die Plünderei beflügelt). Der Sohn dieser Familie (und ihr eifrigster Digger) hatte Des Jean gegenüber einmal erwähnt, dass das Geräusch von Erde in einem Sichertrog Musik in seinen Ohren sei. Des Jean wollte mir den Mann vorstellen, also besuchten wir ihn. Unterwegs erzählte mir Des Jean die Geschichte des Lieblingsplatzes dieser Familie, Walnut Rockhouse. Über ein Jahrzehnt hatten sie ihn recht regelmäßig geplündert. »Wenn sie den Ort in Frieden gelassen hätten«, sagte Des Jean, »dann wäre er jetzt Unterrichtsmaterial für Doktoranden.« Sie waren in ungewöhnlich intakte Schichten der Früharchaik, fast sogar ins Paläoindianische vorgedrungen. Eine von ihnen ausgeräumte und zerstörte Grabstätte war nach Des Jeans Schätzung auf Grundlage der Fakten und der Rückschlüsse, die er aus der Sammlung des Sohns gezogen hatte, mindestens 8000 Jahre alt, wahrscheinlich sogar noch älter.

Der Sohn erwartete uns an der Tür eines bescheidenen Holzhauses auf einem Stück Land irgendwo in der Pampa. Er zeigte uns seine Maultiere und seinen Hund, der Maultiergröße hatte. Er war kerngesund. Er hatte graues Haar, aber einen irgendwie jungenhaften Haarschnitt. Er trug eine Brille und sprach sehr laut. Er redete ununterbrochen. Er übertönte einen, aber nicht auf unhöfliche Art, sondern eher wie ein Schwerhöriger. Auf den alten Fotos, die ich von ihm gesehen hatte, trug er einen Bart, zum Beispiel gab es eins, das ihn in einem Teich zeigte, bei minus dreißig Grad, sein Motorrad neben ihm auf dem Eis geparkt. »Niemand wollte mitkommen und das Foto machen«, sagte er. »Ich musste es selbst aufnehmen.« Jetzt war er nicht mehr so wild und verrückt; bei einem Motorradunfall hatte er sich den Rücken verletzt – er hatte sogar eine Reihe von Artefakten verkaufen müssen, um die Arztrechnungen zu bezahlen –, aber er schien immer noch glücklich und stolz, seinen riesigen Waffentresor für uns zu öffnen und uns ein paar Dinge zu zeigen, von denen er sich nicht hatte trennen können. Des Jean hatte ihm zugesagt, dass ich seinen

Namen nicht verwenden würde, deshalb fing er sofort an, von Grabstätten zu reden – das war es, was ihn begeisterte. Des Jean hatte mir vorher erklärt, dass es in der Plündererszene der Appalachen eine Untergruppe mit einem Faible für prähistorische Knochen gebe. Er erzählte mir die Geschichte eines Mannes aus Huntsville, Tennessee, der sich, laut Des Jean, neben ein »vollständig aufgegliedertes Skelett einer geschätzt etwa vierundzwanzigjährigen Frau gelegt hatte – sie war in der späten Woodland-Epoche bestattet worden, was sie ungefähr 1200 Jahre alt machte. Seine Frau hatte ihn mit dem Skelett fotografiert, und die beiden hatten die Bilder verteilt. Jemand hatte ihn beim Sheriff angezeigt. ›Kriege ich meine Knochen zurück?‹, schrie der Kerl, als man ihn in Handschellen hinten ins Auto verfrachtete.«

»Das stammt aus einem Grab«, sagte der Sohn, seine Augen warteten auf meine Reaktion. »Ein Kind und zwei Erwachsene.« Er legte mir eine Perlenkette in die Hand. Jede Perle war aus dem Inneren eines Meeresschneckenhauses gemacht, wo die Windung dick genug für eine Perle ist. »Man kann sehen, wo die Leiche sie angefressen hat«, sagte er. Die anderen Muschelketten seien im Haus seiner Mutter.

Als ich auf dem Sofa in seinem Wohnzimmer saß, kam er plötzlich hereingerannt und rollte einen Chunkey-Stein über den Teppich in meine Richtung. Er war sagenhaft (Chunkey war ein Spiel – eine dynamische Variante von Curling, bei der es manchmal Tote gab –, das im prähistorischen und sogar im historischen Südosten überall gespielt wurde; es hatte rituelle Aspekte; es hatte mit Krieg zu tun.)

»Damit haben sie gespielt«, sagte der Sohn.

Er reichte mir noch einen seltsamen dunklen Stein. »Jetzt sehen Sie sich das an«, sagte er. »Den habe ich in einem Grab gefunden. Ein Meteorit. Den kriegt man noch nicht mal mit 'ner Metallsäge durch.«

Er zeigte mir eine papierdünne Pfeilspitze, die man wohl bei zeremoniellen Anlässen verwendet hatte. »Unglaublich, wie dünn er das gekriegt hat, oder?«, sagte er. Irgendwann holte er Pfeilspitzen aus einer Sockenschublade, während Des Jean und ich in seinem unfertigen Gästeschlafzimmer standen und zuhörten. An einem Tag, »meinem besten Tag«, hatte er siebenundfünfzig Stücke rausgeholt, »an einem einzigen Schürftag. Und ich nehme nichts, was gebrochen oder rissig ist.«

Er sagte: »Wenn du erst mal die Asche erreicht hast, gräbt es sich leichter als im Sand.«

Er sagte: »Der Neffe meiner Exfrau ist bei mir eingebrochen und hat alle Pfeile, die er wollte, von ihrem Ständer genommen und sie für Drogen vertickt.« Wir standen vor den Überbleibseln der lebenslangen Grabungen des Mannes.

Während wir uns unterhielten, war mir ein Ding aufgefallen, das auf dem Fernseher stand; es war in einen großen Bogen grünes Seidenpapier gewickelt. Der Sohn schielte immer wieder hinüber, er bettelte förmlich um meine Frage. Irgendwann fragte ich. Er holte das Teil – ein weiblicher Schädel, dessen Alter er auf zwölftausend Jahre schätzte (Des Jean glaubte eher an acht- bis neuntausend). Er präsentierte ihn mir. Er zeigte mir die Stellen, an denen ihre Zähne komplett abgewetzt waren, »weil sie immer auf Leder rumgekaut hat«.

Er erzählte von Leuten im Ort, die einen schwunghaften Handel mit Artefakten betrieben. »Für keinen Preis der Welt würde ich meine Sammlung verkaufen«, fügte er hinzu. »Ich hab die Sachen nicht ausgegraben, um Geld zu machen.«

Er erzählte von dem »Typ von der Werkstatt, der alles Mögliche macht, und den man in Reliquien bezahlen kann. Du brauchst neue Bremsbacken und hast kein Geld? Ein paar Pfeilspitzen, ein paar Reliquien reichen, und er macht dir deine Bremsbacken.«

Ich fragte, ob er immer noch schürfe. Manchmal, sagte er. Nicht so schnell und effektiv wie früher. Er ginge gerne um zehn oder elf Uhr abends raus zum »Sammeln«. Warum? »Weil ich arbeite. Weil ich keine Sozialhilfe kassiere. Ich sollte Sozialhilfe beantragen. Dann könnte ich ständig schürfen.« Er erzählte, dass Leute sich sein Land unter den Nagel gerissen hatten. Dass er abends den Graben aufräume und den ganzen Dreck in den Wald kippe. Dass er oft am nächsten Tag wiederkomme, und der Graben sei wieder voll. Jemand war nach ihm da und hat geschürft.

Von der ganzen Familie habe nur sein Vater, der ein Viertelcherokee war, nichts mit der Schürferei zu tun haben wollen. »Was soll ich in irgendeiner Höhle herumschaben?«, hatte der alte Mann gefragt.

Als wir uns verabschiedeten, zeigte er uns einen Brief von Ronald Reagan, in dem stand, wie sehr sich Reagan für seine Sammelleidenschaft interessiere.

Wir betraten die *twilight zone*; die sonnenbeschienene Welt war jetzt nur noch ein gähnendes Loch hinter uns. Jan schaltete den Zauberstab ein. In dieser Höhle war er anders als sonst; er redete wenig. Als ich ihn später danach fragte, sagte er, dass er in dieser Höhle mehr Fehler gemacht habe als an jedem anderen Ort, an dem er jemals gearbeitet habe. Die ersten anderthalb Stunden sei er völlig durchgedreht. Meine Augen gewöhnten sich an das Licht der Stablampe. Ich war mittlerweile in vier oder fünf Höhlen ohne Namen gewesen und begriff allmählich, dass man Höhlenwände anders betrachten musste, geduldiger. Ich würde nie richtig gut darin werden, aber ich konnte sehen, was andere entdeckt hatten.

Man sah schnell, was Simek an dieser Höhle so beeindruckt hatte. Man könnte sich durch jede beliebige Anzahl von Bildbänden über die prähistorische Kunst der amerikanischen Ureinwohner blättern und würde rein gar nichts finden, was diesen Bildern ähnelte. Wir sahen Vögel, gut, aber das hier schien eine Art Kastenvogel zu sein – sein quadratischer Körper war gefiedert. Und es gab mehr davon.

Eine Glyphe der Sonne, in genau dem Augenblick, als das Sonnenlicht verschwand.

Die Kreaturen veränderten sich, je tiefer wir vordrangen. Das hier waren keine Vögel mehr, aber sie waren mit den Vögeln verwandt; sie schienen aus ihnen hervorzugehen; es waren andere Kastenwesen.

Wir sahen Kastenmenschen neben natürlicher aussehenden Menschen. Und wieder traten die Glyphen miteinander in einen Dialog, sie reimten sich, eine ein Echo der anderen.

Die Stollen wurden niedriger, enger. Unsere Gesichter waren nur noch Zentimeter von den Höhlenwänden entfernt. Wir trafen auf seltsame Kreaturen mit Schwimmhäuten und langen, schwankenden Armen.

Ich fing an, mich wie im Inneren einer Halluzination zu fühlen, nicht meiner eigenen – ich gab mir alle Mühe, Jans kryptische Bemerkungen in der Enge der Höhle mitzuschreiben –, sondern im Traum eines anderen, der eigens für mich gedacht war, beziehungsweise nicht für mich, sondern für andere, völlig andere Leute. Vielleicht war es Schamanismus. In der Höhle gebe es eine Quelle, sagte Simek, die manchmal, wenn man lang genug hier drin sei, anfinge, wie Stimmen zu klingen.

»Es ist wie ein Wandgemälde aufgebaut«, sagte er. Er hielt es für einen Ursprungsmythos, vielleicht auch für eine Einweisung der Jugend in die Religion des Stammes. Ich sah ihn an. Ausnahmsweise schien er ebenso überwältigt zu sein, wie ich es in den Höhlen ohne Namen grundsätzlich war. Er sagte immer noch »Das wissen wir nicht«, aber jetzt stand es am Ende seines Vortrags, nicht am Anfang.

An einer Stelle im Stollen fand sich eine Geburtsszene. »Ein Triptychon«, sagte Simek. Kastenfrau links, mit Quadratkopf und langen Alienarmen. In ihrem Bauch hat sie konzentrische Kreise. Gedehnte Schamlippen. Anscheinend gebärt sie ein kleines menschliches Wesen. Sie hält eine eher konventionelle, menschenähnliche Figur an der Hand.

In einem engen Stollen nicht weit davon entfernt, dicht am Boden: ein tanzender Mann mit einer Art Kopfschmuck und einem riesigen erigierten Penis.

Und dann erreichten wir das Tafelbild mit den Vögeln. Kleine Vögel, von der Größe eines Silberdollars. Ein Truthahn. Ein Falke. Immerhin ein kleiner Singvogel. Sehr fein mit Flintstein in Kalkstein geritzt. Eine weitere Höhle, die mit Vögeln begann und endete.

Als wir wieder draußen waren und vor dem Rückweg zum Auto noch eine Pause machten, sagte Simek: »Überleg mal. Was gab es in dieser Höhle gar nicht?«

Ich wusste es nicht. Hatte es in der Höhle nicht alles gegeben?

»Über dreihundert Bilder, aber kein einziges von einer Waffe«, sagte er. »Wir haben es hier mit früher Mississippi-Kunst zu tun, in der es keine Gewaltdarstellungen gibt, wo die Vögel reine Vögel sind und nicht mit Krieg in Verbindung stehen – sie befinden sich mitten im Flug. Sogar die menschlichen Figuren sind nicht unbedingt Krieger.«

In dieser Höhle hatte es auch Frauen und Sex gegeben. Ich dachte darüber nach. Keine Frauen und kein Sex in den anderen Höhlen.

»Die alte Religion«, sagte Jan.

Seit ich aufgehört habe, Simek und das CART-Team zu begleiten, haben sie etliche weitere Höhlen auf oder neben dem Plateau entdeckt, in denen es Bilder in dieser ehemals unbekannten Tradition gibt. Manche von ihnen sind stilistisch sogar noch abwegiger. Eine ist voll von diesen kleinen naturalistischen Vögeln, Hunderte von Petroglyphen, Truthähne überall. In einer anderen Höhle fanden sie eine in die Decke gemeißelte menschenähnliche Figur. Ihr Torso ist ein gekrümmtes Rechteck, gefüllt mit Kreuzen. Die Vogelscheuchenarme stehen im rechten Winkel ab. Die Figur hat einen runden Kopf mit abstehenden Hasenohren. An den Füßen lange, fließende Zehen, die entfernt an die Paddelhände aus der Zwölften Namenlosen erinnern. Die Sonne scheint ihr aus dem Bauch. »Das ist der beste Ausdruck dafür«, sagte mir Jan. »Die Sonne scheint ihr aus dem Bauch.«

Im Laufe der Jahre änderte sich Jans Meinung zur möglichen Bedeutung des Kunstwerks allmählich. Man hatte so viele Höhlen gefunden, es gab jetzt so viele Daten, dass es an der Zeit für ein paar spekulative Deutungsversuche war. Er würde sich nicht auf das Terrain der SECC-Arbeitsgruppe begeben. Das war absolut keine Option. Es sind keine alten Mythen der Woodland-Kultur erhalten, noch nicht einmal indirekte Quellen. Wir werden nie erfahren, wie ihre Götter hießen und welche Charaktereigenschaften sie auszeichneten. Aber was Jan und seine Kollegen vor sich hatten, war etwas Tiefergehendes, etwas Vormythisches, nämlich eine vergeistigte Vision der Landschaft. Sowohl die Höhlen als auch die Fundstellen auf der Oberfläche »kennzeichneten Orte der Kraft, an denen sie ihre Seele mit der Landschaft verbanden«, und diese Orte gehörten zusammen. Mit dieser Entdeckung kam Simek unerwartet zu demselben Schluss wie einer der ersten Fachleute für Altertümer aus Tennessee, der Richter John Haywood, der 1823 in seinem Buch *Nature and Aboriginal History* von »einer Verbindung zwischen den Mounds, der Kohle und der Asche, den Malereien und den Höhlen« schrieb.

Eines Nachts am Telefon sagte Jan, dass sie eine Höhle entdeckt hatten – ganz in der Nähe von Knoxville, nicht weit von seinem Haus entfernt – und tief in ihrem finsteren Inneren eine Jagdszene, das Kohlepiktogramm eines Mannes, der ein Reh jagt. Sie hatten eine winzige Karbonprobe genommen. Das Datum kam aus dem Labor: sechstausend Jahre alt. Sie konnten es nicht glauben. Manchmal wird das organische Material im Kalkstein, mit dem seine biologische Herkunft bewiesen werden kann (Kalkstein besteht im Prinzip aus prähis-

torischen Muscheln), ausgeschwemmt, so dass die Proben ver-
unreinigt sind. Sie hatten den Stein untersucht. Es gab kein
solches Material.

Die Waffe, die der Mann auf dem Bild hält, könnte ein Speer
sein. Wenn man allerdings einen Speer wirft, hält man den anderen Arm in die Luft. Der Mann hält seinen Schwungarm jedoch dicht am Körper. Das macht man, wenn man mit einem
Atlatl wirft, einer Speerschleuder, dem Vorgänger von Pfeil
und Bogen.

Es gibt meines Wissens nirgendwo auf dieser Welt, egal ob
Alte oder Neue, Bilder von Menschen, die Atlatls benutzen.
Dieses Bild ist das einzige. Eine Waffe, die unsere Spezies drei-
ßigtausend Jahre ernährt und die viel mit unserer Stellung auf
diesem Planeten zu tun hat. Der Jäger, der sie führt, lässt das
Geschoss gerade los.

Möglicherweise kam vor zweitausend Jahren ein Woodland-
Entdecker an diesem kleinen Bild vorbei, ein Zeitgenosse der
Künstler, die die komplizierten Tafelbilder der Vögel gemalt
hatten – ein Bild, das weiter entfernt von seiner Zeit war, als
er von unserer – und fragte sich, wer es geschaffen hatte oder
was es bedeutete.

GEISTER DES BLUES

Ende 1998 oder Anfang 1999 – auf jeden Fall während des Winters, der beide Jahre überspannte – habe ich, mit Unterbrechungen, fast eine ganze Nacht mit einem Menschen namens John Fahey am Telefon verbracht. Ich war Jungredakteur beim *Oxford American*, einem Magazin, das seine Büros zu dieser Zeit in Oxford, Mississippi, hatte; Fahey, damals fast sechzig und wohnhaft in Zimmer 5 einer Fürsorgeunterkunft am Rand von Portland, Oregon, war er selbst. Was auch immer das war: eine Art Geisterbeschwörer, so viel ist sicher; ein »Pionier« (wie er einmal seinen großen Helden Charley Patton nannte) »der Externalisierung merkwürdiger, befremdlicher, sogar gespenstischer emotionaler Zustände in Musik«. Als Komponist baute er aus Bruchstücken von Gitarren-Instrumentals älterer Songs Collagen zusammen. Am gelungensten waren diese Collagen, wenn in ihnen wie in Resonanzräumen verschiedenste längst tote Stilrichtungen miteinander kommunizierten. Mein Vater hatte mir davon erzählt, wie er Fahey 1969 in Memphis gesehen hatte. Beim legendären Blues-Festival dieses Sommers hatte Fahey seine »Blind Joe Death«-Nummer abgezogen, wobei er, als er am Arm geführt und mit dunkler Brille auf die Bühne humpelte, den Körper eines in die Jahre gekommenen Farmpächters zu bewohnen schien. Diesen postmodernen Scherz auf Kosten der ausschließlich weißen, authentizitätsbesessenen Country-Blues-Auskenner konnte er sich zu jener Zeit eindeutig erlauben. Fünf Jahre zuvor hatte er zu den Anführern einer kleinen Truppe von Enthusiasten gehört, eines Sondereinsatzkommandos des Folk-Revivals, die auf der Suche nach noch lebenden Honoratioren der Country-Blues- oder sogenannten »Folk Blues«-Phase der Vorkriegszeit (über den Daumen gepeilt von 1925 bis 1939) Roadtrips durch die Südstaatenprovinz veranstaltete.

Fahey war jemand, dessen Schicksal wie das eines schwarzen Schafes einer tiefsitzenden inneren Schwachstelle folgte. Er hatte eine schöne Kindheit in Washington, D.C., war aber von klein auf fixiert auf die traditionelle Gitarrenspielweise des Fingerpicking. Nach dem College ging er an die Westküste, um in Berkeley Philosophie zu studieren, wechselte allerdings in einem entscheidenden Augenblick an die UCLA, ans dortige Institut für Volkskunde. Mit dem Abschluss in der Tasche konnte er genau das machen, was er wollte: alte Bluesmusiker aufstöbern. Er war persönlich daran beteiligt, sowohl Booker T. Washington »Bukka« White als auch – das war ein krönender Moment – Nehemiah Curtis »Skip« James zu finden und zurück vor die Augen der Öffentlichkeit zu zerren. James, der dunkle Prinz des Country-Blues, war ein dünner Schwarzer mit hellen Augen und einer außerirdischen Falsettstimme, der 1931 einen Schwung derart trauriger, erschütternder Lieder aufgenommen hat, dass die Leute ihn angeblich dafür bezahlt haben, an ihrer Straßenecke nicht zu singen. Fahey und zwei seiner Mitstreiter entdeckten ihn 1964 in einem Armenkrankenhaus in Tunica, Mississippi, wo er den grausam schleichenden Magenkrebs-Tod starb. Sie sagten zu ihm: Wir wissen, Sie sind ein Genie. Jetzt sind die Leute bereit. Spielen Sie für uns.

»Ich weiß nicht«, soll er geantwortet haben. »Skippy ist müde.«

Ich wiederum sollte Fahey wegen eines Faktenchecks auftreiben. Das Magazin wollte eine Geschichte über Geeshie Wiley bringen (manchmal auch Geechie oder Gitchie; so oder so wahrscheinlich nur ein Künstler- oder Bühnenname, der klarstellte, dass Gullah-Blut in ihren Adern floss bzw. dass ihre

Haut und ihre Haare rot getönt waren). Sie ist die vielleicht einzige Zeitgenossin von James, die ihm als seine spirituelle Braut in Sachen unheimlicher Schönheit je das Wasser reichen konnte. Alles, was wir über Wiley wissen, ist das, was wir nicht wissen: Wo oder wann sie geboren wurde; wie sie aussah, wo sie lebte, wo sie beerdigt wurde. Musik machte sie zusammen mit einer gewissen Elvie Thomas, über die sogar noch weniger bekannt ist. (Über Elvie gibt es nicht mal Gerüchte.) Im Lauf der Jahre gaben Musiker, die behaupteten, Geeshie Wiley in Jackson, Mississippi, gesehen zu haben, Forschern gegenüber dürftige Details preis: dass sie eventuell aus Natchez, Mississippi, stammte (und vielleicht Halbindianerin war) und dass sie bei einer Medizinshow aufgetreten sei. Das Schicksal erlaubte sich einen kleinen, sadistischen Scherz, als es den Blues-Forscher und Rekordplattensammler Gayle Dean Wadlow (der, der Robert Johnsons Totenschein gefunden hat) in den späten sechziger Jahren ein Interview mit einem Weißen namens H. C. Speir führen ließ, einem ehemaligen Plattenladenbesitzer aus Jackson, der in der Vorkriegszeit nebenher als Talentscout für Plattenlabels gearbeitet und sich dabei auch auf dem Feld sogenannter »race records« versucht hatte (Musik, die speziell für Schwarze auf den Markt gebracht wurde). Dieser Speir hatte Wiley mit ziemlicher Sicherheit um 1930 herum getroffen und seinen Kontaktpersonen bei Paramount in Grafton, Wisconsin, von ihr erzählt – vielleicht hat er zusammen mit ihr und Elvie sogar die Zugreise gen Norden angetreten, was er bekanntermaßen mit anderen seiner »Funde« getan hat. Obwohl mindestens zwei der sechs erhaltenen Songs von Wiley und Thomas schon von Sammlern wiederentdeckt worden waren, als Wardlow Speir 1969 in dessen Haus besuchte, waren diese Lieder damals außerhalb einer kleinen Gruppe von zwei, drei Aficionados an der Ostküste niemandem zugänglich. Anders gesagt: Wardlow saß eine halbe Meile entfernt von dort, wo sie aufgetreten war, und unterhielt sich mit einem Mann, der ihr Gesicht betrachtet und ihr beim Stimmen ihrer Gitarre zugesehen hatte, und wusste nicht, dass er nach ihr fragen sollte. Er war ihr in diesem Augenblick näher, als es jemals wieder irgendwem gelingen würde.

Nicht viele derart unbekannte Menschen haben ein so gewichtiges, betörendes Vermächtnis hinterlassen wie Geeshie Wiley. Drei der sechs Songs, die Wiley zusammen mit Elvie Thomas aufgenommen hat, gehören zu den größten Country-Blues-Aufnahmen, die jemals in Schellack gepresst wurden. Einer davon, der »Last Kind Words Blues«, ist ohne jede Einschränkung ein zentrales Werk der amerikanischen Kunst, ein Blues, der kein Blues, sondern etwas anderes ist, gleichzeitig aber auch der perfekte Blues, ein Gipfelpunkt.

Man hat die These aufgestellt, das Lied sei ein einsamer Überlebender eines älteren, zum Zeitpunkt des Entstehens bereits im Verschwinden begriffenen Minstrel-Stils; andere halten ihn für eine einmalige Spur, einen ephemeren Hybrid, der mit Wiley und Thomas ins Leben gekommen und gestorben ist, der Versuch, eine Melodie nachzuspielen, die die beiden irgendwo am Lagerfeuer gehört hatten. Der Aufbau folgt nicht dem üblichen AAB-Wiederholungsschema des Blues, und zur wehklagenden Melodie gibt es bis heute auf keiner existierenden Aufnahme etwas Vergleichbares. Genauso verhält es sich mit der Harmoniefolge des Songs: Der »Last Kind Words Blues« beginnt groß, scheppernd, bedrohlich in E-Dur, zieht sich dann aber schnell auf a-Moll zurück, wo er eine Weile verharrt (der frühe Blues wurde so gut wie nie in einer Moll-Tonart gespielt). Das sich ineinander windende Zusammenspiel der beiden Gitarren mit den kleinen Slide-Passagen, die höchstwahrscheinlich von Elvie kommen und ständig zwischen Hauptstimme und Kontrapunkt wechseln, ist nicht weniger außergewöhnlich. Manchmal hört sich das nach vier Händen an, die einem einzigen Kopf gehorchen, und beschwört Bilder von endlosem Üben und der unermesslichen

Langeweile der Medizinshow-Welt herauf. Der Text fängt so an:

>»The last kind words I heard my daddy say,
Lord, the last kind words I heard my daddy say,
›If I die, if I die, in the German War,
I want you to send my money,
Send it to my mother-in-law.
If I get killed, if I get killed,
Please don't bury my soul.
I cry, just leave me out, let the buzzards eat me whole.‹«

In der folgenden Strophe gibt es ein paar Wörter, die wegen Wileys Nuscheln oder wegen des starken, knisternden Rauschens abgenutzter 78-rpm-Schellacks unverständlich sind. Relativ deutlich kann man noch hören, dass sie »When you see me coming, look 'cross the rich man's field« singt, danach kommt etwas, das »If I don't bring you flowers / I'll bring you [a boutonnière?]« heißen könnte. Die Erwähnung einer Boutonnière, einer Ansteckblume, würde allerdings an Nonsens grenzen, besser gesagt: wirkt nicht gerade so, als hätte man dieses Wort in jener Gegend damals gekannt und benutzt. Aber der Autor des Textes, zu dem ich die Fakten nachzurecherchieren hatte, wollte just diese Zeile zitieren, und meine Aufgabe bestand darin, sie entweder als Ganzes zu klären oder zur Zufriedenheit meiner Chefs nachzuweisen, dass das ein Ding der Unmöglichkeit war. Es war Ed Komara, damals Hüter des heiligen B.B. King Blues Archive an der Universität von Mississippi, der mir empfahl, mit Fahey in Kontakt zu treten. Ich glaube, er sagte: »John Fahey weiß so'n Scheiß.«

Jemand an der Anmeldung erklärte sich bereit, mich in Faheys Zimmer durchzustellen. Aus dem, was ich mir später angelesen habe, lässt sich folgern, dass Fahey zu jener Zeit seine wöchentliche Miete durch das Aufstöbern und den Wiederverkauf rarer Klassik-LPs zusammenbekam, wobei er für letztere einen außergewöhnlichen Blick entwickelt haben musste, sind die Gewinnspannen in diesem Metier doch so gering, dass sie kaum noch wahrzunehmen sind. Ich stellte ihn mir bäuchlings auf dem Bett liegend vor, mit grauem Bart und möglicherweise nackt, sein übermäßig üppiger Körper ausgestreckt wie etwas, das nur aufsteht, um zu essen. So zumindest haben ihn Journalisten in den wenigen Porträts, die ich gelesen habe, angetroffen. Zu diesem Zeitpunkt hatten ihn die Jahrzehnte der Abhängigkeit und das kranke Herz, das ihn zwei Jahre später töten würde, schon stark mitgenommen. Aber er war auch vorher schon berüchtigt gewesen für seine Verschrobenheit, weswegen es mich wunderte, dass er ab dem Moment, als er den Hörer abnahm, red- und vertrauensselig war. Ein Freund von ihm, dem ich später von unserer Unterhaltung erzählte, sagte: »Natürlich war er nett zu Ihnen, Sie wollten ja auch nicht über ihn reden.«

Fahey erbat sich eine Viertelstunde, um seine »Beatbox« anzuschließen und das Band mit dem Lied ausfindig zu machen. Ich rief ihn zur verabredeten Zeit zurück.

»Mann«, sagte er, »keine Ahnung, was sie da singt. Aber es ist definitiv nicht Boutonnière.«

»Irgendeine Vermutung?«

»Nö.«

Wir sprangen zu einem anderen rätselhaften Wort ein paar Zeilen weiter. Wiley singt da: »My mother told me, just before she died / Lord, [precious?] daughter, don't you be so wild.« »Scheiße, ich hab nicht die Spur einer Ahnung«, sagte Fahey. »Aber ist eigentlich auch total egal. Die haben immer nur irgendwelches altes Zeug gesungen.«

Wir schienen am Ende unseres Experiments zu sein. Dann sagte Fahey: »Geben Sie mir eine Stunde. Ich setz mich noch mal ein bisschen hin damit.«

Mit der Kassette, die die Redaktion mir geborgt hatte, ging ich zu meinem Auto. Draußen herrschte die trostlose Kälte des nördlichen Mississippi. Der Wind blies ungehindert über die sanften, hier unten »Hügel« genannten Wellen in der platten Landschaft; in der Kleidung ballte er sich in kleinen Blasen gefrorener Luft, die einen bei jeder Gewichtsverlagerung kalt erwischten. Am Autoradio drehte ich die Bässe ganz raus und die Höhen ganz auf, um die Frequenz von Wileys Stimme zu isolieren, dann fuhr ich fast die ganze Stunde lang mit Höchstgeschwindigkeit durch die Stadt. Die Problemwörter weigerten sich zwar, sich zu ergeben, aber während die Kassette spielte, schälte sich das Lied um diese Wörter herum heraus, und anstelle der Wörter hörte ich es zum ersten Mal richtig.

Im »Last Kind Words Blues« geht es um einen geisterhaften Liebhaber. Wenn Wiley das Wort »kind« singt, wie in »The last kind words I heard my daddy say«, dann meint sie es nicht so, wie wir es heute verstehen, nämlich eben nicht im Sinne von »nett« oder »freundlich«, sondern in der älteren Wortbedeutung von »natürlich« (mit der Implikation, dass alles, was »Daddy« nach diesen letzten Worten noch sagt, unnatürlich oder übernatürlich ist). Im Südstaaten-Dialekt hat sich dieser Gebrauch des Wortes erhalten, beispielsweise in Wendungen, die das Wort *kindly* enthalten. An der Wendung »I thank you kindly« klebt, wie das *Oxford English Dictionary* bestätigt, ein Rest dieser ursprünglichen, archaischen Bedeutung. Sie meint nämlich nicht: »Ich bedanke mich bei Ihnen höflich in aller Herzlichkeit.« Sondern: »Ich danke Ihnen auf die Ihrer Handlung angemessene Art und Weise.« Es ist ja auch, im herkömmlichen Sinne, nichts »Nettes« an den kühlen Anweisungen, die ihr Mann ihr betreffs der Entsorgung seiner sterblichen Überreste gibt. Das meine ich, wenn ich sage, dass der Blues sich an regionale Spracheigentümlichkeiten hält. In dieser Hinsicht unterlaufen ihm keine Fehler.

Ihr Alter ist gestorben, womit er allem Anschein nach auch

gerechnet hat: Das ist die Aussage der ersten drei Strophen, wenn auch nicht ausdrücklich, sondern vom Tonfall her. Dann gerät das Lied in Niemandsland. Sie ist verloren und orientierungslos. Erinnern wir uns: Ihre Mutter hatte sie kurz vor ihrem Tod – »just before she died« – noch vor den Männern gewarnt. Die Tochter hat nicht auf sie gehört, und jetzt ist es zu spät. Sie ist auf Wanderschaft.

> »I went to the depot, I looked up at the sun,
> Cried, *Some train don't come,*
> *Gon' be some walking done.*«

Wo muss sie so dringend hin, dass sie nicht auf den nächsten Zug warten kann? Es gibt einen kleinen Hinweis, denn sie redet ja immer noch mit ihm – oder er mit ihr, da kann man nicht ganz sicher sein: »When you see me coming, look 'cross the rich man's field / If I don't bring you flowers / I'll bring you [?].« Also: Wenn du mich kommen siehst, da, schau hin, direkt übers Feld des reichen Mannes, und ich dir keine Blumen mitbringe, dann bringe ich etwas anderes. So viel zumindest war klar, und das ist Teil dieser alten Geschichte: Wenn ich dir kein Silber bringe, dann bringe ich dir mindestens Gold usw.

Aber dann, in der dritten und letzten Passage des Liedes, wird es wahrhaft mysteriös.

> »The Mississippi River, you know it's deep and wide,
> I can stand right here,
> See my baby from the other side.«

Diese Zeilen gehören zu den unzähligen, quasi frei flottierenden Standardversen im Country Blues, die die Musiker untereinander weiterreichten wie den neuesten Tratsch. In einem fast Haiku-artigen Ansatz entstanden Dramatik und sogar Narration oft durch die bloße Reinheit des Bildes und die Intensität der Gegenüberstellung – ein Großteil der Poesie dieser Musik liegt eben nicht in ihrem Einfallsreichtum, sondern in ihrem Arrangement begründet. Was aber hat Wiley mit diesen Zeilen gemacht? Üblicherweise lauten sie: »I can see my baby [manchmal auch: ›my brownie‹] / from this other side.« Aber bei ihr geschieht etwas Unheimliches mit den räumlichen Verhältnissen. Wenn ich genau hier an diesem Fleck stehe (»stand right here«), also an diesem Flussufer, wie soll ich dich dann von der anderen Seite aus sehen können (»see my baby from the other side«)? Die Ortsbestimmung ist schief. Es sei denn, ich schlüpfe aus meinem Körper hinaus und komme auf der anderen Seite zu dir. Wiley beschließt den Song, als wolle sie genau diesen Verdacht bestätigen:

»What you do to me, baby,
It never gets out of me.
I believe I'll see ya,
After I cross the deep blue sea.«

Das ist eine der ältesten Metaphern für den Tod, die dank Wileys nicht säkularen Vorkriegskollegen recht schnell zur Hand gewesen sein muss. »Precious Jesus, gently guide me«, so geht ein Gospel-Refrain von 1926, »o'er that ocean dark and wide«. Aus, vorbei, o'er, over. »Over« im Sinne von »rüber«. Übers dunkle, weite Meer. Tot also, aber damit nicht »hoch«, sondern »rüber«.

Greil Marcus, der Autor des Textes, den ich nachrecherchierte, erwähnte die außergewöhnliche »Zartheit« dieser »What you do to me, baby«-Zeile. Die sich nicht abstreiten lässt. Genauso wenig wie der ungeheure Überdruss. »It never gets out of me«, aber ein Teil von ihr wünscht sich, dass genau das passiert: dass die Erinnerung stirbt, dass sie sie loswird, diese lange Krankheit. (»The blues is a low down achin' heart disease«, sang Robert Johnson als Echo von Kokomo Arnold, der wiederum das Echo von Clara Smith war, in der wiederum die 1913 von einem weißen Minstrelmusiker geschriebene Nummer mit dem Titel »Nigger Blues« Widerhall fand.) Außer auf das Wiedersehen, das der Tod vielleicht bringt, gibt es nichts, worauf man sich freuen könnte. Das ist der enge, getriebene, gequälte Kosmos dieses Songs, den man hört wie einen fernen Nachhall und der viele Leute nachts nicht schlafen lässt.

Ich in meinem alten Toyota hatte auf jeden Fall heftige Gefühlswallungen. Fahey allerdings machte, als ich ihn wieder am Telefon hatte, einen geradezu aufgekratzten Eindruck. Er hatte einen Treffer gelandet: *blessèd*, gesegnet. Das hatte ihre Mutter zu ihr gesagt: »Lord, blessèd daughter, don't you be so wild«. Ich spulte zu der Stelle. Jetzt schien es mir offensichtlich, vollkommen unmöglich, etwas anderes zu verstehen. Ich machte Fahey ein Kompliment für seine guten Ohren. Immer wieder von starken Hustenanfällen unterbrochen, ließ er eine Tirade vom Stapel von wegen »Die Texte waren denen sowieso nicht wichtig« und »Das waren doch alles Analphabeten«.

Dieses reflexartige Hin und Her zwischen ekstatischer Wertschätzung und dem Drang, die ästhetische Bedeutsamkeit des Country Blues kleinzureden, war, wie ich später erkennen sollte, ein Muster in Faheys Karriere – zu dem auch die »Blind Joe Death«-Episode zählte. Möglicherweise hatte er Angst davor, sich der fast dämonischen Gewalt, die diese Musik auf so viele ausübt, zu überantworten oder dies schon längst getan zu haben. Ich bin mir relativ sicher, dass sein Ironie-Messgerät so gut wie überhaupt nicht ausschlug, als er seinen im Jahr 2000 erschienenen Kurzgeschichtenband *How Bluegrass Music Destroyed My Life* betitelte. Darüber hinaus verschaffte ihm die Fähigkeit, willentlich in einen abschätzigen Modus springen zu können, die Möglichkeit, seinen gefühlten Expertenstatus, sein Beobachtend-daneben-stehen-Können, aufrechtzuerhalten. Fast alle maßgeblichen Blues-Kenner haben diese Tendenz an den Tag gelegt: Solange die Musik so gut wie unbekannt war, pries man sie als große, unverwüstliche amerikanische Kunst; als jedoch die Leute (wie die Rolling Stones zum Beispiel) Feuer fingen und darüber zu plappern begannen, konnte man sie nicht schnell genug daran erinnern, dass es sich eigentlich nur um Tanzmusik für betrunkene Erntehelfer handelte. Fahey hatte einen Punkt erreicht, an dem er in ein und demselben Satz beide Extreme unterbringen konnte.

Mit der Boutonnière war er auch nicht weiter gekommen als ich, diese Sache blieb also weiterhin vordringlich zu klären, weswegen wir uns erneut vertagten. Und wieder telefonierten. Und das Gespräch wieder unterbrachen. Das ging so ein paar Stunden lang. Ich konnte nicht fassen, wie geduldig er war. Irgendwann, ich saß wieder im Auto, registrierten ein paar Härchen am Rand meines innersten Innenohrs nach vielfachem Hin- und Herspulen ein schwaches »L« in der ersten Silbe dieses letzten Wortes: *boLtered*? Ein schnelles Nachschlagen im *Oxford English Dictionary* führte zu *bolt*, dann zu *bolted* und zu guter Letzt zu einem Zitat aus John de Trevisas englischer Übersetzung von Bartholomaeus Anglicus' lateinischer Enzyklopädie *De proprietatibus rerum* (*Über die Ordnung der Dinge*) von ca. 1240: »The floure of the mele, whan it is bultid and departid from the bran.«

Wiley sang nicht »flowers« (Blumen); sie sang »flour« (Mehl). Das Mehl des reichen Mannes, das sie aus Liebe zu dir für dich stiehlt. Sollte sie kein Mehl besorgen können, holt sie eben »bolted meal«, also sehr fein gesiebten Schrot.

»When you see me coming, look 'cross the rich man's field.
If I don't bring you flour,
I'll bring you bolted meal.«

Fahey war skeptisch. »Davon hab ich ja noch nie was gehört«, meinte er. Aber später, nachdem wir uns, allem Anschein nach, zum letzten Mal verabschiedet hatten, meldete er sich noch einmal. Er hatte in der Zwischenzeit Leute angerufen und seine Meinung geändert. (Zu wissen wen, wäre eine schöne Sache – man könnte einen kleinen, sehr wertvollen neuronalen Pfad in der amerikanischen Gedankenwelt der Jahrtausendwende nachverfolgen.) Eine seiner Quellen hatte ihm gesagt, im Bürgerkrieg sei es üblich gewesen, gesiebten Maisgrieß zu nehmen, wenn einem das Mehl ausgegangen war. »Hey«, sagte er, »sollten wir dieses neue Ding auf die Reihe kriegen, schreiben wir Sie ins Begleitheft.«

Das neue Ding war noch im Entstehen, als er starb. Am Telefon hatten wir uns noch über Revenant unterhalten, das 1996 von ihm und einem texanischen Rechtsanwalt namens Dean Blackwood gegründete Label für »Originalmusiken«. Was ihr Augenmerk aufs grafische Detail anbelangt, sind Revenant-Veröffentlichungen konstruktivistische Designprojekte, und die Begleithefte lesen sich wie Mitschriften wissenschaftlicher Konferenzen. Fahey und Blackwood planten eine Neuveröffentlichung, auf der es nur um die »Phantome« der Vorkriegszeit gehen sollte (darunter Wiley und Thomas; von den sechs Aufnahmen dieses Duos sollte die Compilation neue, herausragende Überspielungen enthalten). Die einzigen Kriterien für die Zusammenstellung sollten sein: über den jeweiligen Künstler ist nichts Biografisches bekannt, und jede Aufnahme ist in einem geradezu strikten Sinn eine phänomenale Erscheinung, etwas, das irgendwann vor einem Mikrofon passiert ist, aber nicht nachgespielt, sondern nur erneut erlebt werden kann. Jahrelang hatten sie von diesem Projekt geträumt und an ihren Listen getüftelt. Und ich hatte jetzt ein Fünkchen Wissen dazu beigetragen, einen winzigen Ameisenmundvoll Wissen.

Es vergingen fast sechs Jahre, in denen Fahey an den Komplikationen nach einer Mehrfach-Bypass-Operation im Krankenhaus starb. Wie viele andere auch ging ich davon aus, dass das »Phantome-Projekt« mit ihm begraben worden war, aber im Oktober 2005 nahm es, ohne große Ankündigung und nachdem Revenant gerüchteweise schon dicht gemacht hatte, in Form von zwei CDs mit insgesamt fünfzig Songs und dem Untertitel *Pre-War Revenants (1897-1939)* plötzlich Gestalt an.

Jeder, der sich für die Kultur Amerikas interessiert, sollte einen Weg finden, sich diese Compilation anzuhören. Sie ist für ihr Genre die wahrscheinlich wichtigste Archivveröffentlichung seit Harry Smiths bahnbrechender *Anthology of American Folk Music* von 1952, mit der sie den Grund für ihren Rang teilt: Sie steht weniger für den akademischen Ansatz der Bewahrung und Verbreitung obskurer Tonaufnahmen – natürlich sind auch solche Unterfangen unerlässlich – als vielmehr für die Kartierung einer tief verankerten ästhetischen Sensibilität, die trotz der sie begleitenden Qualen in lebenslangem, leidenschaftlichem Einklang stand mit der Musik und den Nuancen ihrer Kunstfertigkeit. Wer diese Sammlung hört, beteiligt sich an der Pflege und der Bewahrung von etwas mit Vergil Verwandtem.

Wollte man die Sache auf angemessene Art und Weise angehen, musste man alles noch einmal direkt von den 78ern neu mastern und digital überarbeiten, was gleichzeitig bedeutete, den transnationalen Kaninchenbau der sogenannten ernsthaften Sammler zu entwirren, eine weit verzweigte, aber dysfunktional eng verknüpfte Gemeinde, innerhalb der die größten Sammlungen durch Zusammenlegung über die Jahre in die Obhut von immer weniger Händen gelangt sind. »Ernstzunehmende Blues-Leute gibt es weniger als zehn«, erzählte mir einer, der an den *Pre-War Revenants* mitgewirkt hat. »Im Country sind es sieben, im Jazz vielleicht fünfzehn. Die meisten sind mehr oder weniger ausgeprägte Soziopathen.« Ihre Hauptbeschäftigung besteht darin, jahrzehntealten Groll zu hegen. Sie sind schrecklich komplizierte Menschen, aber aus Gründen, die ihnen vielleicht nicht mal selbst begreiflich sind, haben sie diese Musik vor der Zeit und der Gleichgültigkeit bewahrt. Die Sammler waren vor allem auch die Finder. Diese Trips, bei denen man alte Blues-Musiker aufspürte, hatten irgendwann als Ausflüge angefangen, bei denen man die Häuser abklapperte und nach alten Platten fragte. Um einen legitimen Grund dafür zu haben, durch die Schwarzenviertel zu laufen und an die Türen zu klopfen, wurde Gayle Dean Wardlow sogar mal Kammerjäger. »Soll ich in Ihrem Haus sprühen?« »Nah.« »Haben Sie komische alte Platten auf dem Dachboden?«

Um die sechzig Prozent der Stücke auf *Pre-War Revenants* sind »SCOs«, *single copy only*, also Songs, von denen es nur noch einen einzigen existierenden Originaltonträger gibt. Diese Lieder sind wie Blitzlichter in einem Meer von Dunkelheit. Blues Birdhead, Bayless Rose, Pigmeat Terry – alles Sänger, die bislang nur Freaks gehört haben, die wirklich weit in die Materie vorgedrungen sind. »I got the mean Bo-Lita blues«, singt der unbekannte Kid Brown (»Bo-Lita« war ein extrem kompliziertes mexikanisches Glücksspiel, das sich vor ungefähr hundert Jahren in den Südstaaten wie ein Strohfeuer ausbreitete und dabei das eine oder andere in einem Schuhkarton verwahrte Vermögen vernichtete.) Dann ist da noch dieser Tommy Settlers, der irgendwie aus seinem Rachen heraus singt. Ich kann's nicht beschreiben. Vielleicht trat er sogar in Freakshows auf. Sein »Big Bed Bug« und sein »Shaking Weed Blues« sind alles, was von ihm übrig geblieben ist, was auch immer er war. Ein meisterlicher Könner ganz sicher. Mattie May Thomas' bestürzender »Workhouse Blues« ist a cappella in der Nähstube eines Frauengefängnisses aufgenommen worden:

»A wrassle with the hounds, black man,
Hounds of hell all day.

273

I squeeze them so tight,
Until they fade away.«

Eine der Aufnahmen auf *Pre-War Revenants* wurde – und das
ist in Sachen obskurantistischer Glaubwürdigkeit sicherlich
ein Pluspunkt der Sammlung – auf einem Flohmarkt in Nashville von genau demjenigen entdeckt, der die Compilation ab-
gemischt hat: Chris King, der auch den Eingang der verstärk-
ten, von Spax-Schrauben zusammengehaltenen Holzkisten quit-
tiert, die Autounfällen trotzen und in denen die meisten der
78er für Projekte wie dieses ankommen. Die Sammler vertrauen
King; er ist selbst einer der großen Sammler (und besitzt zufälligerweise das zweitbeste der drei bekannten erhaltenen
Exemplare von »Last Kind Words Blues«) und anerkannter
Fachmann, wenn es darum geht, den kaputten Rillen von Schel-
lackplatten aus Vorkriegszeiten akustische Informationen ab-
zuluchsen. Ihn rief ich an, weil ich genauer wissen wollte, wie
dieses Projekt letztendlich doch noch zustande gekommen
war. Wie Fahey hat auch King einen Uni-Abschluss, in den Fä-
chern Religion und Philosophie; er weiß sich über das, was er
tut, ausgedehnt schwärmerisch zu verbreiten. Er beschrieb
mir, wie er diese seltene 78er auf dem Trödel in Nashville fand,
den »Old Hen Cackle« der Two Poor Boys, oben auf einem Stapel von 45er-Singles, die auf einem Tisch in der prallen Sonne
lagen. Die Platte war braun. In der Hitze hatte sie sich, wie er
sich ausdrückte, »zur Suppenschüssel verbogen«. Auf dem
Grund der Schüssel konnte er das Wort »Perfect« lesen, den
Namen eines kurzlebigen Hillbilly-Labels. »Braune Perfects«
sind wertvoll. Er nahm die Platte mit nach Hause, legte sie
draußen – tradierte Sammlerweisheit – zwischen zwei durch-
sichtige Glasscheiben und presste sie in der Wärme der Sonne
und unter dem leichten Druck der Scheiben wieder so flach,
dass er sie abspielen konnte.

Manchmal, erzählte mir King, lässt sich aus der Art, wie der

Klang sich vernutzt hat, einiges über das Vorleben der Platte sagen. Das Schellackexemplar von Geeshie Wileys »Eagles on a Half« (es existiert nur noch dieses eine), mit dem er für *Pre-War Revenants* arbeitete, hatte, wie er feststellen musste, irgendein improvisierter Abtastgriffel derart »abgegraben« – »Man hat alles benutzt, auch Nähnadeln« –, dass man genau sagen konnte, auf welchem Phonographen die Platte gelaufen und dass der Boden unter dem Phonographen leicht nach rechts vorne abgefallen war. Plötzlich sieht man ein Zimmer vor sich, es wird getanzt, die Dielen schwingen, Menschen lachen. Es ist ein ungehobelter, lüsterner Song: »I said, squat low, papa, let your mama see / I wanna see that old business keeps on worrying me.« King kippte seinen Abspielapparat nach hinten links, traf auf unzerstörte Audiosignale und bekam eine lebendige Version, die wie neu klang.

Der merkwürdigste Song von allen ist gleichzeitig der älteste, »Poor Mourner« von dem Duo Cousins & DeMoss, hinter dem sich eventuell Sam Cousin und Ed DeMoss verbargen, Ende des 19. Jahrhunderts halbwegs berühmte Minstrelmusiker. Falls ja, dann ist Ersterer der einzige Künstler auf *Pre-War Revenants*, von dem ein Bild überliefert ist: Eine körnige Fotografie seines kräftigen, quadratischen Gesichts erschien 1889 im *Freeman*, einer Tageszeitung aus Indianapolis. Das Duo sang »Poor Mourner« 1897 für die Berliner-Firma ein. (Emil Berliner hatte sich gerade erst seine Aufnahmetechnik patentieren lassen; im Unterschied zu zylinderförmigen Tonträgern waren Schallplatten leichter zu vervielfältigen.)

Zwei Banjos legen furios vor, mit einer Ragtime-Figur, die einem den Eindruck vermittelt, sich auf vertrautem, wenn auch unstetem Boden zu bewegen. Aber irgendwo zwischen dem dritten und vierten Schlag des ersten Taktes hält das zweite Banjo an, als habe es plötzlich ein lahmes Bein, und legt einen Drone auf das erste, das für einen kurzen Moment ganz aussetzt, als sei es vor dem plötzlichen Stimmungswechsel nicht gewarnt worden. Dann schleifen beide Instrumente gemeinsam nach unten, die Tonart nimmt den Bogen zu Moll, und ohne auch nur im Geringsten benennen zu können, was hier wann passiert ist, findet man sich in einer vollkommen anderen, düsteren Atmosphäre wieder. Dieser Effekt ist das klangliche Äquivalent zu einem Film, der in einem alten Projektor hängen bleibt: Das festsitzende Bild schmilzt, und seine Farben verlaufen. Das alles geschieht in sage und schreibe fünf Sekunden. Es ist unerklärlich. Chris King sagte dazu: »Das liegt nicht an irgendeiner Macke, die ich nicht repariert gekriegt hätte.« Ich fragte, ob die alten Aufnahmegeräte am Anfang vielleicht etwas schneller gelaufen waren. Er wies mich darauf hin, dass der Song nicht mit der Musik losgeht, sondern mit einer hohen Stimme, die ruft: »As sung by Cousins and DeMoss!«

Wenn ich diesen Song höre, muss ich unwillkürlich an meine Urgroßmutter Elizabeth Baynham denken, die in dem Jahr geboren wurde, in dem das Lied aufgenommen wurde. 1897. Ich habe also eine Verbindung zu diesem Jahr. Mich trennt keine unüberbrückbare Kluft von ihm. An meine Urgroßmutter erinnere ich mich nur noch als blinde Gestalt ohne Beine, die, im Rollstuhl sitzend und in ihre Häkeldecke gehüllt, auf dem Flur vor ihrem Zimmer auf uns wartet. Zu wissen, dass dieser Song ein Teil der Textur der Welt war, in die sie hineingeboren wurde, macht mir klar, dass ich diese Zeit, dieses Ende des 19. Jahrhunderts, trotz der zeitlichen Nähe nicht im Ansatz begreife. Der Abgrund der Vergangenheit ist nah, so nah, dass die Gegenwart andauernd in ihn hinabgesogen wird. Der russische Schriftsteller Wiktor Schklowski sagte einmal, die Kunst sei dazu da, »die Steine steinig zu machen«. Diese Tondokumente lassen uns etwas von der Zeitlichkeit der Zeit erahnen, von ihrer jähen Unwiderruflichkeit.

Wenn die absurde Fetischisierung früher schwarzer Südstaaten-Musik durch weiße Männer mit *Pre-War Revenants* ihren

Höhepunkt erreicht – wofür unter anderem auch dieser Essay steht –, dann erscheint diese Compilation zum genau richtigen Zeitpunkt, einem Moment, in dem wir die Entstehung einer neuartigen Transparenz im Schreiben über Blues erleben: die Entstehung der Wissenschaft von der Blues-Wissenschaft. In den letzten Jahren sind auf diesem Feld zwei gute Bücher veröffentlicht worden: *Escaping the Delta: Robert Johnson and the Invention of the Blues* von Elijah Wald und *In Search of the Blues* (das in der amerikanischen Ausgabe noch den Untertitel *The White Invention of Black Music* trägt) von Maribeth Hamilton. Beide sind fesselnd und leisten fundierte, notwendige Arbeit. Ich habe mich ihnen in einer Art Abwehrhaltung genähert, weil ich davon ausgegangen bin, unausweichlich von dieser beklemmenden Unlockerheit erfasst zu werden, die den Diskurs über den Country Blues von jeher überschattet, einen Diskurs über schwarze Musik und über eine bestimmte Phase der Musikgeschichte, der – von zwei namhaften Ausnahmen abgesehen, nämlich Zora Neale Hurston und Dorothy Scarborough – immer von weißen Männern geführt wurde und den zeitgenössische afroamerikanische Künstler für eher kurios halten.

Die beiden neuen Bücher setzen an die Stelle der ewiggleichen Legenden gut recherchierte Geschichten von sehr viel größerem Belang. Beiden ist daran gelegen, den Mythos vom »Delta-Bluesman« mit seinen Wegkreuzungen, Höllenhunden, Selbstvergiftungen und seinem so tiefgründigen Ausdruck existenzieller Einsamkeit zu dekonstruieren. In beiden Büchern wird dieses Bild komplexer. Wald entkräftet die Legende von Robert Johnsons »unerklärlicher« technischer Versiertheit, für die er, wie seine Gegenspieler raunend in Umlauf brachten, seine Seele verkauft haben soll, und präsentiert uns Johnson als selbstkritischen Techniker und interessierten Hörer der Schallplatten anderer Künstler, darunter Skip James, von dem Johnson die schöne Wendung »dry long so« klaute, was so viel wie

»mir doch egal« oder »nur so zum Spaß« bedeutet. Ich glaube, von den Besprechungen, die zu *Escaping the Delta* erschienen sind, hat nicht eine die gelungene Machart dieses Buches angemessen gewürdigt. Was teilweise dem Marketing geschuldet war, das mit der vagen Andeutung arbeitete, Robert Johnson würde im Buch als bloßer Pop-Imitator dargestellt bzw. entlarvt. Eigentlich aber bringt uns *Escaping the Delta* dazu, Johnsons Methoden mit noch größerer Wertschätzung zu begegnen.

Wald lässt uns die Studiosessions in San Antonio und Dallas aus der Perspektive Johnsons erleben, wobei er mit extremer Gründlichkeit Song für Song abhandelt (auch er ist ein lebenslanger Hörer dieser Musik). Er erklärt uns, welche Entscheidungen Johnson traf, was er wann spielte, und unterbreitet im Offenlegen der Quellen, die Johnson in seiner Musik zusammenführte, variierte und würdigte, überzeugende Gründe dafür, warum er es spielte. Besonders gut ist Wald beim Vergleichen unterschiedlicher Versionen eines Stücks, wobei er uns kleinste Details von Johnsons Rhythmus- und Akkordarbeit hören lässt. Auf diesem Weg wird einem das Ausmaß von Johnsons Könnerschaft erst richtig bewusst. Indem man sich entlang bestimmter Stränge hangelt, kann man sein Vorgehen nachvollziehen. Blind Lemon Jefferson sang: »The train left the depot with the red and blue light behind / Well, the blue light's the blues, the red light's the worried mind.« Das war ein guter, flotter Vers, den Eddie und Oscar, ein piekfeines, fast etwas steifes Country-Blues-Duo aus North Carolina (Eddie war ein Weißer, Oscar ein Schwarzer), bereits kopiert hatten. Wahrscheinlich hatte Johnson die Zeilen von ihnen. Aber als er dann sang ...

»When the train, it left the station, with two lights on behind,
Ah, when the train left the station, with two lights on
    behind,

Well, the blue light was my blues, and the red light was
my mind.
All my love's in vain.«

… war das etwas anderes. Johnson wusste, dass es etwas anderes war. Er wusste, wie gut sein eigener Text war, er fühlte
den Unterschied zwischen »the red light's the worried mind«
und »the red light was my mind«. Immerhin war er es auch,
der folgenden Paarreim schrieb: »From Memphis to Norfolk
is a thirty-six hours' ride. / A man is like a prisoner, and he's
never satisfied.« Den Blues im Blues zu hören, bedeutet zu einem Teil, den in bester, aber trotzdem fehlgeleiteter Absicht
vor unsere Sinne gelegten soziologischen Filter zu entfernen
und der Selbstwahrnehmung der frühen Blues-Musiker zuzuhören, zu hören, so schrieb es Samuel Charters in den Li-
nernotes zu Henry Townsends *Album Tired of Bein' Mistreated*
(1962), wie »sich der Blues-Sänger innerhalb der Grenzen des
Blues-Stils als schöpferisches Individuum versteht«.

Es ist eine bemerkenswerte Gedankenreise, auf die Wald den
Leser für ungefähr einhundert Seiten mitnimmt. Auch wenn
der Buchumschlag mir in Aussicht gestellt hatte, mich in meiner staunenden Bewunderung für den Musiker Johnson eines
Besseren zu belehren: Hinterher bewunderte ich ihn doppelt.
Alles, was Johnson anfasste, wurde subtiler, trauriger. Die eher
komischen Übergeschnapptheiten von Peetie Wheatstraw, dem
selbsternannten »Schwiegersohn des Teufels«, glättete er so,
dass sie zu seinem Teufel passten, dem Teufel der Melancholie,
der wie ein Mensch geht und wie ein Mensch aussieht und den
man sehr viel weniger leicht mit einem Lachen abtun kann.

Während Wald uns dazu erziehen möchte, dem Country Blues
nicht mit Nostalgie, sondern mit einer erwachseneren Wertschätzung zu begegnen, indem er uns davon überzeugt, dass
Folk immer irgendwann mal Pop war, kommt Marybeth Hamil-

ton, eine in England lehrende amerikanische Kulturhistori-
kerin, auf den alten Begriff der Aura zurück, den sie hinsichtlich seiner Herkunft und seiner Substanz im Zusammenhang
mit dem Blues befragt. Ihr Buch *In Search of the Blues* spürt
der weißen Faszination für den Country Blues bis zu ihren
Wurzeln im Hirn eines gewissen James McKune nach, einem
spindeldürren, zurückgezogen lebenden, alkoholsüchtigen Redakteur der *New York Times*, der zum Vagabunden wurde und
seine Kisten mit 78er-Schellackplatten unter seiner Pritsche
in einer Jugendherberge von Brooklyn verwahrte. McKunes Geschichte war bisher nur den Lesern des *78 Quarterly* bekannt.
Er stammte aus North Carolina und starb 1971 elendiglich
an den Folgen eines verunglückten Geschlechtsaktes. In den
frühen vierziger Jahren war er einer der Ersten, die aus der
Welt der Hardcore-Sammler von New-Orleans-Jazz ausbrachen,
eine Welt, die in den Schlafsälen der Ivy-League-Unis entstanden und Ende der dreißiger Jahre schon zu einem äußerst
komplexen Spezialistengebiet geworden war. Gewandt zeichnet Hamilton die Entwicklung von McKunes Geschmack nach.
Angefangen hatte er als von kommerziellem ethnografischen
Material Besessener, beispielsweise den auf dem Columbia-
Label erscheinenden Tanzliedern aus bestimmten Regionen
Spaniens. Anders gesagt: Er hegte ein Interesse für kulturell
wertvolle Dinge, die zufälligerweise an einem Zahnrädchen
des anarchischen Kapitalistenschredders hängengeblieben und
so bewahrt worden waren.

Einer der wenigen, die McKune auf seinen Reisen durch die
Provinzen der Sammlerwelt begleiteten, war Harry Smith, der
sich 1952 an die Veröffentlichung der *Anthology of American
Folk Music* machen sollte. Smith drängte McKune, sich wegen
eines merkwürdigen Verzeichnisses, das Alan Lomax in seinen Field-Recording-Tagen zusammengestellt hat und das unter dem Titel *American Folk Songs on Commercial Records* in
der Library of Congress steht, an die Bibliothek zu wenden.

Diese Liste ist die eigentliche DNA des Country Blues als Genre. Hamilton schreibt:

> »Was [McKune] dort las, widerlegte jede seiner Annahmen, die er je zu *race records* gehegt hatte. Diese verwirrende Vielfalt der musikalischen Stilrichtungen, diese unverfälschte Eigentümlichkeit der Songtitel … Am faszinierendsten waren Lomax' Einlassungen zu Blues-Aufnahmen, [die] etwas Unverwässertes und Authentisches versprachen.«

Man muss an dieser Stelle hervorheben, wie merkwürdig es ist, dass McKune seine Entdeckung im Jahr 1942 machte. Robert Johnson, der auf der Lomax-Liste mit dem Zusatzvermerk »sehr gute, eigenständige Kompositionen, Anklänge von Voodoo« geführt wird, war noch vier Jahre zuvor am Leben und im Studio gewesen. Und trotzdem existierte er für McKune nur noch so, wie er heute für uns existiert, wenn wir uns ihm in der Rückwärtsbewegung der Archäologen über den Mythos nähern. Der Country Blues lebte circa ein Jahrzehnt und wurde dann mit überraschender Plötzlichkeit ausgelöscht, von der Depression, dem Zweiten Weltkrieg und der Energie des Chicago-Sounds. 1938 organisierte John Hammond, ein früher Förderer amerikanischer Folkmusik (und später Bob Dylans erster Produzent), ein Konzert unter dem Titel »From Spirituals to Swing«. Damit wollte er eine Lanze brechen für die ästhetische Daseinsberechtigung afroamerikanischer Musik. Hammond depeschierte an Robert Johnson und lud ihn ein, in den Norden zu kommen und bei dem Konzert in der Carnegie Hall mitzuwirken. Eine bemerkenswerte Scharnierstelle für die Blues-Geschichtsschreibung: Der zweite Akt, der im Norden und dann auf den Festivals aufgeführt werden sollte, streckt im Bestreben, einer Kontinuität Respekt zu erweisen, die Hand aus nach dem seit Ausbruch des Krieges im Verschwinden begriffenen ersten. Doch Johnson war gerade gestorben, im Alter von sechsundzwanzig Jahren, entweder durch Gift oder an angeborener Syphilis. Er hatte zuletzt als Baumwollpflücker gearbeitet. Während des Konzerts rollte man einen Phonographen auf die Bühne und spielte in die Stille hinein zwei Schallplatten von ihm. (Trotz dieser Vermitteltheit durch das Medium, die wir für so postmodern halten, war die Geisterhaftigkeit, die seine Platten gerade auch als gegenständliche Objekte umgab, von Anfang an greifbar.)

McKune wollte diese Aufnahmen suchen und kennen. Hamilton behauptet, er sei einmal zweihundertfünfzig Meilen weit mit dem Bus gefahren, von Brooklyn bis an den Stadtrand von Washington, um Dick Spottswoods gerade aufgetauchte Pressung von Skip James' »Hard Time Killin' Floor Blues« zu hören. Er betrat das Zimmer, setzte sich, hörte die Platte an und ging wieder. Leute, die ihn kannten, berichten, er habe »schweigend« und »ehrfürchtig« gelauscht. James singt: »People are drifting from door to door, / Can't find no heaven, I don't care where they go.«

Spottswood war einer aus dem Kreis der Eingeweihten, die sich in den späten vierziger und fünfziger Jahren um McKune scharten. Aus ihnen wurde schließlich die »Blues Mafia«, die wahrhaft ernstzunehmenden Sammler. Eigentlich »scharten« sie sich auch nicht um McKune – der ja in der Jugendherberge wohnte –, sondern er war es, der ihre Zusammenkünfte besuchte und laut Spottswood zu ihrem *Salonchef* wurde. (Es handelt sich hier übrigens um denselben Dick Spottswood, der einige Jahre später dem jungen John Fahey auf dessen Nachfrage hin am Telefon Blind Willie Johnsons Song »Praise God I'm Satisfied« vorspielte, woraufhin Fahey weinen und sich beinahe übergeben musste.)

McKune war nie ein Objektfreak: Ähnlich wie Fahey – der Skip James hauptsächlich deshalb suchen ging, weil er hoffte, von dem Älteren dessen berüchtigte Mollharmonien lernen zu können – wollte er die Songs, die Sounds. Trotzdem fahndete er nach Platten so unnachgiebig wie jeder Antiquitätensammler. Seine frühen, in der Zeitschrift *Record Changer* erschienenen »Suche«-Listen sind heute selbst Sammlerstücke. Bei Hamilton erfährt man außerdem von dem liebenswerten Detail, dass McKune gelegentlich auch hypothetische Platten in seine Listen aufnahm. Einmal inserierte er nach »Blues auf schwarzen Vocalion, mit Masternummern aus San Antonio«, also nach Platten, die im selben Studio und in derselben Woche aufgenommen wurden wie Robert Johnsons berühmteste Studiosessions. (Goethe, der nach der Urpflanze sucht!)

Das, was McKune zu hören bekam, als tatsächlich Platten bei ihm eintrafen, schlug ihn vollkommen in Bann. Dass Hamilton dieses faszinierende Etwas nicht reflexartig mit der Projektion einer »primitiven«, »unverfälschten« oder »rohen« Qualität wegerklärt, beweist ihre Seriosität und sollte von allen Vorkriegsmusik-Nerds anerkannt werden. Derlei Ausdrücke haben Jazzsammler tatsächlich lange Zeit benutzt, Sammler, die diese Musik zum größten Teil abgetan haben als Wegwerfware für Bauerntölpel, als Kleinkunst von Menschen, die so arm waren, dass sie es noch nicht mal bis nach New Orleans schafften. Wir können, wie Hamilton das auf intelligente Weise tut, über die ausufernden Dimensionen von McKunes Obskurantismus nur Mutmaßungen anstellen – beispielsweise darüber, inwiefern seine Einschätzung von Charley Patton als größten aller Country-Blues-Sänger von der Tatsache beeinflusst war, dass Pattons Platten die verworrensten und am wenigsten verständlichen waren, weswegen sich am meisten in sie hineinlesen ließ –, aber die peinlich genaue Aufmerksamkeit, mit der er sich immer alles anhörte, spricht für ihn.

Selten äußerte sich McKune als Kritiker öffentlich in geschriebener Form, aber wenn er das tat, dann verwendete er immer wieder ein bestimmtes Wort. Als er 1960 an *VJM Palaver* einen Leserbrief zu Samuel Charters' damals gerade herausgekommenem Buch *The Country Blues* schrieb, bemängelte er, dass Charters sich auf Sänger wie Blind Lemon Jefferson und Brownie McGhee konzentriert habe, die zwar die meisten Platten verkauft hätten, deren jeweiliges Œuvre er aber mittelmäßig und zu glatt fand. Sein Brief kommt vor lauter dem Narzissmus der kleinen Differenz geschuldeter unausgesprochener Wut geradezu ins Stottern, aber das Wort, das wieder und wieder fällt, ist *groß*. Zum Beispiel: »Jefferson hat nur eine einzige Platte gemacht, die ich als *groß* bezeichnen kann.« (Hervorhebung von McKune) Oder: »Ich kenne zwanzig Männer, die den Country Blues der Neger sammeln. Uns alle interessiert nicht, wer am meisten verkauft, sondern wer der *größte* Country-Blues-Sänger ist.« (Hervorhebung wieder von ihm.) Und weiter unten: »Ich schreibe für alle, die sich eine andere Bewertungsgrundlage für Blues-Sänger wünschen. Diese Grundlage ist ihre relative Größe.«

Als ich diesen Brief in Hamiltons Buch sah, kam mir die Erinnerung an ein Telefongespräch mit Dean Blackwood, John Faheys Partner bei Revenant Records, in dem er mir von früheren Diskussionen mit Fahey über das Phantome-Projekt erzählte. »John und ich fanden schon immer, dass die Größe dieser Leute nicht genug Anerkennung bekommt«, hatte er gesagt. »Erst in der Zusammenschau kann man die Kraft und die Wirkmächtigkeit ihrer Musik verstehen.«

Anstatt die geschwollene Großsprecherei dieser Äußerungen als naiv abzutun, könnten wir uns auch der Frage widmen, ob es nicht eine einfache technische Erklärung gibt für das Gefühl, das sich in solchen Worten ausdrückt. Oder das unausgedrückt bleibt. Ich glaube, es gibt eine Erklärung, und zwar diese hier: Die Geschichte des Blues wurde vom Rock'n'Roll annektiert, der auf einer Welle jugendlicher Konsumfreude zur Weltherrschaft ritt. Aber es gibt noch etwas, das vor dem Blues und damit vor dem Rock'n'Roll liegt, eine tiefere, ergiebigere Quelle. Viele Leute, die über diese Musik geschrieben haben, haben das bemerkt. Robert Palmer nannte es »Deep Blues«. Wir sprechen hier natürlich über Subgenres von Subgenres, aber hören Sie sich mal ein Stück an wie Ishman Braceys »Woman Woman Blues«, die Stelle, wo er mit seinem brüchigen, aber in gewisser Weise gleichzeitig absolut makellosen Falsett singt: »She got coal black curly hair.« Lieder wie dieses wurden nicht zum Tanzen gemacht. Auch nicht zum Mitsingen. Sie sind zum Hören da, nur für Erwachsene. Als Kammermusik. Hören Sie sich Blind Willie Johnsons »Dark Was the Night, Cold Was the Ground« an. Ein Lied ohne Worte, das von einem blinden Prediger gesummt wird, dem es nicht gelingen will, eine nicht saubere Note auf der Gitarre zu spielen. Wir müssen auch hier wieder gegen unsere Erziehung und unsere anthropologischen Vorurteile anarbeiten, denn vorgefasste Meinungen helfen uns auf dieser Ebene nicht weiter. Das hehre Ziel, nicht zu denjenigen zu gehören, die unbewusst die Armut der kleinen Leute, ob schwarz oder weiß, fetischsieren, hat es uns erlaubt, in einer Haltung zu verharren, bei der wir uns nie die Frage stellen mussten, ob der ernsthafte Umgang mit gewissen Spielarten von *folk culture* als Hochkultur nicht seinen Ausgang beim Volk selbst nimmt.

Wenn beide Bücher eine Schwäche haben, dann die, dass sie diesen Gedankengang nur unzureichend verfolgen. »Niemand in der Welt des Blues nannte diese Musik Kunst«, schreibt Wald. Stimmt das? Carl Sandburg hat schon 1927 Blues-Texte in seine Gedichtsammlungen aufgenommen. Noch eindeutiger liegt der Fall bei Ethel Waters, einer der kultivierten »Blues-Queens« aus der Stadt, die mit ihren Texten und Melodien lustigerweise häufig auf den »unverwässerten« Original-Country-Blues-Aufnahmen auftaucht, obwohl sie schon damals seit Jahren reflektierten, modernistischen Blues schrieb. (»I can't sleep for dreaming ...« zum Beispiel ist eine ihrer Zeilen, die ich zuerst bei Crying Sam Collins gehört habe und für eine seiner schönen Wortverdrehungen hielt, bis ich schließlich beschämt erfuhr, dass diese Worte schon immer poetisch gemeint waren.) Marybeth Hamilton kommt in ihrer durchaus wohlwollenden Autopsie von James McKunes Besessenheit der These gefährlich nah, dass McKune der Erste war, der Skip James so gehört hat, wie wir ihn heute hören: als wahren Künstler. Aber der Erste, der Skip James als Künstler gehört hat, war Skip James. Die namenlosen Afroamerikaner, die in Walds Beschreibung in einem Haus in Tennessee auf dem Boden saßen und weinten, als Robert Johnson »Come On in My Kitchen« sang: Sie waren die Ersten, die den Country Blues auf diese Art gehört haben. Gut, Weiße haben den Blues »wiederentdeckt«. Immerhin sprechen wir endlich über die damit einhergehenden Schwierigkeiten. Wir sollten nur nicht den Verstand verlieren und behaupten, diese Weißen hätten den Blues erfunden. Und auch ihren »Visionen« nicht versehentlich zu viel Macht zusprechen. Das wäre kontraproduktiv, wenn nicht gar eine große, letzte Beleidigung.

Es gibt da diesen einen Moment in der Charley-Patton-Werkausgabe auf Revenant (auf den Material-CDs), einen Moment in einem Interview von Gayle Dean Wardlow. Wardlow spricht mit Booker Miller, einem wenig bekannten Musiker aus der Vorkriegszeit, der Charley Patton noch persönlich gekannt hat. Man hört Wardlow, der ein hinterhältig guter Interviewer war – immer wieder ging er in dieser *Rain-Man*-Manier auf seinen Gesprächspartner zu, bis der sich als der weniger Hilflose fühlte –, wie er Miller dazu bringen will, das *Aufnahmeritual* zu beschreiben, mit dem er bei dem älteren Patton in Ausbildung komme wollte. »Haben Sie ihn in einer Spelunke getroffen«, fragt Wardlow, »oder auf der Straße?« Wie haben Sie sich gefunden? Genau die Sorte Fragen also, die jeder stellen würde.

Booker Millers Antwort aber lautet: »Ich habe seine Platten verehrt.«

DER LETZTE WAILER

Anfang Juli 2010 flog ich in der Hoffnung nach Jamaika, Kontakt zu Bunny Wailer aufzunehmen, dem letzten noch lebenden Mitglied der Wailers, Bob Marleys erster Band. Falls Sie nicht wissen, wer Bunny Wailer ist – und von denen, die das hier lesen, wird ein großer Teil ihn nicht kennen; die anderen werden es dumm finden, eine so wichtige Figur vorzustellen –, dann sollten Sie im Internet unbedingt einen Clip der Wailers suchen, wie sie bei *The Old Grey Whistle Test*, einer Musiksendung, die mal in der BBC lief, »Stir It Up« spielen. Es war 1973, ihre erste richtige Tour. Bunny steht links hinter Bob, er singt die hohe Stimme und wiederholt so einen Eins-zwei-Akzent mit dem Besen auf der Snare. Wailer ist wunderbar angezogen, er trägt ein burgunderrotes Shriners-Fes mit Quaste und einen Pullunder mit abstraktem Rastafari-Muster. Alle drei sehen aus, als könnten sie Teil von Fat Alberts Gang sein. Wahrscheinlich hat keine Musikgruppe je cooler ausgesehen. Peter Tosh war eine große, violette Sphinx mit einem unerklärlich schönen Falsett. Hätte Elvis den Raum betreten, hätte Tosh ihm vielleicht zugenickt.

Es war schon lange mein Traum gewesen, Bunny Wailer einmal zu treffen – ein Hirngespinst, manchmal wortwörtlich ein »pipe dream«, den ich mit einer Pfeife in der Hand träumte. Ich weiß nicht, woran es liegt, aber die jamaikanische Musik scheint in Sachen Kreativität einfach eine höhere Spannung zu haben. Vielleicht ist es ein Effekt der Insellage. Isolation führt bisweilen zu solcher Intensität. Irland zum Beispiel ist in vielen Dingen tiefste Provinz, und doch: Yeats, Beckett und

Joyce innerhalb eines Jahrhunderts – wie kommt so was? In Kingston tauchten innerhalb eines Jahrzehnts Bob Marley and the Wailers auf, Toots and the Maytals, Jimmy Cliff, Desmond Dekker, die Pioneers und die Paragons, die Melodians und die Ethiopians, die Heptones und die Slickers, die Gaylads und dazu noch ein ganzes Register von Leuten, deren Namen Sie vielleicht nicht kennen, die man aber nicht mehr vergisst, wenn man sie einmal gehört hat. Ein Wirbelsturm von Weltklassetalenten. Die meisten von ihnen kamen aus denselben miesen Sozialbauten und sangen, um von dort zu entkommen. Zum Teil ist es diese Sehnsucht, diese leuchtende Hungrigkeit, die man aus diesen Songs heraushört.

Das ist aber nicht alles. Der Grund, warum die großen jamaikanischen Sachen im Laufe der Zeit, über die Jahre hinweg immer bedeutsamer werden, und zwar nicht aus Nostalgie, sondern was ihren Sinn und die Nuancen angeht, besteht darin, dass es sich um spirituelle Musik handelt. Das ist die Anomalie, die ihrer Kraft zugrundeliegt. Es ist spiritueller Pop – nicht auf die kalkulierte Weise christlicher Rockmusik, sondern von innen heraus. Ermöglicht hat das der Rastafarianismus, der sich der in Kingston neu entstehenden Plattenindustrie bediente, um seine Existenz und seine Sichtweise zum Ausdruck zu bringen. Der amerikanische Rock'n'Roll ist immer eine Bewegung weg von Gott und hin zur Teufelsmusik, doch in Jamaika waren die kulturellen Bedingungen andere. Pop wuchs Jah entgegen.

Wie erwartet stellte sich heraus, dass es nicht leicht sein würde, mit Bunny in Kontakt zu treten (er ist für seine Zurückgezogenheit bekannt). E-Mail-Adressen brachten Antworten von anderen Leuten, die mir rieten, an wieder andere E-Mail-Adressen zu schreiben und andere Nummern anzurufen. Irgendwann erhielt ich endlich eine Nachricht. Überraschenderweise kam sie direkt von ihm. *Ich erwarte dich*, teilte sie mir mit. Der genaue Text der E-Mail lautete: »Grüße. Du kannst

mit den Reisevorbereitungen fortfahren. *One Love,* Jah B.« Der
Absender wurde als Neville Livingston angezeigt, Bunnys echter Name (Neville O'Reilly Livingston).

Seitdem herrschte absolute Funkstille. Die Einladung hätte
genauso gut von einem bekifften Witzbold in Dänemark stammen können. Außerdem hatte ich gelesen, dass Bunny zwischen Kingston und einer Farm in den Bergen pendelt. Was,
wenn ich dort ankam und er irgendwo im Landesinneren war,
wo ich ihn nicht erreichen konnte?

Llewis (sic) holte mich am Flughafen ab. Wir hatten vorab ein
paarmal telefoniert. Man hatte ihn mir als jemanden empfohlen, der sich in Kingston auskannte. Aus irgendeinem Grund
wollte Llewis nicht mit einem Schild bei der Gepäckausgabe
auf mich warten. Nicht, dass ich darum gebeten hätte, aber
es wäre das Einfachste gewesen. Stattdessen sollte ich zu den
Mädchen gehen, die in ihren gelben Westen an der Abferti-
gung standen, und ihnen sagen, dass ich nach ihm suchte; sie
würden mir zeigen, wo er war. Ich ging zu ihnen.

»Da ist er«, sagten sie und zeigten nach draußen auf einen
großen Typen, der jünger aussah, als er geklungen hatte. Weißes Polohemd, Sonnenbrille. Als ich näher kam, sah ich, dass
er doch ein Schild hielt. Darauf stand ein anderer Name.

»Hallo. Llewis?«, sagte ich.

»John?«, sagte er.

»Ja.«

Er nahm das Schild runter. »Ich hab das nur für einen
Freund gehalten«, sagte er, »um ihm die Ehre zu erweisen.«

Trotzdem nahm er das Schild mit zum Parkplatz. Llewis hat
mir weder jemals dieses Kein-Schild/falsches-Schild-Durch-
einander sinnvoll erklären können noch warum sein Name
mit zwei »l« anfing. Zu dieser Frage wollte er überhaupt nichts
sagen. Als ich Jamaika verließ, dachte ich immer noch über
diese Dinge nach. Sie waren allerdings die einzigen Rätsel die-

ser Art. Ansonsten war er immer auffallend um Direktheit bemüht. Ich kann ihn nur jedem empfehlen, der Kingston besucht. (P. S.: Später verriet er mir, dass seine Mutter den Namen in einem Buch so gelesen hatte, auch wenn andere Leute ihm sagten, dass es einfach ein Druckfehler war; »LOL, ich find's super, auch wenn's ein Fehler ist«, schrieb er.)

Wir stiegen in einen weißen Lieferwagen, für den er sich entschuldigte, sein guter Wagen sei in der Werkstatt, aber am nächsten Tag fertig. Mich störte der Lieferwagen nicht; er bot eine gute Aussicht auf Kingston, während wir an Standbildern knallbunter Straßenkreuzungen vorbeiruckelten. Llewis hatte sich erkundigt und wusste, wo man gebrauchte Vinylschallplatten bekommen konnte. Er zeigte mir ein paar Sachen aus den frühen Achtzigern, die ich noch nie gehört hatte. Wir hörten uns Papa Michigan und General Smileys »Diseases« von 1982 an. Der Text war verstörend, die Musik mitreißend. Das Stück warnte davor, an Nichtigkeiten festzuhalten (»worship vanities«), da dies Jah Jah nicht gefalle (»these things unto Jah Jah not pleases«). Wer trotzdem so weitermache, den erwarteten die schlimmsten Krankheiten, Elefantitis zum Beispiel oder Kinderlähmung:

»Mind Jah lick you with diseases!
I said the most dangerous diseases.
I talkin' like the elephantitis.
The other one is the poliomyelitis.«

Es war Sommer. Der Geruch von Benzin und Müll und die brutale Hässlichkeit der industriellen Uferviertel von Kingston versetzten einen in Alarmbereitschaft. Die Luftfeuchtigkeit war so hoch, dass der Himmel abzusacken schien, es war, als lägen einem die Wolken auf den Schultern. Es war irgendwie schön, wie General Smiley »Poliomyelitis« sagte; er sprach das Wort wie *Polya* aus, »Polyamyelitis«.

Llewis hatte es überhaupt nicht gewundert, dass jemand nach Jamaika kam, um nach Bunny Wailer zu suchen, ohne zu wissen, wo er wohnte, und ohne die geringste Andeutung von Interesse oder Zustimmung von Bunnys Seite. Llewis verhielt sich, als hätte ich ihm gesagt, dass ich mich nach Import-Export-Möglichkeiten umsehen wollte. Er hatte Bunny zwei Jahre zuvor bei einem Festival in der Stadt auftreten sehen und fand ihn immer noch elektrisierend. Bunny sieht mit seinen Roben und dem weißen Bart auf der Bühne immer mehr wie ein Wüstenprediger aus. Llewis zitierte ein Gedicht, das Bunny vorgetragen hatte, etwas über diejenigen, die die *Früchte* des Reggae ernten wollen, ohne die *Wurzel* des Reggae wässern zu wollen.

Wäre ich zuvor schon mal in Kingston gewesen, hätte die Stadt einen veränderten Eindruck gemacht. »So habe ich die Stadt noch nie gesehen«, sagte Llewis. »So war es hier nie.« Die Leute hielten die Köpfe gesenkt; man konnte sehen, dass die seelische Last, die auf der Stadt lag, durch die Gewalt des schon jetzt so genannten »Bloody May« weiter gewachsen war.

Folgendes war passiert: Eine Welle brutaler Schießereien hatte die Innenstadt von Kingston überschwemmt und zu einer Art gegenseitiger Belagerung geführt. Das amerikanische Justizministerium hatte zuvor Jamaikas Premierminister Bruce Golding aufgefordert, den größten und mächtigsten Drogenboss der Insel, Christopher Coke (sein echter Name), auszuliefern. Coke wird Dudus genannt, was ich in den Nachrichten als »Dude-us« gehört hatte. Doch Llewis erklärte mir, er werde »Dud-us« ausgesprochen. »Dude-us wäre die schicke Variante«, sagte er. »Zu schick.«

Dudus ist ein kleiner, dicker Mann mit einem Pfannkuchengesicht, der sich normalerweise im Hintergrund hielt und der immerzu über einen Witz in seinem Kopf zu grinsen scheint. Tausende lieben ihn für seine Qualitäten als Weihnachtsmann, wenn es darum geht, bei der Miete auszuhelfen oder eine Fußballmannschaft mit Trikots auszustatten. Nach Angaben des FBI gehen tausendvierhundert (bekannte) Morde auf das Konto seiner Gang, der Shower Posse.

Die Jamaikaner waren nicht besonders begeistert von der Idee, Dudus zu jagen. Die jamaikanische Politik ist auf abenteuerliche Weise korrupt, und viele Minister hatten Verbindungen zu dem Drogenboss. Golding versuchte, das Ganze irgendwie abzuwimmeln. Er engagierte sogar eine amerikanische Anwaltskanzlei, um den Auslieferungsantrag abzubiegen, doch am Ende verschärfte Washington den Druck.

Coke sammelte seine Truppen. Er zog Kämpfer aus ganz Jamaika zusammen, Schmalspursöldner vom Land, die gut mit Waffen umgehen konnten. Schließlich versuchten die Polizei und die Sicherheitskräfte, ihn aus seinem Versteck zu holen. Er hatte Scharfschützen auf den Dächern postiert, überall Überwachungskameras installiert sowie seine Spione bei der Polizei und in den Ministerien. Der Kampf dauerte einen Monat. Viele Menschen wurden getötet, darunter viele Zivilisten – wie viele, wissen wir nicht, weil die Regierung aller Wahrscheinlichkeit nach die Zahlen herunterspielte, ein verzweifelter Versuch, die letzten Reste der so wichtigen Tourismussaison zu retten.

Es endete in einer Farce. Dudus wurde an einer Straßensperre auf einem Highway außerhalb von Kingston erwischt. Am Steuer saß sein spiritueller Berater. Sie behaupteten, auf dem Weg zur amerikanischen Botschaft zu sein, wo Dudus sich stellen wolle – aber nicht den Jamaikanern, sondern den Amerikanern. Dudus trug eine schwarze, lockige Damenperücke, eine schwarze Gucci-Kappe und eine runde Nickelbrille für alte Ladys. Einige behaupteten, man habe ihn für das Polizeifoto so angezogen, um ihn schwach aussehen zu lassen und seine noch immer loyalen Kämpfer zu entmutigen, aber wahrscheinlich hatte er sich verkleidet, um sich frei bewegen zu können. Einer der Soldaten vor Ort erzählte später, Dudus habe seltsam glücklich gewirkt, als man ihm die Handschellen anlegte. Er war so sicher gewesen, getötet zu werden, dass man ihm die Erleichterung ansah, als er erkannte, dass alles rechtmäßig ablaufen würde. Jetzt war er in New York, wo er auf nicht schuldig plädiert hatte.

Zu den mysteriösesten Dingen, die im Vorfeld des Dudus-Kriegs geschehen waren, gehörte, dass Bunny Wailer eine Dancehall-Single mit dem Titel »Don't Touch the President« aufgenommen hatte, auf der er Dudus als unschuldigen Robin Hood darstellte. (*President* und *Pressy* sind zwei von Dudus' vielen Spitznamen.)

»Don't touch the president, inna di residen'.
We confident, we say him innocent.
Don't touch the Robin Hood, up inna neighborhood
Because him take the bad, and turn it into good.«

Warum schlug sich ein *elder statesman* der jamaikanischen Kultur auf die Seite der Massen, die im Fernsehen zu sehen waren und sich in den Straßen von Kingston schreiend der Justiz in den Weg stellten? (Die Kameras der internationalen Nachrichtensender konzentrierten sich auf eine offenbar verrückte Frau mit einem handgeschriebenen Schild aus Pappe, auf dem sie Dudus mit Jesus Christus verglich. Das Bild wurde wochenlang in Hunderten von Ländern ausgestrahlt, als typischer Ausdruck des karibischen Chaos.)

Der Verkehr war jetzt dichter. Auf dem Weg zum Hotel drehte Llewis das schrottige Radio des Lieferwagens auf. Der DJ spielte »Slow Motion« von Vybz Kartel, dem im Moment wahrscheinlich angesagtesten Dancehall-Sänger in Jamaika. Aktuell saß Vybz im Gefängnis, aufgrund des vagen Verdachts, in Gewalttaten verwickelt gewesen zu sein, die irgendetwas mit Dudus zu tun hatten. »Wir hoffen aber, dass er bald wieder draußen ist«, sagte Llewis auf der Fahrt. »Vielleicht diesen

Freitag.« Das war die Musik, die Llewis liebte, nicht die alten Sachen (die er kannte und respektierte). Wenn die Wailers heute spielen würden, würden sie solche Sachen machen. Ein junges Pärchen im Auto neben uns grinste und nickte mit den Köpfen, als wir vorbeifuhren. Ich konnte mich nie richtig für Dancehall begeistern, aber jetzt wurde mir klar, dass ich Dancehall nur noch nie richtig gehört hatte. Man kann sich Dancehall nicht einfach »anhören«. Dancehall geschieht; man muss vor Ort sein. Der DJ mischte drei oder vier verschiedene Songs ineinander. Kartels hypnotische Stimme schwebte über den Beats, die plötzlich aussetzten und nur das umnebelte Pulsieren des Basses zurückließen, während der Gesang weiterging. »Das ist die Gegenwart«, fragte ich, »richtig?« »Genau richtig. Die Gegenwart«, sagte Lewis. Er pochte mit dem Finger auf das Radio. »Das passiert in diesem Augenblick. Genau richtig.«

Im Hotel lud ich »Slow Motion« herunter. In dieser Version war es etwas lahm. Es klang wie der Karaoke-Mix von dem, was wir im Auto gehört hatten. Vybz lebte nicht im Computer. Er lag über Kingston in der Luft.

Ich rief Bunny an. »Ja«, sagte die Stimme. Nicht »Ja?«. Ja. »Mr. Wailer?« Was sollte man sonst sagen? Ich wollte ihn nicht Jah B. nennen. Wir sprachen kurz. »Das können wir machen«, sagte er. Er nannte mir eine Adresse, ein paar Blocks entfernt von einem der großen Boulevards. Kein besonders vornehmer Teil von Kingston. Wir verabredeten einen Zeitpunkt. »Bless«, sagte er.

Beim Einschlafen hörte ich ein Lied, das mir in den Wochen vor der Abreise immer wieder durch den Kopf gegangen war, »Let Him Go«, ein Lied, das Bunny 1966 geschrieben hatte, als Bob Marley in Delaware unter dem Namen Donald als Assistent in einem DuPont-Labor arbeitete. Es ist eine Runde-Boy-Nummer und damit Teil eines Subgenres, das die jamaikanischen Soundsysteme zwischen 1965 und 1967 eroberte. Die »Rudies«, wie die jugendlichen Draufgänger genannt wurden, die das Bürgertum von Kingston einschüchterten und faszinierten, waren zu einer nationalen Bedrohung geworden. Jeder zweite große Ska-Star meldete sich mit einer Botschaft zu Wort. Es gab Pro-Rude-Boy-Songs, Anti-Rude-Boy-Songs, und Songs, die man nicht eindeutig einem Lager zuordnen konnte. Unter den Augen der gesamten Insel hob ein intensives Konkurrenzdenken (an dem es der jamaikanischen Musik nie gefehlt hat) das Songwriting auf ein neues Niveau. So entstanden etliche klassische Songs.

Keines dieser Lieder steht auf einer Stufe mit »Let Him Go«, dem Lied, das Bunny Livingston geschrieben hatte. In der Begleitband spielten einige Mitglieder der Skatalites als Nebenjob. Sie legten einen beschwingten, blechernen Rhythmus hin, nur am Ende ein wenig verschleppt, ganz leicht verwischt, ein Groove, der aus heutiger Sicht den Übergang zwischen Ska und Rocksteady markiert. Wenn ich höre, wie er anfängt, fühle ich mich wie der Puck auf einem Air-Hockey-Tisch, der gerade angeschaltet wurde. *Ooo-ooo-ooo-ooo*, die Stimmen schichten sich übereinander und werden zu einem Akkord, und kurz nachdem er komplett ist, geht es weiter mit

»Rudie come from jail 'cause Rudie get bail.
Rudie come from jail 'cause Rudie get bail.«

Auf der Aufnahme gibt es einen Laut, ein gesungenes »So!«, genau zwischen Sekunde neunundneunzig und Sekunde einhundert: Die Wailers, die Rudie wie immer verteidigen, haben gerade gesungen: »Remember he is young, and he will live long.« Und dann macht jemand – wer genau, lässt sich nicht erkennen – dieses Geräusch. Stimmt es vielmehr an. Es scheint nicht aus dem Studio zu kommen – es passt nicht zur Textur der Session; es entspringt viele Kilometer entfernt und ist durch ein offenes Fenster hereingekommen. Irgendwo im Landesinneren von Jamaika hat sich ein Ziegenhirte mit seinem Stab zurückgelehnt und diesen Laut ins Tal hinabgeschickt, und er war für niemandes Ohren bestimmt, sondern allein für Jah. *Soooo!* – der Vokal verklingt schnell und ohne Echo, die pure Lebenskraft. Hat Bunny diesen Laut ausgestoßen?

Llewis kam am nächsten Morgen zwanzig Minuten zu früh und hatte den guten Wagen dabei, ein blaues Modell von Toyota, das man in den USA nur selten sieht und das irgendwie deutsch aussah, was tatsächlich passend war, denn wie ich in den folgenden Tagen oft genug feststellen durfte, war Llewis ein leidenschaftlicher Fan der deutschen Fußballnationalmannschaft. Egal, was er tat, mit einer Hälfte seines Hirns verfolgte er ständig ihr ungehindertes Weiterkommen bei der Weltmeisterschaft in Südafrika. Er war vielleicht die einzige Person in Jamaika, die so fühlte. Während wir durch die Gegend fuhren, sprach er ständig über sie und ihr Zusammenspiel.

Ich fragte ihn, ob er beim Interview mit Bunny dabei sein wollte. »Klar«, sagte er. »Vielleicht ist er dann lockerer.«

»Meinst du, dass er bei mir verkrampft?«, fragte ich.

»Er lebt ziemlich zurückgezogen, oder?«, antwortete Llewis diplomatisch.

Bunny wohnte in einer Gegend, in der nur jedes vierte oder fünfte Straßenschild intakt war. Ich hatte meinen Finger auf der Straßenkarte, während Llewis Kreuzungen zählte und U-Turns machte, bis wir die kurvige Straße fanden, in der es sein musste. Es sah aus wie in Kuba, nur trister. Die Straßen waren übel zerfurcht. Die Häuser wirkten wie kleine Festungen; wer es sich leisten konnte, hatte hohe Mauern mit Glasscherben oder Stacheldraht oben drauf. Auch wenn es innen vielleicht anständig aussah, viel Schatten und schöne Farben, sollte man das von außen nicht sehen.

Es schockierte mich nicht, dass Bunny Wailer in einer armen Gegend lebte. Es war kein Slum, und er hatte immer schon ein bescheidenes Leben vorgezogen (als er auf die erste Welt-tournee der Wailers 1973 verzichtete, weil man sich über die weitere Entwicklung der Band nicht einig war, zog er sich bekanntlich in eine baufällige Hütte am Strand zurück, lebte von Fisch aus dem Meer und schrieb Lieder.) Ich war dennoch überrascht, wie schäbig alles war, und auch Llewis ließ eine Bemerkung dazu fallen. Bunny Wailers Musik – Lieder, an denen er mitgewirkt hatte – lief schon seit Ewigkeiten in jedem Wohnheim und jedem Coffee-Shop, und er fuhr einen alten, staubigen Japaner? Aber so rechnete wohl nur ein ahnungsloser weißer *Baldhead*.

Ein Wellblechtor mit riesigen Rastafari-Löwen darauf öffnete sich quietschend. An einem der Flügel hing ein Blechschild, auf dem stand: »JAH B. IST BIS 15. MÄRZ NICHT DA«. Wir hatten den 6. Juli. Vermutlich war ihm die grundsätzliche Aussage ganz recht. Er stand im Innenhof, klein und genauso drahtig wie auf dem berühmten Bild, das ihn mit Dreadlocks und freiem Oberkörper beim Fußballspielen zeigt. Er trug einen vorzüglichen braunen Anzug ohne Kragen, den Sammy Davis, Jr. 1970 auf einer hippen Party hätte tragen können. Sein Bart war lang, dünn und vergilbt. Seine Dreads waren zu einer Krone zusammengerollt und mit Bändern auf dem Kopf befestigt.

Er begrüßte uns ausgesprochen höflich, schien aber keine Zeit verlieren zu wollen. Llewis sprach er als Soldat an, als »*Soldier*«! Unter einer Linde hatte er Stühle für uns aufgestellt. Seine Frau Jean Watt, eine in Würde gealterte Dame, brachte Orangensaft und sagte: »*Bless, bless.*«

»Also«, fing ich an. »Es ist eine Ehre, Sie kennenzulernen.«

»Es ist eine Ehre, hier auf dieser Welt sein zu dürfen«, sagte er. »Verstehst du? Also sind wir uns einig, *so we at one*. Wie kann ich helfen, *what's up with you, now*?«

Man war eingeschüchtert, allerdings nicht auf unangemessene Weise. Es war schließlich Bunny Wailer, der Mann, der

Bob Marley Harmonien beigebracht hatte. Als wir ankamen, hatte ich ihn gefragt, ob wir ihn zum Essen einladen dürften, wo immer er wollte. Llewis hatte mir geraten zu erwähnen, dass das Restaurant *ital* sein würde, dass es also Gerichte für Rastas anbot. »Danke«, antwortete Bunny und stockte, »aber ... der *Blackheart Man* ist sehr skeptisch. Er isst lieber aus dem eigenen Topf.«

Im Notizbuch stand: »Frag ihn vor allem, was gerade passiert, die Sache mit Dudus«, aber ich hatte noch nicht einmal das Aufnahmegerät angeschaltet, ehe Bunny mir eine einstündige, mit historischen Fußnoten versehene Analyse der Dudus-Krise präsentierte, deren Wurzeln er bis zur Entstehung der *Garrisons* in den Sechzigern zurückverfolgte.

Um die Situation in Jamaika und die Gründe dafür zu verstehen, dass das Land statistisch zu den gewalttätigsten Gebieten auf der Welt gehört, muss man mit dem einzigartigen System der Garrisons beginnen, nach dem die Regierung der Insel funktioniert. Bevor Sie sich jetzt schon gelangweilt abwenden – vielleicht finden sie ja allein den Gedanken faszinierend, dass sich fünfhundert Meilen von der amerikanischen Küste entfernt, auf einer mit den USA befreundeten Insel, etwas so Kaputtes ereignet. Das System der Garrisons wird – in einem jamaikanischen Bericht eines eigens dafür einberufenen Ausschusses – als »politisches Stammessystem« beschrieben. (Vor dreißig Jahren sprach Bunny in seinem Klassiker »Innocent Blood« von einem politischen Stammesmassaker.) Die Geschichte der Garrisons kann man ganz grob wie folgt zusammenfassen. Die beiden rivalisierenden Parteien der Insel – die liberale People's National Party (PNP) und die konservative Jamaica Labour Party (JLP), Jamaikas Versionen der Demokraten und Republikaner – begannen in den sechziger Jahren damit, in den ärmsten Stadtteilen Kingstons Sozialbauten zu errichten. Sobald die Häuser fertig waren, ließ die Partei, die sie gebaut hatte, ihre eigenen zuverlässigen Anhänger einziehen und warf jeden aus dem Viertel hinaus, der nicht für sie stimmen wollte. Familien und Freundeskreise wurden zerrissen. Kinder mussten die Schule wechseln, weil sich die Parteizugehörigkeit ihrer alten Schule geändert hatte. Viele dieser Vertriebenen landeten in illegalen Siedlungen.

Solange all das eine Frage der lokalen Inselpolitik war, störte sich kaum jemand daran, so wie die Situation auf Jamaika auch heute kaum jemanden außerhalb der Insel kümmert, zumindest war das so, bevor Dudus zur Bedrohung wurde. Als jedoch Michael Manley, der Chef der PNP, in den Siebzigern seine Sympathien für Castro bekundete, änderten sich die Dinge. Die CIA hatte schreckliche Angst, dass der kubanische Kommunismus auch auf andere karibische Inseln übergreifen könnte. Sie unterstützten den Chef der JLP und Reagan-Anhänger Edward Seaga. Plötzlich gab es mehr – und schwerere – Waffen in den Garrisons. Es hieß nun Manley gegen Seaga, Sozialismus gegen Kapitalismus, PNP gegen JLP. Die Garrisons standen sich gegenüber und kämpften im Interesse ihrer Parteien um die Herrschaft über die Insel. Kingston wurde zu einer Mini-Front im Kalten Krieg.

In den Achtzigern machte der Drogenhandel dann einige *Dons* so reich, dass sie auf den Staat nicht mehr angewiesen waren. Die Garrisons wurden zu Quasi-Staaten. Die Dons konnten ihre eigenen Waffen kaufen; sie konnten Truppen aufstellen. Sie begannen, den Ministern die Bedingungen zu diktieren. Zumindest, wenn die Minister an den Tausenden Stimmen interessiert waren, die die Dons kontrollierten.

»Was ich in ›Don't Touch the President‹ sage, ist Folgendes«, erklärte mir Bunny. »Wenn man Dudus beseitigt, kommt ein neuer Dudus. So lange, bis man die Ursache behebt«, nämlich die Korruption in den Ministerien. Dudus sei ein guter *Don* gewesen, sagte er. Bunny formulierte es so: »Er nimmt das Schlechte und macht es gut, wie Jesus Christus.« Ich fragte ihn, ob er Dudus je getroffen habe. Vielleicht bei einem der *passa passas*, den Stadtteilkonzerten, die der Don veranstaltet hatte?

»Hab ihn nie gesehen«, sagte er.

Er ließ das Metalltor mit Ketten und Vorhängeschlössern sichern. Ein freundlicher, aber gefährlich aussehender Köter patrouillierte durch den Innenhof. Bunny lehnte sich nach vorne und wippte auf den Zehen. Seine beiden Mobiltelefone klingelten ununterbrochen. Llewis kann das bestätigen. Ununterbrochen. »Und das Beste war«, sagte Llewis, »er hat nie geguckt, wer es war, aber er hat sie auch nicht ausgeschaltet.« Es stimmte – er ließ sie einfach immer weiterklingeln. Ich gewöhnte mich daran.

Ein kleiner Junge kam vorbei und klopfte an. Ich nahm an, dass die Leute oft vorbeikamen und um Hilfe baten. »*Who that*? Wer da? Nein, passt gerade nicht, *check me back likkle more*, hörst du, *Soldier*? Komm später wieder, bin gerade in einer wichtigen Besprechung.« Der Junge hörte nicht. Wir konnten seine Augen durch einen Spalt im Tor sehen. »CHECK ME BACK LIKKLE MORE!«, schrie Bunny. Ab und zu lief einer seiner Söhne über die grün bewachsene Terrasse. Ein Poster seiner Tochter, der Nachwuchssängerin Cen'c Love, lehnte an einer Wand. Es war eine gute Burg für den *Blackheart Man*.

Anscheinend war er in der Stimmung zu sprechen, und nicht nur das – er schien bereit, über die alten Zeiten zu reden. Ich wollte nicht zu sehr darauf drängen, ihn nicht wie ein Fossil behandeln. Er schreibt gelegentlich immer noch Lieder und geht auf Mini-Tourneen. Manche Künstler begreifen es als Kritik, wenn man ihnen zu viele Fragen zu ihren alten Sachen stellt.

Bunny begann, vom jungen Bob Marley zu erzählen, und wie er war, als sie zusammen die Stepney All Age School in St. Ann besuchten. Damals hatten sie Bob bei seinem Geburtsnamen Nesta genannt.

»Viele Menschen kennen das Wesen seiner Persönlichkeit nicht«, sagte Bunny. »Von Kindheit an war Bob dafür geschaffen, diese Ikone zu sein, ein Heiliger.« Die schmerzhafte Erfahrung, gemischtrassig zu sein, hat schon früh seine Sensibilität verstärkt. Sein Vater war ein Weißer, Captain beim Britischen Militär, Norval Sinclair Marley. Bunny fand, dass der Einfluss dieser Seite auf Bobs Kindheit zu wenig beachtet wurde. Bob war »als Niemand« aufgewachsen. Im Jamaika jener Zeit war »das gemischte Kind eine Schande, denn es brachte Schande über die Familie des weißen Mannes und die Familie der schwarzen Frau«.

»Bob sah dich an und sagte: ›Glaubst du, Gott ist *weiß*? God *BLACK!*‹ Ah-haa!« Bunny hob den Finger. »Und sein Vater ist weiß, Captain Marley, und seine Gene sind auch in Bob.« Bunny hatte das offensichtlich genau durchdacht. Er lachte finster und schüttelte den Kopf. »Aha, immer noch der Captain«, sagte er.

Bob *kam* vom Land, während Bunnys Familie erst aufs Land *gezogen* war; sie stammten aus Kingston. Bunny brachte sein Musikwissen mit – als Kind hatte er Tanzwettbewerbe gewonnen. In der Erweckungskirche von St. Ann, wo Bunnys Vater predigte, begleitete er die Lieder auf der Trommel. »Ich war ein sehr guter Schlagzeuger«, sagte er. »Manchmal brauchten sie mich, um die richtige Stimmung in der Kirche zu erzeugen.«

Bunny spielte seine selbstgebaute Gitarre im Dorf, und Bob sah, wie viele Leute kamen, um ihm zuzuhören. »Das war das einzige Vergnügen in dieser Einöde«, lachte Bunny. Er zeigte Bob, wie man Gitarren baut.

Der Eifer, mit dem Bob sich in die Musik einarbeitete, erschreckte Bunny. »Für mich war es ein Hobby, mit dem ich die Leute unterhalten konnte«, sagte er. »Bob benutzte Musik als Waffe, um von einem Niemand zum Jemand zu werden, zum Musiker.« Bunny erzählte von den ersten, nicht sonderlich erfolgreichen Bob Marley-Singles, die unter verschiedenen Namen (einer war »Bobby Martell«) vom wegweisenden

chinesisch-jamaikanischen Ska-Produzenten Leslie Kong veröffentlicht worden waren. Eine davon, ein Song namens »Terror«, ist eine Art Heiliger Gral unter den Sammlern jamaika-
nischer Schallplatten. Bisher ist noch kein einziges Exemplar
aufgetaucht. Bunny deutete an, dass der Song zu radikal für
eine Veröffentlichung gewesen sei, der Regierung hätte das
nicht gefallen. »Viele kennen den Song gar nicht«, sagte Bunny.
»Ein schrecklicher Song.« Er meinte schrecklich im Sinne von
furchteinflößend. Es haute mich um, als er eine Strophe daraus zitierte:

»He who rules by terror
Doeth grievous wrong.
In hell I'll count his error.
Let them hear my song.«

»Sie haben ihn versteckt«, sagte Bunny. »Den Song kennt keiner, sie haben ihn versteckt. *It hidden.*«

Später entdeckte ich, dass diese Zeilen aus Tennysons Gedicht »The Captain. A Legend of the Navy« stammen, mit ein
paar kleineren Veränderungen hier und da. Vielleicht ein Gedicht, das Bob in der Schule auswendig lernen musste? Es erzählt die Geschichte eines Schiffs – ein Phantom-Vorläufer
des Schiffs in Marleys »Slave Driver« –, dessen Kapitän so
grausam ist, dass seine Männer gemeinsam Selbstmord be-
gehen. Sie folgen seinem Befehl und leiten den Angriff auf
ein feindliches Schiff ein, doch dann legen sie die Waffen nieder und lassen ihr Schiff in Stücke schießen. Captain Marley,
der bereits sieben Jahre tot war, als »Slave Driver« erschien,
geistert eindeutig durch diesen Song. Er hatte Bob als Kleinkind verlassen. Bobs Mutter wurde dann die Geliebte von Bunnys Vater. Zeitweilig wohnten die beiden Jungs unter einem
Dach. Sie kannten sich so gut, dass Bunny sich noch Jahre später an ein Lied erinnern konnte (und eine Version davon auf-

nahm), das Bob als Junge geschrieben hatte, ein Mitsing-Stück namens »Fancy Curls«.

An dieser Stelle entschuldigte sich Bunny und zog sich zu einer Art Lunch/Siesta zurück. Llewis und ich saßen ungefähr eine Stunde im Innenhof und unterhielten uns leise. Er hatte recht gehabt; seine Anwesenheit hatte Bunny entspannt. Immer wenn ich mein Staunen zeigte – diese übertriebene, fast vorgetäuschte Überraschung, die man irgendwie nicht verhindern kann, wenn man jemanden interviewt: »*Wirklich?!*« –, deutete Bunny dann auf Llewis und sagte: »Richtig, *Soldier*?« Und Llewis sagte: »Einhundert Prozent richtig.«

Als Bunny zurückkehrte, war seine Laune gedämpft. Er lehnte sich weiter zurück. Seine Augenlider waren gesenkt und seine Telefone klingelten schrill und vollkommen unbeachtet in seinen Taschen. Sein Schweigen im Monat zuvor wirkte jetzt weit weniger rätselhaft. Ich fragte nach Joe Higgs, dem Mann, der die Wailers erfunden hatte. Higgs ist wirklich ein übersehenes Genie der jamaikanischen Musik. Sein Album *Life of Contradiction* von 1975, das erst vor Kurzem wiederveröffentlicht wurde, ist gut genug für die berühmte einsame Insel. Er starb ziemlich jung an Krebs. 1959 wurde er während einer Welle von politischen Aufständen durch militante Rastafaris zusammengeschlagen und ins Gefängnis gesteckt (Bunny selbst wurde acht Jahre später wegen Marihuanabesitzes verhaftet).

Als Higgs entlassen wurde, fing er an, unter einem Obstbaum im Hof seines Hauses zwanglose Musiksessions abzuhalten. »In Trenchtown waren die Höfe damals nicht voneinander getrennt«, sagte Bunny. »Es gab keine Zäune, nichts, und deshalb war Joe Higgs' Hof ein Ort, wo um Geld gespielt wurde, es gab einen Spieltisch, eine Dame, die Frittiertes verkaufte, Bratfisch ... Es war eine beliebte Ecke.«

Higgs wurde zum Mentor der Wailers, deren Potenzial er gleich erkannte. Bunny sagte, der ältere Mann habe sogar seine eigene Karriere für ein paar Jahre unterbrochen, um sie auszubilden. »Er hat sich so viel um die Wailers gekümmert«, sagte Bunny, »dass er mehr an die Wailers glaubte als an sich selbst.« Er brachte ihnen Harmonielehre bei, Atemtechnik und die Grundlagen der Komposition, für die sich besonders der junge Bob interessierte. Bunny zufolge glichen Higgs' Methoden denen von Mr. Miyagi, dem Lehrer aus *Karate Kid*. Er weckte sie um halb zwei in der Nacht, ließ sie spielen und sagte: »Wenn ihr um diese Uhrzeit nicht singen könnt, dann könnt ihr nicht singen.« Er nahm sie mit auf den May Pen Cemetery (denselben Friedhof, auf dem während der Dudus-Ausschreitungen heimlich Leichen vergraben worden sein sollen) und forderte sie auf, zwischen den Gräbern zu singen, er argumentierte: »Wenn ihr euch traut, für Duppy zu singen [ein karibischer Geist], macht euch das Publikum keine Angst.«

»So ein Lehrer war er«, sagte Bunny. »Das hat uns Mut eingetrichtert.« Er erwähnte, dass er seit 1969, in all den Jahren, in denen er auf Tour war, »bei der Arbeit nie mit einer Frau Sex gehabt hatte«. Er erklärte uns seine Theorie, nach der sich die Energie eines Mannes in seinem Sperma sammelt. »Wenn du kommst, kannst du mehr als zwei Kilo verlieren.« Er ermutigte mich, mich beim nächsten Mal anschließend zu wiegen.

»*Du* verlierst vielleicht zwei Kilo«, sagte Llewis. Bunny lachte.

Er wurde langsam müde. Nach all den Geschichten aus der Anfangszeit schien es mir seltsam, dass Bunny schon Mitte sechzig war. Weil Peter und Bob und Joe Higgs und so viele andere nicht alt geworden waren, erwartete man das irgendwie auch von Bunny nicht. Er sieht aus wie ein Rastafari-Hexer. Er wird noch lange leben; er hat diese Ausdauer dünner Männer. Wie hatte er das geschafft?, fragte ich ihn. Wie hatte er als Einziger überlebt? »Ich vertraue auf den Höchsten«, sagte er. »Jah Rastafari.« Er sagte, wir könnten am nächsten Tag um die gleiche Zeit wiederkommen.

Am Morgen kamen wir wie am Vortag an Bunnys Haus an und klopften ans Tor, doch die Situation hatte sich geändert. Ein älterer Rasta begrüßte uns, er war sehr dünn, mit eingefallener Brust und knotigen grauen Dreads: »Africa love.« Wenn ich darüber nachdenke, galt dieser Gruß vermutlich nur Llewis.

Bunny könne nicht rauskommen, erklärte der Mann. Er sei in einer wichtigen Besprechung. Wir sollten es später wieder probieren.

Wir entschieden, uns Trenchtown anzusehen. Auf dem Weg dahin zeigte mir Llewis, wo die verschiedenen *Garrisons* lagen, welche der PNP und welche der JLP gehörten. Wir fuhren in Richtung Tivoli Gardens, gerieten jedoch in eine Straßensperre und mussten umdrehen. »Er ist von der Presse«, sagte Llewis. »Ich bin von der Presse«, sagte ich. Der junge Polizist sah uns schweigend an. Er wiederholte bloß die Kreisbewegung mit den Fingern, während seine linke Hand auf dem Maschinengewehr lag.

Die Lage wurde spürbar angespannter, je näher man den Straßen dieses Viertels kam. Dudus' Anhänger wussten nicht, was sie tun sollten. Die jamaikanische Politik ist eine dauerhafte Pattsituation wie in *1984*, die endlos aufrechterhalten werden soll, während sich die Politiker bereichern. Sie weiß nicht, wie sie sich in diesem Vakuum entwickeln soll.

Ich war, offen gesagt, geschockt, in welchem Zustand der Trench Town Culture Yard war. Er liegt in einem Slum. Das mag ein heikles Wort sein, aber wo statt Fenstern Vorschlaghammerlöcher in den Wänden sind, wo Frauen mit ihren Babys auf den Armen auf offener Straße betteln und dafür bezahlt werden wollen, dass man Fotos von ihnen macht, und wo Rudel herrenloser Hunde mit Hautkrankheiten herumlaufen, da ist ein Slum. Direkt am Eingang gibt es jedoch eine hübsche kleine Ecke, im Schatten der Bäume stehen ein paar Bänke. Kolibris. Eine Gruppe Rastas hing dort herum. Die Luft war ekelhaft süß vom Geruch verbrannten Hanfs.

Llewis und ich entschieden, dass es eine schöne Geste wäre, etwas gutes Kraut zu besorgen und es Bunny mitzubringen. Er hatte viel mehr Zeit mit uns verbracht, als er gemusst hätte. Bald fanden wir einen jungen Gentleman auf einem Moped, der unseren Wunsch erfüllen konnte. Wir erklärten, für wen es gedacht war – in Trenchtown kennt man Bunny gut. Sie nennen ihn hier »Bunny Wailers«, mit »s«. Man musste nicht erklären, dass er seine Zeit nicht mit trockenem grauen Gras verschwendet, von dem man vier Joints braucht, um überhaupt was zu merken. Der Typ versprach, das beste zu bringen, das er hatte. Ich zahlte gerne etwas zu viel, denn Llewis schien zu glauben, dass der Kerl uns in Bezug auf die Qualität nicht allzu sehr verarschte.

Als wir zurück zu Bunnys Haus kamen, stand wieder derselbe Rasta am Tor. Jah B tue es leid. Die Besprechung dauere länger, als erwartet. Wir sollten am Abend wiederkommen. Bunny wolle uns treffen, sagte der Mann, aber sie müssten wichtige Dinge besprechen.

Es war jetzt später Nachmittag. Wir waren betrunken von der Hitze, müde und hatten noch nicht einmal richtig angefangen. Wir einigten uns, die Gelegenheit zu nutzen und ein bisschen von dem Weed zu rauchen, das ich gekauft hatte. Wir wollten ganz sicher sein, dass es kein Scheiß war, dass wir Bunny nicht aus Versehen damit beleidigten. Wir waren so etwas wie die Vorkoster des Königs. Aber wo konnte man hier gefahrlos kiffen? Anders als Sie vielleicht denken, ist Jamaika kein Ort, an dem man einfach im Park herumliegen und den ganzen Tag Ganja rauchen kann.

Llewis sagte, er kenne da ein paar Clubs. Wir fuhren eine Weile in Richtung Stadtrand. Ein Sicherheitsmann empfing uns am Tor und ließ uns rein. Es gab eine große Bar im Freien. »Stört's, wenn wir rauchen?«, fragte Llewis. Stört nicht, sagte der Typ. Unter einem riesigen Ganja-Verbotsschild bauten wir eine zweiblättrige Tüte. Drinnen war ein Stripclub, hier draußen war alles entspannt. Die Mädchen hatten keine Kunden. Dudus hatte den Tourismus in Kingston auf dem Gewissen. Sie sahen gelangweilt aus und kamen immer wieder nach draußen. Natürlich boten wir ihnen ein paar Züge vom Joint an, was ihnen offensichtlich gestattet war, also rauchten sie. Wir gaben ihnen Trinkgeld dafür, dass sie existierten. Sie kamen alle vom Land. Es war traurig, wie billig ihre Dessous waren, und genauso traurig war der grausam scheppernde amerikanische Achtziger-Pop, den sie im Club spielten, schlimmstes American-Top-40-Albtraumzeug.

Sie rollten einen Fernseher nach draußen. Gerade lief ein Weltmeisterschaftsmatch. Ich hatte gar nicht darüber nachgedacht, dass Llewis ja auf das Spiel hätte verzichten müssen, wenn wir unseren Zeitplan mit Bunny eingehalten hätten – sein geliebtes Deutschland gegen Spanien. Er hatte auf dieses Spiel sogar Geld gewettet, wie sich herausstellte. Llewis war ein feiner Kerl. Und jetzt, wie durch Magie, konnten wir das Spiel trotzdem gucken, während wir rauchten, tranken und auf unser Treffen mit Bunny warteten. Wir mussten uns ein paar Stunden um die Ohren hauen.

Das Gras war tatsächlich sehr stark. Eine Zeit lang war ich ziemlich durcheinander. Vielleicht lag es daran, dass die Niederlage der Deutschen eine besonders niederschmetternde Wirkung auf Llewis hatte. Er wurde nicht damit fertig. Ihm kam es nicht nur verkehrt, sondern völlig irrsinnig vor, dass Spanien gewonnen hatte. Die Litanei von fachlichen und moralischen Erklärungen, die er den wenigen in der Bar versammelten Gästen und den Tänzerinnen ausbreitete, wurde zum Vortrag. Er hielt eine Vorlesung. Er wechselte jetzt komplett in Patois, und die anderen antworteten ihm in Patois. Ich verstand nur wenig von dem, was sie sagten, aber trotzdem nahm ich meine Aufgabe wahr, Llewis der Überlegenheit der Deutschen zu versichern.

Ziemlich verkatert aßen wir im T.G.I. Friday's zu Abend,

Llewis war leicht mürrisch. Doch als wir zum hoffentlich letzten Mal an diesem Tag zu Bunny fuhren, hörten wir wieder »Diseases«, und »Diseases« würde selbst einen trockenen Trinker an einem Freibierstand aufmuntern.

Llewis brachte mir etwas bei. Wenn in Jamaika dein Highschool-Team verliert, sagte er, skandiert man beim Verlassen des Spielfeldes traditionell: »*We no feel no way!* Wir fühlen nichts!« Damit ist gemeint, dass wir uns nichts draus machen, es war uns eh scheißegal. Ich spürte die tiefe psychologische Bedeutung dieses Gesangs und ließ mich von Llewis nicht zweimal bitten, ich machte mit und schlug im Takt aufs Armaturenbrett. Den ganzen restlichen Weg zu Bunnys Haus sangen wir, Llewis schien so seine Enttäuschung vertreiben zu können.

Jetzt war es dunkel. Wir klopften ans Tor. Derselbe Typ kam, und diesmal sagte er, Jah B habe Anweisungen gegeben, uns reinzulassen. Wir betraten den Innenhof und sahen Bunny mit einer Reihe anderer Rastafaris um einen Tisch versammelt. Sie hielten ein *Reasoning* ab, wie Bunny es nannte. Er gestikulierte in unsere Richtung und sagte, das Treffen sei bald zu Ende. Es lief schon seit sieben Stunden.

Der Typ brachte zwei Stühle, stellte sie weitab vom Tisch in eine Ecke des Hofes, und bedeutete uns, dass wir uns setzen sollten. Da saßen wir, während sie weiter ihre Angelegenheiten besprachen. Llewis und ich hatten das unangenehme Gefühl, fehl am Platz zu sein. Einige der anwesenden Frauen sagten ganz klar, dass sie uns nicht dahaben wollten. Einmal standen wir auf und versuchten deutlich zu machen, dass wir auch gerne draußen warten könnten, aber der Mann, der uns hereingelassen hatte, sagte zu den Frauen: »Jah B will, dass sie hier sind, für Jah B sind sie wichtig«, und alles beruhigte sich.

Die Besprechung dauerte noch eine gute Stunde. Es fing an zu regnen, und wir durften mit unseren Stühlen näher heranrücken. Sie beteten. Dann verabschiedete man sich eine Stunde lang. Die Rastas winkten uns beim Aufbrechen herzlich zu. Bunny saß in seinem Büro, bei offener Tür, und beriet sich vertraulich mit einer der *Sisters*. Wir hörten ein Weinen, dann wurde gebetet, und Bunny machte seltsame Anfeuerungslaute. Es klang nach einer Erweckungszeremonie.

Als er fertig war, kam er heraus und sprach mit uns. Er sagte, dass er baden und sich auffrischen müsse, um wieder zu Kräften zu kommen. Bei unserem letzten Besuch hatte er gesagt, dass er nicht viel schlafe, dass er nachts am besten arbeiten könne.

Ich hatte ein paar ordentliche *roaches* in meiner Hemdtasche, nicht ganz zu Ende gerauchte Joints. Wir rauchten sie im Schatten des Hofes. Wir konnten den Gesang aus einer Kirche auf der anderen Straßenseite hören, den Klang vieler Stimmen in einer dicht verschlossenen Kiste. Bunny hatte ein altes Poster gegen eine Betonwand gelehnt, ein Porträt von Marcus Garvey. Llewis sang Burning Spears »Do you remember the days of slavery?« Nach jedem Zug sagte er »*Irie*«. Er war kein Rasta; es war ein wenig ironisch gemeint, so wie wir Amerikaner nach einem Schluck Whiskey etwas im Südstaatenakzent sagen. Er sagte, er habe sich mal oberflächlich mit dem Rastafarianismus befasst, nach der Highschool, aber dann sei er an einen Punkt gekommen, wo er nicht mehr an Religion glaubte. Fertig.

Bunny erschien geräuschlos als dunkle Silhouette im Licht seines Büros. Er trug eine komplette khakifarbene Haile-Selassie-Ausgehuniform des äthiopischen Militärs. Seine Dreads waren neu gewickelt. Wir sollten uns setzen. »Was war das für ein Treffen?«, fragte ich. Das sei die Versammlung einer Gruppe gewesen, die sich Millennium Council nennt, erklärte er. Darin sind Abgesandte der dreizehn *Mansions* des Rasta vertreten (die Mansions sind vergleichbar mit Konfessionen – Bunny ist ein Nyabinghi, einer ihrer Kirchenältesten). Sie hatten sich getroffen, um Jamaikas Teilnahme an einer bevorstehenden internationalen Rastafari-Konferenz zu besprechen.

Er fing an, uns zu erzählen, wie er zum Rasta geworden war. »Ich kannte Rasta schon als kleines Kind«, sagte er, »aber die Rastas wurden damals *Blackheart Men* genannt, damit die Kinder sich von ihnen fernhielten. Sie würden dir das Herz rausschneiden und es aufessen und solche Sachen. Und wenn man nicht gehorchte oder etwas tat, was sich in der Familie nicht gehörte, dann sagten sie: »Wenn du das jetzt nicht machst, rufe ich den *Blackheart Man*.«

Wenn die Kinder in Kingston, in Trenchtown, nicht zu spät zur Schule kommen wollten, nahmen sie eine Abkürzung durch die zugemüllten Gassen. Dort lebten die Rastas. Die Stadt gab ihnen Brachen, um ihre Lager aufzuschlagen. »Der *Blackheart Man* lebte im Dreck«, sagte Bunny. »Das ist der *Rastaman*.« Manchmal kam einer dieser Dreadlock-Mystiker aus seinem Loch heraus, um »seinen kleinen Topf mit Wasser zu füllen«, und wenn die Kinder ihn sahen, rannten sie davon. Bunny erinnerte sich, dass einige seiner Freunde sich auf der Flucht Schnittwunden und Prellungen zuzogen. Doch aus irgendeinem Grund – vielleicht war es der Einfluss von Joe Higgs – fragte sich der junge Neville irgendwann, warum er eigentlich davonlief. Ihm war aufgefallen, dass die Rastas in Ruhe zu ihren Löchern zurückgingen, während er und seine Freunde vor ihnen wegliefen. »Als er dann rauskam, habe ich mir ein Herz gefasst, und er schaut mich an und fragt: ›Du läufst nicht weg?‹«

Bunny fragte den Mann, warum er so lebte, wie er lebte. »Als er den Mund aufmachte, merkte ich, dass er Verstand hatte wie ein Anwalt oder Arzt«, sagte er. »Dann erzählte er, dass Haile Selassie der Erste ihn inspiriert hatte, diesen Weg zu gehen. ›*Seek first the kingdom of Jah, and all other things shall be added.* Suche das Königreich Jahs, alles andere wird sich ergeben.‹ *Rastaman. No me hear them thing out no bible.* Rasta lehrt diese Dinge. Und ich habe sofort verstanden.«

Im Frühjahr 1966 kam es zum Besuch Seiner Kaiserlichen Hoheit Haile Selassie, des äthiopischen Herrschers, des schwarzen Mannes auf dem Cover des *Time*-Magazines, der am höchsten Tisch des weißen Mannes Platz genommen hatte, bei den Vereinten Nationen, und den viele Jamaikaner von einem durch Marcus Garvey inspirierten panafrikanistischen Zionismus befeuert, für die Wiederkunft Christi hielten. Als Ras Tafari (amharisch für »furchtloser Prinz«) auf dem Flughafen von Kingston landete, war er von der Intensität des Empfangs so überwältigt, dass er direkt umdrehte und aus Angst um sein Leben zurück ins Flugzeug ging. Einer der Anführer der Rastafaris, der wie Johannes der Täufer eine einfache Tunika trug, erhielt die Erlaubnis, an Bord zu gehen. Er erklärte Selassie, dass die Masse nur aus Liebe zu ihm so heftig reagierte. Selassie soll geweint haben. Bunny Livingston war an diesem Tag dabei. »Wer Seine Kaiserliche Hoheit damals nicht gesehen hat, wollte nicht«, sagte er. Wie viele in der Menge fühlte er den Blick des Herrschers auf ihm persönlich und zugleich auf allen. Es gab noch andere solche *Mystics* (Zeichen des Göttlichen). Ein Regenschauer kam und ging, und Tausende wurden nass und sofort wieder trocken. Einige Rastas feuerten ihre Bongs an, und am Himmel über ihnen explodierte ein Flugzeug. Ihnen waren Kräfte verliehen worden. Bunny sah einige Sisters der Moravian Church, ganz in Weiß mit schwarzen Gesichtern, die die Straße entlangtanzten, Palmwedel schwangen und Hosianna sangen, »weil Er war, wer Er war«, sagte Bunny. »Weil Er ist, wer Er ist.«

Ich hatte ein paar kleine Lautsprecher mitgebracht. Wir hörten uns »Fighting Against Convictions« an, das Lied, das er während seiner vierzehn Monate Zwangsarbeit geschrieben hatte, die er um 1967 hauptsächlich im Richmond Farm Prison verbrachte. Es klagt das Urteil an und beginnt mit »Battering down SEN-tence«, mit einer überraschend hohen Note auf dem »SEN«. Ich sagte ihm, wie ungewöhnlich die Melodie für mich klang, dass sie mich sofort gepackt hatte. Einige der älteren Aufseher hätten ihm nicht gestattet, dieses Lied zu singen, sagte er, selbst wenn die anderen Gefangenen es sich wünschten. »Das Wichtigste ist«, sagte er, »dass die Melodie die Botschaft deiner Gefühle singt. Im Gefängnis muss es eine klagende Melodie sein«, – *wailing* war sein Wort – »eine Melodie, die echte Erfahrung zeigt, die zeigt, dass du nicht nur über irgendetwas singst, das du nur vom Hörensagen kennst«.

Ungefähr in diesem Moment erlebte ich etwas, das ich mir nur als eine Art kurzzeitige Halluzination erklären kann. Seltsame Dinge geschahen mit Bunnys Gesicht, während er sprach. Verschiedene Rassen wurden in seinen Gesichtszügen sichtbar – schwarz, weiß, asiatisch, indisch, das ganze transnationale menschliche Durcheinander, aus dem die Karibik besteht. Die komplette atlantische Welt rauschte durch sein Gesicht. Mir kamen derart krypto-kolonialistische Gedanken, dass ich genauso gut einen weißen Safarihut auf dem Kopf haben und ihn durch ein Monokel hätte betrachten können. Wie aus dem Nichts fing Bunny an, über Obst zu sprechen, über all die fremden Früchte, die in Jamaika wachsen. Mir gefiel seine bodenständige Liebe zu seiner Heimat, der Grund, warum er niemals von hier weg konnte. »Ich rede von der Annona und vom Zimtapfel. Ich rede von der Sapodilla und der Goldpflaume. Brotfrüchte.« (Der Baum, unter dem sich die Original-Wailers in Joe Higgs' Garten getroffen hatten, war ein *Coolie Plum*, eine Indische Jujube. In Trenchtown habe ich eine probiert. Ziemlich köstlich.)

»Wir haben Ginep«, sagte Bunny. »Ich hab noch nirgendwo sonst auf der Welt Ginep gesehen. Es gibt eine Frucht, die wir Stinkender Zeh nennen, *Stinking Toe*. Die ist so trocken, dass man genau wissen muss, wie man sie isst – am Staub der Pollen kann man ersticken.« Er sprang auf. Ein agiler Mann. »Ich hab was da«, sagte er. »Ich hab ein bisschen *Stinking Toe* da. Ich gieß ein paar Tropfen Traubenzuckersirup drüber und mache Gelee daraus. Probiert mal«, sagte er. Er kratzte ein bisschen vom Boden des Behälters. Der Heuschreckenbaum, *Hymnaea courbaril*. Er warnte mich, dass dies das Trockenste sei, das ich je essen würde. Mein Mund war schon vom Kiffen wie Watte. Keine Ahnung, wie lange ich brauchte, um diesen einen Bissen zu essen. Allein mir das Zeug anschließend aus den Zähnen zu kratzen, dauerte zwanzig Minuten. Doch die Süße im Kern dieser Frucht ist die seltsamste, überraschendste Süße. Es ist, als würde man tagelang durch die Wüste kriechen und dann zu einem winzigen Busch kommen, der extrem süße Früchte trägt. Eine Seite im Buch meines Lebens ist für die Geschichte reserviert, wie ich diesen einen Bissen *Stinking Toe* esse, während Bunny mich beobachtet und gackernd über mein Gesicht lacht, während ich die Wunder dieser Frucht erlebe wie Willy Wonka aus *Charlie und die Schokoladenfabrik*.

»Und es ist ein Stimulans«, sagte Bunny und schlug mir aufs Knie. »Davon kriegst du eine Latte. Wie die Schale – es macht deinen Schwanz so hart wie die Schale.«

Das Singen auf der anderen Straßenseite hatte schon lange aufgehört; genau wie der Regen. Es war sehr spät geworden. Da war nur noch eine Sache: Ich wollte mit ihm zusammen »Let Him Go« aus den kleinen Boxen anhören. Während ich das Lied suchte, ging er die anderen Rude-Boy-Songs dieser Zeit durch. Er erinnerte sich an alle. »Dieser Song hier hat den [Rude-Boy-] Krieg beendet«, sagte er. »Nach ›Let Him Go‹ haben sie nicht weitergemacht.« Auf diesen Song gab es nie eine Antwort. Das Lied fing an, und Bunny sang mit. Er klang fantastisch. Dieser knisternde Klang.

»You frame him, you say things he didn't do,
You rebuke him, you scorn him, you make him feel blue.
Let him go …«

Er warf den Kopf nach hinten. »Lloyd Knibbs«, sagte er, und damit meinte er den Schlagzeuger der Skatalites. Wir drei lehnten uns nach vorne. Bunny hatte die Hände zwischen die Oberschenkel gepresst. Sogar auf meiner kleinen Anlage aus dem Supermarkt füllte die Musik den Schuppen mit einer goldenen Atmosphäre.

Als das »*So!*« näherrückte, sah ich ihm in die Augen. »Das, was jetzt gleich kommt«, sagte ich über die Musik, »dieses ›*So!*‹ Wer ist das?«

Bunny schlug sich auf die Brust. »Das bin ich, *Mon*!« Als wäre er enttäuscht, dass ich fragte.

Um es zu beweisen, stand er von seinem Stuhl auf. Ich lehnte mich zurück, um ihn besser sehen zu können. »Jetzt kommt Vision«, sagte er (damit war Constantine »Vision« Walker gemeint, der 1966 für Bob eingesprungen war). Bunny bewegte seine Hand in Wellenlinien, während Vision sang: »*Remember he is smart, remember he is strong.*« »Und jetzt komm ich«, flüsterte Bunny. Er schob seinen Kopf vor und hauchte seine Zeile von damals in ein imaginäres Mikrofon wie ein Geist: *Remember he is young, and he will live long.* Dann zog er den Kopf schnell zurück, zeigte mit dem Finger in die Luft – ein »Aha!« – und rief: »*Sooo!*«

Er war es.

Drei Monate nach meinem Besuch verschlechterte sich das Verhältnis zwischen Bunny und mir. Er war sauer, und nicht einmal die mythische Süße der *Stinking-Toe*-Marmelade hätte das ändern können. Das Magazin schickte den Weltklassefotografen Mark Seliger mit seinem Team nach Kingston, um ihn zu fotografieren. Bunny wollte nicht mitmachen, doch am Ende war er einverstanden (zumindest verstand ich unsere Unterhaltung so). Wir baten um fast nichts, lediglich um eine Stunde in seinem Haus. Zugleich baten wir um sehr viel: Wir wollten sein Gesicht. Ich verstand ihn und versuchte feinfühlig zu sein.

Aber er wurde am Telefon immer schwieriger und argwöhnischer. Wir bekamen Post von einem Anwalt. All dies geschah, nachdem unsere Fotocrew in Kingston gewesen war. Hotelrechnungen, Spesen, Umbuchungskosten für Flugtickets. Mein letztes Gespräch mit Bunny artete in Feindseligkeit aus. Er nannte mich *ras clot* und *bumba clot*, die schlimmsten Sachen, die man in Jamaika zu jemandem sagen kann. Ich bin nicht hundertprozentig sicher, was diese Wörter bedeuten, aber offenbar haben sie etwas mit gebrauchten Tampons oder einem *ass rag* zu tun – ein paar Lagen Klopapier, die bei Durchfall in die Unterhose gesteckt werden. Er warf mir vor, ihn mit der ganzen Fotogeschichte in die Ecke gedrängt und ihm dann die Schuld zugeschoben zu haben. Vielleicht habe ich das auf gewisse Weise sogar getan. Er schimpfte. Er erinnerte mich daran, dass er ein Revolutionsführer war. Wusste ich denn nicht, dass er sein Gesicht verstecken musste? »Kennst du Bunny Wailer?«, fragte er. »Kennst du *I and I*?«

Nein, gab ich zu, ich kannte ihn nicht.

Er beschwor eine dunkle Wolke von Patois-Flüchen herauf. Minutenlang verstand ich nichts. Dann legte er auf. Er sollte mich nie wieder zurückrufen. Ich wurde zu einem unbeantworteten Klingeln in den Taschen seiner wunderbaren Anzüge.

Ich hatte kein Problem damit. Es fühlte sich richtig an, von Bunny Wailer abgewiesen zu werden. »Was kann das *GQ*-Magazin für *I and I* tun?«, hatte er wissen wollen. Nichts, war die Antwort. Wir kamen aus Babylon; er schickte uns dorthin zurück, in unsere Garrisons. Die letzte Nachricht, die ich bekam, lautete: »Sei gegrüßt, John, hier sind Fotos. *One Love.* Jah B. Wailer.« Ein Schnappschuss von ihm auf einem Parkplatz, in einem weißen Matrosenanzug, salutierend. Das konnte man verstehen, wie man wollte.

Das wirkliche Geschenk, das er mir machte, war die Gabe, nein zu sagen. Es war die Gabe, der *Blackheart Man* zu bleiben.

Das war die ganze Zeit die Grundmelodie gewesen – dass er noch immer am Leben ist.

Mitarbeit an der Übersetzung: Tobias Schnettler

DAS HAUS DER PEYTON SAWYER

Fast täglich halten Autos vor unserem Haus. Leute steigen aus, um es zu fotografieren – und uns auch, falls wir, meine Frau, meine Tochter und ich, gerade draußen sind. Oder sie fotografieren Tony, der in der ganzen Nachbarschaft den Rasen mäht. Tony findet das spitze. Grinsend posiert er mit seinem Rechen und seinen Rasensäcken und wirft in einer ausladenden Geste seinen Arm zur Seite, als wolle er sagen: »All das gehört mir, meine Freunde.« Ich habe ihm schon so oft geraten, er solle Geld dafür nehmen, aber er hört partout nicht auf mich. Er mache das, sagt er, weil er sich so wie ein Promi fühle. Manchmal ist es nur ein Auto pro Tag. Manchmal sind es aber auch acht oder neun. Das hängt von der Jahreszeit ab und davon, was gerade im Internet los ist. Einmal, als in der Stadt irgendein Event war, hatten wir mehr als zwanzig. Oft vergesse ich für lange Zeit, dass all das überhaupt passiert. Ich nehme die Leute wirklich nicht mehr wahr, verlasse allerdings auch nicht häufig das Haus, und sie verhalten sich immer ruhig, machen nie Stress. Vor einem Monat aber kam mein neuer Nachbar Nicholas vorbei, um sich vorzustellen, ein großer, dünner Mittfünfziger mit Brille und weißem Bart. Sehr nett, sehr gesellig. Im Gehen sagte er: »Kann ich Sie noch etwas fragen? Ist Ihnen schon mal aufgefallen, dass ständig jemand Ihr Haus fotografiert?«

»Klar«, sagte ich – und spulte wie auf Knopfdruck meinen Text ab –, »es ist albern, ich weiß, aber unser Haus war mal im Fernsehen, jetzt nicht mehr, und diese Leute sind Fans ... Lustig, oder?«

»Aber das hört ja überhaupt nie auf«, sagte er.

»Ich weiß!«, sagte ich. »Hoffentlich stört es Sie nicht. Melden Sie sich, wenn's anfängt, Ihnen auf die Nerven zu gehen.«

»Nein, nein, mir macht das nichts aus«, sagte er. »Die Leute sind ja immer höflich. Es scheint ihnen fast ein bisschen peinlich zu sein.«

»Sagen Sie aber auf jeden Fall Bescheid, wenn sich daran etwas ändern sollte«, sagte ich.

»Ist gut«, meinte er. »Ich finde einfach nur unglaublich, wie viele es sind.«

Diese Unterhaltung haben Nicholas und ich mit minimalen Abweichungen schon dreimal geführt, einmal in jeder Woche, die er jetzt nebenan wohnt. Jedes Mal hätte ich ihm gerne gesagt, dass es nachlassen wird, aber ich weiß nicht, ob das jemals passiert. Es könnte auch schlimmer werden.

Mein Schwager verkauft in der Wüste von Arizona Wohnwagen – er behauptet sogar, das Trailer-Business in diesem Teil der Welt »im Schwitzkasten zu haben«. Vor nicht allzu langer Zeit hat er mir von Dem Stempel erzählt. Er und sein Chef arbeiteten im selben Wohnwagen, ihre Büros lagen sich direkt gegenüber. Sie verkauften also aus einem Wohnwagen heraus Wohnwägen. Der Chef hatte auf seinem Schreibtisch einen riesigen Gummistempel, eine Spezialanfertigung, der das Wort »Genehmigt« stempelte. Immer wenn die Situation im Büro meines Schwagers ungemütlich wurde und der Chef hörte, dass die Verhandlungen auf der Stelle traten – meistens über der Frage, wie die zukünftigen Käufer ihren Darlehensantrag bewilligt bekommen sollten –, kam er mit Dem Stempel hereingezuckelt. Mein Schwager hat mir seinen Gang vorgemacht – »zuckeln« beschreibt ihn nicht richtig. Der Chef war eher klein, und beim Gehen rollten seine Beine irgendwie aus seinem Körper heraus, vielleicht so, wie man es sich bei jemandem mit einem degenerativen Hüftleiden vorstellt. Er rollte also auf den Schreibtisch zu, hieb mit einem lauten *Bamm!* Den Stempel auf den Antrag, »Genehmigt«, und rollte wieder davon, was die Käufer zunächst perplex und dann, sobald ihnen klar wurde, was gerade passiert war, hocherfreut zurückließ. »Du musst verstehen«, sagte mein Schwager, »dass ich damals viel an Zigeuner verkauft habe, Zigeuner im wörtlichen Sinn. Die hatten keine Postanschrift.«

Die Geschichte veranschaulicht vielleicht annähernd, auf welche Weise meine Frau und ich von einer Bank die Erlaubnis bekommen haben, ein riesiges, neokoloniales Backsteinhaus zu kaufen, und sie liefert gleichzeitig eine Erklärung dafür, wie die Weltwirtschaft in den freien Fall geraten konnte. Aber diese Geschichte soll ein andermal erzählt werden, von einem Schreiber, der nichts weiter zu tun hat – außer eben einen riesigen Berg an Recherche zu bewältigen. Meine Frau war im achten Monat schwanger, und wir wohnten in einer Ein-Zimmer-Wohnung, dem umgebauten Erdgeschoss einer Villa aus der Zeit vor dem Bürgerkrieg an einer lauten Straße im Zentrum, mit unserem exzentrischen Nachbarn Keef aus Leland über uns, der mir sagte, ich sei doch ein reicher Mann – und der uns außerdem erzählte, er wolle dem Freund seiner Tochter, der diese mit Drogen vollstopfe, mit seinem Superpräzisionsgewehr »unterhalb des Knies ins Bein schießen, weil sie einen so«, wie er meinte, »nicht wegen Tötungsvorsatz drankriegen können«. Keef war früher mal als niedriger Scherge bei irgendeiner Rassisten-Organisation unterwegs gewesen und trug immer noch ein paar unselige Tattoos. Er hatte uns jedoch erzählt, dass er mit Rassismus nichts mehr am Hut habe, seit er auf einer Kreuzfahrt zu den Bahamas einem schwarzen Jungen das Leben gerettet hatte, der im Begriff stand, im Schiffspool zu ertrinken. Seit diesem Bekehrungserlebnis könne er »ein paar Schwarze ganz gut leiden«. Später fiel er von einer zwei Stockwerke hohen Malerleiter und brach sich sämtliche Knochen. Ein faszinierender Mann, allerdings nicht von der Sorte, mit der meine Tochter während ihrer prägenden Jahre unbeschränkten Umgang haben sollte. Nicht mein Engel. Wir gerieten in Nestbau-Panik. Wir wollten es groß und solide. Wir wollten ein Haus aus der Zeit der *Greatest Generation*, den Jahren zwischen der Großen Depression und dem Zweiten Weltkrieg, oder sogar aus der Zeit der Eltern dieser Generation, noch großartiger also. Wir fanden es. Es hatte ein Freiluftschlafzimmer und einen schiffsgleichen Dachboden, auf dem ich mich an meinem Lebensabend Dinge aus einem Schrankkoffer ziehen sah, deren Geschichten ich den Kleinen erzählen würde. Wir baten um Geld, und irgendwo in irgendeinem Büro kam der Boss von irgendjemandem mit Dem Stempel um die Ecke.

Ungefähr zu der Zeit, als uns klar wurde, dass wir uns finanziell übernommen hatten – und im Rückblick war das so etwas wie ein seismisches Zucken, ein Vorbote des Crashs, eine Botschaft aus dem tiefsten Inneren, die besagte, dass Leute wie der Typ mit den vier Handys und dem New-Jersey-Akzent, der in einer Garage in Charlotte saß und uns das Geld geliehen hatte, Leuten wie mir wahrscheinlich keine Hunderttausende von Dollar hätte leihen sollen, obwohl »freier Magazinautor« in der Pyramide der Arbeitsplatzsicherheit natürlich direkt unter »Beamter« kommt –, fiel uns ein, dass unser Makler Andy irgendwas von einer Fernsehserie erzählt hatte, die das Haus eventuell nutzen wollte, weswegen uns vielleicht mal jemand anrufen würde. Wir hatten seinen Namen aufgeschrieben. Greg.

Ich denke noch heute oft an Greg. Was für ein irrer Typ. So irre, dass wir wegen ihm in einem Irrgarten landeten. Dabei haben wir ihn nur ein einziges Mal getroffen. Und seitdem nie mehr. Dabei ist es eine kleine Stadt, man trifft eigentlich jeden irgendwann mal wieder. Es war, als ob man ihn nur für unser Treffen eingeflogen hätte. Er war dick und trug ein viel zu weites Hawaiihemd. Kinnbärtchen, Sonnenbrille. Hat er mir gesagt, dass er Rugby spielt, oder sah er nur exakt wie ein Bekannter von mir aus, der Rugby spielt? Er saß uns gegenüber an unserem Küchentisch, einem vier Meter langen Tisch aus dunklem Holz, den man angeblich in seine Einzelteile zerlegt und aus einem norwegischen Bauernhaus direkt hierher gebracht hatte; ein Überbleibsel aus der Phase der Nestbau-Panik (langer Tisch, bestellen). Greg saß uns also gegenüber. Er erklärte uns, dass man meist nur die beiden vorderen Zimmer des Hauses nutzen würde. Dass hauptsächlich hier gedreht werden würde. Der Rest des Hauses von unserer Figur sei im Studio nachgebaut worden, und der Schnitt würde die Übergänge nahtlos aussehen lassen.

Er führte aus, welche Vereinbarung man mit den vorigen Eigentümern getroffen hatte. Sagte uns: Wir bringen euch im Hilton unter. Mahlzeiten plus Tagesspesen. Wir stellen alles so hin, wie es vorher war. Von euren Bücherregalen machen wir Polaroids, damit wir die Bücher auch wieder in der richtigen Reihenfolge einsortieren. Ja, so gründlich sind wir. Wir bezahlen sogar Leute, die im Anschluss kommen und saubermachen. Das Haus wird besser aussehen, als wie ihr's hinterlassen habt. So und so viel zahlen wir für einen Außen-, so und so viel für einen Innendreh.

Zusammengerechnet entsprach der Betrag unserer Hypothek.

Ja, ich denke, da könnten wir zusammenkommen. »Die beiden vorderen Zimmer« – vor allem diese Phrase hörten wir wiederholt. Ihr eignet eine poetische Dichte, ähnlich wie dem Wort »Kellertür«. So scheint es mir zumindest in der Erinnerung. Die beiden vorderen Zimmer.

Weinroter Minivan, Greg weg.

In unserer Wahlheimat, der Küstenstadt Wilmington in North Carolina – Wilmywood –, werden eine Menge Filme und Fernsehserien gedreht. Es fing damit an, dass der mittlerweile verstorbene Produzent Frank Capra Jr. in den frühen Achtzigern herkam, um den *Feuerteufel* zu drehen. Weil es ihm hier gefiel, blieb er da, und um ihn herum entwickelte sich eine regelrechte Industrie. Dennis Hopper kaufte eine Immobilie. Heutzutage ist die Hälfte der jungen Leute, die in den Restaurants im Zentrum kellnern, Komparse oder Möchtegern-Schauspieler. Im Supermarkt kann es einem passieren, dass man in der Kassenschlange direkt hinter Val Kilmer steht. Wir haben Filmstudios und eine Filmschule, und in der Branche sind wir bekannt für unsere außergewöhnliche Bandbreite an Locations. Man kann hier so gut wie alles drehen: Man kann auf superbeachy Strand machen, direkt nebendran auf wohlhabenden Vorort im Grünen, man kann Heuschober-Landluft-Feeling haben und die Hier-geht-nachts-was-Straße, also eigentlich alles.

In den letzten Jahren war der größte Verkaufsschlager der Stadt die melodramatische Teenager-Serie *One Tree Hill*, die zuerst auf The WB Television lief und jetzt beim CW Network gelandet ist. Aber lassen Sie sich nicht von den unbekannten Sendernamen täuschen, diese Serie gucken überraschend viele Menschen, möglicherweise sogar Sie, sofern ich richtig informiert bin. *One Tree Hill* ist eine der schlechtesten Serien aller Zeiten, und ich meine das ausdrücklich nicht als Beleidigung. Sie ist auf eine Weise schlecht, wie auch mexikanisches Fernsehen schlecht ist. Superkünstlich schlecht, extrastilisiert schlecht. Gut schlecht. Es gibt sogar Momente, in denen das spezifisch Campe dieser Schlechtheit – obwohl ich seine Präsenz spüren kann – mein Fassungsvermögen übersteigt, meine Frequenz, so wie dieses Piepen, das man im Internet abspielen kann und das nur Kinder hören. Bei mir sind schon zu viele Camp-Rezeptoren abgestorben. Möglicherweise ist *One Tree Hill* sogar ein Geniestreich. Ganz sicher aber läuft gerade die neunte Staffel, was fast zwingend nahelegt, dass die Mutter von Mark Schwahn, dem Autor der Serie, keinem Idioten das Leben geschenkt hat, und wenn doch, dann muss das der Bruder von Mark sein.

Die *One Tree*-Figur, die angeblich in unserem neuen Haus wohnte, hieß Peyton und wurde von einem der Stars gespielt, von Hilarie Burton, einer umwerfend schönen, spindeldürren Blondine. Denken Sie an kupferfarbene Locken. Ich hatte sie mal auf MTV gesehen, genau an dem Tag, als ich mich zum ersten Mal zu alt fühlte, um MTV zu gucken. Als wir uns mit ihr trafen, war sie supernett – sie ist immer supernett. Hilarie hat in Wilmington einen fantastischen Ruf. Sie ist eine von denjenigen aus dem Schauspielerensemble, die in die Stadt gezogen sind und sich vor Ort einbringen. Bei unserem Treffen umarmte sie uns, machte uns Komplimente für das Haus und bedankte sich dafür, dass sie es nutzen durften. Sie entwaffnete uns – mit guten Manieren hatten wir nicht gerechnet.

Keine Ahnung, wieso unser Haus in den Ruf kam, ein guter Drehort zu sein. Es ist überhaupt nichts Besonderes. Ich glaube, es wirkt auf den ersten Blick irgendwie robust – ausnahmslos jeder Handwerker hat bisher angemerkt, »wie viel Holz hier verbaut wurde« –, und zwar auf eine Art, die für einen Regisseur, der in kürzester Zeit und möglichst wenig subtil die Aussage »Großes Backsteinhaus« treffen will, visuell praktisch ist. Die Filmfirma hat Scouts, die rumfahren und nach solchen Dingern Ausschau halten. Außerdem ist unser Viertel interessant. Von einem Heimatforscher habe ich erfahren, dass es in den zwanziger Jahren von der Christlichen Wissenschaft als eine Art Kolonie gegründet wurde. Lolitas Haus aus *Lolita* (der Jeremy-Irons-Version) ist weiter die Straße runter (es ist wirklich hübsch). Einer der Typen aus der Filmcrew, der vorbeikam, um unser Wohnzimmer zu streichen – ein kleiner, mit monströsen Muskeln bepackter Fuzzi mit Biker-Schnurrbart und Baseball-Kappe, der eine Menge unnützes Wissen über Filme aus Wilmington draufhatte – erzählte mir, dass unser Haus auch in *Blue Velvet* auftaucht, den David

Lynch hier gedreht hat. Ich habe das überprüft. Und es stimmt. Nur für ein paar Sekunden. In der Szene mit der Verfolgungsjagd, als Jeffrey sich vom psychotischen Frank (eine unvergessliche Leistung von Dennis Hopper) verfolgt glaubt, dann aber erleichtert feststellt, dass es nur der dämliche Mike ist. In dem Moment, in dem sich die Radkappe löst und die Straße runterrollt wie ein Spielzeugreifen (dass es so aussieht, war wohl nicht beabsichtigt; angeblich fand Lynch diesen Effekt beim Schnitt so toll, dass er den Moment in die Länge zog – wenn man die Szene genau betrachtet, fällt auf, dass die Einstellung ungewöhnlich lange gehalten wird, verglichen mit dem, was man normalerweise bei einer rasanten Bordsteinwende machen würde, nämlich die Bewegung schneiden, um die Geschwindigkeit zu betonen) – das ist vor unserem Haus. Und es gab noch mehr. Wir erfuhren, dass der Toilettentisch in unserem Gästezimmer in der Serie *Dawson's Creek* Katie Holmes gehört. Unser neues Heim hatte in einer Folge als Spukhaus herhalten müssen.

Jetzt aber wohnte Peyton hier, und man musste dringend ihr Zeug herbringen. Greg hatte uns vor die Wahl gestellt: Entweder wir tauschen jedes Mal sämtliche Möbel aus – wir packen euer Zeug zusammen und verfrachten es irgendwohin, schleppen unser Zeug rein, machen den Dreh, schleppen alles wieder raus und euer Zeug wieder rein –, das machen wir, dazu sind wir tatsächlich bereit, vor und nach jedem Dreh. Oder wir lassen unser Zeug einfach stehen. Ihr behandelt es wie eures. Und wir holen es erst nach der Staffel ab. Lasst uns doch euer neues Haus für euch einrichten. Vielleicht dürft ihr am Ende sogar ein paar Möbel behalten.

Theoretisch erschien uns das sinnvoll. In Wirklichkeit (ich muss fast immer lachen, wenn ich dieses Wort benutze) bedeutete es, dass wir in einer Fernsehkulisse lebten. Natürlich fragten sie immer nach unserer Meinung, sie zeigten uns Möbelkataloge und lenkten uns behutsam zu Gegenständen, die einerseits unserem Geschmack entsprachen und andererseits so aussahen, als ob Peyton sie in ihrer Wohnung stehen haben könnte. Heraus kamen mehr geschmackvolle Blümchenmuster, als ich erwartet hatte, aber das war in Ordnung. Vielleicht steckte auch in mir eine kleine Peyton.

Sie war kompliziert, hatte mehr Tiefgang als die anderen Jugendlichen in *One Tree*, und das heißt für die Begriffe einer Teenager-Serie: Sie trug häufig Flanellhemden. Die anderen Jugendlichen fragten sie um Rat. Sie wohnte alleine. Ihre biologischen Eltern waren tot und ihre Adoptiveltern verschollen. Oder eine Mischung aus beidem. Auf jeden Fall lieferte diese Konstellation die Erklärung dafür, warum sie ein eigenes großes Haus besaß, obwohl sie noch zur Highschool ging, und warum sie in diesem Haus oft mit Teenager-Jungs im Bett lag, redete und kuschelte, ohne dass irgendwelche schrecklichen Ungeheuer-Eltern an die Tür hämmerten und brüllten: »Das hört sich aber nicht so an, als ob ihr da drin lernen würdet!« Peyton Sawyer, ein Mädchen, das gezwungenermaßen zu schnell erwachsen wird. Aber tief in sich eine innere Unschuld birgt.

Nicht mit ausgesucht haben wir diese düsteren Kohlezeichnungen. Wenn ich mich recht entsinne, sind sie über Nacht aufgetaucht. Es waren ziemlich viele, sie waren das Erste, was man sah, wenn man durch die Haustür kam, und sie sahen aus, als seien sie in kunsttherapeutischen Sitzungen im Gefängnis entstanden. Zu einem der Crew-Mitglieder muss ich etwas gesagt haben wie: »Gott, der ganze vordere Teil des Hauses ist ja jetzt voll von ziemlich krassem, finsterem Kunstzeug.«

»Ja«, bekam ich zurück, »besonders fröhliche Gemälde sind das tatsächlich nicht.«

Peyton steckt in dieser Staffel in ihrer Gequälte-Künstlerinnen-Phase.

»Packt sie doch einfach in einen Schrank, wenn wir nicht drehen.«

Als wieder Ruhe eingekehrt war, saßen wir mit dem Baby

auf dem neuen Sofa und ließen alles auf uns wirken. Wow, die Zimmer sahen toll aus. Ein bisschen steril, ein bisschen nach Showroom. Aber wir hätten es uns so oder so nicht leisten können, das Haus selbst einzurichten. Wie hatte unser ursprünglicher Plan ausgesehen? Auf der Straße gebrauchte Möbel einsammeln, die andere Leute als Sperrmüll rausgestellt hatten? Ich konnte mich noch nicht mal mehr erinnern. Wir hatten keinen Plan gehabt.

In der Highschool hatte ich eine Lateinlehrerin namens Patty Papadopolous. Eine gewaltige Person – wegen ihres Leibesumfangs und dessen Auswirkungen auf ihre Knie brauchte sie oft einen Rollstuhl, um überhaupt von der Stelle zu kommen – und eine hervorragende Lehrerin. Sie hatte jung geheiratet, aber ihr Mann war in Vietnam gefallen. Die Haare trug sie zur wasserstoffblond gefärbten Turmfrisur toupiert. Sie hievte sich von staatlicher Schule zu staatlicher Schule, wobei sie zum Ein- und Aussteigen aus ihrem Kleintransporter eine Art medizinischen Gabelstapler benutzte, und unterrichtete die wenigen Lateinkurse, die man dort noch zusammenbekam. Sie konnte einen für die Welt der Antike begeistern. Sie erzählte davon, wie die römische Armee auf dem Höhepunkt ihrer gnadenlosen Leistungsfähigkeit jeden Nachmittag haltmachte und eine Stadt baute, in der man dann für eine Nacht wohnte, aß, vögelte, Würfelspiele spielte, die Strategie besprach, Waffen schärfte und aufs Klo ging, bevor man die Stadt am nächsten Morgen wieder einpackte und weitermarschierte.

Diese Beschreibung kam mir spontan in den Sinn, als das Filmteam für den ersten Dreh der neuen Staffel anrückte. Wir fanden, das kaum zwei Wochen alte Baby sei zu klein für das Hin und Her zwischen Haus und Hilton. Deswegen drehten sie eine ganze Szenenfolge, während wir im Haus waren, weggesperrt im ersten Stock.

In unserer Straße tauchten kastenförmige Licht-Trucks auf.

Wie sie da hintereinander parkten, wirkten sie wie eine Reihe weißer Büffel. Das Ganze hatte was von *E. T.*, dieser Szene, als sie E. T. aufspüren und mitnehmen. Die Polizei stellte sich an die Straßenecken, regelte den Verkehr und verscheuchte Schaulustige. Auf einem benachbarten Feld schlugen sie das Essenszelt auf, in dem schon bald eine Menge los war. Die Stars aßen in einem Van. Ich sah aus dem Fenster – Kilometer von Kabeln, Wälle von Lampen, Dixi-Klos. Walkie-Talkies.

Sie drehten tagsüber eine Abendszene. Die meisten Fenster hatten sie geschwärzt. Im ersten Stock, da, wo wir uns aufhielten, war Nachmittag. Unten war es ungefähr zehn Uhr abends. Nach den Geräuschen zu schließen, befanden sich zwanzig Fremde im Haus.

Stille. Wir horchten.

Peytons Stimme.

An den genauen Wortlaut kann ich mich nicht erinnern. So was wie: »Das habe ich nicht gewollt.« Dann sagte eine andere Figur etwas, Schritte. Der Regisseur ließ Hilarie den Satz auf verschiedene Arten sagen.

»Das habe ich nicht gewollt.«

»Das *habe* ich nicht gewollt.«

»Das habe *ich nicht* gewollt.«

Sogar durch die Dielen hindurch bekam man noch einen Eindruck von Hilaries Arbeitsethik – der Arbeitsethik eines Ex-kinderstars, der hundert Prozent gibt. »Kamera läuft.« Und wieder: »Kamera läuft.« Nie wurde sie patzig, jeder Take war zu gebrauchen.

Am einsetzenden allgemeinen Gemurmel merkten wir, dass sie die Szene abbrachen. Während das Baby gestillt wurde, warteten wir auf die nächste. Wir spitzten die Ohren.

Aber es kam keine nächste. Sie waren fertig, verließen das Haus. Um Mitternacht waren sie weg, die Straßensperren waren eingepackt, die Stadt verschwunden. Sie hatte für circa zwanzig Sekunden Filmmaterial existiert.

Beim nächsten Dreh, einem Außendreh, hatten wir Familienbesuch. Was lustig war. Es freute uns, wie unsere Verwandten von den gelegentlichen Promi-Sichtungen und überhaupt allem in Aufregung versetzt wurden. Damit einher ging auch, dass sich einige erinnerungswürdige, tiefgreifende Momente meiner ersten Tage als Vater, Momente, die mein Leben für immer verändern würden – das eigene Kind in der Küche im Arm zu halten, mehrere Generationen zusammen zu haben –, ereigneten, während Peyton auf der Terrasse ähnlich intensive Augenblicke durchlebte. Einer ihrer Väter, der bei der Handelsmarine gewesen war, hatte im Hafen festgemacht und versuchte, sich wieder in ihr Leben zu drängen. Vielleicht habe ich das auch falsch verstanden – ich musste mir schließlich alles aus Dialogfetzen zusammenreimen.

An der Art, wie sie unsere Familie bei Laune hielt, konnte man sehen, wie sympathisch Hilarie war. Das Drehbuch verlangte von ihr, quer durch den Garten zu rennen, die Stufen zur Fliegengittertür vor dem Verandaeingang hochzulaufen, »Nein, Dad!« zu rufen und das Fliegengitter hinter sich zuzuschlagen. Meine Mutter und meine neunzigjährige kubanische Schwiegergroßmutter pressten ihre Gesichter an die Scheibe der Verandatür und winkten ihr bei jedem Take zu. Umsonst baten wir die beiden, sich wieder hinzusetzen. Hilarie winkte ihnen zurück, wobei sie das Winken einfach in ihr Spiel integrierte. »*Nein*, Dad!« (Tür zuschlagen, lächeln, winken, umdrehen.) »Dad, nein!« (Tür zuschlagen, lächeln, winken, umdrehen.)

Ob sie vielleicht ein paar schwarze Bohnen wolle, fragte die kubanische Oma. Wo sie doch so dürr sei!

»Nein, nein, ich habe keinen Hunger. Aber vielen Dank.« (Zu meiner Frau, hinter vorgehaltener Hand: »Die sind ja süß!«)

Peyton veranstaltete hinten im Garten ein Grillfest. Grill, Burger, Campingtische, alles war bei Einbruch der Dunkelheit wieder weg. Am nächsten Morgen segelte dann irgendwann geräuschlos ein Scheck durch den Türschlitz. Gut gepasst hätte einer dieser Erzählerkommentare, wie er so oder so ähnlich am Ende jeder *One Tree*-Folge zu hören war: Ist zwar alles ein bisschen merkwürdig, wird aber schon irgendwie gutgehen.

Dann passierte etwas während des Set-Aufbaus. Eigentlich nur eine Kleinigkeit, aber die Symbolik war so offensichtlich, so klar erkennbar, dass ich ihr wirklich mehr Aufmerksamkeit hätte schenken sollen. Sie tapezierten das Treppenhaus und befestigten Wandleuchten.

Es war der erste zaghafte Trippelschritt auf das Territorium jenseits der Greg-Grenze, dieser Linie um die beiden vorderen Zimmer. Es war das erste schüchterne Tentakeltasten, das erste Rankenragen.

»Aber Greg hat eindeutig gesagt, nur die beiden vorderen Zimmer.«

»Wir drehen ja auch nur da. Aber alles, was man aus diesem Zimmer heraus sehen kann, muss doch auch zu ihrem Haus passen. Wegen der Continuity.«

Überflüssig zu erwähnen, dass wir nicht zugegen waren, als Peyton ihre Tapete aussuchte – oder als einer ihrer verschollenen Elternteile sie aussuchte. Sie war ja gar nicht hässlich oder so. Sie war einfach nur düster. Nichts an dieser Tapete hatte etwas von frisch verheiratet, frisch geboren oder auch nur irgendwie frisch. Und es war unser Treppenhaus. Durch das wir tagtäglich hoch- und runtergingen. Das Treppenhaus ließ sich nicht so einfach meiden wie die beiden vorderen Zimmer, die wir mittlerweile wie die gute Stube behandelten. In der nur Peytons Geist hauste.

Die Tapete war auch gar nicht das Hauptproblem, sondern diese merkwürdige Sache, die die Filmtypen machten, sobald sie mit ihr im oberen Stock angekommen waren. Sie hörten nämlich mitten auf der Wand mit dem Tapezieren auf. Die Tapete wand sich um die Ecke am Treppenabsatz, damit man nach oben filmen konnte, und sie ging auch noch ein Stück weit den Flur hinunter, aber ungefähr einen halben Meter vor der ersten Zimmertür, dem ersten natürlichen Hindernis, brach sie einfach ab. Die Wand war zur Hälfte tapeziert und zur Hälfte gestrichen, und zwar waagerecht getrennt. Es sah schlimm aus, und hier spricht jemand, der in einer Pappschachtel glücklich sein könnte, wenn seine Liebsten mit drin wären.

Als wir am nächsten Morgen auf diese Unregelmäßigkeit hinwiesen, besserten sie sofort nach. Man kann kaum von einer Unannehmlichkeit für uns sprechen. Die Crew war hyperprofessionell (was Filmcrews eigentlich immer sind – die andauernde zeitliche Intensität ihrer Arbeit bringt einen Selbstreinigungsmechanismus hervor, der die Faulen und Schlampigen aussortiert). Befremdlich war einfach, dass sie, die doch ansonsten in allem so akribisch waren (sie machten tatsächlich Fotos von unseren Bücherregalen), etwas derart Eklatantes übersahen. Die Tapete ging exakt bis zu der Stelle, an der das beschränkte Blickfeld der Kamera endete. Was die Kamera nicht sehen konnte, war nicht so richtig real.

Wenn unsere Tochter später einmal feststellen sollte, dass sie an ihre ersten zwei Lebensjahre, wie manche andere Menschen auch, irgendwelche kontextlosen, rein visuellen, prä-erinnerungsmäßigen Erinnerungen hat, dann werden das Erinnerungen sein an eine Suite im Riverside Hilton im Stadtzentrum von Wilmington. Beige erhebt sich das Hotel neben dem Cape Fear River. Meine Güte, was haben wir dort viel Zeit verbracht. Man kannte uns schon an der Rezeption. Wir entwickelten ein Kissenspiel. Eigentlich war es kein Spiel, sondern ein Kinder-Stunt, der sich endlos wiederholen ließ. In der Mitte des King-Size-Betts stapelten wir jedes in der Suite auffindbare Kissen, vielleicht ein Dutzend, und legten unsere Tochter wie die Prinzessin auf der Erbse ganz oben drauf, dann ließen wir das Ganze wie einen einstürzenden Turm auf dem Bett zusammenkrachen. Sie lachte, bis sie Schluckauf bekam. Da war sie natürlich schon ein Kleinkind. Einen Säugling würde man ja nicht derart in der Gegend herumwerfen, obwohl man bei einem Säugling – Säuglinge sind so einfach ins Gleichgewicht zu bringen – auch noch mehr Kissen hätte nehmen können, fünfzehn vielleicht oder zwanzig. Meine kubanische Schwiegergroßmutter bekam ihr eigenes Zimmer und hütete abends das Baby, während wir mit unseren Essensgutscheinen in die Restaurants am Fluss einfielen. Morgens erwachte ich bei Sonnenaufgang, sogar noch vor dem Baby, und saß in dieser stillen Stunde lesend am Fenster. Noch besser wurde es, als sie uns ein Zimmer zur Stadt raus gaben. Man konnte der Morgendämmerung dabei zusehen, wie sie Straße um Straße eroberte und dabei die alte Stadtanlage aus dem 18. Jahrhundert hell werden ließ.

Durch diese Ausflüge begann ich, mich geradezu geisterhaft zu fühlen. Es ist komisch, in der eigenen Stadt im Hotel abzusteigen. Wir waren hier hergezogen, wir hatten Eigentum erworben und wurden jetzt dafür bezahlt, nicht dort zu wohnen. Als wären wir Menschen, die eigentlich ganz woanders lebten. Regelmäßig fragten uns Leute in der Lobby: »Und von woher sind Sie?«

Richtig beunruhigend wurde es, als wir anfingen, die Serie zu sehen. Die Stunden der Hilton-Langeweile brachten rauschhafte Zapping-Orgien mit sich (oh, ihr traurigen und viel zu bunten Gummiknöpfchen an Hotel-TV-Fernbedienungen). Wir saßen im Dunkeln und warteten darauf, dass unser Haus zu sehen sein würde. Wie bei Scharaden wetteiferten wir darum, als Erstes »Da ist es!« zu rufen. (Nicht dass wir offiziell einen Wettkampf ausgerufen hätten, das ergab sich spontan.)

Wir erinnerten uns plötzlich an Dinge im Zusammenhang mit unserem Haus, die wir gar nicht erinnern konnten, denn wir hatten sie ausschließlich im Fernsehen erlebt. Als sie passierten, waren wir nicht anwesend gewesen, aber sie waren geschehen, während wir dort wohnten. Es fühlte sich in etwa so an, wie ich mir vorstelle, dass Amnesiekranke sich fühlen, wenn man ihnen Fotos aus jenen Phasen ihres Lebens zeigt, an die sie keine Erinnerung haben. Man dachte: Wieso kann ich mich daran nicht erinnern, wie kann es sein, dass ich nicht weiß, dass das passiert ist? Nach einem längeren Dreh nach Hause zu kommen und alles genauso vorzufinden, wie man es verlassen hatte, obwohl man sicher wusste, dass sich während der eigenen Abwesenheit dramatische und oftmals sogar gewalttätige Dinge ereignet hatten, ließ einen immer wieder an einen Witz aus einer von Steven Wrights Comedy-Sendungen aus den Achtzigern denken: »Bei mir ist eingebrochen worden. Die Diebe haben alle meine Sachen gestohlen und durch exakte Nachbildungen ersetzt.«

Sobald wir im Hilton-Schlaraffenland eingecheckt hatten, schien die Greg-Grenze wie ein ausgeschaltetes Sicherheitsnetz aus Laserstrahlen in einem Museum zu verschwinden. Die Tapete war die erste Verletzung dieser Grenze gewesen, und im Laufe der ersten Drehs hatte sie weitere kleine Übertretungen hinnehmen müssen – Lampen in den Fenstern des Obergeschosses zum Beispiel, die das künstliche Sonnenlicht beim Nachtdreh einer Tagszene unterstützen sollten, eine Szene, die uns, als sie es mitten in der Nacht vor dem Haus Nachmittag werden ließen, zutiefst verwirrte, und die letzte, die wir noch zu Hause erlebten. Seit neuestem drehten sie auch Szenen in anderen Zimmern. Peyton und ihr Freund Lucas (gespielt von Chad Michael Murray) buken Plätzchen in der Küche. Daraus entwickelte sich eine Essensschlacht, bei der sie sich mit Teig bewarfen. Jede Wand in unserer Küche wurde von Teigbällchen getroffen. Es gab Treffer in Dielenritzen und an Regalen, der eine oder andere Batzen schlitterte in den Flur hinaus. Wenn das kein Anlass für eine lukrative Vertragsanpassung war. Ich las das Kleingedruckte – arrgh! Ich hatte für das gesamte Haus unterschrieben! »Der Betrag entspricht unserer Hypothek«, sagte das Kerlchen auf meiner Schulter.

Außerdem war ja, wenn wir nach Hause kamen, immer alles

einwandfrei. Nicht das geringste Fitzelchen Teig, nirgendwo. Noch nicht mal ein Schokoladesplitter ließ sich finden (schade – wäre auf eBay sicher einiges wert gewesen). Unter streng materiellen Gesichtspunkten hatte uns die Szene nur insofern betroffen, als wir unsere Küche umsonst geputzt bekommen hatten. Wir hatten schon vor schlimmeren Problemen gestanden.

Dann trat Psycho-Derek auf den Plan.

Viel später, als wir nicht länger ein freundschaftliches Verhältnis mit *One Tree* pflegten, ertappte ich mich bei der Frage, ob Psycho-Derek vielleicht nur als Instrument erschaffen worden war, um unser Haus zu missbrauchen und um auf Nummer sicher zu gehen, dass wir den Namen Peyton Sawyer nie wieder vergessen würden. Wer also war Psycho-Derek?

In einem anderen Land und in einer anderen Welt ist Ian Banks ein junger, blonder schottischer Schriftsteller. Eines Abends fährt er mit seiner hübschen Frau noch ein bisschen durch die Gegend. Er ist betrunken und spielt mit dem Lenkrad rum. Crash. Sie stirbt. Vor lauter Schuldgefühlen und Trauer sucht er im Internet nach Mädchen, die aussehen wie seine Frau. Und, oh Wunder, seine Frau sah genauso aus wie Peyton. Er stellt ein paar Nachforschungen an. Er findet raus, dass Peyton einen Bruder hat, von dem sie direkt nach der Geburt getrennt wurde. Dessen Name: Derek. Glühbirne! – Als dieser Bruder wird er sich ausgeben. Mit dieser Tarnung schleicht er sich in ihr Leben ein. Aber Peyton erkennt, dass er ein gewalttätiger Besessener ist. Sie schmeißt ihn raus. Und er bläst zum Angriff. Auf unser Haus.

Zum Auftakt fesselt er Peyton und ihre beste Freundin Brooke im Keller, dann vergewaltigt er beide (*One Tree* wurde düster, und diese Düsternis camp finden zu sollen, warf mich aus der Serie raus – ich kapiere nicht, wie man so unreif stupide sein und psychotische Teenager-Vergewaltigungsfantasien verfilmen kann, aber wie gesagt, die Ironie des Genres hat sich weiterentwickelt und dabei neue Abgründe erobert). In einer Folge wird Psycho-Derek unsere Treppe hinabgestoßen, wobei er, um sich im Fallen abzufangen, mit aller Gewalt nach dem alten Geländer greift. In einer anderen wird er durch unser Schlafzimmerfenster auf ein auf unserem Vorgartenrasen liegendes Rettungskissen geworfen. Unser Haus wurde zum Stunt-Haus. (»Ist denen doch egal, die sind im Hilton, die brauchen das Geld!«)

Nach solchen Sachen fiel der Crew das Aufräumen nicht ganz so leicht. Als wir nach Hause kamen, war nicht mehr alles so wie vorher. Der Garten lag voller Sicherheitsglassplitter. Dank Psycho-Dereks kräftigem Griff war der Handlauf an der Treppe deutlich wackliger geworden und schwankte mehrere Zentimeter hin und her (als wir die Szene im Fernsehen sahen, mussten wir feststellen, dass der Stunt-Typ mit seinem gesamten Gewicht rücklings auf das Geländer gekracht war). Um gar nicht erst davon zu anzufangen, dass sich der Keller in unseren Köpfen jetzt in eine ehemalige BDSM-Sex-Grotte verwandelt hatte, eine Grotte allerdings, in der es auf das gegenseitige Swinger-Einverständnis nicht ankam. Psycho-Derek hatte das Haus mit einigen ernsthaft üblen Bildern imprägniert, solchen, die zu entdecken unserer Tochter vermutlich keinen allzu großen Spaß bereiten würde, wenn sie selbst einmal im Teenager-Alter sein würde – das Keller-Bondage-Vergewaltigungsvorspiel hatte sich am Abend von Peytons Highschool-Abschlussball ereignet. (Der Ball meinte es sowieso nicht gut mit unserem Haus: Brooke, Peytons Freundin, hatte es am selben Tag mit Eiern beworfen, weil sie wegen irgendwas sauer auf Peyton war; gestörte Brooke-Fans stellten diesen Vorfall später »in echt« nach und warfen Eier auf genau dieselben Stellen unseres Hauses; wir gingen zumindest davon aus, dass es Fans waren; es können natürlich auch Vandalen gewesen sein.)

Ich kann nicht alles auf Derek schieben. Und ich sollte diese Gelegenheit nutzen, um dem echten Derek, Peytons wirklichem Halbbruder, meinen Dank auszusprechen, denn es stellte sich heraus, dass er ein Schwarzer war, der in seiner College-Jacke genau im richtigen Moment auftauchte, um Peyton vor Psycho-Derek und unser Haus vor weiterer Traumatisierung zu retten. Nein, zum Zeitpunkt, als wir aus dem Vertrag ausstiegen, war Psycho-Derek längst neutralisiert.

Was war passiert? Keine Ahnung, wie ich das erklären soll, außer: Es war wohl so ein Höhlenmenschen-Ding. Instinkte erwachten, die seit Generationen in meinem Genom geschlummert hatten. Wer bitte waren diese Fremden unter meinem Felsdach? Warum gingen sie ein und aus, ohne anzuklopfen und ohne sich zu verabschieden, warum redeten sie die ganze Zeit von »Peytons Haus«? Es war mein Haus. Je mehr sich die Handlung auch auf andere Zimmer erstreckte, desto schlimmer wurde das Gefühl. Es lag in der Natur der Sache, dass die Crew-Typen, die jetzt schon seit mehreren Jahren immer wieder im Haus waren – und es in gewisser Weise besser kannten als wir –, sich mit der Zeit darin immer mehr zu Hause fühlten und häufiger mal für eine Pinkelpause reinkamen. Ich erinnere mich an einen Dreh, als ich durcheinander bekommen hatte, wo genau sie ihr Set aufbauen wollten, und es unterlassen hatte, das Schlafzimmer aufzuräumen. Später sagte ein Crew-Typ zu mir – übrigens derselbe, der mir von *Blue Velvet* erzählt hatte: »Ich bin's eigentlich nicht gewohnt, anderer Leute Unterwäsche aufzusammeln.« Ich war versucht zu sagen: Dann renn eben nicht um neun Uhr morgens in deren Schlafzimmer! Aber er bezahlte ja dafür, in meinem Schlafzimmer zu sein.

Gibt's da nicht noch einen Beruf, bei dem Leute dafür bezahlen, in dein Schlafzimmer zu dürfen?

An einem anderen Tag waren wir schon im Hilton, als ich merkte, dass ich etwas vergessen hatte. Ich fuhr mitten im

Dreh zum Haus zurück. Nachdem ich das Gesuchte gefunden hatte, lief mir beim Rausgehen jemand von der Crew über den Weg. Er hatte Essteller in den Händen, die mir bekannt vorkamen – wir hatten sie zur Hochzeit geschenkt bekommen.

Er wurde nervös, offenbar war ihm bewusst, dass er eine Grenze überschritten hatte. Er erzählte mir, die Stars in ihrem Verpflegungswagen hätten nach richtigen Tellern gefragt. Das hier seien die ersten gewesen, die er gefunden habe. In diesem ungemütlichen Moment auf dem mit Ziegeln gepflasterten Weg schoss mir etwas durch den Kopf, das Arnie, mein Nachbar von gegenüber, immer wieder und auf eine ziemlich passiv-aggressive Weise mir gegenüber geäußert hatte, wenn ich ihn auf dem Bürgersteig überholte. Zweifelsohne als Kommentar zur One Tree Hill-Sache gedacht, hatte er gesagt: »Meine Frau und ich finden, wir haben nicht viel, aber es gehört wenigstens uns.«

Ich war mir inzwischen einigermaßen sicher, dass uns sämtliche Nachbarn hassten. Sie hatten bei unserem Einzug sicher gebetet, dass wir den Vertrag der vorigen Eigentümer nicht weiterlaufen lassen würden, dass der Albtraum endlich ein Ende hätte. Die Drehs störten unweigerlich die Psychogeografie des gesamten Karrees. Wie unerträglich, sich von Polizisten in die eigene Straße durchwinken zu lassen! Das Licht, der Lärm. (Die Crew bemühte sich zwar draußen immer darum, zu flüstern, aber bei so vielen Leuten entsteht einfach ein Summen wie in einem Bienenstock.) Ich merkte, wie schrecklich ich das alles finden würde, wäre ich einer von ihnen. Und warum überhaupt unser Haus? Anthropologisch gesehen, entstand in unserem kleinen Viertel schlicht und ergreifend schlechtes Karma. Was nicht gut ist. Was man nicht will. Denn wenn Armageddon naht und das Dorf plötzlich als primitiver Staat funktioniert, meidet jeder deinen Clan und verweigert ihm Ressourcen.

Als es dann zu einer Meinungsverschiedenheit wegen der

Bezahlung kam – wir dachten, uns stünde noch etwas für einen Zusatztag zu –, machte mein Unterbewusstes daraus eine Ausflucht (wobei ich eigentlich keine gebraucht hätte – aber dass sie sich wegen des Geldes so anstellten, war daneben, immerhin hatten wir uns noch nie wegen irgendwas beschwert). Schließlich sagten wir ihnen eines schönen Tages, dass sie bei uns nicht mehr filmen dürften. Wir hatten die Schnauze einfach gestrichen voll. Und ich unterstellte ihnen, dass sie schon den Dachboden ins Auge fassten. Diesen Verdacht habe ich nie bestätigt bekommen, aber so sauber und aufgeräumt, wie der Boden aussieht, wäre das der nächste logische Schritt gewesen. Psycho-Derek ist gar nicht tot, er ist auf dem Dachboden und bohrt Gucklöcher. Unsere Tochter wurde älter, alt genug, um zu fragen, warum wir regelmäßig aus dem Haus aus- und dann gleich wieder einzogen und wer in der Zwischenzeit darin wohnte. Wenn mein Gehirn es schon nicht schaffte, mit den metaphysischen Implikationen der ganzen Chose umzugehen, wie sollte ihr das dann gelingen? Wir bekamen einen Anruf von einem Produzenten, der uns sehr viel mehr Geld bot – damit Peyton sich wenigstens verabschieden konnte –, aber da war die Sache für uns schon längst zum Prinzipiending geworden, und es fühlte sich gut an, nein zu sagen und die Höhle zurückzufordern. Und so fällte ich aus überwiegend kleinlichen und neurotischen Gründen eine Entscheidung, die sich negativ auf unsere finanzielle Zukunft auswirkte. Man kann es auch »ein guter Vater sein« nennen.

Ich erinnere mich an den Moment, als sie kamen, um Peytons Möbel abzuholen. Weil sie zur selben Zeit eingezogen war wie wir, hatten sich ihre und unsere Sachen in Randbereichen vermischt. Meine Frau war bei der Arbeit, und ich wusste bei einigen Teilen nicht, wem sie gehörten. Der an diesem Tag Verantwortliche hielt eine Vase hoch, die auf dem Tisch gestanden hatte. »Ehrlich, ich weiß nicht, ob sie uns gehört oder ihr«, sagte ich. Vermutlich war es ihre, aber sie hatte mir immer gefallen. »Wissen Sie was«, sagte der Typ, »sagen wir doch einfach, sie gehört Ihnen.«

Sie schickten Maler vorbei, was meines Erachtens Format hatte. Viele Wände hatten von Requisiten, Gaffertape und sonst was Schrammen abbekommen. Meine Frau gab den Malern eimerweise knatschbunte Farben, Farben, zu denen wir vorher niemals tendiert hätten. Das Haus sieht heute vollkommen anders aus. Es gehört wieder beziehungsweise zum ersten Mal uns. Wir brannten ein Räucherstäbchen ab. Im echten und im übertragenen Sinn.

Unsere einzige Sorge war, dass wir Hilarie irgendwie in Schwierigkeiten gebracht hatten, dass wir den Plot so beeinflusst hatten, dass Peyton nicht mehr ganz so wichtig war im Figurenarsenal. Aber als wir ihr ein paar Wochen später über den Weg liefen und sie darauf ansprachen, verhielt sie sich charakteristischerweise ultrareif und sagte: »Ich glaube, Sie haben ihr geholfen, erwachsen zu werden.« Mit »ihr« meinte sie Peyton. Die Produzenten hatten beschlossen, innerhalb der Geschichte vier Jahre zu überspringen. Sie ließen die College-Zeit einfach aus, nach dem Highschool-Abschluss ging es direkt mit dem Beginn des Berufslebens weiter, alle Figuren waren zurück in ihrer Heimatstadt, wodurch man sich diesen Studentenwohnheim-Trübsinn ersparte, der schon anderen Teenager-Serien den Garaus gemacht hat, *Felicity* zum Beispiel. Peyton wohnte jetzt im Stadtzentrum und arbeitete als Bandmanagerin. »Sie lebt nicht mehr im Haus ihrer Eltern«, sagte Hilarie. »Sie hat jetzt eine eigene Wohnung. Wurde auch höchste Zeit, finde ich.«

Ein Jahr ging ins Land. Wir standen in London am Flughafen, meine Frau war dort auf einer Konferenz gewesen. In der Schlange vor dem Schalter fingen wir an, uns im Was-für-eine-Erfahrung-Modus über die Serie zu unterhalten – wahrscheinlich hatten wir in einem der Hotels in Schottland eine alte

Folge gesehen. Irgendwann drehte sich die Frau vor uns um. Business-Kostüm, dunkler Haarknoten. Sie beugte sich vor und sagte in einem unbestimmbaren europäischen Akzent: »Sie haben ein wunderhübsches Haus.« Sagte es so freundlich, wie man so etwas Unheimliches überhaupt nur sagen kann. »Sind Sie ein Fan der Serie?«, fragte meine Frau. »Oh ja«, sagte die Dame, »ich verpasse keine Folge.« Sie wusste ganz genau, wie Peytons Haus aussah. Sie beschrieb es uns. Das weiße Treppengeländer, den Flur.

Zu diesem Zeitpunkt hatten wir uns schon daran gewöhnt, dass Fans vorbeikamen und häufig sogar an die Tür klopften. In der ersten Zeit verhielten sie sich leidenschaftlicher, oder sagen wir: unverfrorener. Sie wollten Fotos von sich, Fotos von sich mit uns, von uns und dem Haus, von ihnen und dem Haus, eins nach dem anderen. Zu neunzig Prozent waren es Frauen, Teenagermädchen und Frauen Anfang zwanzig, und viele hatten ihre Mutter dabei. Einer der wenigen Männer, ein großer, dünner Kiffertyp, gab mir einen halben Dollarschein und bat mich, ihn drinnen in irgendeinem Ausstattungsgegenstand am Set zu verstecken. Ich legte ihn in eine kleine, afrikanisch anmutende Holzschale, die wir und Peyton neben der Haustür stehen hatten. Die Schale besaß einen Deckel. Er bedankte sich überschwenglich und sagte, dass er jetzt mit seiner Freundin, einem Peyton-Fan, in dem Wissen zu Hause sitzen könne, dass sich die andere Hälfte des Dollarscheins in ihrem Haus befinde. Als sie Peytons Sachen holen kamen, war sie immer noch drin, ich habe nachgesehen.

Niemand war jemals wirklich unverschämt oder hätte uns Angst gemacht. Einmal hatten wir diese belgischen Mädchen, die in vielleicht etwas ungesundem Ausmaß auf die Serie fixiert waren. Sie kamen zu sechst, mit einem libanesischen Taxifahrer, der sie vom vier Minuten entfernten Flughafen hergefahren hatte. Er hatte sie offensichtlich direkt am Gepäckband aufgesammelt und ihnen, als er sie über *One Tree Hill* reden hörte, eine Tour zu den Locations angeboten. Jetzt waren sie hier. Der Fahrer stand die ganze Zeit hinter ihnen, als würde er sie uns zur Begutachtung präsentieren. Wir gaben ihnen zwei Souvenirs aus der Serie, das Skript einer alten Folge, das noch irgendwo rumlag, dazu irgendetwas anderes, an das ich mich nicht erinnere. Angesichts dieser bescheidenen Akte der Freundlichkeit brachen sie in Tränen aus, was meine Frau veranlasste, mehr Dinge zu holen und ihnen zu überreichen, weshalb sie bald noch heftiger weinten. Ich kann sie immer noch im Flur stehen sehen, diese hübschen Mädchen, wie sie weinen und lachen. Sie schenkten uns ein Glas vorzüglichen Honigs aus ihrem Land sowie eine Schlüsselkette mit Eiffelturm, die meine Tochter liebte und die bei uns immer noch in Benutzung ist. Gott segne euch, ihr Mädchen, wo immer ihr jetzt seid. Wahrscheinlich guckt ihr irgendwo *One Tree*.

Die weiteste Anreise aller Zeiten hatte – wieder – ein Mutter-Tochter-Gespann aus Thailand auf sich genommen. »Peyton-Haus?« Die meisten aber kamen aus Ohio oder Florida oder so.

Just in dieser Woche erst haben zwei aus South Carolina an die Tür geklopft. Meine Tochter und ich traten zu ihnen hinaus unters Vordach. Sollte ich ihr Alter schätzen, würde ich sagen: vorletztes Schuljahr. Man wusste gleich, dass sie sehr eng befreundet waren, denn sie sprachen kein einziges Wort miteinander. Sie starrten uns an und an uns vorbei ins Haus.

»Kann ich Ihnen helfen?«, fragte ich.

Das kleinere Mädchen, eine Brünette mit einem für jemanden in diesem Alter irgendwie matronenhaften Haarschnitt, sagte: »Okay ... Wussten Sie, dass Ihr Haus mal in einer Serie vorgekommen ist?«

»Ja«, sagte ich. »Wir haben sogar schon hier gewohnt, als sie das gefilmt haben.«

Ihre Augen wurden groß. »Dürfen wir reinkommen?« Ich

sah hinunter zu meiner Tochter, die ganz aufgeregt war – große Mädchen!

»Warum nicht?«

Die Frage der Brünetten hatte mir einen kleinen, überraschenden Nostalgiestich versetzt. Wussten wir, dass wir mal in einer Serie vorgekommen waren? Wussten wir das? Der Zeitraffer-Treibsand popkultureller Vergänglichkeit, dem nichts entrinnt, hatte uns in wenigen kurzen Jahren mit sich gerissen. Wir waren zur Anekdote geworden. Diese Mädchen waren, kurz bevor das College sie trennen würde, gekommen, um etwas zu besichtigen, an das sie sich erinnerten, aus einer Zeit, als sie jünger gewesen waren und die Serie zusammen gesehen hatten. Peyton gibt es heute nicht mehr in der Serie. Hilarie und Chad Michael Murray haben es beide nicht in die jüngste Staffel geschafft. Vertragsstreitigkeiten, wie es hieß. Chad hat in einer wilden Vermischung von Leben und Kunst ein Mädchen von einer örtlichen Highschool geheiratet, der New Hanover High, die nur ein paar Meter die Straße runter liegt. Als sie sich kennenlernten, war das Mädchen noch Schülerin. Chad musste mit der Hochzeit warten, bis sie volljährig war. Einmal, als wir eines Abends vor einem Dreh etwas zu spät das Haus verließen, hatten wir ihn im Vorgarten gehört, wie er ihr am Handy Tipps für den Hochschulzulassungstest gab.

Hilarie ist immer noch in Wilmington, sie hat eine eigene Produktionsfirma, Southern Gothic. Letztes Jahr haben wir sie in einem richtigen Film gesehen, *Provinces of Night,* nach einem Buch von William Gay. Val Kilmer hat auch mitgespielt. Hilaries Part war der eines »oft bewusstlosen Junkies«, und sie machte ihre Sache gut. Sie kann schauspielern. Sie wird ihren Weg gehen.

Die Mädchen wollten den Keller sehen – sie erinnerten sich gut an die Abschlussballfolge –, aber ich sagte nein. Als Wiedergutmachung fotografierte ich sie.

Nachdem sie weg waren, ging ich mit meiner fast fünfjährigen Tochter durch den Flur zurück. Sie ist ein entzückendes Kind geworden. Hat einen kleinen, braunen Helm aus weichem Haar und erinnert mich an das Marsmännchen aus der Serie *Looney Tunes* – Sie wissen schon, der »Illudium PU-36 Explosive Space Modulator«. Nur hinsichtlich der Silhouette natürlich. Außerdem schreitet sie äußerst bedachtsam durch die Gegend.

»Daddy«, fragte sie, »warum wollten die Mädchen unser Haus sehen?«

»Erinnerst du dich, dass ich dir erzählt habe, dass unser Haus mal in einer Fernsehserie war?«

»Ja.«

»Diese Mädchen mögen die Serie und wollten sich ansehen, wo sie gemacht worden ist.«

Sie blieb stehen.

»Ist unser Haus immer noch im Fernsehen?«, wollte sie wissen.

»Na ja«, meinte ich, »es gibt Wiederholungen, wahrscheinlich kommt es manchmal noch.«

Auf ihrem Gesicht zeigte sich ein besorgter Ausdruck. Sie stellte sich richtig hin, die Beine weit auseinander, breitete die Arme aus und sah von Zimmer zu Zimmer.

»Sind wir jetzt gerade im Fernsehen?!«, fragte sie nach.

»Ich glaube nicht«, sagte ich.

DAS TREIBEN DER LÄMMER

»Die Geschichte der Menschheit ist vor allem die Geschichte menschlicher Gewohnheiten, und aus diesem Blickwinkel betrachtet, wissen wir sehr wenig über die Geschichte der Tiere. Aber auch Tiere ändern ihre Gewohnheiten.«
    John Burdon Sanderson Haldane (britischer Genetiker),
    What Is Life? (1947)

»Die Tiere verhalten sich anders, aber ich kann Ihnen nicht sagen, warum.«
    Inusiq Nasalik (ein damals achtundachtzigjähriger Inuit)
    am 6. September 2004

Letztes Jahr bekam ich von einem Magazin die Anfrage, ob ich einen Text über die Zukunft der Menschheit schreiben wolle. Als Autor, der sich sporadisch in die niederschmetternden geistigen Tiefen der Popkulturkritik begeben hatte, war ich dafür wohl ein naheliegender Ansprechpartner. Trotzdem nahm ich mir vor, den Auftrag nach bestem Wissen und Gewissen zu erfüllen. Die Zukunft der Menschheit ist schließlich etwas, mit dem wir uns ernsthaft beschäftigten sollten, denn trotz der Unsummen, die für diese riesigen, den Weltraum abtastenden Funkschüsseln und Forschungssatelliten und was nicht alles aufgewendet werden, existiert nicht das kleinste Fitzelchen eines belastbaren Beweises, mit dem sich die rationale Annahme widerlegen ließe, dass das Universum jenseits der blauen Kugel, auf der wir leben, nichts als eine unendliche Ausdehnung gefühlloser Materie ist. Wir sollten uns also darum kümmern, dass die Sache hier weiter rund läuft. Meine Meinung.

Um einen ersten Einblick zu bekommen, verbrachte ich ein paar Tage am Future of Humanity Institute an der Universität von Oxford in England. Ich rief die Frau an, die mir als die weitsichtigste Mitarbeiterin bei der nationalen Katastrophenschutzbehörde empfohlen worden war. Ich sprach mit jedem selbsternannten und nicht auf Anhieb eindeutig wahnsinnigen Futurologen, der sich auf meine Anfrage hin meldete – Bill Lilly von der New School for Human Advancement erwies sich als besonders entgegenkommend. Ich redete mit jemandem vom Vatikan. Der Vatikan hat tatsächlich einen Zukunftsexperten, im Grunde nichts weiter als ein hauseigener Crack für die Offenbarung des Johannes. Um es kurz zu machen, möchte ich, dass Sie Folgendes wissen: Ich habe mich monatelang bemüht, über etwas anderes zu schreiben als über das, worüber ich jetzt letztendlich doch schreibe, nämlich über eine Tangente, die schon früh während meiner Recherche aufgetaucht ist, aber sofort »Karrierekiller!« schrie, weshalb ich sie zugunsten von Themen wie der Nanotechnologie, die in absehbarer Zukunft außer Kontrolle geraten wird (die Leute am Future of Humanity Institute haben das im Blick – Sie können also beruhigt sein), wiederholt zur Seite schob. Aber während ich alles Erdenkliche probierte, um ein paar verlässliche Halbwahrheiten über die Zukunft herauszufinden, die Sie auf Ihrem Flug nach Dallas, oder wo auch immer Ihre Angehörigen wohnen – und ich möchte Ihnen nahelegen, sie bald zu besuchen, ich nämlich tue das in diesem Jahr, versprochen! –, lesen können, wurde mir klar, dass Leute, deren Beruf das seriöse Nachdenken über die Zukunft ist, einem nichts erzählen, was nicht übervorsichtig formuliert, verklausuliert oder vierfach belegt ist, da ja – und das begriff und verarbeitete ich nur langsam – niemand weiß, was in der Zukunft passieren wird.

Mein Erstaunen über diese doch ziemlich schlichte Erkenntnis zeigte mir, in welchem Ausmaß ich, dank Hollywood oder meiner Paranoia, unterbewusst den Glauben an die Existenz einer Person – an einen früh in die mittleren Jahre gekommenen Typen, entweder Jude oder Asiate (in der Comedy-Variante: Ire) – verinnerlicht hatte, die in den Eingeweiden eines Regierungsgebäudes hockt und tatsächlich weiß, was in der Zukunft passieren wird, deren Genuschel man Beachtung schenken muss, deren Stimmungslagen mit Sorge, wenn nicht sogar mit Beunruhigung verfolgt werden müssen und deren Existenz allein schon Anlass ist für eine leichte, dauerhafte und wohlbegründete Furcht, und zwar weltweit. Das letzte Zucken eines Religionsgens? Wahrscheinlich. Ich weiß nur, dass ich es als große Befreiung empfand, dieses Geschöpf mit all seinen Warnstufen, Überlebensausrüstungen und dem ganzen Quatsch, mit dem es einem ständig in den Ohren liegt, während es mit der linken Hand Atombomben baut und Kriege anzettelt, aus meiner Vorstellungswelt verbannt zu haben. Ich führte mir vor Augen, dass die permanent drohende Katastrophe das Menschsein ausmacht und dass das eben der Preis ist für den Besitz von Bewusstsein, weshalb ich beschloss, ab jetzt unbeschwerter zu leben und mir von niemandem vor der Zukunft Angst machen zu lassen, denn in Wahrheit ist zu sterben ja das Schlimmste, was einem passieren kann, und der Tod kommt so oder so, da kann man sich noch so sehr sorgen und bemühen. Es ist also schlichtweg unvernünftig, nicht einfach nur zu denken: Scheiß drauf. Man muss nicht gleich den ganzen Tag Nelkenzigaretten rauchen oder in Hafenspelunken ungeschützten Sex mit Transen haben, aber genauso wenig muss man diesen Dingen abschwören, wenn man sich mit ihnen besonders lebendig fühlt. Was ich sagen will: Nur Mut! Damit – und auch nur damit – liegt man eigentlich nie falsch. Solcherlei Gedanken hatten eine derart erbauliche Wirkung auf mich, dass ich mich in der Hoffnung, Ihnen die Beschwerlichkeit Ihres Weges zu erleichtern, richtiggehend darauf freute, sie mit Ihnen zu teilen.

Dann stellte man mir einen Menschen namens Marcus Livengood vor.

Good day, sunshine.

Eine Frage, die in letzter Zeit an den besseren Biologieinstituten heiß diskutiert wurde, ist die: Wenn wir uns immer breiter machen und ständig noch größere Teile des Planeten roden, abbrennen, verschmutzen, besetzen und dazu bringen, zu heiß, zu trocken oder sonstwie ungeeignet für wild lebende Tiere zu werden – führt das nicht unausweichlich dazu, dass es häufiger zu Begegnungen zwischen Menschen und Restbeständen wirklich wild lebender Fauna kommt? Welche Folgen hat das, und zwar nicht nur für uns, sondern auch für sie? Nach welchen Veränderungen, Anpassungen und Reaktionen sollten wir bei den Tieren selbst Ausschau halten, jetzt, wo der Druck dieses globalen biologischen Endspiels bei einzelnen Lebewesen ankommt? Ich denke hier nicht an minimale evolutionäre Entwicklungsschritte bei existierenden Arten, sondern an stressbedingte Verhaltensänderungen, die sogenannte »phänotypische Plastizität«. Wir wissen, dass das bei diversen Tiergruppen vorkommt, auch wenn es selten beobachtet wird. Oder besser: selten beobachtet wurde. Heute scheinen solche Veränderungen im Verhalten plötzlich überall aufzutreten, wie selbst sporadische Zuschauer von Naturdokumentationen bezeugen können. Quer durch alle möglichen Arten und Habitate müssen wir feststellen, dass Tiere – pauschal gesprochen – plötzlich Sachen machen, die wir bislang nicht von ihnen kannten.

Ich rede ein bisschen um den heißen Brei herum, weil sich beim Schreiben über dieses Thema ein hoffentlich nachvollziehbares Unbehagen einstellt, schließlich schreit die ganze Sache förmlich nach Quacksalberei und Naivität. Darüber hinaus sollte mittlerweile klar geworden sein, dass ich keinen Gefallen daran finde, Leute in Angst und Schrecken zu versetzen. Folgendes aber kann ich Ihnen sagen: Diese Sache ist kein Humbug, und vernünftigen, informierten Menschen fällt es eher schwer als leicht, sie unter den Tisch zu kehren. Sie werden – da kann die kleine Gemeinde der Forscher, Analytiker und Blogger, die sich bislang dazu geäußert und erste Schritte unternommen hat, ihre Dimensionen zu kartieren, noch so zurückhaltend und unbekannt bleiben – in den nächsten zehn, zwanzig Jahren sehr viel mehr darüber hören. Sogar die Leute am Future of Humanity Institute werden nicht anders können, als dieser Geschichte ihre Aufmerksamkeit zu schenken, selbst wenn sie ihre Ursprünge an Orten nimmt, die – aus der Perspektive der akademischen Welt – recht weit entfernt liegen von den kopfsteingepflasterten Wegen Oxfords.

Centerbrook im Süden Ohios verkörpert den Typ Kleinstadt-College, wie ihn jeder kennt, der im Mittleren Westen aufgewachsen oder zur Schule gegangen ist. Im 19. Jahrhundert wurde es zunächst als Berufsfachschule gegründet, als normale oder technisch orientierte Schule, der ihr universitärer Rang erst über die Zeit zuwuchs, als qualifizierte Akademiker aus dem Nordosten hierher zurückkamen, um sich zur Ruhe zu setzen oder ihre Mutter zu pflegen, und man hier noch einen Fachbereich gründete und da noch einen Professor einstellte, bis man dem Ganzen eines Tages nur noch den Stempel »Geisteswissenschaftliches Institut« aufdrücken musste. Niemand hat je einen guten Job gekriegt, nur weil er in Centerbrook studiert hat, aber während meines mehrtägigen Besuchs machten die Studenten einen klugen und ehrgeizigen Eindruck auf mich. Die meisten waren nicht zwischen achtzehn und zweiundzwanzig, sondern ein gutes Jahrzehnt älter. Und auch wenn der Campus mit seinem nacktem Backstein und den Parkplätzen reizlos ist, lag über dem Geschehen dort doch eine Atmosphäre der Ernsthaftigkeit.

Professor Marcus Livengood, den seine Studenten nur Marc oder sogar »Mr. Marc« nennen, war selbst in Centerbrook, bevor er an der UC Santa Clara in Vergleichender Zoologie promovierte. Dann kam er wegen eines Jobs an der biowissenschaftlichen Fakultät zurück an die Alma Mater seines Grundstudiums. Als ich mit vierzigminütiger Verspätung zu unserer Verabredung erschien, saß er allein in seinem überraschend riesigen Büro.

Mir ist noch nie ein Mensch begegnet, dessen Äußeres man so einfach beschreiben kann. Livengood sieht aus wie der junge George Lucas. Dieselbe Kopfform, derselbe Bart, dieselben zusammengekniffenen Augen, alles – nur größer, noch nicht so rundlich und ohne graue Haare. Außerdem trägt Mr. Livengood einen Pferdeschwanz. Und auf der Nase hatte er eine dieser dicken, quadratischen Brillen, die wissenschaftliche Außenseiter offensichtlich ab dem Moment aufsetzen müssen, in dem man sie in die Loge der Wissenschaftlichen Außenseiter aufnimmt.

Mit einem beachtlichen Gespür für Theatralik – als ob wir uns nicht schon seit Wochen Mails geschrieben hätten – begrüßte mich Livengood: »Sie wollen also über die Tiere reden?«

Was auch immer es war, das zu diesem Interview geführt hatte – es hatte vor ungefähr einem Jahr begonnen. Ich fürchte, ich verspiele einen Gutteil der für solche Artikel unerlässlichen Glaubwürdigkeit, wenn ich es unumwunden zugebe, aber für mich begann das Ganze tatsächlich im Internet. Nicht auf den Spinnerseiten, wohlgemerkt. Auf den Spinnerseiten trieb ich mich damals überhaupt nicht herum, das fing erst eine gute Zeit später an, eigentlich erst, nachdem ich an Marc geraten war. Nein, es passierte auf der Seite von AOL. Wie viele andere benutze ich America Online tagtäglich, um ins Internet zu kommen und meine Nachrichten abzurufen. Wenn man via America Online ins Netz geht, lässt es sich nicht vermeiden, dass auf der Startseite diese kleine Liste mit Schlagzeilen aufpoppt, über die man zu den entsprechenden Artikeln kommt. Das kennen Sie alle. Tja, und dann hat jemand bei AOL, jemand, der in einer pulsierenden Arbeitsplatzwabe einer Großraumredaktion sitzt und damit betraut ist, die vielen Kurzmeldungen aus aller Welt nach Sachen zu durchkämmen, die unsere Aufmerksamkeit verdienen, etwas bemerkt. Ein Muster. Ich wünschte, es gäbe eine Möglichkeit, die Identität dieser Person festzustellen (ich hab's versucht), denn mittlerweile stelle ich sie mir als eine merkwürdige Art Waffenbruder respektive Waffenschwester vor. Auf jeden Fall gab es auf einmal fast jeden Tag oder mindestens einmal pro Woche eine total unglaubliche Story über einen Tierangriff.

Und nicht nur das. Eine Story über einen Tierangriff ist ein Berglöwe, der über einen Jogger herfällt, ein Bär, der in ein Auto einbricht, oder ein Surfer, der ein Bein verliert. Wohlgemerkt: Auch diese Fälle scheinen sich in vielen Gegenden der Welt zu häufen. Aber solche Geschichten hat jeder schon mal gehört. Selbstschutzinstinkte seitens der Tiere plus die zunehmende Beliebtheit von Outdoor-Aktivitäten unsererseits gleich gelegentliche Todesfälle. Wir aber sprechen hier von Vorfällen, die mit Veränderungen in der Natur und todbringender tierischer Aggression zu tun haben. Geschichten – ich will Sie nicht länger auf die Folter spannen – wie die von Steve Irwin.

Die Irwin-Story ist längst zum gefundenen Fressen für die makabren Scherze von Online-Kommentatoren geworden. Ich selbst werde mir solche verkneifen: Steve Irwin, ein australischer Dokumentarfilmer, hatte seit 1996 im Fernsehen die Sendung *The Crocodile Hunter*. Irwins Tochter, die kleine Bindi, bekam ebenfalls eine eigene Sendung. Bei den Aufnahmen für ihre Show kam Irwin um. (Meine Tochter guckt sich Bindis Sendung bis heute gern an und besitzt sogar Merchandise-Artikel. Der Titelsong geht so: »The Croc Hunter taught her, / Now his only daughter / Is Bindi the Jungle Kid.«)

Tatsache ist, dass aus den, grob geschätzt, dreihundert Jahren, in denen Menschen sich zum einen schwimmend in mehr oder weniger flachen Gewässern bewusst oder unbewusst in unmittelbarer Nähe zu Stachelrochen aufhalten und zum anderen ungewöhnliche Dinge aufzeichnen, die ihnen in oder auf dem Meer passieren, kein einziger Fall überliefert ist, in dem ein Stachelrochen jemanden mit einem Stich ins Herz zu Tode gebracht hätte. Genau das ist Irwin passiert. Das stachelbewehrte Ende des Rochenschwanzes – man erzählte mir, dass Rochen über ihre Schwänze mit derart unseliger Kontrollgewalt und Präzision gebieten, dass sie sogar winzig kleine Fischlein damit töten können – ging glatt zwischen seinen Rippen hindurch in die linke Herzkammer. Irwin stand auf, zog den Schwanz heraus und starb. Es gab Aufnahmen davon, aber seine Familie hat sie vernichtet. In den darauffolgenden Wochen haben Australier Rochen in Küstengewässern abgeschlachtet. Polizei und Strandgutsammler stießen wiederholt auf zerfleischte Kadaver. Michael Hornby, der Leiter von Irwins Stiftung Wildlife Warrior, veröffentlichte eine Erklärung, in der diese Taten verurteilt wurden. Die Stiftung akzeptiere »keinerlei Vergeltungsmaßnahmen gegen die Rochen« und werde sich für niemanden einsetzen, »der solche ergriffen« habe.

Auf der Welt passieren permanent die verrücktesten Dinge. Wahrscheinlich muss alles irgendwann zum ersten Mal passieren. Genau das werden Sie über die Irwin-Geschichte auch schon gedacht haben. Dreihundert Jahre lang gab es keinen derartigen Vorfall; wenn wir jetzt noch mal dreihundert Jahre schaffen, ist alles wieder in Ordnung. Also: Schnorchel frei!

Wir schafften jedoch nur sechs Wochen. Am 19. Oktober 2006 befand sich ein Mann namens James Bertakis mit einer

Freundin der Familie vor der Küste von Boca Raton auf einer Bootstour, als ein riesiger Stachelrochen aus dem Wasser sprang und in seinem Schoß landete. Es ist wichtig, sich das korrekt vorzustellen. Das Tier sprang ihm wirklich auf den Schoß, während Bertakis mit leeren Händen – er hielt keine Angel – aufrecht da saß. Der Rochen landete so, dass er Bertakis direkt in die Augen blickte. Die Familienfreundin hat die Szene en détail geschildert. Bertakis und der Rochen starrten sich an, und das Tier ließ seinen Schwanz spielen. Und dann – zack. Über den Tierkörper hinweg, direkt in Bertakis' Herzmuskel, das Herzfleisch, zentimetertief.

Reporter erkundigten sich umgehend bei den international renommierten Meeresbiologen von der Universität Miami, ob es zwischen beiden Fällen möglicherweise einen Zusammenhang gebe, aber Dr. Bob Cowen, der von der Fakultät als Sprecher vorgeschickt wurde, erwiderte, er könne sich »keinerlei Zusammenhang vorstellen«, bei den Angriffen handele es sich »lediglich um zwei wirklich ungewöhnliche Vorfälle«.

»Was nicht stimmt«, sagte Livengood.

Wir hatten uns inzwischen hingesetzt. Gerade hatte ich ihm dieses abwiegelnde Zitat nebst einigen weiteren vorgelesen, um ihn – höflich, wie ich hoffte – damit zu konfrontieren, dass die meisten seiner dem sogenannten Mainstream zugerechneten Kollegen die Position vertraten, dass das, was wie ein weltweiter evolutionärer Schub im Verhalten der Tiere wirkte, eigentlich nur auf eine Zunahme der medialen Aufmerksamkeit zurückzuführen sei. Oder dass es sich um eine lose Kette von Zufällen handelte, die nun im Internet zusammengestrickt wurden. Oder dass wir es, das war die freundlichste Interpretation, schlicht mit einer Folge der zunehmenden Häufigkeit von Begegnungen zwischen einzelnen Menschen und nicht domestizierten Tieren zu tun hatten, schließlich vergrößern wir unseren Lebensraum, weshalb die Tiere immer verzweifelter nach Nahrungsquellen suchen und sich weiter aus ihren angestammten Habitaten herauswagen.

»Was meinen Sie mit ›Was nicht stimmt‹?«, fragte ich.

»Dass es sich nicht um ungewöhnliche Vorfälle handelt.«

Ich ging natürlich davon aus, dass er andere Schwanz-ins-Herz-Attacken von Rochen meinte, und wollte ihn gerade um entsprechende Daten bitten.

»Rochen?«, sagte er. »Nein. Zumindest wissen wir von keinen weiteren Beispielen. Aber der ganze Rest ...« Er legte den Kopf leicht in den Nacken und blickte in eine der Zimmerecken, als ob ich ihn gebeten hätte, für ein Foto zu posieren. Dann sprang er auf die Füße.

»Wollen Sie unseren Ordner sehen?«, fragte er, ging zu einem weiteren, größeren Computer in der Büroecke und fuhrwerkte an ihm herum.

Meinen Ordner hatte ich ihm bereits gezeigt, als wir uns an den Tisch gesetzt hatten. Bei meinem Ordner handelte es sich eher um eine Aktenmappe. Sie enthielt Ausschnitte und Ausdrucke von allen Artikeln, die ich im guten letzten Jahr archiviert hatte. Die meisten davon hatte ich als Erstes an Freunde gemailt, versehen mit witzigen Betreffzeilen nach dem Motto »Wappnet euch!« Einer der glücklichen Empfänger antwortete nach der dreißigsten oder vierzigsten Nachricht dieser Art: »Weißt du eigentlich, dass es einen Typen gibt, der wirklich glaubt, dass das passiert?« Als ich zurückschrieb: »Ja, mich!«, schickte er noch eine Mail: »Stimmt, aber der andere Typ erforscht Tiere wissenschaftlich.«

Als ich Livengood meine Mappe zeigte, gab er einen einzigen lauten Lacher von sich und sagte: »Seitdem die Leute wissen, dass es uns gibt, bekommen wir das jede Woche.«

Ich will Sie nicht für dumm verkaufen – zu diesem Zeitpunkt wusste ich bereits, dass Livengood mit »uns« nicht sich und seine Unikollegen meinte, sondern sich und eine Handvoll versprengter Besessener: Blogger, Amateurnaturforscher, von ihrem ersten Kontakt mit der Legitimität des Querdenkens noch ganz beduselte Sci-Fi-Leute. Und wahrscheinlich auch Leute wie mich, die ohne ehrenvollen Grund hilflos darauf fixiert waren, in den Nachrichten ein kabbalistisches Muster zu erkennen. Dieses »Wir« hat sich bis jetzt noch keine griffige Abkürzung gegeben, hat noch auf keiner Konferenz Thesenpapiere verteilt und jenseits der vereinzelten »Eine andere Meinung«-O-Töne in der ein oder anderen Agenturmeldung auch noch kein mediales Profil gewonnen.

»Sehen Sie sich das ruhig mal an«, sagte Livengood und rollte mit seinem Stuhl zur Seite, um mir Platz zu machen. Auf dem Monitor war eine große, vielfarbige Weltkarte, rund wie eine alte Seekarte. Die Landmassen und Küstenlinien waren gespickt mit schwarzen, ungefähr bleistiftspitzengroßen Pünktchen. Auf dem offenen Meer gab es vielleicht fünfundzwanzig verstreute schwarze Punkte. Mit freundlicher Heiterkeit (als würde er einen neuen Kollegen durch die Büroräume führen) sagte Livengood: »Das ist alles bestätigt, und das meiste ist aus den letzten sechs Jahren.«

»Und was ist das genau?«

»Klicken Sie doch einfach mal drauf!«, sagte er, als hätte er sich schon gefragt, wann ich endlich auf diese Idee kommen würde.

Dann saß ich mindestens eine halbe Stunde lang da. Irgendwann stand Livengood auf und ging den Flur hinunter. Stimmt: Meine schmale Presseschau, auf die ich so stolz gewesen war, sah im Vergleich zu dem, was Livengood und seine Hiwis zusammengetragen hatten, wie ein Daumenkino aus dem Überraschungsei aus. Ich sollte erwähnen, dass Vorfälle, die es auf seine Liste schaffen wollen, zwei zugegebenermaßen weiche, aber immerhin existierende Kriterien erfüllen müssen: Es dürfen (a) keine Falschmeldungen sein – sondern Begebenheiten, die sich durch unabhängige Recherchen überprüfen lassen –

und (b) keine offenkundigen Verwechslungen. Ich kann Sie nur ermuntern, diesen Geschichten selbst nachzugehen, mithilfe von Google, LexisNexis, in einigen Fällen auch anhand von Artikeln aus der Zeitschrift *Animal Behavior Abstracts* (auf dem Regal hinter Livengoods Schreibtisch befand sich eine Sammlung, die vollständig aussah); Sie brauchen dafür keine windigen Boulevardblätter wie die *Weekly World News*, Sie finden solche Sachen auf den Websites der BBC, der Nachrichtenagentur AP und der Zeitschriften *Science* and *Nature*, Organen also, die durchaus ein gesteigertes Interesse daran haben dürften, nicht verarscht zu werden. Wie auch immer: Ich kann Ihnen versichern, dass ich nicht mal von den normalen Vorgängen im Tierreich genug Ahnung habe, um derart viele Anomalien zusammenzufantasieren.

Ich fand heraus, dass man durch Anklicken mancher der kleinen Pünktchen zu einer Vielzahl von Vorfällen kam, die meistens – aber auch nicht immer – den Aktivitätsvektor einer einzelnen Art darstellten. Es gibt zum Beispiel vier kleine englische Hafenstädte, wo verschiedene Seevogelarten angefangen haben, Menschen zu attackieren. Ein Schwan kam dort an Land, zog einen Hund ins Wasser und ertränkte ihn. Anhand der konkreten Zahlen sieht es so aus, als seien Vögel die aktivste Klasse, wenn es um greifbare Erscheinungsformen jener rätselhaften Verschiebung im Verhalten geht. In Boston findet seit mehreren Jahren etwas statt, das man nur als permanente Belagerung durch wilde Truthähne bezeichnen kann. Kinder und ältere Leute werden attackiert. In Kalifornien führte die Hühnerpopulation von Sonoma County vor gar nicht allzu langer Zeit eine ganze »Welle von Angriffen auf Kinder aus der Nachbarschaft« durch. Die Mutter eines der Opfer erzählte einem Reporter: »Zusehen zu müssen, wie dein eigenes Baby angegriffen wird, ist nicht gerade schön ... Sehen, wie es schreit, während ihm das Blut übers Gesicht läuft ... Ich kann nachts nicht mehr schlafen.«

Ein Gutteil dieser neuen Form der Gewalt spielt sich *zwischen* Tieren ab. Überflüssig zu erwähnen, dass das weit weniger mediale Aufmerksamkeit auf sich zieht. In dem polnischen Dorf Stubienko drehten im Juni 2000 (eine der ersten Markierungen in Livengoods Sammlung) die Störche durch und fingen an, Hühner abzuschlachten. Und zwar hundertfach. (Ich sehe gerade, dass zur selben Zeit zusätzlich »gelegentliche Angriffe auf Menschen« gemeldet wurden.) Beobachter sahen sich »außerstande, dieses abweichende Verhalten zu erklären«.

Ich hoffe, Sie verstehen, was ich meine, wenn ich finde, dass an all diesen Geschichten irgendetwas *schräg* ist. Störche, die Hühner abschlachten.

Ein Großteil der Gewalt zwischen Tieren scheint das Ergebnis schieren Wahnsinns zu sein. Schimpansen hat man wiederholt bei »Vergewaltigungen, dem Verprügeln ihrer Partnerinnen, Morden und Kindsmorden« beobachtet. In der afrikanischen Savanne haben Elefanten Nashörner vergewaltigt, was Zoologen nachvollziehbarerweise genauso verstört wie Laien.

Sollten Sie von dem einen oder anderen Aspekt dieser sich hier entfaltenden Geschichte schon gehört haben, dann wahrscheinlich durch die Arbeit von Gay Bradshaw, einer Psychologin und Umweltwissenschaftlerin, die die beschleunigte mentale Degeneration von Elefantenpopulationen in destabilisierten Gegenden Afrikas und Asiens verfolgt. Sie ist eine extrem renommierte Forscherin, deren Ergebnisse die vielleicht überzeugendsten Beweise dafür hergeben, dass der Mensch hinsichtlich der Artikulation von Zuneigung, Leid, Stress und bislang noch unbekannter Affekte die Schnittmenge zwischen seiner eigenen und der Psyche der höher entwickelten Tiere massiv unterschätzt hat. So jedenfalls verstehe ich ihre Arbeit. Anfang dieses Jahres lenkte ein großes Magazin die nationale Aufmerksamkeit auf sie, und sie hat einen Buchvertrag. Um es kurz zu machen: Sie hat meine Interviewanfrage abgelehnt, weswegen ich ihr nicht den geringsten Vorwurf mache; wenn ich eine international angesehene Tierwissenschaftlerin wäre, würde ich stundenlang durch Kälte und Schlamm fahren, um mich vor einem Rumsfeld-versus-Saddam-mäßigen Treffen mit Marc Livengood in Sicherheit zu bringen. Nicht dass ich persönlich Livengood irgendwie heroisch fände. Trotzdem gibt es zwischen ihren jeweiligen Hypothesen vielleicht doch eine größere Verwandtschaft, als zuzugeben einem von beiden wirklich leichtfallen würde. (Es wird Sie sicherlich schockieren zu erfahren, dass Livengood Bradshaws Arbeit mit etwas Eifersucht und einem Augenrollen betrachtet.)

Auch wenn der Tier-gegen-Mensch-Aspekt der Elefantenproblematik nicht den Schwerpunkt von Bradshaws Forschung darstellt, können wir festhalten: Elefanten töten uns, und zwar in nie gekanntem Ausmaß. Mehr als tausend Opfer in weniger als zehn Jahren. In einer einzigen Wanderschaftssaison wurden vierundvierzig Gemeinden in Nigeria von tobenden Elefanten »ausgelöscht«. Einige dieser Ereignisse sind ziemlich spektakulär ausgefallen. Mehrere Tiere haben zusammengearbeitet (im Gegensatz zu den Einzelgängermännchen, die mit schöner Regelmäßigkeit auftreten), sind durch ganze Stadtteile gestürmt und haben Menschenmengen attackiert. Wer schon mal gesehen hat, wie ein Elefant einen Menschen angreift: Es sieht nach einer ziemlich persönlichen Sache aus. Ein Elefant hört auch dann nicht auf, wenn man schon am Boden liegt. Zunächst ist man noch bei Bewusstsein, während der Elefant einen mit seinem Rüssel zusammenschlägt und anschließend in Grund und Boden stampft. In einem Dorf randalierten die Elefanten so, dass sie die Bevölkerung vertrieben, dann brachen sie unbewachte Fässer mit dort gebrautem Reisbier auf, rasten anschließend gegen Strommasten und starben. Bradshaw schreibt: »Einige Biologen glauben, dass die zunehmende Aggressivität von Elefanten teilweise zu verstehen sein könnte als Rache an Menschen, die andere Elefanten absichtlich oder unabsichtlich getötet haben.« Laut *New*

York Times vergiften »wütende Dorfbewohner«, um nicht ins Hintertreffen zu geraten, durchschnittlich zwanzig Elefanten pro Jahr.

Die Kadaver geschundener Rochen, die nach dem Tod Irwins an Land gespült wurden, zeigen, dass Menschen nicht selten mit prompten Vergeltungsaktionen auf die spektakuläreren Tierattacken der letzten Zeit reagiert haben. In Salt Springs in Florida, wo Alligatoren vor anderthalb Jahren Amok liefen und innerhalb einer Woche drei Frauen töteten, erklärten die Bürger den Tieren »den Krieg«. Diese Worte gebrauchte zumindest einer der vielbeschäftigten Trapper. »Die Leute drehen richtig durch«, sagte er. In anderen Fällen haben kühlere Köpfe die Oberhand behalten, und man ergriff nicht ganz so brutale Maßnahmen. Ein Beispiel: In Bombay fiel dieses Jahr ein Rudel Leoparden in die Stadt ein – sie trotteten einfach direkt aus dem Urwald mitten ins Stadtzentrum – und töteten insgesamt zweiundzwanzig Menschen. J.C. Daniel, ein Umweltschützer, der die Wildtiere in jenem Wald seit vierzig Jahren beobachtet, sagte: »Wir müssen untersuchen, warum das Tier aus dem Wald kommt. Das hat es noch nie zuvor getan.« Aber die Menschen reagierten kreativ. In der Hoffnung, die wilden Tiere zu besänftigen – und mit einer Geste, die merkwürdige Anklänge an Opfergaben zur Beschwichtigung wütender Katzengottheiten hat –, setzten Beamte in der Gegend Aberhunderte von Ferkeln und Kaninchen im Urwald aus. (2. Buch der Könige, 17, 25: »In der ersten Zeit, in der sie dort wohnten, erwiesen sie dem Herrn keine Verehrung. Er schickte deshalb Löwen unter sie, die manche von ihnen töteten.«)

In China legen die Haustiere ein verändertes Verhalten an den Tag. Die Nachrichtenagentur AP berichtet: »In den ersten sechs Monaten dieses Jahres sind laut Angaben der Regierung in Peking ungefähr 90 000 Menschen von Hunden und Katzen angegriffen worden, was im Vorjahresvergleich einer

Zunahme von 34 Prozent entspricht.« In Amerika, wo möglicherweise auch Tiere freieren Zugang zu Waffen haben, sind in den letzten zwei Jahren mindestens vier Personen von ihren Hunden erschossen worden. Bei einem der Vorfälle kam eine Elektroschockpistole zum Einsatz. In einem anderen Fall schoss das Tier, als der Besitzer es gerade totschlagen wollte. Man könnte hier also durchaus von Notwehr sprechen. (In einem dritten Fall schoss ein Hund in Memphis seinem Besitzer in den Rücken, während sich der Mann mit seiner Freundin stritt – hier könnte es aber Zufall gewesen sein.)

Ein Rudel von zweihundert Hunden stieg – das war in Albanien – aus den Bergen herab, rannte schnurstracks ins Stadtzentrum von Mamurras und fing an, Menschen zu verfolgen, alte Menschen, junge Menschen, »sie zu Boden zu zerren und ihnen schwere Verletzungen zuzufügen«. Ein Augenzeuge sprach von einem »klar identifizierbaren Anführer«. (Damit niemand denkt, dass so etwas in Albanien regelmäßig passiert, gab der Bürgermeister der Stadt, Anton Frroku, zu Protokoll: »Eine Horde von zweihundert streunenden Hunden aus den Bergen, die mitten in einer Stadt Menschen angreift, so etwas habe ich bislang noch nicht mal im Kino gesehen.«)

Ein »klar identifizierbarer Anführer«: Auch andernorts gibt es Hinweise auf Organisation und Kooperation. In Indien wurde eine der meist befahrenen Autobahnen des Landes mehrfach von, so formulierte es die BBC, »Einheiten von Affengangstern«, meist zweitausend auf einen Schlag, besetzt und vollkommen zum Stillstand gebracht. »In den vergangenen Wochen haben wir bereits neue Horden in die Region einwandern sehen«, berichtet ein örtlicher Beamter der BBC. Es gab Überlegungen, die Affen »umzusiedeln«. In Großbritannien, wo die Rattenpopulation in den letzten zehn Jahren um vierzig Prozent gewachsen ist und ältere Leute angeben, so etwas »seit dem Blitz« nicht mehr erlebt zu haben, schoben Wissenschaftler den ansonsten unerklärlichen Anstieg auf die Tatsache, dass Ratten »von anderen Ratten lernen, dem Gift aus dem Weg zu gehen«. Und wieder: Man sehe sich diese Zahlen an. Wir verzeichnen einen stetigen Zuwachs, und zwar nicht von vier oder fünf Prozent, sondern in einer Dimension von vierzig, fünfzig Prozent.

Bei mindestens einem Vorfall kam sogar eindeutig so etwas wie technologische Innovation ins Spiel. Eine im Senegal am Rand der Savanne lebende Schimpansengruppe hat gelernt, Speere anzufertigen – sie schärfen sie mit ihren Zähnen – und zu gebrauchen. Das sind Schimpansen, die seit zweihundert Jahren unter Beobachtung stehen und die noch nie Speere benutzt haben. Jüngst haben sie angefangen, Galagos, kleine, auch Buschbabys genannte Affen, aufzuspießen. Galagos verstecken sich in hohlen Bäumen. Als würden sie Frösche harpunieren, zerren die Schimpansen sie heraus wie Fleisch aus einem Fondue-Topf. Seitdem der erste Schimpanse dabei beobachtet wurde, wie er eine Waffe auf diese Weise einsetzte, machte die Methode innerhalb eines Jahres bei neun weiteren Tieren Schule. Sie wurden bei insgesamt zweiundzwanzig Gelegenheiten beim Speergebrauch erwischt wurden, was den Schluss zulässt, dass sich diese einigermaßen radikalen Verhaltensänderungen zumindest bei Affen innerhalb einer einzigen Generation vollziehen.

Das über solche Dinge existierende Wissen ist, könnte man sagen, verstörend grundlegend. Mit der Erwärmung des Planeten beschleunigt sich die Evolution. Das wissen wir bereits seit geraumer Zeit. Wir lernen es schon in der Oberstufe im Biologieunterricht. Je näher am Äquator, desto schneller die Entwicklung. Hitze beschleunigt die molekularen Prozesse. Man nehme eine Tintenfischpopulation und teile sie. Die eine Hälfte bleibt im Norden vor Alaska, die andere wandert südwärts vor die peruanische Küste. Man gehe sie fünfzigtausend Jahre später besuchen. Die Gruppe oben vor Alaska ist dabei, sich langsam in zwei verschiedene Arten auseinanderzuentwickeln. Die unten vor Peru hat sich in sechsundzwanzig Arten ausdifferenziert und ist in ihrer ursprünglichen Form nicht mehr wiederzuerkennen. Diesen Effekt erlebt zurzeit der gesamte Planet. Mehr Wärme, mehr Licht. Tiere machen vieles anders; sie tauchen an Orten auf, an die sie nicht gehören, sie schlafen zu anderen Zeiten, sie fressen andere Sachen. Da kann man jeden Feldforscher fragen: Es ist bereits ein Gemeinplatz, dass Naturführer und Tierbestimmungsbücher sich gerade mit zehnfacher Geschwindigkeit selbst überholen. Ein Forscher erklärte 2001 gegenüber der BBC: »Es gibt einen genetischen Wandel hinsichtlich ihrer Reaktion auf Tageslicht. Wir können diesen Wandel bereits innerhalb eines Zeitraums von nur fünf Jahren nachweisen. Evolution passiert, und sie passiert sehr schnell.« Und da redete er nur über eine bestimmte Moskito-Art. Dr. Christina Holzapfel von der Universität von Oregon in Eugene hat Veränderungen unter den roten kanadischen Eichhörnchen beobachtet. »Es hat nicht alles nur mit phänotypischer Plastizität zu tun«, sagte sie gegenüber *Science*. »Studien zeigen«, zitierte eine andere Quelle sie, »dass der rasante Klimawandel während der letzten Jahrzehnte zu erblichen genetischen Veränderungen bei Tierpopulationen geführt hat.« Erst vor Kurzem stand in einem Aufsatz im *Smithsonian*: »Man kann seit Neuestem nachweisen, dass Pflanzen und Tiere sich beschleunigt verändern.«

Das bedeutet: Wir haben uns einen schlechten Augenblick dafür ausgesucht, die Tiere gegen uns aufzubringen, da sie sich gerade jetzt, wo ein Wandel in ihrem Naturell zu erwarten steht, auch genetisch wie die Blöden weiterentwickeln.

Während ich mich durch Livengoods Punkte klickte, fiel mir ein Muster auf, das ich schon bemerkt hatte, als ich noch nichtsahnend News-Bröckchen im Internet verfolgt hatte, nämlich die außergewöhnlich hohe Zahl der Fälle, in denen irgendeine Art »zum ersten Mal« attackierte. Womit nicht einfach nur bislang noch nie dagewesene Typen von Angriffen gemeint sind –

wie eine Leopardenmeute, die sich in eine dicht bevölkerte Stadt vorwagt und dort tötet –, sondern vor allem die recht schlichten Fälle, in denen Tiere, die noch nie die Absicht an den Tag gelegt haben, Menschen zu töten, plötzlich Menschen töten.

Es ist erst wenige Jahre her, dass im Oktober 2006 in einem Posting auf der Website des Institute for the Future – einer »unabhängigen, gemeinnützigen Forschergruppe« mit Hauptsitz in den USA, die ihr nicht unerhebliches Budget darauf verwendet, »Organisationen aller Art dabei zu helfen, bessere, informiertere Entscheidungen in Bezug auf die Zukunft zu treffen« – zögerlich die erste rote Fahne zu diesem Themenkomplex gehisst wurde, insofern hier zum ersten Mal eine Gruppe absolut unbescholtener, intellektuell gesellschaftsfähiger Typen so weit ging, die Sache explizit anzusprechen:

»Bitte als spekulativste aller Spekulationen ablegen, aber kann es sein, dass Angriffe von Tieren, die man bisher für relativ harmlos oder schwer zu provozieren gehalten hat, häufiger werden? Gibt es weitere interessante Statistiken, die Zuwachsraten verzeichnen bei Angriffen von Tieren, die bislang als nicht sonderlich aggressiv galten?«

Lieber Blogger und Mit-Suchender Alex Soojung-Kim Pang: Oh ja, die gibt es, darauf können Sie einen lassen.

Delfinattacken auf Menschen nehmen merklich zu, vor allem eine besonders gewalttätige Population vor der Küste von Cancún hat wiederholt ganze Gruppen von Schwimmern angegriffen und dabei mindestens zwei getötet, wobei es allerdings noch einige weitere bislang ungeklärte Todesfälle durch Ertrinken gab, die auch durch »Unter-Wasser-Ziehen« passiert sein können. Jeder nach diesen bestätigten Attacken um einen Kommentar gebetene Meeresbiologe sagte dasselbe: »Delfinangriffe mit Todesfolge gibt es nicht.«

Diese Auskunft fände Henri Le Lay, der Präsident des Sport-bootshafens im bretonischen Brézellec, sicher überraschend. Reportern berichtete er von einem »psychotischen Delfin« mit dem Spitznamen Jean Floch, der es auf Fischer in ihren Booten abgesehen habe. »Er ist wie ein tollwütiger Hund«, sagte Le Lay. »Ich möchte hier keine Witwen und Waisen haben. Das könnte ein böses Ende nehmen.«

Auch Seelöwen verfolgem seit Neuestem Menschen. Und zwar nicht nur bei zufälligen Begegnungen, nein, sie hetzen sie planvoll durch offene Gewässer. In Alaska sprang einer in ein Boot, warf einen Fischer über Bord und ertränkte ihn. Eigentlich sind Seelöwen dafür bekannt, äußerst konflikt-scheu zu sein. Die Meinung der Experten? »Abnormes Verhal-ten.«

So unwahrscheinlich es bei allem, was die Legenden erzäh-len, auch klingen mag, aber in der Geschichte der europäischen Eroberung Nordamerikas gibt es nur einen einzigen doku-mentierten tödlichen Angriff eines wilden, aber gesunden (al-so weder tollwütigen noch ausgehungerten) Wolfs auf einen Menschen. Er ereignete sich 2005 in Alaska. Ein Mann ging zum Pinkeln raus oder vielleicht auch nur, weil es sich die Ster-ne angucken wollte. Als sie ihn fanden, hatten sich schon die Aasfresser an ihm zu schaffen gemacht.

In Uganda und Tansania »rauben und töten Schimpansen, die inmitten der Zerstörung ihres Lebensraumes ums Über-leben kämpfen, Menschenbabys«. In den letzten sieben Jahren haben sie sechzehn Babys entführt, von denen sie die Hälfte getötet hatten, bevor man die Babys wiederfand. Dass Affen Babys fressen, sei eine »noch neue Entwicklung«, hieß es in dem Artikel.

Klick, klick, klick – es hörte gar nicht mehr auf. In Weißruss-land sind Menschen von Bibern angegriffen worden (»erste Biberattacke gegen Menschen [in der langen Geschichte des Landes]«). Auch im schwedischen Lindesberg ist das erst letzthin passiert; eine Frau musste ins Krankenhaus eingeliefert werden. Ein Beamter beschrieb die entschieden unschwedische Reaktion der Stadtbevölkerung: »Vier der Biber im Fluss sind bereits erschossen worden, und auch der Rest wird noch ausgerottet. Danach sprengen wir den Biberbau in die Luft, damit nicht gleich die nächsten Biberfamilien einziehen.« Wenig beruhigend ist in diesem Zusammenhang ein Bericht aus Washington, D. C., in dem es heißt, dass »Biber sich schnell in die Innenstädte ausbreiten«.

Auf jeden Bericht, der ein bisschen weit hergeholt wirkte und bei dem man den Verdacht hatte, ihm fehlten ein paar nachweisbare Fakten, kam ein anderer, der derart bizarr und unwahrscheinlich klang, dass man sofort wusste: So etwas denkt sich niemand aus. Zum Beispiel der über den Jogger im südöstlichen North Carolina, der laut Augenzeugenberichten auf der Strandpromenade von einer Schwadron übergroßer männlicher Einsiedlerkrebse umringt wurde, die im Kung-Fu-Stil mit ausgefahrenen Scheren näher kamen und offenkundig versuchten, ihn vom Pier zu stoßen. Und wie jedes Mal klangen die Statements der zum Vorfall befragten Zoologen wie das immer gleiche Mantra: »Erstmalig dokumentiert ... Kein früheres Vorkommnis bekannt ... In der Fachliteratur bislang keine vergleichbaren Fälle ... Experten schockiert ... Abnorm ... Beispiellos ...«

Als Livengood zurückkam, war ich fünfzehn Zentimeter tiefer in den Sessel gesackt; wahrscheinlich sah ich aus wie jemand, dessen Verstand gerade von einem satanistischen Videospiel zerstört worden war.

»Immer noch skeptisch, aber neugierig?«, fragte Livengood. (Bei unserem ersten Telefonat hatte er mich gefragt, wie meine »Haltung« zu der Sache sei, und ich hatte geantwortet, »Skeptisch, aber neugierig«, womit ich eigentlich überhaupt nichts weiter hatte sagen wollen – aber, oh Mann, er hatte es sich gemerkt.)

Ich nuschelte mir irgendetwas in den Bart. Worauf Livengood seufzend und in einem extragelangweilten Ton zurückgab: »Oh ja, da ist etwas im Schwange.« Dann wippte er eine ganze Zeit auf seinem schwarzen Bürostuhl vor und zurück und tippte die Fingerspitzen gegeneinander.

Ich sagte: »Das kann doch alles nicht sein.«

Er sah mich an und sagte, als hätte er mich nicht gehört: »Hey! Sie müssen mitkommen nach Afrika!«

Wir waren auf dem Weg nach Mandera, einer trockenen, ehemals von Nomaden bewohnten Gegend im Nordosten Kenias, um die dreihundertfünfzig Meilen von Nairobi entfernt, kurz vor der somalischen Grenze. Marc allerdings sprach nicht von Mandera, sondern immer nur von »Ground Zero«.

Im Jahr 2000 – das Marc, mit einer wenig subtilen Sturheit, die sicher mit seinem nicht existenten Status in der akademischen Welt in Zusammenhang stand, fortwährend als »Year Zero« bezeichnete – ereigneten sich innerhalb nur eines Monats in zwei nicht weit entfernten Dörfern dieser Gegend unabhängig voneinander zwei Vorfälle. Für Marc heißen diese Dörfer »Ort der Schlacht« und »Ort des Mords«.

Er hatte ein Treffen mit Sila Fall arrangiert, einer großen, sich außergewöhnlich aufrecht haltenden jungen Frau aus Dakar. Ihre Haare waren zu Zöpfen geflochten, und sie kam ganz in Weiß gekleidet, nur um ihren Hals lag ein blaues Tuch. Sie war die UNICEF-Kontaktperson für diese Gegend. Sie fuhr mit uns in ein Dorf, das eher wie ein Camp aussah. Aber die Leute hier waren gesund. UNICEF leitete eine neue Brunnengrabung. Man lud uns ein, uns zu setzen und uns eine Art Theaterstück auf Kikamba anzusehen. Ich verstand die Handlung nur grob. Ein Mann war krank; er war der Patient. Dann kam ein anderer Mann, der Heiler. Sie sprachen miteinander – die uralten Bande. Sie tanzten.

Wir liefen hinter Sila Fall her, die sehr schnell ging. Sie zeigte uns alle Fortschritte, die UNICEF hier auf den Weg gebracht hatte – weniger mit Stolz, als vielmehr mit Ruhelosigkeit, als wollte sie sagen: Immerhin haben wir das geschafft. Die Klinik. Die Schule. »2000 sah es hier noch anders aus«, erzählte sie. »Was uns 2000 nicht aus einem Armeelastwagen zugeworfen wurde, hatten wir einfach nicht. Wir lagen im Sterben.«

»Hier wohnt die Frau«, sagte sie mit ausgestrecktem Zeigefinger, blieb aber nicht stehen. »Angeblich ist sie heute bei ihrer Schwester.« Sekunden später blieben wir vor der nächsten, identisch aussehenden Hütte stehen. Ich bemerkte, dass Marcs Aufregung sich als Hibbeligkeit äußerte, ständig verlagerte er das Gewicht von einem Fuß auf den anderen und machte kleine Räuspergeräusche. Aus dem schattigen Inneren der Hütte löste sich eine Frau mittleren Alters. Sie trug einen langen Rock und ein T-Shirt. Sila Fall sagte auf Kikamba etwas zu ihr, sie antwortete auf Kikamba, dann sagte Sila Fall auf Englisch zu Marc: »Sie ... heißt Sie willkommen, sie ... weiß, wer Sie sind und wird Ihnen den Ort zeigen, über den Sie etwas wissen wollen.« Das also war Kakenya Wamboi, »die Veteranin«, wie Marc sie in seinen E-Mails bezeichnet hatte.

Es ist bekannt, dass sich im Frühjahr 2000, als die Dürre in der Region ihr schlimmstes Ausmaß erreicht hatte, Affen und Menschen über zwei Stunden hinweg eine offene Feldschlacht um drei soeben eingetroffene Wassertanker lieferten. Während wir zu viert die engen Außenbezirke des Dorfes über eine brütend heiße Straße knapp zweihundert Meter weit hinter uns ließen, beantwortete Kakenya Wamboi, die dieses Ereignis miterlebt hatte, durch den Mund von Sila Fall Marcs extrem präzise, vorbereitet wirkende Fragen und schilderte Marc und mir den Ablauf des Kampfes. Wie die Menschen herangestürzt waren, um Wasser von den Tankern abzuzapfen, wie dann aber innerhalb von Sekunden eine ganze Affenhorde auftauchte und entlang der Seiten der Lastwagen Aufstellung bezog. Weitere Tiere kamen über die Straße. »Sie bissen uns und schlugen mit den Pfoten nach uns. Vom Dach eines Lasters bewarfen sie uns mit Steinen. Mein mittlerweile verstorbener Mann hatte bis zu seinem Tod eine Narbe auf der Stirn, an der Stelle, wo einer der Steine ihm den Schädel gebrochen hat. Man weiß ja gar nicht, wie viel Kraft die haben! Sie haben zehn Leute getroffen. Blöderweise sind wir alle weggelaufen. Die Männer gingen mit Äxten zurück. Die Affen tranken das Wasser weg. Mein Mann sagte, dass sie wussten, wie die Hähne funktionierten. Die Fahrer saßen noch in den Lastern. Sie hatten Angst. Die Männer gingen mit den Äxten auf die Affen los, mussten aber erst acht von ihnen töten, bevor der Rest sich davonmachte. Die Fahrer weigerten sich, über Nacht im Dorf zu bleiben wie sonst immer, weswegen wir in größter Eile das Wasser abzapfen mussten; sie fuhren wieder los, als wir noch nicht fertig waren. In der Hektik füllten wir einiges in verschmutzte Kanister, die Affen hatten schon ein Drittel weggetrunken. Die meisten Opfer der damaligen Hungersnot starben in diesem Frühjahr, und mein Mann hat immer gesagt, die Affen haben sie auf dem Gewissen, die Affen haben diese Schlacht gewonnen.«

Sie machte eine Geste, die, glaube ich, einen im Siegesrausch die Axt schwingenden Affen darstellen sollte.

Irgendwann unterbrach Sila Fall sie und sagte, wir müssten uns auf den Weg machen, weil wir, um zu dem anderen Ort zu kommen, den Marc sehen wollte, noch zwei Stunden Fahrt vor uns hätten, auf einer Straße, auf der wir uns nach Einbruch der Dunkelheit besser nicht mehr aufhalten sollten; sie führe entlang der Grenze zu Somalia – sie machte eine Maschinengewehr-Geste –, wir müssten uns jetzt verabschieden. Ob Marc noch weitere Fragen habe?

»Was für Rufe stießen sie während des Angriffs aus? Was für Geräusche haben sie gemacht? Überhaupt welche?«

Laut Kakenya Wamboi hatten sie die gesamte Zeit über geschnattert. Nicht gebrüllt. Eher gesprochen. Dann sagte sie noch etwas. Sila Fall übersetzte: »Sie freut sich, Sie getroffen und Ihnen geholfen zu haben. Sie sehen sicher, dass sie sehr arm ist, sehen Sie ihr Haus, sie weiß, dass Sie gute Menschen sind und hofft, dass auch Sie ihr helfen.« Immerhin: Marc sah mich an, und ich kramte ein paar zerknüllte Scheine aus meiner Tasche.

Da Sie Marc Livengood jetzt schon ein bisschen kennen, ahnen sie sicher, was sein anhaltendes Schweigen während der Autofahrt mit Sila Fall zu bedeuten hatte. Der Mann wälzte schwere Gedanken. Sila Fall fuhr und erzählte, vor allem über die Jahre, die sie in den USA verbracht hatte. Ich hätte sie wahnsinnig gern gefragt, ob sie wusste, warum Livengood hier war und wovon er ausging, konnte ihr diese Fragen aber nicht in Marcs Anwesenheit stellen. Und ein Weg, die beiden zu trennen, fiel mir nicht ein. Schließlich fuhr der Van von der Piste ab und wurde langsamer, durch den Sitz hindurch konnte man spüren, wie die Reifen plötzlich auf sandigen Untergrund stießen. Wir stiegen aus und liefen los. Ich fragte Sila Fall: »Sind Sie schon mal an dieser Stelle gewesen?«

Sie nickte. »Ich bin hier aufgewachsen.«

Zwanzig Minuten lang liefen wir durch eine Kluft in einer niedrigen Sandsteinformation. Wir kamen zu einer Vertiefung in der Erde, die die Form einer auf dem Kopf stehenden Garnrolle hatte und das Überbleibsel eines Sinklochs gewesen sein muss. An ihrem Grund war Wasser. »Gutes Wasser«, sagte Sila Fall. Am Rand der Vertiefung gab es eine Stelle, wo man gut hineinrutschen und hinunterklettern konnte. »Diese Stelle gab es 2000 noch nicht«, sagte Sila Fall, »aber wenn es wirklich so trocken war, wie man erzählt, dann war unten nur noch eine Pfütze. Wahrscheinlich das einzige Wasser im Umkreis von Kilometern.«

Ende Februar 2000 rutschte ein Hirte namens Ali Adam Hussein zu dieser Pfütze hinunter, höchstwahrscheinlich nicht, um seinen eigenen Durst zu löschen, sondern um ein wenig

Wasser für seine Kühe heraufzuholen. Als er von unten hoch-schaute, sah er mehrere Affen, die von oben zu ihm hinunter blickten. Vermutlich versuchte er, an seine Waffe zu kommen. Darauf hoben die Affen Steine auf und schleuderten sie di-rekt auf seinen Kopf. Er starb Stunden später an dem, was eine Krankenschwester in Mandera, wo er hergekommen war, schlicht als »schwere Kopfverletzungen« beschrieb.

Marc fragte Sila Fall nicht um Erlaubnis, bevor er selbst in das tiefe, natürliche Wasserloch hinabrutschte. Sila und ich sahen ihm irgendwie überrumpelt zu. Es wirkte, als folge er einem plötzlichen Impuls. Unten angekommen, tat er allerdings sofort so, als habe er absichtsvoll gehandelt. Mit ausgestellter Hüfte stand er da, sein Pferdeschwanz ragte hinten aus sei-ner khakifarbenen Centerbrook-University-Kappe, und durch seinen Bart grinste er mich an. »Sagen Sie mir, was Sie den-ken«, rief ich zu ihm hinunter.

»Ich stehe jetzt da, wo er stand, John.« Marc Livengood ist jemand, der am Ende eines Satzes gern den Namen dessen sagt, mit dem er redet.

»Und das heißt was?«, fragte ich. (Nichts davon war ernst-haft als Frage gemeint; es gefiel ihm einfach manchmal, mich dazu zu nötigen, ihm alles Stück für Stück aus der Nase zu zie-hen, und ich hatte mich bereits daran gewöhnt.)

»Was das heißt? Es heißt, dass ich da stehe, wo das Erste Opfer stand.« Das sagte er so, dass ich heute das Gefühl habe, beide Wörter großschreiben zu müssen. »Es heißt, dass wir alle drei am Ort eines in den Annalen der Naturwissenschaft noch unbekannten und gänzlich unerforschten Ereignisses ste-hen. Sie haben heute dasselbe gehört wie ich. Sagen Sie mir doch, was das alles heißt.« Dann machte er vierzig Minuten lang Fotos.

Endlich in der Lage, mich irgendwie normal mit Sila Fall zu unterhalten, fragte ich sie: »Wissen Sie, warum er hier ist?«

»Er ist Wissenschaftler«, sagte sie.

»Ich meine, ganz konkret? Sie wissen's nicht? Er glaubt, dass sich die Tiere gegen uns erheben, dass wir demnächst einen Krieg zwischen Tieren und Menschen erleben werden, der hier beginnen wird. Der hier vielleicht schon begonnen hat.«

»Glauben Sie das auch?«, fragte sie.

»Ich glaube nicht«, sagte ich. Ich wusste nicht, wie ich ihr vermitteln sollte, dass sie mir gegenüber nicht diplomatisch sein musste. Sie war hier in ihrer beruflichen Funktion. Das war ich irgendwie auch, wenn auch auf etwas deformierte Art. Es war also wirklich dumm von mir, sie derart zu behelligen. Aber ich hatte mir seit unserer Ankunft am Flughafen von Nairobi nonstop Marcs Gerede anhören müssen, und sie machte einen ausgeglichenen, geerdeten Eindruck auf mich.

»Die meisten Leute würden ihn wahrscheinlich für verrückt halten«, sagte ich.

Sila Fall zuckte mit den Schultern. »Möglich.«

»Dass er verrückt ist oder dass es bald einen Krieg Mensch gegen Tier geben wird?«

Wieder zuckte sie mit den Schultern.

An dieser Stelle stößt diese Geschichte auf ein Hindernis, denn kurz nach unserer Rückkehr in den Staaten wurde Marc Livengood in Centerbrook gefeuert. Weder er noch irgendjemand an der Uni will darüber sprechen, man hört immer nur, dass er klagt. Von einer Person in der Stadt, die anonym bleiben soll, habe ich erfahren, dass er jetzt in Dayton bei seinem Vater wohnt, einem pensionierten Ingenieur. Zumindest wohnte er vor zwei Monaten noch da. Als er mich ein einziges Mal zurückrief und ich ihn fragen konnte, was eigentlich vorgefallen war, antwortete er in fast überheblichem Ton: »John, wenn das alles rauskommt, dann werden Sie ... Sagen wir einfach, dass Marc Livengood nicht derjenige ist, der sich hier blamiert hat. Okay?« Eine nähere Erklärung verweigerte er und legte mit angewidertem Tonfall nach vielleicht dreißig Sekunden auf. Ein Typ vom Rechenzentrum der Uni, den ich in meiner Verzweiflung aufs Geratewohl angerufen hatte, erzählte mir, er habe seinen Chef am Telefon darüber sprechen hören. Es habe »was mit Computern zu tun«.

Ich muss wohl nicht extra erwähnen, dass ich es nach Livengoods Abtauchen reizvoll fand, die Geschichte voranzutreiben. Aus dem Feld habe ich niemanden sonst dazu bringen können, sich über ihn zu äußern; es war wohl nie mehr als ein Internet-Ding gewesen. Sogar seine Unikollegen glaubten, dass er, so formulierte es der Dekan mir gegenüber, in »eine Art kuratorisches Projekt« verstrickt war. Ein in Birmingham, Alabama, publiziertes Magazin namens *Varmint Masters* hatte einmal ein kurzes Porträt über ihn gedruckt. Ich kann Sie nur zum wiederholten Male auffordern, das gern nachzurecherchieren. Das Magazin gibt es wirklich. Und seine Herausgeber haben die Bedeutung des Wortes *varmint* (Schädlinge eher mittelgroßen Formats wie Mäuse und Ratten) radikal neu definiert. Sie jagen wild gewordene Elche und so was. Hin und wieder hat ein Land, sagen wir mal Australien, ein Problem mit einer außer Kontrolle geratenen Population einer invasiven Art – in einem Fall waren es mal Kamele. Dann kommen die Varmint Masters, die Gebieter der Schädlinge, aus den entlegensten Winkeln der Welt mit ihren bunkerbrechenden Knarren etc. angereist. Bis jetzt ist es mir nicht gelungen, ein Exemplar der Livengood-Ausgabe aufzutreiben, ich finde sie noch nicht mal auf eBay, und zu den Herausgebern in Birmingham lässt sich kein Kontakt herstellen. Ist es möglich, dass sich Livengood einer Subpopulation von Männern zugehörig fühlte, die daran arbeiten, erfahrene Jäger von im Normalfall gar nicht bejagten Tieren zu werden? Plötzlich hatte ich niemanden mehr, der mir diese und andere Fragen beantworten konnte. Ich stieß auf einen Meeresbiologen von einer Ostküsten-Uni – er bat mich, weder seinen noch den Namen des Colleges zu nennen –, der sich an Livengood von einer Konferenz erinnerte. Er erzählte mir: »Einiges von dem, worüber er gesprochen hat, fand ich sogar einigermaßen interessant. Aber damals ging es ihm auch noch nicht um mehr als um ein paar Verhaltensmuster von Raubtieren und ernährungstechnische Störungen. Aber das, was Sie mir da erzählen, hört sich so an, als hätte er eine Art Zusammenbruch gehabt.«

Ich wiederum hatte durch Livengood davon erfahren. Wir alle sollten durch ihn davon erfahren. Vielleicht kommt das ja noch. Aber das wäre in der Zukunft, und die ist, so viel sollte mittlerweile deutlich geworden sein, ein viel zu unübersichtliches Terrain, um sich ohne feste, leitende Hand darauf vorzuwagen. Ich begreife diesen Aufsatz, diese Bruchstücke des von Livengood zusammengetragenen Materials, diesen Schatten einer Annäherung an die Kühnheit seines Denkens über diese Themen, als ein Testament. Jedes Mal, wenn in den Nachrichten mal wieder eine Tiergeschichte kommt, muss ich an ihn denken. Eine Katze in einem Pflegeheim in Rhode Island, die vorhersagen kann, welche Patienten als Nächstes sterben werden, und so lange an deren Betten sitzen bleibt? Seien Sie versichert: Marc Livengood hat so seine Gedanken dazu.

Die Anhänglichkeit von Haustieren war sogar ein wiederkehrendes Thema seines Monologs an unserem letzten gemeinsamen Abend in Nairobi. Welche Phase in der äonenlangen Lerngeschichte einer Art würde sich genetisch durchsetzen? Was wäre zum Beispiel, wenn Hunde von Wölfen vor die Wahl gestellt würden? Würden sie sich gegen den Menschen wenden oder ihn verteidigen? Wir gegen sie – darauf läuft es wohl hinaus.

Wir saßen an diesem Abend an einem ungemütlich winzigen Tischchen in einem Freiluftlokal ungefähr eine Meile vom Flughafen weg. Er redete. Ich hielt mein Glas mit der linken Hand, meine rechte Schreibhand flog nur so über das Papier. Er sprach davon, wie es laufen würde, wie es wirklich anfangen würde, wobei er sich nach jedem dritten oder vierten Satz unterbrach, die Hände in einer »Stopp!«-Geste hochhielt und sagte: »Ist natürlich reine Spekulation. Nichts als Spekulation!«

Er skizzierte eines der unheimlichsten Weltuntergangsszenarien, von denen ich je gehört habe: Das Leben auf einem heimtückisch gewordenen Planeten. Ein rasant heraufziehendes Zeitalter der Unsicherheit und des Terrors, Wellen von immer massiver werdenden Angriffen aus der gesamten Biosphäre, Kreaturen, die aus den Tiefen der Ozeane emporsteigen und die Schifffahrt lahmlegen, kommandiert womöglich vom Ultraschall der Delfine. Wälder, die kein Ort zum Zelten mehr sind. Rudel von Wildkatzen, Hirschen und Elchen. Schon mal gesehen, wie Wanderer von Elchen zertrampelt werden? Es ist, als sähe man zu, wie Blechdosen von einem Dosenpresser zerquetscht werden.

Am Anfang werden sich alle noch an die Hoffnung klammern, dass es nur eine Phase ist, und diverse Beruhigungstheorien in Umlauf bringen: Dass es mit den Sonnenflecken zu tun hat oder mit dem Magnetismus des Erdkerns – jede Woche eine andere Erklärung, aber immer eine, die in Aussicht stellt, man werde »die Macht bald wieder in den Händen halten«, wie Livengood es gern formulierte.

»Sie müssen verstehen«, sagte er mir, »dass es sich hier um normale biologische Systeme handelt, die tun, was sie tun sollen. Für die Tiere sind wir eine Bedrohung. Sie reagieren nur so, wie sie von der Natur programmiert sind. In diesem Sinne ist nichts Revolutionäres an dem, was ich behaupte. Man könnte sogar sagen, dass es an meiner Arbeit nichts Neues gibt. Richtig interessant wird es erst, wenn man sich vor Augen führt, dass wir eine andere Art der Bedrohung darstellen. Wir stellen die Tiere vor die Aussicht auf die mehr oder weniger totale globale Herrschaft einer einzigen Art. Die niedrigeren Tierordnungen haben so etwas seit den Dinosauriern nicht mehr erlebt. Und behalten Sie immer im Hinterkopf, dass es auch damals eine Periode beschleunigter Evolution gab. Wir behaupten immer, dass zuerst die Dinosaurier ausstarben und dann erst die Säugetiere auftraten. Warum nicht wenigstens mal den Gedanken durchspielen, dass die Säugetiere eine aktive Rolle gehabt haben könnten?«

»Sie meinen, sie haben die Macht ergriffen?«

»Ähem ...«, machte er. »Absicht zu unterstellen, ist im Rahmen der natürlichen Selektion schwierig.«

Wir schwiegen für einen Moment und nippten an unserem Tee.

»Und bedenken Sie«, fuhr Marc fort, »dass zum jetzigen Zeitpunkt ungefähr vierzig Delfine im offenen Meer leben, die aus Programmen der Marine entflohen sind. Wir haben keine Ahnung, wozu man sie ausgebildet hat. Sprengstoff zu transportieren? Taucher zu töten? Ich rechne damit, dass sie schon in den nächsten Jahren in einer Führungsrolle in Erscheinung treten werden. An Land die Schimpansen, im Meer die Delfine. Wir können davon ausgehen, dass sie derzeit an einem für beide Seiten verständlichen Zeichensystem arbeiten, höchstwahrscheinlich an der westafrikanischen Küste.«

Über diese Geschichte mit der Kooperation zwischen Tierarten, die ich immer für pure Science-Fiction gehalten habe, was ich bis zu einem gewissen Grad auch heute noch tue, wollte ich mehr wissen.

»Kennen Sie *Gegenseitige Hilfe* von Kropotkin?« Als ich ihn groß anschaute, ergänzte er: »Lesen Sie's. Das Buch ist seit wahrscheinlich hundert Jahren vergriffen, aber Sie sollten es trotzdem lesen. Kropotkin hat Hunderte von Situationen dokumentiert, bei denen nicht verwandte Arten sich gegenseitig geholfen haben. Kropotkins Befund lautete, dass zwei oder mehr Arten, die derselben Bedrohung ausgesetzt sind, eine gemeinsame Verteidigungsstrategie ergreifen. Die einzige offene Frage betrifft das Procedere.«

»Wie kann man sich die Welt der Zukunft vorstellen?«, stellte ich die Frage, die mich beschäftigte.

»Nicht wiederzuerkennen«, sagte er. »Menschen, die in Trupps unterwegs sind. Entvölkerung. Wir wissen nicht, wie weit dieser Wandel im Bewusstsein der Tiere auf der evolutionären Stufenleiter hinunter reichen wird. Wir wissen nicht, welche Arten er erfassen wird, und zwar aus dem einfachen Grund, dass wir nicht wissen, welche Tiere überhaupt über Bewusstsein verfügen. Werden die Nagetiere beteiligt sein? Die Reptilien? Die Insekten? An diesem Punkt sind wir bei Mutmaßungen auf Stammtischniveau.«

Ich fragte ihn, welches Tier ihm die meisten Sorgen bereite.

»Schwierig«, antwortete er. »Ich glaube, die Delfine. Allerdings nicht wegen ihrer Tödlichkeit – obwohl genau die ständig unterschätzt wird –, sondern weil ich glaube, dass sie von allen Tierarten am besten verstehen, welchen Schaden wir dem Planeten zugefügt haben. Sie begreifen, wie unermesslich er ist. Die anderen Tiere reagieren auf plötzliche Hormonausschüttungen oder kleine Auslöser von Instinktverhalten. Delfine sind meines Erachtens jedoch in der Lage zu hassen, und ihr Hass auf uns ist bodenlos. Wenn wir vom furchterregendsten Landtier sprechen, sollten wir den Bären ganz oben auf die Liste setzen. Oder vielmehr die Kombination aus Schimpansen plus Bären, die eine Master-Blaster-Machtdynamik entwickeln kann. Meine Güte, können Bären einem Schmerzen zufügen, wenn ihnen danach ist. Man benötigt im Normalfall zehn Schüsse, um einen zur Strecke zu bringen. Wenn es erst mal so weit ist, werden wir natürlich mit Panzerfäusten und Ähnlichem auf sie schießen. Jagdvorschriften wird es keine mehr geben. Es wird nicht viel anders sein, als eine Menschenarmee zu bekämpfen. Vor den Bären habe ich Angst. Sie wissen definitiv, wie sie in Häuser und Autos kommen. Wenn erst mal die gesamte Gattung Amok läuft ... Scheiße, Mann!«, sagte er mit einem plötzlichen, benommenen Lächeln. »Wenn ich weiter meinen Beruf ausüben will, sollte ich mich nicht mit diesem Zeug beschäftigen.«

Er rückte seine Brille zurecht und sah sich um.

»Denken Sie doch noch mal anders darüber nach«, sagte er dann. »Im frühen 18. Jahrhundert lebten in Nordamerika viele versklavte Schwarze und Indianer, gegen die man Krieg führte. Dazu die ganzen unglücklichen, armen weißen Bediensteten. Zusammengerechnet stellten diese Gruppen die überwältigende Mehrheit der Bevölkerung. Wäre ihnen ihre missliche Lage tatsächlich bewusst geworden, will sagen, die Gemeinsamkeit ihrer misslichen Lage, und hätten sie das Programm der herrschenden kolonialen Klasse als die Ursache identifiziert, dann wäre unser Kontinent heutzutage nicht mehrheitlich europäisch geprägt, was die Gene angeht.«

»In genau dieser Situation nehmen sich heute die Tiere wahr«, sagte er, »und ich glaube nicht, dass sie mit dieser Erkenntnis leichtfertig umgehen werden.«

»Sie würden also sagen, dass Bären letztendlich unheimlicher sind als Delfine?«, fragte ich.

»Wollen Sie das Allerunheimlichste hören?«, fragte er. »Am Allerunheimlichsten sind nicht die uns bekannten Tiere, sondern die, von denen wir nichts wissen. Haben Sie schon mal Statistiken über die geschätzte Zahl unbekannter Arten weltweit gesehen? Wir kennen noch nicht mal die Hälfte von all dem Gekreuch, das auf diesem Planeten lebt, John. Ich will nur sagen, was unten am Meeresgrund, ganz unten im Marianengraben ... Das ist ein unentdeckter Planet, was die Arten angeht, die da unten leben. Wer weiß schon, wie groß die Tiere dort sind und über welche Fähigkeiten sie verfügen? Die Tiere selbst wissen es vielleicht. Sie wissen vielleicht, was da unten ist, und sie wissen vielleicht auch, wie man damit kommuniziert.«

»Haben Sie sich schon mal den Bloop angehört?«, fragte er. »Sollten Sie mal recherchieren, im Internet.« Ihm war die Lust vergangen, mir alles erklären zu müssen. Er sah sich wegen der Rechnung um.

Wieder zu Hause, habe ich den Bloop recherchiert. Vor sechs Jahren zeichnete eines der zur Ortung von sowjetischen U-Booten tief in den Ozean gehängten Überwachungsmikrofone der U.S. Navy das Geräusch von etwas Lebendem auf. Der Stimmausdruck lässt keinen anderen Schluss zu, als dass es von einem Organismus ausgestoßen wurde. Allerdings müsste ein Wesen, das ein Geräusch dieser Größenordnung produziert, deutlich größer sein als jedes uns bekannte Tier. Die Spur, die es auf dem Seismografen hinterließ, hätte auch von einer kleineren unterseeischen Plattenverschiebung stammen können. Zwei im Abstand von dreitausend Meilen aufgestellte Mikrofone haben es aufgezeichnet, beide. Sie sollten es mal recherchieren.

Fürchtet euch! Das ist es, was Marc Livengood mich gelehrt hat. Was er uns alle lehrt. Sollte ich meinem Auftrag irgendwie gerecht geworden sein, dann deswegen, weil ich mich mit einem Tropfen destillierten Realismus verabschiede: Sie wollen wissen, wovor Sie in den nächsten fünfzig Jahren Angst haben müssen? Vor allem, das kreucht und fleucht, meine Freunde. Vor allem, was sich bewegt. Denn es hasst uns. »Warum hassen sie uns?« Erinnern Sie sich? Wie idyllisch es bereits klingt, wenn man daran zurückdenkt, wie wir Menschen uns diese Frage vor gar nicht allzu langer Zeit gegenseitig gestellt haben! Und trotzdem sind die Antworten vielleicht dieselben; vielleicht können wir die Lehre aus der einen Situation auf die andere übertragen. Sie hassen uns, weil sie nicht wie wir sein können. Weil sie nicht unsere Daumen haben, unsere Hirne, unsere Musik, unser schönes, herabfließendes Haar. Weil sie das alles nie haben werden, nie haben werden, nie haben werden. Natürlich kann ich für den Moment noch sagen, wie leid mir das tut. Aber in dem Moment, diesem Moment, in dem ich mit meinem Feuermacher explosive Leuchtspurmunition verschieße, einfach nur Metall direkt in die Gesichter einer

Schar kreischender Riesenadler ballere, die sich meine Tochter holen wollen und meine Katzen, die mich niemals hintergehen würden, niemals (vielleicht haben sie mich aber auch verraten, sind durchgedreht und zerkratzen mir jetzt gerade den Rücken, während ich zu zielen versuche) – in diesem Moment, werde ich da denken: »Ach, es tut mir so leid, ich wäre froh, wenn wir euch nicht derart mitgespielt hätten?« Nie im Leben.

Wir haben ihnen so viel gegeben. Und das ärgert mich. Was haben sie denn vor uns gehabt? Was haben sie denn gemacht? Wir haben ihnen Jobs gegeben, wir haben sie ins Fernsehen gebracht, wir haben mit ihnen ihre Verluste beweint. Und ihnen scheint nichts anderes einzufallen, als alles mit Zähnen und Klauen zurückzuzahlen. Ich glaube nicht, dass wir sie brauchen. Alles, was wir brauchen, können wir auch aus Mais herstellen.

Es ist jetzt nicht so, dass ich gar keine Hoffnung mehr habe. Falls Sie und ich in einem halben Jahrhundert noch da sein sollten, hoffe ich, dass wir das Ende dieses Krieges feiern können. Ich hoffe, dass wir mit überbordender Begeisterung wieder und wieder, bis unsere Urenkel es nicht mehr hören können, die Geschichte vom Tag des Abkommens erzählen werden, als wir wussten, dass es vorbei war. Es ist die Geschichte der kleinen Bindi, jetzt eine Frau, wie sie in ihrer immer noch etwas *Mad Max*-mäßigen, welpenhaften Schönheit, den Wind im Gesicht, zwischen weißen Fahnen durch die Wellen zum Treffen mit dem Anführer der Delfine geleitet wird, wo beide in munterer Quietschlautsprache eine Politik der Entspannung aushandeln, in einer Sprache, die Steve ihr gerade beigebracht hatte, als er aufgespießt wurde. Wir versprechen, dass wir ab jetzt in größerer Harmonie mit Gaia leben werden.

Aber ich bin mir nicht sicher, ob wir jemals wieder sagen können, dass die Welt *uns* gehört, ob wir uns hier jemals wieder richtig zu Hause fühlen werden. Was das Beste sein könnte. Mutig zu sein heißt letztendlich, sich in jeder Situation zu sagen: Ich werde mich so verhalten, dass ich es selbst ehrenhaft finde, egal, was für ein Risiko ich damit eingehe und was finstere Mächte dazu zu sagen haben. Mit dieser Haltung wird man am Ende nur von einem Nashorn vergewaltigt.

Die Botschaft zum Mitnehmen? Lassen Sie uns proaktiv an die Sache herangehen. Als Erstes gleich die *Varmint Masters* abonnieren. Wir haben jetzt seit mehr als zehntausend Jahren sesshafte Landwirtschaft betrieben. Und was ist dabei rausgekommen? Ein vergifteter Planet und eine Rotte stinksaurer, zurückgebliebener Wesen mit Reißern und Klauen, mit Stoßzähnen, Tentakeln, einziehbaren Giftpfeilen, Spuckgiften und so starken Nasen, dass damit Panzer angehoben werden können. Und was haben wir? Mit was ziehen wir in diesen Kampf? Mit opponierbaren Daumen. Das ist ziemlich schlapp, tut mir leid. Aber wisst ihr was? Wisst ihr was, ihr *animales*? Wir haben etwas gemacht mit diesen Daumen. Wir haben Waffen gebaut. Und mit denen werden wir auf euch schießen.

Große Teile dieses Textes habe ich mir ausgedacht. Das wollte ich eigentlich nicht verraten, aber die Redakteure zwingen mich dazu. Es gab wohl in der Vergangenheit diverse Skandale wegen erfundener Geschichten. Außerdem wollen sie sich von mir distanzieren. Also gut.

Ich habe mir Marc Livengood ausgedacht. Ich habe mir die Reise nach Nairobi ausgedacht. Aber die beiden Vorfälle in Kenia, die Schlacht zwischen Affen und Menschen und den Mord, die habe ich mir nicht ausgedacht. Ich habe nicht eine der die Tiere betreffenden Tatsachen oder Geschichten erfunden, keinen der Vorfälle. Es gibt sogar einen echten Typen im Internet, den ich anstelle des ausgedachten Marc hätte nehmen können, aber mit dem wurde es unschön, denn er wollte Geld – außerdem schien er ein Spinner zu sein.

Anmerkung der Redaktion: Gay Bradshaw, Christina Holzapfel und alle Mitarbeiter am Institute for the Future und am Future of Humanity Institute der Universität Oxford sind seriöse Wissenschaftlerinnen und Forscher, die mit dieser Geschichte nichts zu tun haben und sich zu keinem Zeitpunkt mit dem Autor über tierische Gewalttätigkeit unterhalten, geschweige denn eine seiner Thesen bestätigt haben. Was sie vermutlich auch nicht tun würden.

Anmerkung des Autors: Seit der Erstveröffentlichung dieses Textes hat man einen pinkfarbenen Tausendfüßler entdeckt, der Zyanidwolken aus seinem Körper verschießen kann. In einem Gehege in Indiana lebt ein Schimpanse, der mit seinem Besitzer richtige Unterhaltungen führt. Man hat Delfine beim Gebrauch von Werkzeugen beobachtet – bis jetzt haben sie damit nur gegraben. Ein beispielloser Aufstand von Komodowaranen in Indonesien hat zum Tod eines Fischers geführt. In der *New York Times* stand neulich, dass die Krankenhauseinweisungen aufgrund von Hundebissen zunehmen. Und es handelt sich nicht um eine leichte Zunahme, sondern um eine Steigerungsrate von über vierzig Prozent. Anne Elixhauser, die leitende Wissenschaftlerin am Staatlichen Institut für Qualitätssicherung im Gesundheitswesen, wird mit folgenden Worten zitiert: »Das ist in der Tat ziemlich beängstigend, aber wir haben leider keinerlei Erklärung dafür.«

LA·HWI·NE·SKI. AUS DEM LEBEN EINES
EXZENTRISCHEN NATURFORSCHERS

Für Guy Davenport

*Alle Geschichten über Amerika sind weiter nichts als Fragmente
oder Träume.*

Constantine Samuel Rafinesque

Der Bundesstaat Kentucky hat die Form eines Alligatorenkop-
fes. Der Staat Virginia sieht genauso aus, als ob Ersterer als
ausgewachsener Klon in zweiter Generation gen Westen ge-
wandert wäre. Was in gewisser Hinsicht auch stimmt. Beide
Staaten werden im Süden von derselben waagerechten Achse
begrenzt, eine Achse, die der Siedler William Byrd 1728 vermessen und festgelegt hat. Die Flüsse wiederum, die ihre je-
weilige Nordgrenze bilden, fließen exakt parallel von den Hängen der Appalachen herab. Es gibt da also eine Spiegelung.

Im Jahre 1818 näherte sich einer der wenigen Menschen,
die damals eine zumindest halbwegs stimmige Erklärung der
dafür in grauer Vorzeit verantwortlichen Vorgänge liefern
konnten, an Bord eines langen, überdachten Flachboots, das
er, den örtlichen Gepflogenheiten folgend, »Arche« nannte,
der Stadt Louisville in Kentucky. Es war Sommer. Entlang des
Alligatorenauges reiste er den Ohio hinab. Zehn ganze Jahre
hatte er den Namen seiner Mutter geführt, Schmaltz, denn
im britisch besetzten Sizilien gab man sich besser nicht allzu
schnell als Franzose zu erkennen. Als er jedoch auf seiner bo-

tanischen Expedition, finanziert mit einhundert einem Verleger in Pittsburgh als Vorschuss auf eine »Neue und Akkuratere Karte der Nebenflüsse des Ohio« abgerungenen Dollar (eine Karte, die er zwar tatsächlich zeichnete, die aber nie veröffentlicht wurde), Kentucky erreichte, hatte er wieder den Namen Constantine Rafinesque angenommen.

»Wer ist Rafinesque, und was für eine Persönlichkeit hat er?«, fragte einst John Jacob Astor. Angesichts der Komplexität einer Antwort wurde es selbst Rafinesque schwindelig. »Vielseitige Begabungen«, schrieb er, »sind in Amerika nichts Ungewöhnliches, aber jene, die ich an den Tag gelegt habe ..., würden die Grenze des Glaubwürdigen wohl überschreiten: Und doch ist es eine unwiderlegbare Tatsache, dass ich als Botaniker, Naturforscher, Geograph, Historiker, Dichter und Philosoph hervorgetreten bin, als Philologe, Ökonom, Philanthrop ...«

Die Flussarchen fuhren nur stromabwärts. Sobald sie ihr Ziel erreicht hatten, zerlegten ihre Besitzer sie und verkauften das Holz. Sie glichen schwimmenden Inseln und wurden oft zu Verbänden zusammengeschnürt (so war es auch auf Rafinesques Reise). In einem Dokument aus dem Jahr 1810 heißt es, dass sie die Form von »Parallelogrammen« hatten. Manche Archen waren über zwanzig Meter lang. Man wohnte in einer Kabine oder unter freiem Himmel an Deck, manchmal auch in einem Zelt, mit einer offenen Feuerstelle zum Kochen. Es gab Tiere. Für den nach Belieben jederzeit einzuschiebenden Landgang und die Rückkehr zur Arche nahm man sein eigenes kleines Boot, das, mit dem Dollbord vertäut, seitlich mitschwamm. Archen kamen bei langsamer Strömung langsam, bei schneller Strömung schnell voran. Bei sehr schneller Strömung zerschellten sie. Im Normalfall gab es nur drei Ruderer. Diese ausgesprochen amerikanische Art des Reisens genügte den Anforderungen im Binnenland länger als ein Jahrhundert, ist heutzutage aber in einem Ausmaß vergessen, dass man selbst ihre gröbsten Umrisse nur noch schwer rekonstruieren kann. Kein Twain hat sich ihrer angenommen. Rafinesque schätzte die Archen, weil er während ihres Dahintreibens botanisieren konnte. In diesen Momenten spürte er den seine Adern hinabpulsenden vegetativen Herzschlag des Kontinents. Die grüne Welt raunte ihm zu. In seinen kurz vor seinem Tod verfassten knappen, gehetzten, verletzten Memoiren teilt er uns klar und deutlich mit, was sie zu ihm sagte: »Du bist ein Eroberer.«

In gewisser Weise war die Neue Welt niemals neu. Ist Ihnen das noch nie aufgefallen? Ich meine nicht die indianischen Ureinwohner – das liegt ja auf der Hand. Nein, sogar aus Sicht der ersten Europäer war immer schon jemand da. Der erste Mensch, auf den der Konquistador Hernando de Soto in Florida traf, sprach Spanisch. War sogar Spanier! Und das Schiff der Pilgerväter, hatte es nicht eine Gruppe Indianer an Bord, die von einem London-Besuch zurück in ihre Heimat reisten?

Auch Rafinesque konnte, als er zum ersten Mal die Berge überquerte und damit berühmt wurde, bereits auf eine stattliche amerikanische Karriere zurückblicken, auf eine Art Prolog. Von 1802 bis 1805 war er kreuz und quer durch Neuengland gereist, er hatte Feldforschung betrieben, mit wissenschaftlichen Honoratioren gespeist und sich von Veteranen der Revolution, die ganz begierig darauf waren, über Pflanzen zu reden, in holpernden Wagen herumkutschieren lassen. Fast überall empfing man ihn als Wunderknaben – er war neunzehn Jahre alt und aufgrund der ausgeprägt selbstbewussten Frühreife seiner Jugendschriften weltweit zu Ansehen gelangt. Der ein oder andere noch berühmtere Naturforscher beäugte kritisch seinen »manischen« Entdeckerdrang. Man erzählte sich, dass Rafinesque das erste Unkraut, das er auf amerikanischem Boden gesichtet hatte – und das durchaus weit verbreitet war –, neu benennen und klassifizieren wollte. (Was stimmt.)

Benjamin Rush, einer der Unterzeichner der Unabhängigkeitserklärung und der erste große Arzt Amerikas, bot Rafinesque an, ihn in seiner Praxis in Ausbildung zu nehmen – Medizin und Botanik lagen damals noch näher beisammen. Rafinesque lehnte ab. Sein Schicksal war ihm bereits offenbart worden, und es wartete nicht in der Stadt auf ihn. Man muss sich vor Augen halten, in welcher Zeit wir uns befinden: Es waren die Jahre der Lewis-und-Clark-Expedition; Jeffersons Corps of Discovery erreichte die Westküste. Erst spätere Expeditionen würden den Süden erkunden, Louisiana und Arkansas, und sich in Richtung »der Appalachen wenden, dem unbekanntesten all unserer Gebirge, das zu erforschen ich lechze«, wie Rafinesque schrieb. Man stellte ihn Jefferson vor, und zwischen den beiden Männern entspann sich ein Briefwechsel. Die Erde, die Rafinesque für ein »gegliedertes Tier« hielt, das »im Weltall herumrollt«, hatte es so eingerichtet, dass er just in dem Moment vor Ort und in der richtigen Verfassung war, als ein schier endloser, taxonomisch gesehen unberührter Kontinent sich der Wissenschaft darbot. Mit Freuden, »*messr. le president*«, wolle er, der er doch äußerst und – er könne es leider nicht anders sagen – auf einzigartige Weise qualifiziert sei für diese Aufgabe, als offizieller Naturforscher des Corps dienen. Die Vierte Welt, wie Rafinesque die Neue Welt nannte, sei zwar vor langer Zeit entdeckt worden; aber jetzt würde man sie bekannt machen.

Entweder hat Jefferson diesen Brief nie bekommen – oder er hat ihn ignoriert. Für ihn war die Lewis-und-Clark-Expedition eine halbmilitärische Angelegenheit, und er wusste, dass »neun junge Männer aus Kentucky« einen exzentrischen französischen Universalgelehrten nicht würden ertragen können. Stattdessen schickte er Lewis nach Philadelphia und bezahlte für dessen Privatunterricht bei örtlichen Gelehrten. Rafinesque, der damals in der Stadt Vorlesungen hielt und sich erlaubt hatte, fest davon auszugehen, dass man ihn bald zur Teilnahme an der Mission einladen würde, muss gekocht haben vor Wut. Er sah zu, wie der Körper eines anderen Mannes in seine Zukunft schritt, seinen Augenblick auskostete. Was wir heute alles wüssten, hätten sie Rafinesque zum Pazifik geschickt! Allein sein glühendes Interesse an Indianersprachen – quasi beispiellos in seiner Zeit. Sogar unter den gegebenen Umständen schaffte er es noch, das Kriegsministerium im Alleingang dazu zu bewegen, an alle Indianerbeauftragten des Landes Vokabelfragebögen auszugeben, auf die bis heute mit großer Anerkennung verwiesen wird – von Linguisten, die nicht wissen, dass Rafinesque sie entwickelt hat.

Die Arbeit hätte ihn – was nicht weniger wichtig gewesen wäre – als Wissenschaftler geformt und diszipliniert. Endlich hätte er eine Aufgabe gehabt, die so groß gewesen wäre wie sein Selbstbewusstsein. Jeder Gelehrte in den großen Städten Europas und der Ostküste hätte auf seine Erkenntnisse über Flora, Fauna und Indianerstämme gewartet. Und über die Berge. Er wäre gezwungen gewesen, von Anfang an den kritischen Blick Dritter auf seine Befunde mitzudenken, sein radikal fortschrittliches System zur Klassifikation des Tier- und Pflanzenreichs, das er zu jener Zeit anzuwenden begann, entsprechend anzupassen und zu verfeinern – er war bereits dabei, sich Schritt für Schritt von dem »unfeinen« und willkürlichen Sexualsystem seines ehemaligen Lehrers und Vorbilds Linné zu lösen. Ihm wäre nichts anderes übrig geblieben, als äußerst methodisch vorzugehen, sich an das zu halten, was er vor Augen gehabt hätte – schon die schiere Masse der Proben hätte ihm dieses Verfahren diktiert.

Über Jeffersons ausbleibende Antwort ärgerte er sich maßlos, und 1805 segelte er unter Murren, man sei noch nicht für ihn bereit, nach Sizilien. So war es mit Rafinesque: Obwohl im Feld unantastbar, fachkundig wie kein Zweiter, konnte er nicht stillsitzen, war in seiner Ruhelosigkeit immer zu schnell beleidigt. Seine Karriere hatte hierzulande ja kaum begonnen. In den Wochen vor seiner Abreise bedauerten die Zeitungen unverblümt seine Entscheidung. Er reiste trotzdem ab, was ihm den Ruf einer gewissen Launenhaftigkeit einbrachte, der seine gesamte Biografie bis heute umweht.

Drei Tage nachdem sein Schiff den Anker gelichtet hatte, fing einer seiner Freunde in Philadelphia einen Brief von Jefferson ab. Man stelle eine neue Expedition zusammen, diesmal, um den Red River zu suchen. Sollte Rafinesque noch Interesse haben, würde man ihm einen Platz reservieren. Ein einmaliges Angebot, das Jefferson ausdrücklich auf Rafinesque zugeschnitten hatte. Der Präsident hatte sehr wohl erkannt, wem er da gegenüberstand, als die beiden sich begegnet waren. Jetzt mussten Rafinesques peinlich berührte Freunde Jeffersons Angebot mit der Nachricht von seiner übereilten Abreise beantworten. Die Expedition machte sich ein Jahr später auf den Weg, die Stelle des Naturforschers war mit einem Studenten besetzt worden.

Ich weiß nicht, ob Amerika Rafinesque diesen Verrat je verziehen hat, diese Glaubensschwäche. Mit »Amerika« meine ich das Land. Es hatte ihn gerufen. Er war dem Ruf nicht gefolgt. Wohin war er verschwunden?

Auf Sizilien heiratete er die blonde Josephine Vacarro. Sie bekamen einen Sohn und eine Tochter. Es heißt, er habe, ohne je einen einzigen Tropfen selbst zu probieren, einen hochgelobten Jahrgangsbranntwein produziert – so stark sein Abscheu vor Spirituosen, so instinktiv seine Kenntnis chemischer Reaktionen. Das einprägsamste Detail aus seinen sizilianischen Jahren versteckt sich in den Tagebüchern von William Swainson, einem englischen Naturforscher des frühen 19. Jahrhunderts, der sich einige Jahre mit italienischen Fischen beschäftigte und dabei Rafinesque besuchte. Swainson schreibt, Rafinesque sei oft zum Fischmarkt in der Nähe seines Hauses hinuntergegangen, wo die Fischer für ihn schon alles, das ihnen sonderbar vorkam, beiseitegelegt hatten. Auf diesem Weg entdeckte er viele neue Arten, eine sogar in Swainsons Anwesenheit. Obwohl Swainson inständig darum bat, den Fisch zu trocknen und aufzubewahren, nachdem er gezeichnet und benannt worden war, bestand Rafinesque darauf, ihn zu verspeisen. Rafinesque ließ es sich gut gehen. Er stieg in irgendeine Art Arzneimittelgeschäft ein und verdiente einen Haufen Geld. Er heuerte Sänftenträger an, die ihn durch die Hügel trugen, und verkündete lachend, auf Sizilien gingen nur Bettler zu Fuß. Während er herbarisierte, schliefen die Männer auf der Wiese. So gingen zehn Jahre ins Land.

Als Rafinesque schließlich nach Nordamerika zurückkehrte – was er natürlich tat, denn man kann dem Schicksal nicht entkommen, man kann es nur auf Umwege führen –, konnte sein Schiff nicht in den Hafen einlaufen. Man hatte Montauk angesteuert, aber Westwinde verhinderten die Landung. Man versuchte, nach Newport durchzustechen, aber der Wind drehte und blies das Schiff zurück nach Südwesten, weswegen man schließlich wieder auf New York zuhielt.

Zwischen Long Island und Fisher's Island verläuft quer über den Meeresgrund eine Reihe gigantischer Granitbrocken, die ein Gletscher vor zwanzigtausend Jahren in der Hudson Bay aufgenommen und zehntausend Jahre später als Endmoräne hier abgelegt hatte. Seeleute nennen diese Stelle bis heute »The Race« (»Die Rille«). Die Mondphase hatte gerade gewechselt. Wahrscheinlich lagen über dem größten Felsbrocken nicht mehr als fünf Fuß Wasser, und der Kiel riss ab. Es war zehn Uhr abends, Anfang November. Das Beiboot verhedderte sich in der Takelage und schien für einen Moment mit hinabgerissen zu werden, aber das Schiff selbst, das »von der Luft im Laderaum Auftrieb bekam«, sank nicht weiter. Die Passagiere im Beiboot schnitten sich los und ruderten zwei Stunden durch die Kälte auf einen Leuchtturm zu.

Mehrere Tage lief Rafinesque wie katatonisch durch die Gegend. Seine späteren Erinnerungen an das Ereignis machen einen verwirrten Eindruck – er schreibt, er sei zu Fuß »nach

New London in Connecticut« gelaufen, aber wir wissen, dass er dort an Land ging. Ein paar Männer ruderten sogar noch zurück, um die Fracht zu retten. Voller Hoffnung versammelten sich die Passagiere am Ufer. Als jedoch die Männer die Masten absägten, um das Schiff leichter bewegen zu können, brachten sie es aus dem Gleichgewicht. Es richtete sich auf und sank, »nachdem die im Laderaum gefangene Luft in einer Explosion entwichen war«. Rafinesque sah, wie sich all das zutrug, sah, wie das Schiff explodierte, sah seine Zukunft wortwörtlich in der Schwebe hängen, sah, wie das Schicksal als ein großer Meeresgott den Daumen nach unten richtete und seine gesamte Arbeit, sein Geld und seine Kleidung mit sich riss. Die Aufzählung der Verluste liest sich grauenvoll:

> »Ein großes Paket mit Medikamenten und Handelswaren, außerdem 50 Kisten, die mein Herbarium, meine Unterlagen und Sammlungen enthielten ... Meine Bibliothek. Ich hatte meine gesamten Manuskripte bei mir, darunter 2000 Mappen und Zeichnungen, 300 Kupferstiche etc. Meine Muschelsammlung war so groß, dass sie 600.000 große und kleine Einzelexemplare enthielt. Mein Herbarium war so groß ...«

Als Josephine von dem Schiffbruch hörte, ging sie vom Schlimmsten aus. Es ist in der Tat bemerkenswert, mit welch absolutem Glauben sie sofort vom Allerschlimmsten ausging. Bis die Nachricht, dass Rafinesque überlebt hatte, Sizilien erreichte, vergingen lediglich zwei Wochen, aber da hatte sie bereits einen Schauspieler geheiratet. Besser gesagt – laut den Akten – »einen Komödianten«. Der aus Rafinesques einziger Tochter Emilia eine Sängerin machte. Mit dem Geld der Versicherung schickte Rafinesque zwei Briggs, die *Indian Chief* und die *Intelligence*, um das Mädchen abzuholen, aber sie weigerte sich mitzufahren. Ihr Bruder Charles Linnaeus war bereits ein Jahr zuvor im Kindesalter gestorben. Rafinesque war allein.

Es existiert ein Brief, geschrieben und aufgegeben in den furchtbaren Tagen nach dem Schiffbruch und adressiert an einen Geschäftspartner im Apennin, in dem er berichtet, noch im Wegschwimmen von dem verfluchten Schiff neue Fisch- und Pflanzenarten entdeckt zu haben. Die erste seiner merkwürdigen, unnötigen Lügen. Zumindest was die Sache mit dem Wegschwimmen anbelangt. Eine neue Fischart hat er tatsächlich entdeckt, aber das geschah an dem Pier, an dem das Rettungsboot festmachte.

Um auszuloten, was all das mit seinem Geisteszustand anstellte, muss man nur die Veränderung seines Erscheinungsbildes beobachten. Auf dem Porträt, das als Frontispiz seiner *Analyse de la Nature* vorangestellt ist (veröffentlicht im Jahr 1815, dem Jahr des Schiffbruchs), sieht er zu einem faszinierenden Grad spitzmäusig aus: mit kleiner Nase und dünnem, entschlossenem Mund, die Haare in öligen Strähnen in die Stirn gekämmt. Er ist ein französischer Kobold mit, so erinnert man sich, »feinen, zierlichen Händen« und »kleinen Füßen«. Den Frauen fielen seine Wimpern auf.

Sehen wir ihn uns drei Jahre später wieder an, als er von der Arche geht. Er ist jetzt in Hendersonville, Kentucky, und sucht den Vogelzeichner John James Audubon. In Louisville hatte er sich nach dem berühmten Mann erkundigt und erfahren, Audubon sei weitergezogen, in den Wald, wo er einen Handelsposten eröffnet habe. Rafinesque wollte unbedingt Audubons neueste, noch nicht veröffentlichte, aber in Gelehrtenzirkeln bereits vom Hörensagen bekannte Tafeln der westlichen Vogelarten sehen. Er wusste, wie gerne Audubon lokale Flora in seine Bilder einfügte, und war sich sicher, hier noch unbekannte Pflanzenarten entdecken zu können, von denen nicht mal Audubon wusste.

Audubon ging gerade spazieren, als er bemerkte, dass die

Schiffer am Landungssteg etwas anstarrten. Und so sehen wir Rafinesque dann wieder, durch Audubons Augen, denen so wenig entging. Rafinesque trug

> »einen langen, weiten Mantel aus gelbem Nanking, der, noch schlimmer, mit der Zeit an vielen Stellen zerschlissen war und überall befleckt vom Saft der Pflanzen … [Er] hing wie ein Sack an ihm. Eine Weste aus demselben Stoff, mit riesigen Taschen und bis zum Kinn zugeknöpft, reichte bis über den Bund eines eng sitzenden Beinkleids … Sein Bart war so lang, wie meiner manchmal auf Wanderschaft wird, und sein dünnes, schwarzes Haar hing ihm lose über die Schultern. Seine Stirn … breit und vorstehend.«

Ihre Begegnung hatte das Zeug, zu einer entsetzlichen Anhäufung peinlicher Unbeholfenheiten in Zeitlupe zu werden, aber aus dieser Situation fanden die beiden lächelnd, gemeinsam und in allerbester Laune heraus. Unter dem Bündel getrockneter Pflanzen, das er sich auf den Rücken gebunden hatte, ging Rafinesque gebückt wie ein Hausierer. »Raschen Schrittes« trat er auf Audubon zu und fragte, wo Audubon zu finden sei, worauf Audubon antwortete: »Das bin ich.« Rafinesque führte einen kleinen Tanz auf und rieb sich die Hände. Er überreichte Audubon ein Empfehlungsschreiben von irgendeinem wissenschaftlichen Schwergewicht drüben im Osten, wahrscheinlich von John Torrey. Audubon las es und sagte: »Hm, kann ich den Fisch vielleicht einmal sehen?«

»Was für einen Fisch?«

»Hier steht, man werde mir einen merkwürdigen Fisch schicken.«

»Mir deucht, dieser Fisch bin ich!«

Audubon geriet ins Stottern. Rafinesque lachte nur. Danach haben sie sich nie gestritten. Audubon ist sogar die nachweislich einzige Person, die Rafinesque tatsächlich gemocht hat.

Beide mussten in einem Zeitalter der Hobby-Botanisierer mit ihrer Arbeit Geld verdienen; als Kinder waren beide von revolutionärer Gewalt gezwungen worden, ihre glückliche, französischsprachige Heimat zu verlassen (Rafinesque Marseilles, Audubon Haiti).

Audubon bot an, seine Bediensteten das Gepäck holen zu lassen, aber der Reisende hatte nur seinen »Packen Unkraut« bzw. – wie Audubon an anderer Stelle schrieb – »seine Gräser« dabei. Rafinesques weitere Habseligkeiten reisten in seinen rätselhaft großen Taschen, die vor allen Dingen ein in geöltes Leder gebundenes Notizbuch, Leinen zum Pflanzenpressen und einen weiten Regenschirm enthielten. Sämtliche Pferde, die ihm als Reittiere angeboten wurden, lehnte er ab, weil seiner Ansicht nach alle Botaniker zu Fuß gehen sollten, um der Erde nah zu bleiben.

Der Schiffbruch nahm ihm sein Arbeitsmaterial, seine Familie und die Aussicht auf Ansehen, aber er befreite ihn auch. Alles Verzichtbare – Anstand, Sauberkeit und der Anschein von Seriosität – trat in den Hintergrund. Erst nach dem Schiffbruch wurde er zum wahren Rafinesque. Was nicht heißt, dass er nun konzentrierter zu Werke gegangen wäre. Seine »fatale Tendenz zur Zerstreutheit« wurde traurigerweise sogar stärker. Einige setzen die acht Jahre in Kentucky in eins mit dem Beginn seines geistigen Verfalls. Und so war es auch: *Aber sein Genie wuchs*. Seine Genialität wurde mit der Vervielfachung seiner Fehler und Schwierigkeiten größer. Was an Rafinesque erstaunlich ist und immer erstaunlich bleiben wird: Er fand sich mit nichts ab.

Man bedenke: Den Großteil des Materials für sein Meisterwerk *Ichthyologia ohiensis*, dessen Wiederentdeckung die Rehabilitation von Rafinesques außerordentlichem Ruf zur Folge hatte, trug er im Hinterland von Kentucky zusammen. Trotzdem wurde auf derselben Reise auch die Saat für seine wissenschaftliche Schande gesät, denn damals sah Rafinesque zum ersten Mal die »Mounds«, die vom Regen geglätteten, von Hunderten Generationen indianischer Baumeister errichteten Erdhügel. »Sie lösten in mir die größte Verwunderung aus und veranlassten mich zu näherem Studium«, schreibt Rafinesque. Er notiert, wie schnell die »irdenen Überreste« dem Pflug zum Opfer fielen und dass sie schon »in Bälde ausgelöscht« sein würden. An einigen wenigen Orten in Kentucky, auf von Familien betriebenen Farmen, kann man die Erdhügel noch so sehen, wie Rafinesque sie sah: als geometrische, grasbewachsene Bodenskulpturen, halb auf dem Feld, halb im Wald. Er erklärte, es sei »höchste Zeit, diese Denkmäler exakt zu vermessen«, und machte sich an die Arbeit. Das dabei entstandene Buch, *The American Nations*, ist allerdings ein weitschweifiger, pseudowissenschaftlicher, wachsweicher Versuch einer von ihm erträumten Theorie zum Ursprung der neuweltlichen Gesellschaften, die, so behauptet er, in der Folge einer Reise von Ur-Kolonisatoren aus dem Mittelmeerraum, den »Atalanten«, entstanden seien. So geht es weiter und immer weiter, Abstammungslinien von Häuptlingen, Namen, Tausende von Jahren betreffende Daten, Informationen, die alles ändern würden, hätte Rafinesque tatsächlich über sie verfügt und wäre er nicht irgendwie dazu imstande gewesen, sich hinzusetzen und die Strapazen auf sich zu nehmen, das alles zu erfinden.

Mit der Farce nicht zufrieden, ließ er sich zur Fälschung herab und dachte sich eine komplette Migrationssaga für den Stamm der Lenape-Indianer aus. Er schrieb, er habe in Kentucky einige »erstaunlich geschnitzte« Stöcke erhalten, deren Einkerbungen ihn jahrelang beschäftigt hätten, bis es ihm schließlich gelungen sei, sie zu entschlüsseln. Die Stöcke selbst seien auf tragische Weise abhanden gekommen. Aber immerhin habe seine großartige Übersetzung überlebt. Aus dieser wurde dann das berühmte *Walam Olum*, mit dem sich der Arzneimittelmogul Eli Lilly sein gesamtes Erwachsenenleben hindurch obsessiv beschäftigte und das in manchen Nischen der akademischen Welt noch heute als echt angesehen wird, obwohl der Lenape-Experte David M. Oestreicher es 1994 definitiv als Fälschung entlarvte.

Im präkolumbischen Amerika gab es nur ein wirkliches Schriftsystem: die Maya-Schrift. Es fügt sich, dass Rafinesque heute als eine der »treibenden Kräfte« bei der letztendlichen Entschlüsselung der Maya-Schriftzeichen angesehen wird, was ihn zum einzigen Denker aller Zeiten macht, der sowohl die Geheimnisse einer alten Sprache erfolgreich aufgedeckt als auch mit fast gar krimineller Energie versucht hat, die Existenz einer anderen zu fingieren. Aber der schönen und verwirrend modernen Poesie, welche die von allen wissenschaftlichen Bürden befreiten Verse des *Walam Olum* auszeichnet, gebührt Ehre. Eigentlich ist das *Walam Olum* ein großartiges amerikanisches Gedicht des 20. Jahrhunderts, das zwischen 1820 und den frühen dreißiger Jahren des 19. Jahrhunderts verfasst wurde und mit großer Ernsthaftigkeit vorgibt, vom Anfang aller Zeiten zu stammen. Es ist keine Übersetzung, sondern eine Prophezeiung, die da einer, für den das Englische die Viert- oder Fünfsprache war, im Zustand teilweiser geistiger Umnachtung von sich gibt:

»Es friert war da, es schneit war da, es ist kalt war da.
Um milde Kälte und viel Wild zu haben, ziehen sie in die
nördliche Ebene, um Vieh zu jagen, ziehen sie dorthin.
Um stark zu sein und um reich zu sein, teilen sich die Ankommenden in Bauern und Jäger, in *Wikhi-chik* und
Elowi-chik.
Die am meisten starken, die am meisten guten, die am
meisten heiligen die Jäger sind.
Und die Jäger verbreiten sich und werden Nordlinge,
Ostlinge, Südlinge, Westlinge.«

Rafinesques Tugenden artikulieren sich häufig an derart falscher Stelle. Seine zweibändige *Medical Flora* ist aus medizinischer Sicht aller Wahrscheinlichkeit nach geradezu gefährlich. (In einer nüchternen Rezension von damals steht: »Wie düster müssen die Zeiten sein, dass aus einem gelehrten Kopf ein solcher Apothekenmörser wird.«) Aber gleichzeitig ist dieses Werk auch voll von gründlich durchgearbeiteter, strenger Volkskunde. Auf seinen geschätzt achttausend Meilen langen »botanischen Reisen« befragte Rafinesque Indianer, Sklaven und arme Weiße über ihre Anwendung von Kräuter- und Wurzelheilmitteln – bei Schlangenbissen, bei Krebs. Und ich habe auch noch gar nicht erwähnt, dass seine Rassentheorien so fortschrittlich waren, dass sie fast futuristisch anmuten. Noch nie ist klar und deutlich herausgestellt worden, dass Rafinesque der erste Mensch aller Zeiten war, der in einem Druckerzeugnis bestritten hat, dass »Rasse« als biologisches Konzept eine Gültigkeit habe. »Als wie nutzlos haben sich diese Kategorisierungen und Dispute über Hautfarben und Neger erwiesen«, schreibt er. »Es ist ja zweifelhaft, was überhaupt ein Neger ist! Denn es werden schließlich Menschen aller Farben und Schattierungen für Neger gehalten, mit wolligem oder langem oder seidigem Haar, mit hässlichen und schönen Gesichtszügen etc.« Er bekannte, nie »Wissen verschmäht zu haben, nur weil es mir aus ungehobeltem Mund vermittelt wurde«. Im Ergebnis bewahrte er vieles, das wertvoll ist.

Man darf ihm nur nicht zuhören, wenn er über seine Arbeit spricht. Er hat sie selbst nicht verstanden. Er hatte gar nicht die Zeit dazu. Sein »großes Poem«, *The World: Or, Instability*, ist als Gedicht rührend unbeholfen, aber die endlosen, das eigene Vorgehen erklärenden Schlussbemerkungen im Anhang, die dem *Wüsten Land* um hundert Jahre vorausgingen, gehören zu seinen besten Schriften. Er fantasiert darin von »wie ein Boot oder eine Spindel, ein Fisch oder ein Vogel geformten« Heißluftballons mit Segeln und Dampfkraft. Hier fordert er das Ende des Privateigentums an Grund und Boden und die Rückkehr zur Allmende. »Ich hasse den Anblick von Zäunen genauso, wie die Indianer es tun!«, schreibt er. Das seltenste seiner Bücher, *Annals of Kentucky*, besteht zum Großteil aus noch mehr Atalanten-Quatsch, aber die fünfseitige, qua Zeitsprung ins Präsens verfrachtete szenische Nacherzählung der geologischen Entstehung von Kentucky ist ein Prosa-Diamant: »Der salzige Ozean bedeckt das ganze Land ... Durch die Tätigkeit unterseeischer Vulkane bilden und vermischen sich die Kohle-, Lehm und Amygdalin-Schichten ... Das Cumberland- oder Wasioto-Gebirge erhebt sich aus dem Meer.« Unter all den Seelen, die in seiner Brust wohnten, ist es Rafinesque, der Schriftsteller, den es noch kennenzulernen gilt. Wie Conrad oder Isak Dinesen machte er sich die leichte Ungenauigkeit seines ausländischen Tonfalls zunutze und fand wirkungsvolle Bilder, auf die Muttersprachler nicht gekommen wären. Als Warnung an zukünftige Arbeiter im empirischen Außendienst schrieb er: »Sie mögen über eine ungesunde Gegend reisen oder in einer kränklichen Jahreszeit, sollten Sie dabei nicht sehr vorsichtig sein, mögen Sie auf der Straße krankfallen und ohne Hilfe werden.«

Beim Lesen dieses Satzes fällt mir ein, dass Josephine, die »treulose« sizilianische Gattin, offenkundig die letzte Frau war, mit der Rafinesque das Bett länger als eine Stunde geteilt hat. Er überlebte diese Ehe allerdings um fünfundzwanzig Jahre, und er war zweiunddreißig, als sie zu Ende war. Er hatte einen merkwürdigen Körper. Seine Hüften waren breit, er war sehr muskulös, dabei aber untersetzt. Nackt sah er vielleicht so aus wie Harvey Keitel in *Das Piano*, aber mit einer riesigen Stirn, einer so großen, so hohen Stirn, dass die Leute in Kentucky sich nicht einig werden konnten, ob er »eher kahlköpfig« war oder doch »einen vollen Schopf Haare« hatte. Ein Reporter, der ihn während seiner ersten Amerika-Reise in Philadelphia traf, bezeichnete ihn als »grotesk«. Immerhin Audubons Frau und Tochter waren nett zu ihm. Er wurde der exzentrische Onkel der Familie. Kleine Verschreiber – *drownded* statt *drowned* (ertrunken), *unic* statt *unique* (einzigartig), *condamned* statt *condemned* (verurteilt) – geben Hinweise auf den barthaarzwirbelnden, bühnenhaft französischen Akzent, der die Mädchen so erfreute.

An der Bootsanlegestelle fiel Audubon »ein gewisser Grad an Ungeduld in seiner Bitte« auf, »sofort sehen zu dürfen, was ich hatte«. Daher »öffnete ich meine Mappen und legte sie vor ihn hin«.

Rafinesque übte Kritik, »was für mich von größtem Vorteil war«, schreibt Audubon, »denn da er sowohl mit der Natur als auch mit Büchern überaus vertraut war, war er durchaus geeignet, mir Rat zu erteilen«.

Alle Amerikaner sollten in Audubons *Ornithological Biography* das Kapitel über die idyllischen drei Wochen lesen, die die beiden 1818 in Hendersonville verbrachten; sie sind unser Gauguin und unser van Gogh, nur nicht ganz so verrückt. Audubon schreibt: »Wir lustwandelten gemeinsam im Garten.« Sie redeten und redeten. Oder sie schwiegen. Sie spazierten durch die Wälder oder suchten Muscheln im Fluss. Audubon schaffte es sogar, Rafinesque zum Branntweingenuss zu überreden. Dafür musste er ihn allerdings bis zur Herzrhythmusstörung erschrecken: Er führte ihn zur Schnepfenjagd in ein kilometertiefes Schilfdickicht, wo es dunkel und stürmisch wurde, wo sie von einem Jungbären gestreift wurden, das Schilf in der drückenden Schwüle wie Gewehrschüsse knallte und wo »sich verwelkte, am Röhricht hängende Blatt- und Rindenpartikel an unsere Kleidung hefteten«. Wie Schuppen. Jetzt waren sie die Fische! Audubon war mit Daniel Boone zur Jagd gegangen und konnte über solche Abenteuer nur lachen. Rafinesque hatte ein einziges Mal einen Vogel abgeschossen. Diese »Grausamkeit« verwand er nie. Audubon zog also seinen Flachmann hervor. Rafinesque trank, zuckte zusammen, entleerte seine Taschen dann von »Pilzen, Flechten und Moosen, die er in sie hineingestopft hatte«, und »ging dreißig, vierzig Yards deutlich würdevoller weiter«.

Als sie wieder sicher zu Hause waren, machten sie sich über kalten Braten her. »Ich hörte ihm mit derselben Freude zu, mit der Telemachos Mentor gelauscht haben muss«, schreibt Audubon. Es war heiß, sie öffneten das Fenster; die Kerze zog Motten an. In unserem Stillleben sitzen die Messrs. Rafinesque und Audubon am offenen Fenster am Tisch, mitten in der Nacht, 1818 in Kentucky, an einem Ort, dessen Name den Einwohnern zufolge »dunkler, blutiger Grund« bedeutet, wahrscheinlich aber einfach nur für »Weideland« steht. In einem Kauderwelsch aus Englisch und Französisch machen sie Witze über Insekten, in einer Sommernacht, wie alle Bewohner von Kentucky sie kennen – in der erfrischend feuchten Luft, die auf ein Gewitter folgt. Beim Blick hinunter auf die Wälder, die die beiden wie ein sternenloser Ozean umgeben, könnte man sie für die einsamsten Menschen der Welt halten, aber eigentlich erleben sie einen Moment seltener Freiheit. Im Innern ihrer kegelförmigen Kerzenflamme liegt Paris. Audubon greift nach einem großen Käfer und wettet, dass er einen Kerzenleuchter auf seinem Rücken tragen könne. »Zeuge dieses Experiments zu werden, sollte mir durchaus gefallen, Mr. Audubon«:

»Es wurde durchgeführt, und das Insekt lief hierhin und dorthin und schleppte seine Last, was aussah, als wechsle der Kerzenleuchter wie von Zauberhand die Position. Dann aber erreichte es die Tischkante, fiel zu Boden, breitete die Flügel aus und entfloh.«

Noch vor Anbruch der Morgendämmerung wurde Audubon von lautem Getöse geweckt. Als er in Rafinesques Zimmer stürzte, traf er den kleineren Mann an, wie er nackt durch die Dunkelheit hechtete und dabei nunmehr den Hals von Audubons Stradivari in der Hand hielt, die er beim Versuch, kleine Fledermäuse zu betäuben, in Stücke gehauen hatte. Die Fledermäuse hatten Insekten an seiner noch immer brennenden Kerze fressen wollen. Rafinesque war »überzeugt, dass sie zu einer ›neuen Spezies‹ gehörten«.

Einige Tage später verschwand er eines Abends ohne ein einziges Wort. Er bestieg wieder die Arche. »Wir standen seinen Sonderbarkeiten ohne Wenn und Aber versöhnlich gegenüber«, schreibt Audubon, »und hofften, dass sein Aufenthalt von langer Dauer sein möge«.

»In jedem Menschen müssen wir den Bruder sehen,
Den Mitreisenden auf dieser traurigen Kugelerde,
Auf dass er uns als solcher lieb werde.«
(aus einem von Rafinesques Gedichten)

Aber sogar der gastfreundliche Audubon mit seinem großen Herzen hatte nicht widerstehen können, sich einen kleinen Scherz auf Rafinesques Kosten zu erlauben. Oder besser gesagt, in seiner Anwesenheit, blieb Rafinesque doch sein Leben lang unempfänglich für offenen Spott und fürchtete lediglich geheime Verschwörungen. Aus Spaß jedenfalls erzählte Audubon ihm von Fantasiefischen, die der gutgläubige Rafinesque sofort in seine ichthyologischen Unterlagen aufnahm; bei Wissenschaftlern, die den Ohio erforschen, lösen sie bis in die heutige Zeit immer wieder große Fragezeichen aus. Am meisten setzten Rafinesque jedoch seine Botanikerkollegen zu. Als er in der *Western Review* einen Aufsatz über die unterschiedlichen Arten von Blitzen in Kentucky veröffentlichte (es gibt fantastische Blitze in diesem Bundesstaat, auch Kugelblitze kommen hier häufig vor – mein Großvater hat sie als Junge gesehen), machte unter den Gelehrten folgender Witz die Runde: Haben Sie schon gehört? Rafinesque hat neue Spezies von Blitzen entdeckt! John Torrey schrieb: »Für ihn ist immer alles neu. Neu! Seiner Meinung nach gibt es keinerlei Pflanzen, die sowohl in Europa als auch in Amerika verbreitet sind.«

Dennoch sah er bereits vieles von dem, was auch Darwin sehen sollte, er hatte instinktiv die Antennen für ein Wissen, das Darwin dereinst zu Ruhm gereichen würde. Ich behaupte das nicht einfach so, das lässt sich belegen. In der *Entstehung der Arten* würdigt Darwin selbst Rafinesque als Wegbereiter. Wenn auch etwas widerwillig, so zitiert er doch einen Satz aus *New Flora and Botany of North America*. In einem Brief an einen Kollegen schreibt Darwin: »Auch wenn [Rafinesque] nur ein armseliger Naturforscher war, so hat er doch einen guten Satz verfasst über Arten und Var[ietäten], den ich in meinem historischen Abriss zitieren muss. Leider brauche ich die Daten sofort.« Der gute Satz war folgender: »Alle Arten sind möglicherweise einmal Varietäten gewesen, und viele Varietäten werden nach und nach zu Arten, indem sie konstante, ihnen eignende Merkmale entwickeln.«

In Wirklichkeit aber hatte Darwin nur eine sehr vage Vorstellung davon, wie weit Rafinesque schon gegangen war. 1832 schreibt Rafinesque in einem Brief an Torrey:

»Die Wahrheit ist, dass sich Arten und vielleicht sogar Gattungen in organisierten Lebewesen durch graduelle Abweichungen in der Gestalt, der Form und den Organen ausprägen, was im Lauf der Zeit passiert. Bei Pflanzen und Tieren gibt es eine Tendenz zu Abweichungen und Mutationen, die sich allmählich und in unregelmäßigen Abständen vollziehen. Das ist Teil des großen, universellen Gesetzes der andauernden Veränderlichkeit von allem. Darum ist es zwecklos, über neue Arten und Unterarten zu diskutieren oder zu streiten. Jede Varietät ist eine Abweichung, die sich zu einer eigenständigen Spezies entwickelt, sobald sie qua Reproduktion dauerhaft wird.«

Ein Grund, warum die Reichweite von Rafinesques Ideen in diesem Bereich so lange weder Darwin noch sonst wem bekannt war, ist darin zu finden, dass Rafinesque die kühnsten Formulierungen in seinen unlesbaren Gedichten beerdigte. Die Zeilen, die sich mit der Evolution beschäftigen, sind seine am wenigsten furchtbaren, da man ihnen anmerkt, wie er für einen kurzen Moment das Verseschmieden sein lässt und zu denken beginnt: »Wie ein Baum mit vielen Zweigen bringen die / Meisten Gattungen die verschiedensten Sorten / Oder Arten hervor; Varietäten erst, wie sich / Entfaltende Knospen, die dann zu Arten werden und / Im Alter zu der ihnen eigenen Form finden.«

Der ihnen eigenen Form – man kann geradezu sehen, wie die Nadel hier auszuschlagen beginnt. Genauso bei den »konstanten Merkmalen«, in dem Satz, auf den Darwin verwies. Rafinesque stand kurz davor. Oft kann man ihm, wenn er sich dieser Frage nähert, dabei zusehen, wie er – mit einer plötzlichen Überfülle bedeutungsloser, wohlklingender Adjektive – den bruchstückhaften Umriss einer Antwort zeichnet. Zum Beispiel, wenn er über »die natürliche Evolution von spontanem Pflanzenleben« schreibt, »die sich in großer Weisheit durch die Zeitalter vollzieht«. Oder über »feste Gestalten und Gestalten, die beim Hervorbringen von Rassen oder Nachkommen veränderlich sind, bis sie über wichtige Merkmale, die sie in Dauerhaftigkeit, Vielfalt der Individuen oder Isolierung in unterschiedlichen Klimazonen vereinen, einen spezifischen Rang bekommen«. Unterschiedliche Klimazonen! Er war wirklich fast am Ziel – allerdings wird das Innere dieses Umrisses für immer vernebelt bleiben.

Zu wissen, wie weitblickend er war, wie nah am äußersten Rand des intellektuellen Universums er sich bewegte und wie böse er sich trotzdem in die als gesichert geltenden Annahmen seiner Zeit verrannte, ist das Erschreckende, aber auch das Heroische an Rafinesque. Wir tun gut daran, eine Lehre in Sachen Bescheidenheit daraus zu ziehen. Es ist nur allzu menschlich, verwirrt zu sein. Kein anderes Tier hat jemals einen irrigen Gedanken über die Natur gefasst. Vor nicht allzu langer Zeit noch dachte man, die Erde sei sechstausend Jahre alt. Wer weiß schon, was heute unsere sechstausendjährige Erde ist? Auch wir sehen bisweilen den Wald vor lauter Bäumen nicht. In fünfhundert Jahren wird es zwei oder drei Dinge geben, die wir geglaubt und über die wir uns mit absoluter Gewissheit sehr ausführlich verbreitet haben, die die Menschen der Zukunft *zum Totlachen* finden werden. Rafinesque hat das Vorhandensein dieser blinden Flecken mit seinen ausgezeichneten, schutzlosen Nerven gespürt, schaffte es aber dennoch nicht, ihnen auszuweichen.

Es gibt einige von Einsamkeit gezeichnete Schicksale, aber das Schicksal von Rafinesque steht ganz oben, es ist das Schicksal des in der Zeit verlorenen Genies, des Vorboten falscher Morgendämmerungen. Sein schönes, menschliches Hirn passte nicht ins 19. Jahrhundert. Er war ein Mensch des 18. Jahrhunderts. Dass er die Heilsbotschaft des Neuen verbreitete und man sich an ihn als einen Denker erinnert, der seiner Zeit allzu weit voraus war, dass er aber zugleich immer auch etwas verstaubt Gehrock-haftes hatte, das sind die zentralen Momente seiner Anziehungskraft. In einem der seltenen Blicke, die wir auf seine Kindheit erhaschen, sehen wir ihn alleine in der Bibliothek das *Spectacle de la Nature* lesen, eines dieser anonymen, unter Pseudonym verfassten oder sonst wie klandestin veröffentlichten Pamphlete der Aufklärung, die in Paris Mitte des 18. Jahrhunderts auftauchten. Das ist ein aufschlussreiches Detail. Wir bewegen uns im Milieu von Diderots *Encyclopédie*, einem Milieu des totalen Wissens und der allumfassenden *systèmes*. Hier wird Rafinesques Bewusstsein geformt – und mit der Hartnäckigkeit ausgestattet, die nur durch frühes, intensives Selbststudium entsteht. Er war nie auf einer Universität, nicht einen einzigen Tag. Ausweichend

schreibt er: »Ich sollte in die Schweiz gehen, auf ein Collège ...
aber dieses Vorhaben erfüllte sich nicht.« Stattdessen lebte er
abwechselnd bei seinen beiden adligen Großmüttern, die ihm
einredeten, er sei der schlauste Junge auf Erden und solle lesen gehen. Mit vierzehn brachte er sich selbst Latein und Griechisch bei, nicht, weil ein Privatlehrer das von ihm verlangte,
sondern weil er feststellte, dass er, um die Fußnoten zu verstehen, beide Sprachen brauchte. Seine Bücher hatte er zwar
selten griffbereit, aber Latein und Griechisch beherrschte er
absolut fehlerfrei. (In einer alten ornithologischen Zeitschrift
findet man folgende Randbemerkung: Ein Feldforscher krit-
telt in der Annahme, es handele sich um falsches Griechisch,
an einem von Rafinesques Gattungsnamen herum (*Helmithe-
rus* [Laubsänger]); da meldet sich ein anderer Fachmann zu
Wort, der den Vorwurf entkräftet, indem er darauf hinweist,
der Nominativstamm sei zwar ungewöhnlich, wäre allerdings
auch von Aristoteles bevorzugt worden.

Hätte Rafinesque eine ordentliche theoretische und praktische Ausbildung genossen, so wäre diese in die Jahre um
1800 herum gefallen, in die Zeit also, in der die wissenschaftliche Spezialisierung, wie wir sie kennen, allmählich kodifi-
ziert wurde. Die Abermillionen philosophischer Projekte, die
von der Aufklärung angestoßen wurden, brachten im Westen die erste überwältigende Flut an Datenmaterial hervor,
insbesondere im Bereich der Naturgeschichte. Wer sich auf
einem Feld wirklich auskennen wollte, musste sein Wissens-
gebiet nun deutlich einschränken. Rafinesque verschlief den
Alarm, der diese Veränderung in der Matrix ankündigte. Er
trat auf den Plan und wollte immer noch alles wissen, wollte
ein Synthetisierer sein. Er verkannte, dass die Zeiten nach sau-
berer, präziser, empirischer Datenerhebung riefen. Seine Bücher, so gab er verschroben bekannt, seien fürderhin als Ein-
zelbände eines Lebenswerkes zu begreifen, den *Annales de la
Nature*. Tief in seinem Inneren sitzt er immer noch in der

großmütterlichen Bibliothek. Und dann geht er nach Amerika, wo die Überfülle an nicht klassifizierten Lebewesen, welche diese methodologischen und begrifflichen Umbrüche überhaupt erst mit ausgelöst hatte, nur auf ihn wartet. Er hätte auch Morgenrock und Turban tragen können, als er Dinge äußerte wie: »Die Vielzahl der Klänge, die [Donner] hervorruft, kann schwerlich auf eine beschreibende Aufzählung verkürzt werden: Damit will ich sagen, dass ich das zu einem anderen Zeitpunkt versuchen werde.« Er zerbrach an der Neuen Welt, und uns bleiben diese großartigen Bruchstücke. Rafinesque wusste mehr, aber sein Wissen blieb lückenhaft. Seine Konkurrenten wussten weniger, aber ihr Wissen war solider.

Er erfindet das Wort *Malakologie* (Weichtierkunde). Er erfindet die bis heute gebräuchliche Bezeichnung *Taíno* für jene Inselbewohner der Karibik, auf die Kolumbus stieß. Er erhält den Titel »Vater der amerikanischen Myriapodologie« (Tausendfüßerlehre). Er wird der erste Mensch, der begreift, was Staub ist, nämlich etwas, das zu großen Teilen aus der Atmosphäre stammt.

1831 schreibt er einen philosophischen Zirkel in New York an und schlägt die Gründung eines »Kongresses Friedvoller Nationen« vor. Danach schreibt er einen offenen Brief an die Cherokee, in dem er ein Jahrzehnt, bevor genau das wirklich geschieht, davor warnt, man werde sie bald gewaltsam gen Westen vertreiben.

Schon 1821 hatte er in Lexington, Kentucky, folgende Mahnung veröffentlicht, die er als Sinnspruch von Benjamin Franklin zu verkaufen suchte (was nicht stimmt – ich habe überall nachgesehen): »Landwirtschaft betreibende Nationen! Duldet keine Sklaven unter euch; die Erde ist ein Geschenk Gottes, sie muss von freien Händen bestellt werden.«

Sein Gefasel über die Atalanten mag so wahnsinnig klingen wie das Gebrabbel verwirrter Propheten in der U-Bahn, er bleibt doch der einzige Forscher, der sich ernsthaft mit den

Erdhügeln von Kentucky beschäftigt hat, ohne sie dabei zu beschädigen. Er machte keine Ausgrabungen. Er wusste, dass im Inneren Grabbeigaben waren, fand es aber wichtiger, das Äußere so exakt wie möglich zu beschreiben und den Rest zu bewahren. Er freute sich auf den Tag, an dem »unsere Pyramiden und Monumente besucht werden wie die ägyptischen«. Hätte man diese Philosophie ernst genommen, hätte sie eine größere Wirkung entfaltet als alle anderen archäologischen Ansätze, die im Amerika des 19. Jahrhunderts formuliert wurden. Das ist mein voller Ernst: Immerhin können wir den meisten Erdhügeln mit unserem Bodenradar und unserer Kohlenstoffdatierung nicht zu Leibe rücken, weil sie von Leuten zerstört wurden, die beweisen wollten, dass die Indianer eigentlich Hebräer sind. Rafinesque wollte die Hügel nur ansehen.

Als er nach seinem Aufenthalt bei Audubon in Lexington strandete, wo ihm die Transylvania University für fünf Jahre eine Honorarprofessur für Naturwissenschaften gab, ließ man ihn dort nicht *Materia medica* unterrichten, weil er sich weigerte, Leichen aufzuschneiden.

In dieser Zeit kam er ins Haus meiner Urururururgroßeltern Luke und Ann Usher. (Als ich das erfuhr, war ich über Jahre von ihm fasziniert). Die Ushers arbeiteten als Verwalter an der Universität, was bedeutete, dass sie auf dem Campus eine Pension für Studenten von außerhalb betrieben. Rafinesque hatte dort im ersten Jahr seiner Anstellung ein Zimmer. Einer seiner Studenten hinterließ eine bewundernswert lebendige Beschreibung:

»Er trug weite niederländische Hosen mit einem sehr eigentümlichen Muster, Hosenträger dagegen nie. Wenn die Vorlesung voranschritt und er sich ins Thema hineinarbeitete, geriet er in Wallung, warf seinen Mantel ab, seine Weste rutschte hoch und machte Platz für die schwellende Fleisch-

masse und das weiße Hemd, das nach einer Fluchtmöglich-
keit suchte. Seinem Erscheinungsbild und dem Amüsement,
das er auslöste, schenkte er keinerlei Beachtung und nahm
außer seinem Thema nichts um sich herum wahr.«

In Lexington wurde er außerordentlich fett. Wahrscheinlich
trägt meine Urur... – wahrscheinlich trägt Ann die Schuld dafür. Sie war ebenfalls sehr dick, und genauso erging es Luke
(der von »falstaffscher Gestalt« war, wie man sich der Überlie-
ferung nach auszudrücken pflegte). Sie war bekannt dafür,
den Leuten ihren Plumpudding gewaltsam aufzuzwingen. Nach
diesem Jahr findet man in Beschreibungen von Rafinesque
erstmalig das Wort *korpulent*.

Vielleicht war es gerade diese familiäre Verbindung, weshalb ich lange eine enge Vertrautheit empfunden habe mit
dem »Zimmer inmitten des Campus«, in dem Rafinesque in
den Jahren 1821/1822 gelebt hat. Wenn man seine Schriften
liest, spürt man es unweigerlich: Dieses Zimmer ist der einzige
Ort, an dem er sich offenkundig wohlfühlt; er blickte sich um
und wurde des Umstands gewahr, dass er in einer menschlichen Behausung lebte. Da er als Naturforscher ständig Listen
und Notizen machte, wissen wir viel über diesen Raum, an den
ein Absolvent sich als »eine mit Schmetterlingen, Käfern und
wunderlichen Dingen aller Arten gefüllte Kuriosität« erinnert.
Briefe des New Yorker Gouverneurs DeWitt Clinton und Jeffersons, mit dem Rafinesque wieder in Kontakt getreten war,
lagen – Hoppla! – auffällig am Rand des Tischs. Die am wenigsten hundserbärmliche der dort in Stapeln auf die Korrektur
wartenden Hausarbeiten war die des jungen Magisters Jefferson Davis, der nach seiner Inhaftierung durch Lincoln im Jahr
1866 seinen Arzt in der Festung Monroe ersuchen wird, ihm
einige Bände zu »Muschelkunde, Geologie oder Botanik« zu
beschaffen, wünsche er doch, sich mit Interessen aus unschul-
digeren Tagen zu befassen. Auf dem Sims vor Rafinesques Süd-

westfenster ist nah am rechten Rahmen – so dass die Sonne nie direkt darauf scheint – ein von Frederic Houriel in Paris angefertigtes Metallthermometer angebracht, das das ganze Jahr hindurch still und leise Wissen liefert. Da sind Geräusche: »Am 11. hörten wir die ersten Frösche ... Am 25. waren die Amseln schon sehr laut.« Wir sehen der Vegetation zu: »Das Gras fängt an zu wachsen und ist schon recht grün ... Die Kätzchen der Pyramidenpappel kommen schon langsam heraus.« Dann gibt es »am Morgen des 29. bemerkenswerten Raureif«. Die ausgebreitete, mit Tinte gezeichnete Karte einer indianischen Ausgrabungsstätte möchte sich wieder einrollen, wird aber an zwei gegenüberliegenden Ecken von Papierbeschwerern aus fossilem Gestein niedergehalten, auf der dritten Ecke liegt ein Vergrößerungsglas und auf der vierten ein vollkommen glattes, wie aus einem Guss wirkendes Stück aschgrauen Kalksteins, das auf seiner flachen Bruchseite ruht.

Mit einem dicken Stift hockt Rafinesque gebückt über den Fahnen der ersten und einzigen Ausgabe der *Western Minerva*, eines von ihm ins Leben gerufenen Journals, dessen Erscheinen von einer, so beschreibt er es gegenüber Jefferson, »*cabale nouvelle del ignorance contre les lumières*« unterbunden wird, noch bevor es die Druckerei verlässt. Die beiden erhaltenen Exemplare sind hauptsächlich eine Zeitkapsel voll von Rafinesques erstaunlicher zwischenmenschlicher Unausstehlichkeit, die er immer an den Tag legte, wenn er sich unangemessen behandelt fühlte, was aus seiner Sicht in Lexington der Fall war, einer Stadt, die ihm mehr Respekt entgegenbrachte als jede andere auf der Welt und die ihm die einzige richtige Anstellung seines Lebens gab, wo er aber – wie überall – erwartete, dass man ihm jederzeit mit gezückten Griffeln und Schreibtafeln hinterherlief. Trotz alledem gründete er in dieser Stadt mehrere Vereine und einen botanischen Garten, außerdem hielt er öffentliche Vorlesungen über Naturwissenschaften. Die Menschen strömten scharenweise zusammen, um seinen Vortrag über »Die Geschichte der Ameisen« zu hören, von denen er berichtete, sie hätten »Anwälte, Ärzte, Generäle, Soldaten und ... große Schlachten«. Trotzdem verhöhnte er die Stadtbewohner als »fahrende Ritter und Sanchos«. Er ging auf ihre Feste und lachte sich über die ungeschlachten Tänze tot, beklagte, dass man immer in kleinen Grüppchen zusammenstünde, so dass »niemand sich zu seinem Vorteil hervortun kann ...«, denn die Chancen stehen zehn zu eins, dass das beste Bonmot nur von zwei Nebenstehenden gehört wird«. (Im 18. Jahrhundert wäre das anders gewesen.)

Er glaubt, dass die *Minerva* dem noch jungen Westen Nordamerikas den Funken der Aufklärung bringen wird. In den frühen Morgenstunden sitzt er da und geht die Druckfahnen durch. Die bedrohlichen Schritte der Studenten hinter seiner Tür sind verstummt, und die Einzige, die ihn jetzt womöglich noch stört, ist mein Urömchen, das fragt, ob er Kaffee und Maismehlkuchen möchte.

Rafinesque verbrauchte zu viele Kerzen. Einmal beschwerte sich die Universität tatsächlich darüber, wie viel sie Luke dafür bezahlen müsse. (Dieselbe Universität, die für Rafinesque sicherlich irgendwo eine freistehende Blockhütte hätte auftreiben können.)

Müde reibt er sich die »feinen schwarzen Augen«. Er kommt ans Ende des Hefts. Dort steht ein von ihm verfasstes Gedicht, dem er den Titel »An Maria. Die mich fragte, ob es mir nicht gefiele, in einem Häuschen zu leben« gegeben hatte. Es ist das einzige seiner Gedichte, das er mit »Constantine« unterschrieben hat statt mit einem geckenhaften Künstlerpseudonym. Die Leser in Lexington hätten gewusst, dass »Maria« Mary Holley war, die Ehefrau des Universitätspräsidenten Horace Holley. Sie stand einem Salon vor, dem Rafinesque für gewöhnlich beiwohnte, obwohl er ihren Ehemann nicht ausstehen konnte, seinen Vorgesetzten – und Rivalen, denn in Mary hatte Rafinesque seinen philosophischen Engel gefunden. Für eine Frau, die zu jener Zeit westlich der Appalachen lebte, war sie schockierend versiert und gebildet. In ihrem späteren Leben verfasste sie eine Geschichte von Texas, von der es heißt, sie sei damals die mit Abstand wichtigste Schrift gewesen, um Menschen dazu zu bewegen, noch vor dem Bürgerkrieg die Wanderung dorthin anzutreten. Sie kümmerte sich darum, dass Rafinesques Haar gebürstet und der Schmutz der Höhlenexpeditionen aus seinen Kleidern gewaschen wurde. An vielen Tagen aß er gemeinsam mit den Holleys zu Abend, wobei er sich zweifelsohne weigerte, Horace in die Augen zu sehen. Es war wohl eine dieser Geschichten. Wenn Mary sagte: »Oh, wie ich Sie bewundere, Monsieur Rafinesque«, wollte sie sagen, wie sehr sie seinen Verstand schätzte. Er hingegen hörte etwas wie: »Helfen Sie mir, dieser Kröte zu entkommen, befreien Sie mich, damit ich Ihnen Ihre genialen Erben gebären kann.« Jedenfalls hatten sie sich in diesem mehrdeutigen Spiel mit dem Wort *Liebe* wohlig eingerichtet, weswegen er sich auch die Frechheit erlaubte, ihr diese Verse zu widmen.

Er richtet sich auf. In der letzten Zeile ist ihm ein Fehler aufgefallen, da, wo es heißt: »Wir werden die Freuden der Liebe füllen und ihre Kraft besingen.« Es sollte »fühlen« heißen. Er vermerkt die Korrektur. Man kann sie in seinem fetten, dunklen Bleistiftstrich noch sehen auf einem der beiden *Minerva*-Exemplare, die das Einstampfen überlebt haben. Aber ihm entgeht etwas. Weiter oben übersieht er einen sehr viel schwerer wiegenden Fehler, einen Fehler im Titel, wo es heißt: »An Maria, die mich fragte, ob es mir nicht gefiele, in einem Häuschen zu lieben.« Fraglos hatte sie von ihm wissen wollen, ob er sich nicht gut vorstellen könne, in einem Häuschen zu *leben*.

Plötzlich klang das ganze Gedicht anders – oder sehr viel eher nach dem, was es eigentlich war. »Begeben wir uns dahin, wo plätschernde Bächlein quellen«, geht es weiter, »mit eins werdenden Herzen teilen wir ein zartes Glück.« Es muss Rafinesque schlecht geworden sein, als er am nächsten Morgen hörte, ein Satz Fahnen sei durchgesickert, und im Aufblicken schon die »Sophisten, Aristarchen und Maulwürfe« näher kommen sah. Deutlich sichtbar steht am Anfang des Lyrik-Teils eine stark gefettete Randbemerkung von ihm: »Ich muss eine weitere Fahne sehen!« Diesmal war es nicht sein Fehler. Trotzdem bot er auch weiterhin Angriffsflächen. Von diesem Moment an äußerte sich Rafinesque nur noch bösartig über Horace Holley und die Transylvania.

1825 begab er sich auf eine mehrmonatige Reise, um zu botanisieren und zu einem Treffen der Academy of Natural Sciences in Philadelphia zu fahren, wo er auch gesehen wurde und als »einigermaßen korpulent« in Erinnerung blieb. Als er nach Lexington zurückkehrte, musste er feststellen, dass Horace Holley – der wie die meisten vernünftigen Menschen dort angenommen hatte, er sei tot –, »um seinen Hass gegen Wissenschaften und Entdeckungen kundzutun …, meine Gemächer aufgebrochen, das eine Zimmer einem Studenten gegeben und all meine Habseligkeiten, Bücher und Sammlungen in dem anderen auf einen Haufen geworfen hatte«.

Rafinesque machte sich aus dem Staub, wobei er »das College und Holley mit Flüchen beladen verließ«. In seinen Memoiren vermerkt er mit nicht gerade sympathischer Genugtuung, sein Fluch habe wohl gewirkt, denn »das College ging 1828 mit all seinem Inventar in Flammen auf«.

1924 wurden Knochen, die man für die Rafinesques hielt, von einem anonymen Grab im Stadtzentrum von Philadelphia zurück zur Transylvania verbracht, wo man sie in einer würfelförmigen Betongruft in Old Morrison Hall, dem alten Speisesaal der Universität, beisetzte.

Im Januar 1969 begann für meine Mutter das zweite Semester ihres ersten Jahres an der »Transy«. In diesem Monat brannte Old Morrison Hall bis auf die Grundmauern nieder. Nur der Betonquader und die Bronzetafel mit der Inschrift »EHRE, WEM EHRE SCHON LÄNGST GEBÜHRT HÄTTE« blieben unbeschädigt.

1987 wies Charles Boewe, der führende Rafinesque-Experte unserer Zeit, zur Freude der meisten dem Plausiblen zugetanen Menschen nach, dass die Knochen in Rafinesques Grab einer zweiundsechzigjährigen Almosenempfängerin namens Mary Passamore gehörten, die 1847 an der Schwindsucht starb. Man hatte bei der Exhumierung in Philadelphia nicht tief genug gegraben.

Die Jahre in Philadelphia wurden zu einem langen Niedergang, unterbrochen von Anfällen manischer, ergebnisloser Aktivität. Rafinesque versuchte, in Illinois eine utopische Gemeinschaft zu gründen. Er versuchte, Geld aufzutreiben für eine Schiffsreise um die Welt, bei der er wie später Darwin auf seiner *Beagle*-Expedition Proben und Präparate sammeln wollte. Natürlich entschlüsselte er in diesen Jahren noch das »Punkt-Strich-Zahlensystem« der Maya-Glyphen. Allerdings wurde sein Aufsatz zu diesem Thema derart umfassend ignoriert, dass ein französischer Abt, der von Rafinesque noch nicht einmal gehört hatte, vierzig Jahre später einen Gutteil seines Lebens damit zubrachte, die Zählweise erneut zu knacken. (Völlig korrekt hat Rafinesque auch vorausgesagt, dass die Maya-Schrift irgendwann entschlüsselt werden würde, wenn es gelänge, sie mit einer in Teilen Mexikos noch immer gesprochenen Sprache in Verbindung zu bringen. Einer seiner herzergreifenden Briefe, die er vom Totenbett aus schrieb, ging an John Lloyd Stephens, den Regierungsbeauftragten für Maya-Angelegenheiten, den er um ein Entgegenkommen anflehte: anzuerkennen, dass er schon Jahre vor Stephens selbst den Ansatz mit der lebendigen Sprache verfolgt habe. Stephens unternahm nichts dergleichen.)

Seine Briefe werden trauriger und trauriger. Er bittet um Geld; in einem Brief bittet er gar um eine Kaution. In einer letzten, quälend vielversprechenden Äußerung zum Thema Evolution schreibt er an Torrey: »Mein letztes Buch zur Botanik

wird, sollte ich noch leben, genealogische Tabellen der allmählich sich vollziehenden Abweichungen beinhalten, die zu
tatsächlich neuen Spezies geworden sind. Sollte ich zur Durch-
führung nicht mehr in der Lage sein, zollen Sie mir doch den
Respekt und machen es selbst, nach dem Plan, wie ich ihn Ihnen umreiße.«

Er schrieb seiner Tochter Emilia und bat sie, zu ihm zu kommen. Sie antwortete mit freundlichen, exaltierten Briefen, in
denen im Grunde stand: »Wer sind Sie?«

Er wandte sich an die Nation der Cherokee und wollte wissen, wie sein Name in ihrer Sprache ausgesprochen würde.

Sie schrieben zurück. »La-hwi-ne-ski« lautete die Antwort.

Hat er Mary Holley je vergessen? Ist sie diejenige, von der
eines seiner späten Gedichte handelt?

»Doch als es sah die holde Maid sich um den
Kranz des Dichters winden, ein grausam' Schicksal schnell
beschloss:
Sie werde ihm entrissen.
Seitdem er wandert einsam durch sein Leben; und sinnt,
die Einsamkeit sich zu versüßen, indem er Geistes Blüten
pflückt.«

Man muss davon ausgehen. Sie ist die einzige Frau, zu der der
amerikanische Rafinesque, soweit uns bekannt, eine zärtliche
Beziehung pflegte, wenn auch eine der, wie er es formulierte,
»glanzlosesten« Art. Wir wissen, dass er während der Jahre
in Philadelphia den Kontakt zu ihr hielt, denn ihr Name, »Mary
Holley, geborene Snowden«, findet sich auf einer Liste seiner
botanischen Briefpartner. Wer weiß, was sie gemeinsam erlebt hatten – ganz sicher eine Art mystischer Hochzeit. In seinem Testament überantwortete er seine unsterbliche Seele
»dem Allwaltenden Herrscher über die Millionen von Welten,
die sich durchs All bewegen«. Auf ihrem Totenbett in New Or-

leans stieß Mary Holley mit ihrem letzten Atemzug hervor: »Ich sehe Welten auf Welten, die im Weltall herumrollen. Oh, es ist wunderschön!« (Ihre letzten Worte waren die besseren. Die von Rafinesque waren nörglerisch oder erwiesen sich zudem als unzutreffend: »Letzten Endes lässt die Zeit allen Gerechtigkeit widerfahren.«)

Den Tod, der ihn qualvoll durch Magenkrebs ereilte, fürchtete er nicht. Denn die letzte auf der Liste seiner unterschätzten Tugenden ist, dass seine Naturwissenschaft auch eine wunderbare Metaphysik darstellt. Er war einer der ersten, der die Wiederentdeckung der Menschheit als Teil des Tierreichs in ihrer Bedeutung erfasste – als tatsächlich physischen Bogen, der die Zeitalter des materiellen Universums überspannte. »Die Natur macht keine Sprünge«, hatte Leibniz gesagt, einer von Rafinesques großen Helden. Wenn wir aber Teil der Natur sind, dann sind wir auf metaphysischer Ebene eins mit ihr, sind wir gleichbedeutend mit den allerfrühesten Mikroorganismen, die am Kraterloch eines Urmeervulkans eine erste Kette bildeten. Es gibt keinen Zauberstab, der sich vor dreihunderttausend Jahren herabgesenkt und uns in unserem wesenhaften Sein von der materiellen Welt, die uns hervorgebracht hat, getrennt hätte. Und das bedeutet wiederum, dass wir keine grundlegende Aussage über die Natur – weder über ihre Brutalität noch über ihre Schönheit – treffen und hoffen dürfen, etwas Wahres zu sagen, wenn das, was wir behaupten, nicht auch auf uns selbst zutrifft.

Das Gewicht dieser These wird erst dann klar, wenn wir sie umdrehen: Was auf uns zutrifft, trifft auch auf die Natur zu. Wenn wir ein Bewusstsein haben, wie unsere Spezies es entwickelt zu haben scheint, dann hat die gesamte Natur ein Bewusstsein. Vielleicht um sich selbst zu beobachten, entwickelte die Natur in uns ein Bewusstsein. Vielleicht trägt sie uns vor sich her und dreht uns zu sich um wie eine Krabbe ihre Stielaugen. Aus welchem Grund auch immer: Das Ding da draußen, mit seinen schwarzen Löchern, Sternennebeln und was nicht alles – es hat ein Bewusstsein. Man kann einfach nicht in den Spiegel schauen und das rational abstreiten. Es empfindet Liebe und Begehren – oder glaubt zumindest, das zu tun. Diese Vorstellung reicht schon, um den jüdisch-christlichen Kosmos einigermaßen altbacken aussehen zu lassen. Für Rafinesque zählte nur die harte Wissenschaft. Was dieses Ding, diese Welt, wirklich ist – wer weiß das schon. Es bleibt ein Rätsel. »Sie lebt ihr Leben nicht als Mensch oder Vogel«, schrieb Rafinesque, »sondern als Welt.«

Ein Rätsel ist kein Grund zur Verzweiflung. Die Ehrfurcht, die Rafinesques Vision in einem auslöst, liefert eine hinreichend stabile Basis für Ethik, Philosophie, Liebe und die Schlussfolgerung, dass ein vergängliches Bewusstsein besser ist als gar kein Bewusstsein, eben weil es in uns die Vorstellung von wunderbaren Dingen erweckt, von denen wir nichts wissen können und angesichts deren wir schlicht keine Ausrede dafür haben, nicht doch von einem Sinn auszugehen.

Rafinesque vervollkommnete seine Spielart dieser ehrenvollen Philosophie, während er in den Gärten meiner Kindheit botanisierte und Ruderalpflanzen untersuchte, die mir vertraut sind, seit ich mich erinnern kann. Deswegen habe ich diese Philosophie mit geringfügigen Änderungen von ihm übernommen. Als Religion funktioniert sie ausgezeichnet. Andere reden von Gott. Ich aber glaube, dass ich mit Gott zusammensitzen kann, dass Gott eine der Masken dieses Dings ist. Oder dass dieses Ding Gott ist.

Um Robert Penn Warren zu zitieren (der einen Teil seines besten Romans an der »Transy« des 19. Jahrhunderts spielen lässt): »Von welchem Standpunkt aus sollte dem noch widersprochen werden?«

TEXTNACHWEISE

Frühere Versionen der hier abgedruckten Texte erschienen erstmals in den im Folgenden angegebenen Publikationen.

»Nach Katrina« erschien unter dem Titel »Good-Bye to All That« in der amerikanischen Ausgabe des Magazins *Gentlemen's Quarterly* (Oktober 2005).

»Das finale Comeback des Axl Rose« erschien unter dem Titel »The Final Comeback of Axl Rose« in der amerikanischen Ausgabe des Magazins *Gentlemen's Quarterly* (September 2006).

»Füße im Rauch« erschien unter dem Titel »Feet in Smoke« im *Oxford American* (1999).

»Mr. Lytle« erschien unter dem Titel »Mister Lytle: An Essay« in *The Paris Review* (Herbst 2010).

»Hey, Mickey« erschien unter dem Titel »You Blow My Mind. Hey, Mickey!« im *New York Times Magazine* (8. Juni 2011).

»Auf diesen Rock will ich meine Kirche bauen« erschien unter dem Titel »Upon This Rock« in der amerikanischen Ausgabe des Magazins *Gentlemen's Quarterly* (Februar 2004).

»Der wahre Kern der Wirklichkeit« erschien unter dem Titel »Leaving Reality« in der amerikanischen Ausgabe des Magazins *Gentlemen's Quarterly* (Juli 2005).

»Michael« erschien unter dem Titel »Back In The Day« in der amerikanischen Ausgabe des Magazins *Gentlemen's Quarterly* (September 2009).

»In unserem Amerika« erschien unter dem Titel »American Grotesque« in der amerikanischen Ausgabe des Magazins *Gentlemen's Quarterly* (Januar 2010).

»Höhlen ohne Namen« erschien unter dem Titel »Unnamed Caves« in *The Paris Review* (März 2011).

»Geister des Blues« erschien unter dem Titel »Unknown Bards: The Blues Becomes Transparent about Itself« in *Harper's Magazine* (November 2008).

»Der letzte Wailer« erschien unter dem Titel »The Last Wailer« in der amerikanischen Ausgabe des Magazins *Gentlemen's Quarterly* (Mai 2011).

»Das Haus der Peyton Sawyer« erschien unter dem Titel »Peyton's Place« in der amerikanischen Ausgabe des Magazins *Gentlemen's Quarterly* (Oktober 2011).

»Das Treiben der Lämmer« erschien unter dem Titel »Violence of the Lambs« in der amerikanischen Ausgabe des Magazins *Gentlemen's Quarterly* (Februar 2008).

»LA·HWI·NE·SKI. Aus dem Leben eines exzentrischen Naturforschers« erschien unter dem Titel »La·Hwi·Ne·Ski: Career of an Eccentric Naturalist« in *ecotone* (Winter 2008).

S. 54: zitiert aus dem Gedicht »Auf unserer Erde«. Czesław Miłosz: Gedichte 1933-1981. In der Übertragung von Karl Dedecius und Jeannine Luczak-Wild, Suhrkamp 1995.

DANKSAGUNG

Der Autor dankt allen, die ihm – ob privat oder im Rahmen ihrer beruflichen Aufgaben – in Deadline-Zeiten (also den fünf Wochen vor und nach dem eigentlich verabredeten Termin) mit Güte begegnet sind. Seien Sie versichert, dass er seine Arbeitsweise komplett ändern würde – wenn er wüsste, wo sich das Bedienpult befindet.

Danke an alle Rechercheure, Redakteure, Korrekturleser und Grafiker, die dazu beigetragen haben, die ursprünglichen Zeitschriftenfassungen dieser Texte lesbarer zu machen. Das gilt insbesondere für alle Mitarbeiter

von Farrar, Straus and Giroux
von *GQ*
der Sewanee School of Letters
des Creative Writing Departments der University of North Carolina Wilmington)
der Agentur Wylie
des Dorothy and Lewis B. Cullmann Center for Scholars and Writers der New York Public Library
von Dimension Films
von *Harper's Magazine*
von *Oxford American*
von *Paris Review*.

Während der Autor die folgenden Namen in seine Tastatur tippt, wird er nach jedem einzelnen eine kurze Pause machen und sich noch einmal voller Herzlichkeit an seine spezielle

Dankesschuld erinnern: Daniel Anderson, Emily Bell, Clyde Edgerton, Carol Ann Fitzgerald, Devin Friedman, Ben George, Peter Ginna, John Grammer, John Gray, Pam Henry, Benicia Fraga Hernandez, Jack Hitt, Roger Hodge, Amos und Maria Johnson, Betsy Johnson, Chris and Becky Johnson, Jackie Ko, Lewis Lapham, Ben McGowan, Ben Metcalf, Jane Baynham Milward und die ganze Familie Milward, John K. Moore, Jr. Raha Naddaf, Woody Register, Ellen Rosenbush, Anna Stein, Jean Strouse, Beth Sullivan, Jen Szalai, Tom and Bibby Terry, Worth Wagers, Andy Ward, Matt Weiland, Kevin West, Sean Wilsey.

Zu guter Letzt und vor allem:

Jin Auh
Mariane Chloe Johnson
Joel Lovell
Wyatt Mason
Sean McDonald
G. Sanford McGhee
Jim Nelson
Jan Simek
Marc Smirnoff
Lorin Stein